La Clandestine

Michael Robotham

La Clandestine

Traduit de l'anglais par Stéphane Carn

ÉDITIONS FRANCE LOISIRS

Titre original : *The Night Ferry*.
Publié par Sphere, un département de Little, Brown Book Group, London.

Édition du Club France Loisirs,
avec l'autorisation des Éditions Jean-Claude Lattès.

Éditions France Loisirs,
123, boulevard de Grenelle, Paris.
www.franceloisirs.com

© Michael Robotham, 2007.
© Éditions Jean-Claude Lattès, 2008, pour la traduction française.
ISBN : 978-2-298-01175-3

*Pour Alpheus « Two Dogs » Williams,
mon mentor et ami.*

LIVRE I

« Quand le premier bébé a éclaté de rire pour la première fois, des milliers d'éclats se sont éparpillés de par le monde, et ce fut la naissance des fées. »

Sir James Barrie, *Peter Pan.*

1

Graham Greene disait que les histoires n'ont ni début ni fin. L'auteur choisit juste un moment, un point arbitraire d'où il se place pour regarder en amont ou en aval. Eh bien, cet instant, c'est maintenant, en ce beau matin d'octobre, à l'instant où le claquement métallique de ma boîte aux lettres m'annonce le passage du facteur.

Une enveloppe est tombée sur le paillasson, devant ma porte. J'en sors un petit rectangle de bristol qui dit à la fois tout et rien :

Chère Ali,
J'ai des ennuis. Il faudrait qu'on se voie.
À la soirée des anciens d'Oaklands, par exemple...
À bientôt, j'espère.
Cate.

Une vingtaine de mots. Juste assez pour une lettre de suicide, presque trop pour un avis de rupture. Je ne sais pas pourquoi elle a tant tardé à m'écrire, ni pourquoi elle choisit de le faire maintenant. En principe, elle me déteste – c'est du moins ce qu'elle

11

m'a abondamment répété, la dernière fois que nous nous sommes parlé, voilà huit ans. Le passé. Si j'avais du temps à perdre, je pourrais même vous donner la date et l'heure, mais ça n'a rien d'indispensable.

La seule chose qui ait son importance, c'est l'année – 1998. Ça aurait dû être un été mémorable, celui où nous avons dit adieu à la fac, où nous avons traversé l'Europe en stop toutes les deux, avec nos sacs à dos, où j'ai perdu ma virginité, non pas dans les bras du père de Cate, mais avec un certain Brian Rusconi. Au lieu de quoi, cet été 1998 restera pour moi le moment où elle a déserté ma vie et où j'ai quitté le nid familial – trois mois trop brefs pour contenir tous les événements qui s'y sont précipités.

Et voilà qu'elle veut me revoir. On a parfois l'étrange pressentiment qu'une histoire va commencer...

2

Le jour où on me chargera de réorganiser le calendrier, je me promets d'enlever une semaine à janvier et à février, au profit d'octobre, qui mériterait de compter quarante jours, sinon davantage.

J'ai toujours eu un faible pour cette période. Les touristes sont partis. Les enfants sont à l'école. Les programmes télé ne sont pas envahis par les rediffusions. On peut à nouveau dormir sous la couette. Ce que je préfère, c'est cette petite pointe de fraîcheur que l'on sent dans l'air matinal et l'absence totale de pollens. Je peux enfin ouvrir grand mes poumons et courir tout mon soûl.

Car je cours. Chaque matin, je fais trois fois le circuit de Victoria Park à Bethnal Green, c'est-à-dire plus de six kilomètres. Là, à l'instant, je viens de passer Durward Street, à Whitechapel. Le territoire de Jack l'Éventreur. Un jour, j'ai fait à pied le tour de ses repaires – une tournée des pubs du coin, pimentée d'histoires de fantômes. La victime qui m'a laissé le souvenir le plus vivace est la dernière : Mary Kelly, dont le jour de la mort correspond à celui de ma naissance, le 9 novembre.

On a tendance à surestimer l'ampleur du territoire sur lequel régnait l'illustre Jack – Spitalfields, Shoreditch et Whitechapel réunis, cela représente moins de trois kilomètres carrés – et pourtant, en 1880, plus d'un million d'âmes s'y entassaient, dans des taudis dépourvus d'eau courante et de systèmes sanitaires. Le quartier est toujours surpeuplé et pauvre, mais seulement si on le compare à des secteurs cossus, tels que Hampstead, Chiswick ou Holland Park. La pauvreté est une notion très relative dans un pays riche où les plus nantis sont les premiers à crier misère...

Sept ans ont passé depuis que j'ai couru pour la dernière fois sous les projecteurs d'un stade, un soir de septembre, à Birmingham. Je rêvais d'être sélectionnée pour les Jeux olympiques de Sydney, mais il n'y avait que deux places – quatre centièmes de seconde séparaient la première de la cinquième : un demi-mètre, une fraction de battement de cœur...

Désormais, je ne cours plus pour gagner. Je le fais par plaisir et parce que j'en suis encore capable. Je couvre le mile en moins de quatre minutes, c'est-à-dire assez vite pour que les images deviennent floues, aux limites de mon champ visuel. C'est ce qui explique que je sois là ce matin, à flirter avec l'asphalte. Des filets de sueur me dégoulinent entre les seins, plaquant mon tee-shirt à ma peau.

Dès que je cours, tout s'éclaircit. En général, je pense au boulot. Je me dis qu'aujourd'hui peut-être, ou alors demain, quelqu'un va m'appeler pour me proposer de réintégrer mon ancien poste...

Il y a un an, comme je participais à une enquête visant à retrouver la trace d'une petite fille disparue, l'un des kidnappeurs m'a précipitée contre un muret où je me suis fracturé plusieurs vertèbres. Après six opérations et neuf mois de rééducation, me revoilà au sommet de ma forme, avec plus d'acier dans les lombaires que la ligne de défense de l'équipe d'Angleterre. Mais mes supérieurs ne savent plus que faire de moi. Pour eux, je ne suis plus qu'un maillon faible, voire un rouage détraqué, dans le mécanisme de leur belle police londonienne.

En passant devant les bacs à sable, je remarque un type assis sur un banc, le nez dans son journal. Il n'a pas l'air de surveiller l'un des enfants qui escaladent les portiques autour de lui, et il a choisi le seul banc qui soit resté à l'ombre. Pourquoi ?

Il peut avoir dans les trente-cinq ans. Il est en bras de chemise, mais a gardé sa cravate. Il ne lève pas le nez sur mon passage. Il fait ses mots croisés. Quel genre d'homme peut bien venir faire des mots croisés dans le parc à une heure si matinale ? Un insomniaque – ou quelqu'un qui attend quelque chose...

Il y a encore un an, mon métier consistait à surveiller le comportement des gens. Je servais de garde du corps à des diplomates ou à des chefs d'État étrangers en visite. J'emmenais leurs femmes faire des courses chez Harrod. Je déposais leurs gosses à l'école. Ça devait être le poste le plus barbant de la police londonienne mais, en toute modestie, j'y excellais. En cinq ans de service dans le Groupe de Protection diplomatique, pas une seule fois je n'ai craqué sous la pression. Je n'ai jamais manqué un rendez-vous chez la manucure ou chez le coiffeur.

J'étais comme ces soldats qui montent la garde dans les dépôts de missiles en priant pour que le téléphone ne sonne pas.

À mon deuxième passage, dix minutes plus tard, le type est toujours là, le nez toujours dans son journal. Son blouson de daim est plié sur ses genoux. Il a des taches de rousseur et des cheveux châtains coupés de façon presque symétrique, avec la raie à gauche. Il tient son attaché-case de cuir serré sous son coude.

Un coup de vent fait s'envoler son journal, qui lui échappe des mains. En trois foulées, je l'ai rattrapé. Les pages viennent se plaquer contre ma cuisse.

L'espace d'une seconde, je le vois hésiter, prêt à battre en retraite, comme quelqu'un qui craint de s'être trop approché du bord. De près, ses taches de rousseur lui donnent l'air plus jeune. Son regard évite le mien. Sa tête s'enfouit timidement dans ses épaules et il marmonne quelques remerciements. La une reste collée à ma jambe et je suis d'abord tentée d'éclater de rire – en me comparant à la limande du lendemain, par exemple...

Le souffle frais du vent sur ma nuque me ramène à la réalité. « Désolée d'avoir taché votre première page... Je crains d'avoir la peau un peu moite. »

Il se pince l'arête du nez d'un geste nerveux, hoche la tête, se repince le nez. « Euh... vous courez tous les jours, comme ça ? me demande-t-il, de but en blanc.

— J'essaie.

— Sur quelle distance ?

— Six kilomètres. »

16

Son accent est américain. Il ne voit rien d'autre à dire.

« Bon, eh bien... je vais continuer. Je ne voudrais pas me refroidir.

— OK. Bien sûr. Bonne journée ! » De la part d'un Américain, l'expression sonne nettement moins éculée.

À mon troisième passage, le banc est désert. Je cherche le promeneur du regard, mais je ne vois rien qui puisse lui ressembler, même de loin. Les choses ont repris leur cours normal.

À quelques blocs de là, dépassant du coin d'une rue, une fourgonnette de service est garée le long du trottoir. En approchant, je découvre une tente de plastique blanc, au-dessus d'un carré dépavé. Une barrière métallique a été posée autour du trou. Ils commencent tôt.

C'est le genre de détail que je remarque sans même y penser. Je prends mentalement note des gens et des véhicules. Je repère tout ce qui dépasse ou qui sort de l'ordinaire. Les gens qui ne sont pas à leur place, ou dont la tenue vestimentaire détonne. Les voitures en défaut de stationnement. Tel visage que j'ai déjà vu, à tel endroit. C'est devenu une seconde nature. Je n'y peux rien.

Me voilà à ma porte. Ôtant mes sneakers, je sors ma clef de sous la semelle intérieure. Mr Mordacai, mon voisin, me fait signe depuis sa fenêtre. Un jour, comme je lui demandais son prénom, il m'a répondu : « Oh, je vais finir par croire que je m'appelle *Yo'man...* !

— Tiens ! Pourquoi ?

— Parce que c'est comme ça qu'ils m'appellent,

17

mes gamins : "Yo'man, tu peux me prêter ta bagnole ? Yo'man, tu peux m'avancer un peu de blé ?" »

Et il est parti d'un éclat de rire sonore, qui a rebondi comme une poignée de noisettes lâchées sur un toit en tôle.

Dans la cuisine, je me verse un grand verre d'eau que j'avale presque d'un trait. Puis je fais quelques mouvements d'étirement, la jambe calée sur le dossier d'une chaise.

C'est le moment que choisit la souris de derrière le frigo pour se manifester. Elle a quelque chose de très ambivalent, cette souris. Tout juste si elle se donne la peine de lever le nez pour prendre note de ma présence. Et elle n'a pas l'air de s'offusquer des pièges que lui sème Hari, mon jeune frère. Peut-être a-t-elle compris que je les désamorçais systémati-quement en enlevant l'appât, dès que Hari avait le dos tourné. Elle finit tout de même par me lancer un coup d'œil préoccupé, l'air de se retenir de râler contre le manque de miettes, puis lève le museau pour humer l'air, avant de filer en trottinant.

Hari est apparu sur le seuil, pieds nus et sans son T-shirt. Il met le cap sur le frigo dont il sort une brique de jus d'orange. Il fait sauter l'opercule de plastique, puis, après avoir glissé un œil dans ma direction, juge préférable d'attraper un verre dans le placard. Certains jours, je me demande s'il n'est pas plus féminin que moi, avec ses longs cils et sa luxu-riante chevelure noire...

« Tu y vas, ce soir, à la soirée des anciens ? lui demandé-je.

— Non.

— Pourquoi, non ?

— Ne me dis pas que tu veux y aller, maintenant !

— Il n'y a que les imbéciles qui ne changent pas d'avis. »

« Eh ! T'aurais pas vu mon slip ? » s'exclame une voix, à l'étage.

Hari me lance un regard penaud.

« Je suis sûre que j'en avais un, hier soir... j'ai dû l'enlever quelque part par là ! »

« Je croyais que t'étais sortie..., me glisse-t-il, dans un souffle.

— Je suis allée courir. Qui c'est ?

— Une vieille copine.

— En ce cas, tu sais certainement son nom ?

— Cheryl.

— Cheryl Taylor ? (Une blonde oxygénée qui est barmaid au White Horse...) Mais elle a au moins cinq ans de plus que moi !

— Sûrement pas !

— Qu'est-ce que tu peux bien lui trouver ?

— Qu'est-ce que ça peut bien te faire ?

— Ça m'intéresse.

— Eh bien, disons qu'elle présente... certains avantages.

— Des avantages ?

— Oui, de première bourre.

— Ah. Tu trouves ?

— Absolument.

— Et ceux de Phoebe Griggs ?

— Trop petits.

19

« — Et ceux d'Emma Shipley ?

— Ça tombe.

— Et les miens ?

— Pfff ! Très drôle ! »

Cheryl descend l'escalier. Je l'entends s'affairer dans le salon. « Ah ! Je l'ai retrouvé ! » s'écrie-t-elle, avant de débarquer dans la cuisine en ajustant l'élastique sous sa jupe. « Ah. Salut ! gazouille-t-elle.

— Cheryl. Je te présente ma sœur, Alisha.

— Enchantée de te revoir, Alisha... », dit-elle, sans en penser un traître mot.

Le silence ayant l'air bien parti pour s'éterniser, je préfère filer prendre ma douche au premier. Avec un peu de chance, Cheryl sera partie lorsque je redescendrai.

Hari est venu s'installer chez moi depuis deux mois, sous prétexte que ça le rapprochait de la fac. Il est censé à la fois veiller sur ma vertu et m'aider à payer le loyer, mais il a déjà un mois de retard et il transforme ma chambre d'ami en lupanar.

J'ai des fourmillements dans les jambes. J'adore cette sensation de l'acide lactique quittant mes muscles. Devant le miroir, je tire mes cheveux en arrière. Des paillettes dorées scintillent dans mes prunelles sombres, comme des poissons dans une mare. Pas l'ombre d'une ride. Le noir, ça ne se démode pas !

Tout compte fait, je n'ai pas à m'en plaindre, de mes « avantages ». Du temps où je courais en compétition, je me félicitais qu'ils tiennent si facilement dans mes soutiens-gorge de sport. Maintenant, je ne serais peut-être pas fâchée de prendre une taille de plus, pour avoir un décolleté digne de ce nom.

« Hé, Ali ! s'écrie mon frère. Je prends vingt livres dans ton porte-monnaie.

— Pourquoi ?

— Parce que je risque plus gros en les prenant dans celui de quelqu'un d'autre. »

Désarmant... « Hé ! Tu me dois déjà un mois de loyer !

— Demain, promis.

— Tu me l'as déjà dit hier. » Tout comme avant-hier, du reste...

La porte d'entrée se referme. La maison retrouve son calme habituel.

En bas, je prends la carte de Cate et je la tourne et la retourne un long moment entre mes doigts, avant de la poser sur la table, adossée au moulin à poivre, pour la contempler encore un peu.

Cate Elliot. Après toutes ces années, son nom me tire toujours un sourire. Ce qu'il y a de bizarre avec les vrais amis, c'est que les années d'absence n'annulent pas les années passées ensemble. Elles ne les effacent pas, sur l'échelle invisible du temps. Quelques heures vécues en compagnie de quelqu'un suffisent parfois à infléchir le cours d'une existence – alors que des décennies passées auprès de tel autre peuvent glisser sur nous sans laisser de trace, comme de l'eau sur un canard.

Nous sommes nées dans le même hôpital, à Bethnal Green, et nous avons toutes deux grandi dans le même quartier de l'East End londonien. Pendant nos quinze premières années, nous avons plus ou moins fait en sorte de nous ignorer mutuellement. Puis le destin, si on croit à ce genre de chose, nous a réunies.

Nous sommes devenues inséparables. Ça frisait la télépathie. Nous étions à la fois coéquipières et complices, qu'il s'agisse de piquer des bières dans le frigo de son père, d'aller faire du lèche-vitrines à King's Road, de nous bourrer de chips au vinaigre en revenant de l'école ou d'aller voir les groupes de rock qui passaient au Hammersmith Odeon, ou les stars de cinéma qui défilaient sur le tapis rouge de Leicester Square.

Au moment de notre brouille, nous venions de rentrer de France, où j'avais eu un accident à mobylette, reçu un avertissement de la police pour usage d'une fausse pièce d'identité et essayé l'herbe pour la première fois. Pendant un bain de minuit, Cate avait perdu les clés de l'hôtel et nous avons dû grimper à la gouttière pour regagner notre chambre, à 2 heures du matin.

Rien ne fait plus mal qu'une brouille avec sa meilleure amie. Les ruptures amoureuses vous brisent le cœur, les divorces mettent votre vie sens dessus dessous et les conflits familiaux vous obligent parfois à aller de l'avant ; mais ma rupture avec Cate a été plus destructrice et plus douloureuse que tout ça réuni. Et voilà qu'au bout de huit ans de silence elle veut me revoir. J'en ai des fourmis de joie dans l'échine – presque aussitôt suivies de bouffées d'angoisse qui me glacent les sangs. Cate a des ennuis.

Mes clés de voiture sont dans le salon. Comme je me penche pour les récupérer, j'aperçois des traces suspectes sur la vitre de la table basse. Et, en y regardant de plus près, je distingue très nettement l'empreinte de deux fesses, encadrées de deux traînées – correspondant sans doute à l'emplacement des coudes.

Un jour, je m'offrirai le luxe d'un fratricide...

3

Quelqu'un a renversé son Bloody Mary sur mes escarpins. Ça ne serait pas bien grave s'ils m'appartenaient, mais j'ai dû les emprunter, tout comme ce haut en lamé, qui est un poil trop grand – mais, Dieu merci, mon jean et mes dessous sont bien à moi ! « N'emprunte jamais d'argent ni de sous-vêtements ! » se plaît à me seriner ma mère, en annexe à ses diatribes concernant l'importance de veiller à la parfaite netteté de ma petite culotte – et d'enchaîner sur la description détaillée de diverses catastrophes et accidents de la circulation, avec ambulances et brancardiers obligés de découper mes collants pour m'en extraire... On s'étonne que je fasse des cauchemars !

Cate n'est toujours pas arrivée. Je garde un œil sur l'entrée, en évitant d'adresser la parole à quiconque.

Les réunions d'anciens camarades de classe devraient être strictement réglementées. Il devrait y avoir des mises en garde sur les invitations. Elles tombent toujours trop tôt ou trop tard. On est toujours trop jeune ou trop vieux, ou trop gros...

D'ailleurs, ce n'est même pas une vraie boum d'anciens élèves. Quelqu'un a mis le feu à la salle de sciences nat de l'école – un vandale armé d'un jerrican d'essence, plutôt qu'un bec Bunsen défectueux, à vue de nez. Toujours est-il qu'ils ont inauguré un bâtiment flambant neuf, en présence d'un futur sous-secrétaire d'État, ou d'un ministre adjoint délégué quelconque.

Le nouveau bâtiment est trapu, fonctionnel et totalement dépourvu du charme de l'ancien, qui datait de l'époque victorienne. Les plafonds ouvragés et les fenêtres en ogive ont été remplacés par des murs en fibrociment, des tubes au néon et des fenêtres en alu. Le hall d'entrée a été tendu de grandes banderoles. On a accroché des ballons multicolores aux poutres et aux chevrons. L'écusson d'Oaklands trône sur le devant de l'estrade.

Dans les toilettes des filles, une queue s'est formée pour l'accès au miroir. Lindsay Saunders, une vieille copine, me dépasse pour se pencher au-dessus du lavabo, le temps d'essuyer une traînée de rouge à lèvres sur ses incisives. Satisfaite, elle se tourne vers moi, et me détaille de la tête aux pieds.

« Si tu laissais un peu tomber tes airs de princesse du Pendjab, pour une fois ? Allez, viens rigoler ! C'est la fête, non ?

— Ah, tu crois ? »

C'est elle qui m'a prêté le top que je porte, un bain de soleil mordoré, avec des lacets de chaussures en guise de bretelles. Mon modeste 85 B peine à le remplir, et les bretelles ne cessent de glisser de mes épaules. Je les remonte pour la énième fois.

« Ce qui est sûr, c'est que tu essaies de donner le

change. En fait, t'es morte de trac, à l'idée de retrouver Cate. Mais qu'est-ce qu'elle fiche ?

— J'en sais rien. »

Lindsay se remet du rouge à lèvres et rajuste le décolleté de sa robe. Ça fait des semaines qu'elle compte les jours en attendant cette soirée, à cause de Rocco Manspiezer pour qui elle en a pincé pendant les six années de sa scolarité à Oaklands, sans jamais oser se déclarer.

« Qu'est-ce qui te fait croire que tu vas décrocher le cocotier, cette fois-ci ?

— Parce que tu penses que j'ai investi quatre cents tickets dans cette robe et ces saletés de pompes qui me font un mal de chien, pour essuyer un nouvel échec ! » s'esclaffe-t-elle, en m'entraînant dans la salle.

Contrairement à Lindsay, je n'ai aucune envie de frayer avec ces gens que je me suis efforcée d'éviter durant douze ans de ma vie. Je ne tiens pas à savoir combien ils gagnent, le nombre de mètres carrés qu'ils occupent, ni l'âge de leurs enfants dont les noms, bizarrement, ont toujours de vagues consonances avec des marques de shampooing.

Car c'est le hic, dans ce genre de soirée : chacun ne vient que pour mesurer son standing à l'aune de celui des autres et pour voir qui est à la traîne. Pour savoir laquelle des anciennes Miss Promo a pris trente-cinq kilos, le mari de qui a filé avec sa secré-taire, ou lequel des profs s'est fait pincer à prendre des photos dans les vestiaires...

« Allez, viens... Tu n'es pas curieuse de les revoir ? me lance Lindsay.

— Bien sûr que je suis curieuse – mais je me

déteste de l'être. Ce que je ne donnerais pas pour être invisible !

— Trêve de morosité ! réplique-t-elle en me lissant les sourcils du bout de l'index. T'as vu Annabelle Trunzo ? La vache, cette robe qu'elle se paie ! Et sa coiffure... non mais, t'as vu sa coiffure !

— Rocco, lui, n'a même plus un poil sur le caillou.

— Mais il est toujours en grande forme.

— Et marié, je suppose...

— Silence !

— Tu devrais peut-être commencer par t'en assurer, avant de l'emmener au lit... »

Elle me décoche un sourire en coin. « Je compte bien lui poser la question – mais après ! »

Lindsay aime se donner des airs de mangeuse d'hommes mais, en réalité, elle n'a rien d'une tigresse. C'est ce que je ne cesse de me répéter mais pour rien au monde je ne la laisserais donner rencard à un de mes frères !

Dans le grand hall, on a baissé les lumières et monté le volume des haut-parleurs. Les tubes des années 80 ont remplacé le Spandau Ballet. Les dames portent soit des robes de cocktail, soit des saris, soit diverses combinaisons des deux. D'autres affichent une tenue plus décontractée : jean et veste de cuir.

Il y a toujours eu des clans à Oaklands. Les Blancs étaient minoritaires. La plupart des élèves étaient originaires du Bangladesh avec, çà et là, quelques Indiens et quelques Pakistanais.

Pour ma part, j'étais une « curry », une « yindoo », ou si l'on préfère, une « gardienne d'éléphants » – une Indienne au teint sombre, au cas où vous vous demanderiez. En termes de critères susceptibles de définir une personne, ce détail-là semblait balayer tous les autres – tels que mes longues tresses noires, mon appareil dentaire, mes jambes grêles, la mononucléose que j'ai eue à sept ans et jusqu'à ce talent que j'avais pour courir plus vite que tout le monde. À Oaklands, tout cela semblait s'évanouir dans l'insignifiance la plus totale, à côté de la couleur de ma peau et de mes origines sikhs.

Tous les Sikhs ne s'appellent pas Singh, et ne se trimbalent pas avec des poignards à lame courbe passés dans la ceinture quoique ce ne soit pas une mauvaise chose, ce genre de réputation, dans l'East End...

Maintenant encore, les Bengalis tendent à faire bloc. En dépit de tout ce qui a pu nous arriver entretemps, les noyaux durs de nos personnalités semblent intacts. Nous avons tout gardé : nos failles comme nos points forts.

Enfin, j'aperçois Cate à l'autre bout de la salle. Elle est pâle et d'une beauté saisissante, avec sa coupe courte, très chic et sans doute très chère, et ses chaussures en plastique très sexy. Elle a toujours beaucoup d'allure, dans sa longue jupe kaki et son chemisier de soie. Elle est très élégante et – tiens donc ! – enceinte jusqu'aux yeux. Elle a les mains calées sur son ventre, qui a déjà dépassé la taille d'un simple ballon de foot, pour frôler celle du ballon de plage ! Il n'y en a plus pour longtemps.

Mais je ne veux surtout pas avoir l'air de la dévisager. Je me détourne.

« Alisha ?

— Bien sûr... Qui veux-tu que ce soit... ! » Je me retourne brusquement, avec un sourire godiche.

Elle se penche vers moi, m'embrasse sur les deux joues. Je ne ferme pas les yeux, et elle non plus. Nous nous regardons en chiens de faïence, aussi ébahies l'une que l'autre. Elle dégage une odeur suave et fraîche, comme une peau d'enfant.

Je note les petites lignes qui rayonnent au coin de ses yeux. Elles se sont dessinées en mon absence, mais je me souviens très bien de cette petite cicatrice à sa tempe gauche, juste sous la ligne d'implantation de ses cheveux.

Nous avons le même âge (vingt-neuf ans), et à peu près la même silhouette – abstraction faite du ballon, bien sûr. J'ai le teint nettement plus foncé et des profondeurs insoupçonnées, comme toutes les brunes, mais je peux avancer sans grand risque que je ne serai jamais aussi jolie que Cate. Elle a appris – non, « appris » fait trop travaillé elle est née avec ce don : s'attirer le regard des hommes. Moi, je ne connais pas le secret. Une œillade, un timbre de voix, une certaine façon d'incliner la tête ou de leur poser la main sur le bras le tout avec un naturel imparable, qui crée un effet quasi magnétique, une illusion à laquelle aucun homme ne résiste, qu'il soit encore gamin ou déjà grand-père...

Toutes les têtes se sont tournées sur son passage, à présent, mais je doute qu'elle l'ait remarqué.

« Comment tu vas ?

— Oh, très bien ! » J'ai répondu trop vite. J'en rajoute même une couche : « Vraiment très bien !

— Très bien – très bien ? »

J'essaie de rire. « Et toi, alors... c'est pour bientôt ?

— Oui. Dans quatre semaines.

— Félicitations !

— Merci. »

Cette succession de répliques est trop raide et trop convenue. Jamais je n'ai eu autant de mal à alimenter une conversation – et sûrement pas avec Cate. Elle jette un coup d'œil nerveux par-dessus mon épaule, comme si elle craignait d'être entendue.

« Je croyais que tu étais mariée à... ?

— Felix. Felix Beaumont. Attends... il doit être là, quelque part. »

Je suis son regard qui me mène jusqu'à une haute silhouette puissamment charpentée. Felix est en pantalon de toile, avec une simple chemise blanche. Lui, ce n'est pas un ancien d'Oaklands. Son nom d'origine est, non pas Beaumont, mais Buczkowski. Son père était polonais. Il tenait un magasin d'électroménager à Tottenham Court Road. Pour l'heure, Felix est en grande conversation avec Annabelle Trunzo – qui, effectivement, s'est dégoté une robe extravagante : un fouillis de plis et de drapés, qui ne semblent tenir que grâce à sa poitrine. Qu'elle souffle un grand coup, et tous ces volants dégringoleront pêle-mêle autour de ses chevilles.

« Tu sais ce que je détestais le plus, dans ce genre de soirée ? poursuit Cate. C'était d'entendre une ancienne camarade de classe, fraîche comme une rose, te raconter qu'elle passait ses journées à trimbaler ses gosses du cours de danse au terrain de foot ou de cricket... Après quoi, elle te posait l'incontournable question : "Alors – et toi ? Toujours pas enceinte ?" Et comme je répondais que non, elle s'esclaffait : "Tu voudrais pas me débarrasser d'un des miens, par hasard ?" Ce que ça pouvait me fiche en rogne !

— Eh bien, voilà au moins un problème de résolu.

— Oui. » Elle prend un verre de vin sur un plateau qui passe et, à nouveau, survole la salle d'un regard distrait. « Comment se fait-il qu'on se soit perdues de vue ? Ça devait être de ma faute...

— Oh, je suis sûre que tu t'en souviens.

— Ça n'a plus aucune espèce d'importance. Tiens, à propos... j'aimerais vraiment que tu sois la marraine...

— Mais je ne suis pas baptisée. Je ne suis même pas chrétienne.

— Quelle importance ! »

Je ne sais pas de quoi elle voulait me parler, mais elle fait tout pour esquiver le sujet. J'attaque donc : « Alors, qu'est-ce qui ne va pas ? »

Je la sens hésiter. « Cette fois... eh bien, je crois que je suis allée trop loin, Ali. J'ai pris le risque de tout perdre. »

Je lui prends le bras, pour l'entraîner vers un coin plus calme. Quelques couples se sont mis à danser. La musique est trop forte. Elle me parle à l'oreille : « J'ai besoin d'un coup de main. Tu promets de m'aider ?

— Bien sûr. »

Elle serre les dents, comme pour retenir un sanglot. « Ils veulent me prendre mon bébé. Mais ils ne peuvent pas ! Il faut les en empêcher... »

31

Une main lui effleure l'épaule. Elle sursaute.

« Bonsoir, superbe future maman ! À qui avons-nous l'honneur... ? »

Cate recule d'un pas. « Personne, personne... Une vieille amie. »

Je sens quelque chose vaciller en elle. Elle veut prendre la fuite. Felix Beaumont affiche un sourire irréprochable. Éblouissant. Ma mère fait une fixation sur les dents des gens : elle dit que c'est la première chose qu'elle remarque, chez quelqu'un.

« Je me souviens très bien de vous, me dit-il. Vous étiez juste derrière moi...

— À l'école ?

— Non, au bar. »

Il éclate de rire, avec cet air à la fois amusé et curieux.

Cate a fait un pas de plus en arrière.

Mon regard croise le sien. D'un imperceptible signe de tête, elle me demande de la laisser partir, et je me sens prise d'une soudaine tendresse pour elle. « Tu m'excuses..., dit-elle, avec un geste de sa main qui tient son verre. Je vais refaire le plein...

— Doucement sur l'alcool, chérie. Tu n'es plus toute seule ! » De la main, il lui frôle le ventre.

« Le dernier... »

Il la regarde s'éloigner avec une mélancolie mêlée de désir. Finalement il se tourne vers moi : « Alors, madame ou mademoiselle ?

— Pardon ?

— Comment doit-on vous appeler ?

— Euh, eh bien... » *Mademoiselle*, ai-je failli répondre, mais je m'avise du côté sexiste de la question. « Disons que je ne suis pas m... euh, non...

32

je suis toujours célibataire, conclus-je, achevant d'aggraver mon cas.

— Voilà qui explique tout.

— Ah, qu'est-ce que ça explique ?

— Celles qui ont des enfants vous montrent leurs photos de famille. Les autres ont généralement des tenues plus soignées, et moins de rides... »

C'est quoi, ça – un compliment ?

Autour de ses yeux se dessine un sourire. Il se dandine comme un ours, dansant d'un pied sur l'autre.

Je lui tends la main : « Je suis Alisha. Alisha Barba. »

Sa curiosité fait place à de l'étonnement. « Eh bien ça, par exemple... Vous êtes donc une personne réelle ! Cate m'a beaucoup parlé de vous, mais je me demandais si vous existiez en dehors de son imagination.

— Elle vous a parlé de moi ?

— C'est rien de le dire ! Alors, que faites-vous dans la vie ?

— Eh bien, pour l'instant, je passe mes journées en pantoufles devant la télé. Je regarde les feuilletons tout l'après-midi et, le soir, les vieux films sur la quatre. »

Il me regarde sans comprendre.

« Je suis en congé maladie. Je travaillais dans la police métropolitaine.

— Qu'est-ce qui vous est arrivé ?

— Fractures multiples des lombaires. Un suspect qui m'a projetée contre un muret. »

Il fait la grimace. Mon regard fouille la salle, derrière lui.

« La revoilà, dit-il, comme s'il lisait dans mes pensées. Elle ne me laisse jamais plus de deux minutes en tête à tête avec une jolie femme.

— Vous devez être heureux, pour le bébé. »

Je vois tanguer ce petit creux, juste au-dessus de sa pomme d'Adam, tandis qu'il déglutit. « Cela tient du miracle. Ça faisait si longtemps qu'on l'attendait... ! »

Sur la piste de danse, quelqu'un a lancé une chenille qui serpente entre les tables. Gopal Dhir m'attrape par la taille et me fait pivoter les hanches de côté et d'autre. Quelqu'un d'autre entraîne Felix à l'autre bout de la chaîne, et nous voilà séparés.

Gopal me hurle dans les oreilles : « Alisha Barba... ! Toujours dans la course ?

— Pour le plaisir, uniquement.

— Pendant tout le lycée, j'ai rêvé de te mettre la main dessus, mais tu étais trop rapide pour moi... » Il crie quelque chose à quelqu'un par-dessus son épaule. « Hé, Rao ! Regarde qui est là. Alisha Barba ! Je ne t'ai pas toujours dit que j'en pinçais pour elle ? »

Rao n'a pas dû entendre grand-chose, dans le vacarme que déversent les amplis, mais il hoche vigoureusement la tête.

Je m'arrache à la ligne de conga.

« Tu t'en vas déjà ?

— Je ne danse ce genre de truc qu'en présence de vrais natifs des Caraïbes ! »

Frustré, il me laisse partir en secouant la tête. D'autres mains tentent de me retenir, mais je parviens à me dégager. Je m'échappe de justesse.

Autour du bar, la foule s'est éclaircie. Je ne vois

plus Cate. Des gens sont allés s'asseoir dehors, sur les marches, ou se promènent dans la cour intérieure. De l'autre côté de la cour, cernée par des bâtiments sur ses quatre côtés, se dresse le fameux chêne qui a donné son nom à l'école et dont les branches paraissent presque argentées, sous le feu des projecteurs. Le tronc a été emmailloté de grillage pour empêcher les enfants d'y grimper. Au cours de ma dernière année d'études, un élève qui se prénommait Paakhi (ce qui signifie « oiseau » en bengali) s'était cassé le bras en tombant de cet arbre – à quoi servent donc les noms !

Le nouveau bâtiment de sciences naturelles est situé à l'autre extrémité de la cour. Tout a l'air désert, de ce côté. Je traverse la cour, j'ouvre une porte qui donne sur un long corridor, avec les salles de classe sur la gauche. J'entre, je m'avance de quelques pas, pour jeter un œil dans une classe. Les robinets chromés et les becs courbes accrochent la lumière que laissent filtrer les fenêtres. Au bout de quelques secondes, mes yeux s'accoutument à l'obscurité et il me semble discerner du mouvement. Une femme, la jupe retroussée jusqu'à la taille, est penchée sur un homme, au-dessus d'un des plans de travail carrelés. Comme je bats en retraite à reculons en direction de la porte, je sens une autre présence. Il y a quelqu'un d'autre qui regarde. Presque sans tourner la tête, je distingue son ombre, dans le noir.

« Alors, *yindoo*, on se rince l'œil ? » murmure-t-il.

Je laisse échapper un hoquet de surprise – un demi-hoquet, plus précisément. Le visage de Paul

Donavon frôle le mien. Ses cheveux se sont clair-semés avec l'âge, ses traits se sont empâtés, mais son regard n'a pas changé. Incroyable, ce que je peux encore détester ce type, après tant d'années !

Malgré la pénombre, je distingue la petite croix qu'il s'est fait tatouer à la naissance du cou. Il hume mes cheveux. « Où est passée Cate ?

— Fiche-lui la paix ! » J'ai élevé la voix.

Des jurons fusent dans le noir. Lindsay et compagnie s'ébrouent et se séparent. Je vois Rocco danser à cloche-pied en s'efforçant de remonter son pantalon. À l'autre bout du couloir, une porte s'ouvre, laissant entrer un flot de lumière extérieure. Donavon a filé.

« Seigneur, Ali... ce que tu m'as fait peur ! s'exclame Lindsay en rajustant sa robe.

— Désolée.

— C'était qui ?

— Personne. Excuse-moi. Je m'en vais. Faites comme si vous ne m'aviez pas vue.

— J'ai bien peur que le charme soit rompu. »

Rocco s'éloigne déjà dans le couloir.

« Toutes mes amitiés à ta femme ! » lui lance-t-elle, de loin.

Je dois retrouver Cate de toute urgence. D'abord, pour la prévenir de la présence de Donavon. Et surtout, pour qu'elle précise un peu son histoire. Qui peut bien vouloir prendre son enfant ?

J'inspecte rapidement le hall et la cour. En vain. Elle doit être partie. Comme c'est bizarre, de la reperdre ainsi, au moment même où je croyais l'avoir retrouvée...

Je mets le cap sur la grille d'entrée. Les voitures

sont garées de part et d'autre de la rue. Les trottoirs grouillent de monde. J'aperçois Cate et Felix, de l'autre côté de la rue. Elle parle à quelqu'un – Donavon. Elle lui a posé la main sur le bras.

Elle lève les yeux, me reconnaît, agite la main. Je franchis les quelques derniers mètres qui nous séparent, mais elle me fait signe d'attendre. Donavon se détourne. Felix et Cate s'avancent entre les voitures en stationnement.

Quelque part derrière eux, j'entends le cri de Donavon. Puis s'élève le hurlement torturé de quatre pneus crissant sur le macadam, quatre roues bloquées par les freins. Toutes les têtes se tournent, comme mues par le même élastique.

Felix disparaît sous les roues d'une Vauxhall qui s'élèvent au-dessus de sa tête et retombent, presque sans heurt. Au même moment, Cate s'est fait cueillir par le capot. Elle se plie en deux et rebondit en arrière. Elle tourne la tête et, l'espace d'un éclair, semble me chercher du regard, juste avant que le pare-brise ne vienne la faucher. Elle retombe comme au ralenti, comme une trapéziste que l'on va rattraper... Si ce n'est qu'il n'y a personne pour lui tendre des mains salvatrices, enduites de craie.

Elle atterrit sur le capot d'une autre voiture qui arrivait en sens inverse et part en dérapage. Cate est projetée la tête la première, et atterrit par terre, sur le dos.

Les gens surgissent comme aspirés par une déflagration, comme si toute la scène venait d'imploser. Ils sortent des voitures, des entrées d'immeubles avoisinants. Donavon, qui a réagi au quart de tour, est le premier auprès de Cate. Je tombe à genoux à côté de lui.

Dans un moment d'immobilité soudaine, suspendu dans le temps, nous voilà à nouveau réunis, elle, moi et Donavon. Elle est allongée sur la chaussée. Un filet de sang s'échappe de son nez, un ruban de satin noir, sombre et luisant. Entre ses lèvres entrouvertes se forment des bulles d'écume. Sa bouche est toujours la plus jolie.

Je berce sa tête au creux de mon bras. Qu'est devenue sa chaussure ? Elle n'a plus qu'une chaussure ! Tout à coup, je fais une violente fixation sur cette chaussure – une sandale noire, avec des petits talons. Je demande aux gens s'ils la voient. J'y tiens. Je veux la retrouver. Sa jupe s'est retroussée. Elle porte une grande gaine-culotte de femme enceinte, pour protéger son ballon.

Un jeune homme s'avance, à pas comptés. « J'ai appelé le 999... »

À ses côtés, sa petite amie semble à deux doigts de tourner de l'œil.

Donavon rabat la jupe de Cate. « Ne lui bouge surtout pas la tête. Il faut la lui immobiliser... » Puis il s'adresse aux badauds : « Apportez-nous des couvertures et un médecin !

— Est-ce qu'elle est morte ? demande quelqu'un.

— Tu la connais ? fait une autre voix.

— Mon Dieu ! s'exclame quelqu'un d'autre. Mais elle est enceinte ! »

Les yeux de Cate sont ouverts. J'y vois se refléter mon image. Un type robuste, grisonnant, avec une queue de cheval, se penche vers nous : « Ils ont déboulé juste devant mon capot, dit-il, avec un fort accent irlandais. Je vous jure que je n'ai rien pu faire ! »

Le corps de Cate se raidit. Ses yeux s'écarquillent. Elle tente de crier, malgré le sang qui lui emplit la bouche. Sa tête roule d'un côté et de l'autre.

Donavon a sauté sur ses pieds. Il empoigne le type par sa chemise.

« T'aurais pu ralentir, espèce de salaud !

— Je ne les avais pas vus.

— Tu mens ! crache-t-il d'une voix rauque, haineuse. Tu leur as roulé dessus !

— Je vous jure que c'était un accident. » Le conducteur jette des coups d'œil inquiets autour de lui. « Je ne sais pas de quoi il parle, votre ami. Il délire !

— Bien sûr que tu les as vus !

— Trop tard. »

Le type le repousse. Des boutons craquent, sa chemise s'ouvre sur un tatouage qui recouvre toute la poitrine. Un Christ en croix.

Les curieux commencent à affluer. Les invités de la réunion viennent voir ce qui se passe. Certains tentent de dégager la rue en hurlant. Des sirènes approchent. Un ambulancier se fraye un chemin dans la foule. J'ai les doigts tièdes et visqueux. J'ai la sensation de maintenir la tête de Cate, comme pour l'empêcher de s'émietter. Deux autres ambulanciers sont arrivés et appliquent le protocole que je connais par cœur : pas de fuite de carburant, pas de début d'incendie, pas de lignes électriques tombées à terre. Ils doivent commencer par assurer leur propre sécurité.

39

Je cherche Felix des yeux. Une forme sombre gît sous l'essieu arrière. Inerte.

Un ambulancier se penche sous l'aile de la Vauxhall. « Celui-là, on l'a perdu ! » crie-t-il.

Un autre glisse les mains sous les miennes pour prendre la tête de Cate. Deux infirmiers s'en occupent.

« Les voies respiratoires sont bloquées. Je vais intuber. »

Il lui introduit un tube incurvé dans la bouche et aspire le sang.

« Systole un soixante-dix sur quatre-vingt-dix. Pupille droite dilatée.

— Elle est en hypotension.

— Je lui pose une minerve. »

Quelqu'un parle dans un talkie-walkie. « Traumatisme crânien massif, avec hémorragie interne.

— Et elle est enceinte ! » m'entends-je dire. Rien n'indique qu'ils ont compris.

« La pression sanguine s'élève. Pouls très bas.

— C'est l'hémorragie cérébrale.

— On la transporte à l'intérieur.

— Il faut perfuser. »

Ils amènent un brancard rigide qu'ils placent près d'elle, avant de la faire rouler sur le côté pour la mettre dessus.

« Elle est enceinte », insisté-je.

L'ambulancier se tourne vers moi.

« Vous la connaissez ?

— Oui.

— On a une place à l'avant. Montez. » Il appuie rythmiquement sur une poche en caoutchouc pour lui insuffler de l'air dans les poumons. « Il nous faut

40

son nom, sa date de naissance, son adresse. Est-elle allergique à certains médicaments ?

— Je n'en sais rien...

— Dans combien de temps doit-elle accoucher ?

— Quatre semaines. »

Ils enfournent le brancard dans l'ambulance. Les infirmiers y montent. Le conducteur me pousse sur le siège passager. La porte se referme. Nous démarrons. Derrière la vitre, je vois la foule qui nous suit des yeux. D'où sortent-ils, tous ces gens ? Donavon s'est assis au bord du trottoir, l'air complètement sonné. J'aimerais qu'il lève les yeux vers moi. Pour pouvoir lui dire merci...

Les infirmiers s'activent autour de Cate. L'un d'eux parle dans son talkie-walkie, où il lance des mots tels que « bradycardie », ou « pression intracrânienne ». Le bip de l'électrocardiogramme égrène son message par intermittence.

« Vous croyez qu'elle va s'en sortir ? »

Pas de réponse.

« Et le bébé ? »

Il déboutonne son chemisier. « J'envoie deux unités.

— Non, attends. J'ai perdu son pouls !

— Électrocardiogramme plat.

— On est en arrêt cardiaque.

— Je tente un massage cardiaque. »

Il ouvre son chemisier, dévoilant le torse et le soutien-gorge de Cate.

Les infirmiers s'arrêtent et échangent un coup d'œil – un seul, sans un mot, mais leur regard vaut un long discours. Cate porte sur le ventre une grosse boule de mousse en polyuréthane, correspondant aux dimensions de son bassin. L'infirmier l'en délivre. Elle n'est pas plus enceinte que moi...

Il se met à lui appuyer sur la poitrine, brusquement et de toutes ses forces. Il compte les compressions. Le bip du moniteur rivalise avec la sirène.

« Pas de réaction.

— On va devoir ouvrir.

— J'injecte une ampoule d'adrénaline. » Il arrache le capuchon avec les dents et transfère le contenu dans l'artère de son cou.

Puis les minutes s'écoulent au milieu d'un tourbillon de lumières qui passent et de bribes de conversation. Je comprends qu'ils sont en train de la perdre. Je le savais. Depuis le début. Les pupilles dilatées, l'hémorragie cérébrale – symptômes classiques du traumatisme crânien. Elle est en miettes. Ça n'est plus réparable.

Sur le moniteur, la ligne a un petit sursaut avant de s'aplatir à nouveau. Ils coordonnent l'arrivée d'air aux pressions du massage cardiaque – une poche d'air toutes les cinq compressions.

« Hé, Thompson...

— Quoi ?

— J'arrête le massage cardiaque.

— Pourquoi ?

— Parce que ça lui fait sortir le cerveau. »

Elle a le crâne fracturé derrière l'oreille droite.

« Non. Continue.

— Mais...

— Continue, je te dis. »

Trente secondes passent. Malgré tous leurs efforts, le cœur ne redémarre pas.

« Qu'est-ce que tu vas faire ?

— Faut ouvrir. »

Un renvoi de bile me brûle l'arrière-gorge. Je n'ai plus aucun souvenir du trajet, ni de notre arrivée aux urgences. Pas de portes qui claquent. Pas de blouses blanches dévalant les couloirs – au contraire, tout semble accuser une soudaine décélération.

L'hôpital a englouti Cate, ou du moins ce qu'il en reste.

Je hais les hôpitaux. Cette odeur. Cette chape d'incertitude. Cette omniprésente blancheur... Les murs, les lits, les uniformes. Les seules taches de couleurs sont le rouge sombre du sang et la peau des infirmières afro-antillaises.

Je reste près de l'ambulance. Les infirmiers reviennent éponger le sang.

« Vous êtes sûre que ça va aller, vous ? » me demande l'un d'eux. Il tient à la main la prothèse de mousse, dont les lanières pendent bêtement, comme les tentacules d'une étrange créature marine.

« Tenez, essayez de vous essuyer avec ça », me dit-il en me tendant une serviette de papier humide.

J'ai du sang partout. Sur les mains, sur mon jean.

« Vous en laissez, là... » Du doigt, il indique ma joue que j'ai oublié d'essuyer.

« Vous pourriez m'aider, s'il vous plaît ? »

Il prend la serviette, me maintient le menton d'une main et de l'autre m'essuie la joue. « Et voilà.

— Merci. »

Il cherche quelque chose à me dire. « C'est une de vos amies ?

— On était au lycée ensemble. »

Il hoche la tête. « Mais pourquoi... enfin, je veux dire, elle avait des raisons de feindre une grossesse, à votre connaissance ? »

Non. Ça ne rime à rien. Je ne vois pas en quoi ça aurait pu lui être utile. Elle voulait me voir. Elle disait qu'on voulait lui enlever son bébé – mais où est-il, ce bébé ?

« Vous pensez qu'elle va s'en sortir ? »

À son tour de garder le silence. La tristesse qui lui voile le regard est minutieusement rationnée. Il risque d'en avoir besoin plus tard, pour quelqu'un d'autre...

Un tuyau crachouille. De l'eau rosâtre tournoie, avant de s'engouffrer dans la bonde. L'infirmier me tend le coussin de mousse et je sens quelque chose se briser en moi. J'ai longtemps pensé que j'avais perdu Cate de vue. Cette fois, je l'ai peut-être perdue tout court. Définitivement.

4

Les salles d'attente. Des lieux voués aux murmures, aux prières, à l'attente impuissante. Tout le monde évite mon regard – peut-être à cause du sang sur mes vêtements. J'ai tenté de nettoyer un peu le top de Lindsay sous le robinet des toilettes, avec le savon pour les mains. Évidemment, ça n'a fait qu'étaler les taches...

Les médecins et les infirmières vont et viennent sans prendre une minute pour souffler. Je vois passer sur un chariot un patient pris dans une toile de tubes et de fils, comme un insecte. Autour de sa bouche, la peau est sèche et froncée.

Je n'ai jamais vraiment réfléchi à la mort. Même au cours de toutes ces semaines que j'ai passées clouée à mon lit d'hôpital avec des broches vissées le long de ma colonne vertébrale, l'idée ne m'a jamais effleurée. J'ai appréhendé des suspects, pris des voitures en chasse, enfoncé des portes, pénétré dans des bâtiments désaffectés, sans même envisager cette éventualité. Ça doit être l'un des avantages d'avoir un ego poids plume...

Une infirmière vient prendre des renseignements

sur la famille de Cate. Pour Felix, je ne sais pas. Peut-être avait-il encore sa mère... Personne ne peut rien me dire. Cate est sur le billard. Les infirmières affichent un optimisme d'airain, mais les médecins, eux, sont plus réservés. Ils doivent se colleter avec la réalité de ce qui peut ou ne peut pas se réparer.

Au cours d'une soirée comme les autres, dans une rue tranquille, un couple se fait renverser par une voiture. L'homme est tué sur le coup. Sa femme est dans un état critique. Où diable est passée l'autre chaussure de Cate ? Et son bébé... ?

Un flic débarque pour m'interroger. Un jeune type d'une petite trentaine d'années. Dans mon jean plein de sang, je me sens un peu gênée, face à son uniforme impeccablement repassé et au cuir noir lustré de ses chaussures. Il me pose les questions rituelles – qui, quoi, où, quand et comment. J'essaie de ne rien omettre. La voiture qui surgit comme de nulle part. Le cri qu'a poussé Donavon...

« Pour vous, il ne pouvait s'agir que d'un accident ?

— Je n'en sais rien. »

Dans ma tête, j'entends encore les hurlements et les jurons de Donavon, accusant le conducteur de leur avoir délibérément roulé dessus. Le policier me laisse sa carte. « N'hésitez pas à me rappeler, au cas où quelque chose vous reviendrait... »

De l'autre côté des portes battantes, je vois arriver la famille de Cate au grand complet. Son père, sa mère en fauteuil roulant et Jarrod, son frère aîné.

Barnaby Elliot élève la voix. « Qu'est-ce que vous racontez ? Pas de bébé ! Mais ma fille est enceinte !

— Qu'est-ce qu'ils disent, Barnaby ? demande sa femme en le tirant par la manche.

— Ils disent qu'elle n'était pas enceinte.

— En ce cas, il doit y avoir erreur sur la personne.

— Si vous voulez bien attendre un moment, intervient le médecin. Je vais vous envoyer quelqu'un. »

Mrs Elliot devient hystérique. « Vous voulez dire qu'elle a perdu l'enfant ! ?

— Je veux dire qu'il n'y a jamais eu d'enfant. Votre fille n'était pas enceinte. »

Jarrod tente de s'interposer. « Excusez-moi, mais il y a forcément une erreur quelque part ! Ma sœur devait accoucher dans un mois.

— Je veux la voir ! exige le père de Cate. Je veux la voir tout de suite ! Emmenez-moi immédiatement auprès de ma fille ! »

Jarrod a trois ans de plus que Cate. Bizarre, le peu de souvenirs qu'il m'a laissés. Il élevait des pigeons. Il a porté un appareil dentaire jusqu'à ses vingt ans. Il me semble qu'il a fait ses études en Écosse et qu'il a décroché un job dans la finance.

Rien de ce qui concerne Cate, au contraire, ne me paraît flou ni lointain. Je me souviens parfaitement de la première fois où je l'ai vue. Elle était assise sur un banc devant les grilles de l'école, avec des chaussettes blanches, une jupe plissée grise, très courte, et des Doc Martens. Elle avait l'œil charbonneux et les cils chargés de mascara. Ses cheveux crêpés déclinaient toutes les couleurs de l'arc-en-ciel.

Elle venait d'arriver à l'école, mais connaissait

déjà plus de monde que moi. Elle s'était fait une foule d'amis. Elle ne tenait pas en place, serrait les gens dans ses bras à tout bout de champ, tapait du pied et ne pouvait s'asseoir une minute sans balancer les jambes ou faire tressauter ses genoux.

Son père était promoteur immobilier, disait-elle. Une de ces professions en deux mots qui, tels les noms à rallonge, vous donnent de l'envergure. Mon père à moi était conducteur de train, mais ça n'avait pas le même cachet.

Barnaby Elliot portait des costumes sombres, des chemises blanches amidonnées et des cravates aux armes d'un club select. Il s'était présenté deux fois à Bethnal Green, sous étiquette conservatrice, et s'était chaque fois arrangé pour faire d'un siège travailliste réputé imprenable un bastion encore plus sûr.

Je le soupçonne même de n'avoir envoyé sa fille à Oaklands que pour augmenter ses chances de se faire élire. Histoire de consolider son image d'homme d'action issu du peuple, ayant encore un peu de graisse sous les ongles et n'hésitant pas à se frotter à la plèbe...

En fait, je crois que les Elliot auraient de loin préféré mettre leur fille unique dans une école privée anglicane non mixte, plutôt qu'à Oaklands qui était, pour Mrs Elliot du moins, une sorte de pays étranger, un continent noir qu'elle n'avait aucune envie d'explorer.

Pendant près d'un an, Cate et moi, nous nous sommes à peine adressé la parole. Elle était la reine. La plus jolie, la plus admirée, la plus branchée de toute l'école. Pourtant, sa beauté avait quelque

48

chose de paradoxal – un côté spontané, et presque non désiré. Tous les autres lui tournaient autour, en quête de son approbation, sans qu'elle s'en rende vraiment compte.

Elle parlait avec ce mélange de désinvolture, d'effronterie et de gouaille savamment dosées qu'affichent les personnages des films pour ados. Je sais bien que tous les jeunes sont censés parler comme ça, mais personnellement, Cate est la seule que j'aie rencontrée qui le fasse vraiment et presque en permanence. C'était la seule personne de ma connaissance qui fût capable de distiller ses émotions en gouttelettes de pur amour, de pure colère, de peur ou de ravissement absolu.

Je venais de l'île aux Chiens, plus à l'est. Mes parents m'avaient envoyée à Oaklands parce qu'ils tenaient à me sortir de mon quartier d'origine. À Oaklands, les Sikhs étaient minoritaires, mais pas plus que les Blancs, qui étaient cependant plus redoutés. Certains Blancs se considéraient comme des « East-Enders » de pure souche – comme s'il existait une lignée royale cockney, à protéger coûte que coûte ! Le pire était un certain Donavon, un petit voyou qui jouait les stars du foot et se croyait irrésistible. Liam Bradley, son meilleur copain, ne valait pas mieux. Plus grand d'une tête, il avait le front constellé de boutons – on aurait dit qu'il se récurait la figure chaque matin avec une râpe à fromage.

Les nouveaux étaient soumis à un bizutage en règle. Bien sûr, les garçons écopaient des pires traitements, mais les filles n'y échappaient pas tout à fait – surtout les plus jolies. Donavon et Bradley avaient dix-sept ans et ne cessaient de tourner autour de Cate. Malgré ses quatorze ans, elle avait déjà un sacré potentiel, comme disaient les garçons plus âgés, avec ses lèvres pulpeuses et son petit cul à la Jennifer Lopez, qui faisait merveille dans n'importe quoi de moulant. Le genre de croupion dont les hommes ne parviennent pas à détacher les yeux – quels que soient leur âge, leurs goûts ou leur orientation sexuelle.

Un jour, en seconde, Donavon l'a coincée dans un couloir désert. Il était à la porte du bureau du surgé, attendant d'être puni pour son énième méfait. Elle y était pour un tout autre motif : elle venait apporter au secrétariat toute une liasse de mots d'absence...

Donavon l'a vue venir de loin, dans le couloir. Il l'a laissée passer devant lui et l'a suivie jusqu'à la porte de l'escalier.

« Fais gaffe, poulette, tu vas te perdre... ! » a-t-il ricané en lui bloquant le passage. Elle a fait un pas de côté, et il en a aussitôt fait de même.

« T'as un sacré joli petit cul, tu sais. Et une peau de pêche, avec ça ! Vas-y, laisse-moi te mater pendant que tu montes les marches. Je reste là, et toi tu montes. Tu pourrais peut-être retrousser ta jupe, rien qu'un tout petit peu... »

Cate a essayé de faire demi-tour, mais Donavon l'a rattrapée. Il a toujours eu un bon jeu de jambes : sur le terrain de foot, il laissait sur place la défense adverse.

L'accès à l'escalier était défendu par une grosse porte coupe-feu, avec des barres horizontales. Le son tournoyait entre les murs de béton, sans parvenir à l'extérieur. Cate ne pouvait regarder Donavon en face sans avoir envie de prendre ses jambes à son cou.

« T'sais... y a un mot pour les filles dans ton genre. Ces petites garces qui se trimbalent en minijupe en tortillant du cul sous le nez des mecs... »

Passant le bras autour de ses épaules, il l'a plaquée contre un mur et a appuyé ses lèvres sur son oreille. Puis il lui a immobilisé les poignets au-dessus de sa tête tandis que son autre main s'insinuait sous sa jupe, entre ses jambes, et tirait sur sa culotte. Deux doigts trouvèrent leur chemin, s'immisçant brutalement en elle.

Comme Cate ne revenait pas en cours, Mrs Pulanski m'a envoyée à sa recherche. J'ai fini par la retrouver dans les toilettes des filles, les joues barbouillées de mascara, comme si ses yeux eux-mêmes avaient fondu. Elle a commencé par refuser de me parler. Elle m'a pris la main et l'a serrée contre elle. Sa jupe était si courte que mes doigts ont frôlé la peau de sa cuisse.

« Qu'est-ce qu'il y a ? Tu t'es fait mal ? »

Ses épaules se sont soulevées, secouées de sanglots. « Dis-moi qui t'a fait mal ! »

Elle gardait les jambes obstinément serrées. Je l'ai regardée droit dans les yeux et, lentement, j'ai écarté ses genoux. Une tache de sang maculait le coton blanc de sa culotte.

J'ai senti quelque chose s'étirer indéfiniment au fond de moi, jusqu'à n'être plus qu'un filament de plus en plus ténu, se confondant avec les pulsations de mon cœur. Ma mère m'a interdit d'utiliser le mot haine. On ne devrait jamais haïr personne, dit-elle, et en principe, elle a raison. Mais elle vit dans son petit cocon sikh, bien à l'abri du monde.

La cloche a sonné la fin des cours de la matinée. Les couloirs et la cour de récré se sont remplis de rires et de cris qui ricochaient sur les briques des murs et l'asphalte défoncé. Donavon était allé se poster dans la cour carrée, à l'ombre de ce fameux chêne dont le tronc avait été gravé de tant d'initiales et si souvent lacéré, que sa survie relevait du pur miracle.

« Eh ! regardez-moi qui arrive ! a-t-il lancé tandis que je marchais droit sur lui. Cette chère petite *yindoo*... !

— Non mais, t'as vu la tête qu'elle tire ! a rétorqué Bradley. Encore un peu et elle explose !

— Elle m'a l'air cuite à point ! Il est temps de lui mettre un thermomètre dans le cul, comme à la dinde de Noël ! »

Des rires gras fusèrent aux alentours. Donavon buvait du petit-lait, mais il avait dû sentir le danger car il ne me lâchait pas des yeux. Je me suis arrêtée à un mètre de lui. Je lui arrivais au sternum. L'idée de sa supériorité physique ne m'effleurait cependant pas. Je n'avais qu'une chose en tête – ce qu'il avait fait à Cate.

« C'est celle qui fait de la course à pied, a repris Bradley.

— Allez dégage, mal blanchie ! Ça pue le curry, dans le coin ! »

J'aurais été incapable d'articuler un son, mais le regard de Donavon commençait à refléter une

52

ombre d'inquiétude. « Dégage, sale crétine. Débarrasse-nous de ta vue !

— Qu'est-ce que tu as fait ? » J'avais fini par retrouver ma voix.

« Moi ? Rien. »

Un attroupement commençait à se former autour de nous. En voyant son audience grossir, Donavon commençait à se sentir moins sûr de lui.

J'avais l'impression que c'était quelqu'un d'autre qui s'était planté là, devant lui, et le forçait à baisser les yeux – comme si moi, Ali, j'avais assisté à la scène depuis une branche du chêne, comme un oiseau. Un minuscule petit oiseau noir.

« Putain, bouge de là, espèce de dingue ! »

Donavon était rapide, mais j'avais la supériorité de la sprinteuse. Par la suite, les témoins de la scène devaient dire que j'avais fondu sur lui « en un battement d'aile de papillon ». Mes doigts se sont plantés dans ses yeux et se sont enfoncés dans ses orbites, attaquant la peau tendre. Il m'a attrapé les cheveux à pleines mains, s'efforçant de tirer ma tête en arrière, mais je tenais bon. Il m'a bourrée de coups de poing en hurlant : « Retenez-la, putain ! Attrapez-la ! »

Bradley avait assisté à la scène les bras ballants, ne sachant trop que faire. Il ne prenait généralement pas d'initiative, tant que Donavon ne le lui soufflait pas. En entendant les cris de son ami, il a d'abord tenté de me faire une clé au cou, me plaquant la tête contre son aisselle qui sentait la vieille chaussette et le déodorant bon marché.

J'avais noué mes jambes autour de la taille de Donavon, tandis que mes doigts lui labouraient les yeux. Bradley essaya une autre prise et réussit à me faire lâcher en me tirant le bras en arrière. Au passage, mes ongles avaient lacéré la joue de Donavon. Comme il donnait des ruades au hasard, aveuglé par les larmes, il m'expédia son pied dans la figure. J'ai roulé à terre, tandis qu'un goût de sang m'envahissait la bouche.

Bradley me maintenait le bras gauche, mais il me restait le droit. Quand on grandit au milieu de quatre frères, ça laisse des traces. Et quand vous êtes la seule fille du lot, forcément, vous apprenez les coups qui font mal.

J'ai bondi sur mes pieds en pivotant, tandis que ma main se propulsait en direction du nez de Donavon. Mon index et mon majeur se sont introduits dans ses narines, pour l'épingler comme un gros poisson au bout d'un hameçon. Puis j'ai refermé le poing. Quoi que je fasse, Donavon devait me suivre. Bradley pouvait bien me casser le bras, me traîner en arrière, m'envoyer valdinguer d'un coup de pied entre les poteaux des buts – Donavon suivrait, comme un bœuf qu'on mène par les naseaux.

Un gémissement, c'est tout ce qui a franchi ses lèvres. Ses bras et ses jambes tressautaient, parcourus de grandes secousses.

« La touche pas ! supplia-t-il. La touche surtout pas ! Lâche-la. Laisse-la partir. »

Je sentis la prise de Bradley se relâcher.

Donavon avait les yeux presque fermés par l'enflure. Mes doigts lui retournaient les narines. Je le maintins ainsi un bon moment, la tête rejetée en arrière, la mâchoire pendante, hoquetant comme un noyé.

Miss Flower, notre prof de musique, était de service de cour ce jour-là ; sans doute était-elle allée s'en griller une petite dans la salle des profs, car quelqu'un dut grimper l'escalier quatre à quatre, pour aller l'appeler à l'aide.

Donavon avait bafouillé quelque chose qui ressemblait à des excuses, mais je n'ai pas desserré les dents. À vrai dire, rien de tout ça ne m'était arrivé. Moi, j'étais toujours là-haut sur la branche, à mon poste d'observation. C'était quelqu'un d'autre qui avait attrapé Donavon par le nez. Miss Flower était une jeune femme sémillante et svelte, avec une certaine prédilection pour les cigarettes françaises et pour la prof de gym. Elle fit rapidement le point, sans panique inutile, et comprit du premier coup d'œil que rien ne pourrait me faire lâcher prise. Elle opta donc pour une approche conciliante, à base d'appels au calme et de paroles de réconfort. Donavon avait renoncé à toute résistance. Moins il bougeait, moins ça faisait mal. Il était devenu humble et doux comme un agneau.

Je ne connaissais pas très bien Miss Flower mais, voyez-vous, je pense qu'elle avait compris. Une petite binoclarde maigrichonne, Indienne de surcroît et affublée d'un appareil dentaire, ne s'en prend pas au pire caïd de l'école sans avoir une bonne raison. Elle m'a emmenée à l'infirmerie et m'a tenu la main, tandis que je crachais du sang dans un cristallisoir. Deux de mes incisives s'étaient délogées de mon appareil dentaire et restaient coincées dans le métal tordu.

J'avais une serviette autour du cou et une autre sur les genoux. J'ignore où ils avaient emmené Donavon. Miss Flower me colla un paquet de glaçons sur la bouche.

« Tu ne veux pas me dire ce qui s'est passé ? »

Je secouai la tête.

« Eh bien... Je me doute bien qu'il l'a cherché, mais il faudrait tout de même me donner un début d'explication... »

Je gardai le silence.

« OK, soupira-t-elle. Ça peut attendre. On va déjà aller te chercher un uniforme propre. Il doit y en avoir un, aux objets trouvés. Va te faire un brin de toilette avant l'arrivée de tes parents.

— Mais... ze feux retourner en cours, zézayai-je.

— Il faut d'abord te faire soigner les dents, ma puce. »

Normalement, trouver le dentiste conventionné de garde, c'était la croix et la bannière, mais j'avais des relations. Mon oncle Sandhu, qui tenait un cabinet de chirurgie dentaire à Ealing (ça n'était pas vraiment mon oncle, mais comme tout Asiatique d'un certain âge, faisant partie des connaissances de mes parents, il avait automatiquement hérité du titre), m'avait posé mon appareil dentaire à prix coûtant. Papa était si fier qu'il me faisait sourire de toutes mes dents chaque fois qu'il y avait un visiteur de marque à la maison.

Ma mère a téléphoné à ma belle-sœur Nazeem et elles sont arrivées toutes les deux en taxi à l'école. Nazeem avait déjà eu les jumeaux et était à nouveau enceinte. Elles m'ont emmenée chez l'oncle Sandhu, qui a enlevé mon appareil pour prendre des radios de ma mâchoire. J'avais à nouveau l'air d'une gamine de six ans et je zozotais à fendre l'âme.

Le lendemain, le temps était frais et ensoleillé, et le ciel matinal, la pureté et l'innocence mêmes, semblait vouloir faire oublier les événements de la veille. Ce jour-là, Cate manqua l'école. Tout comme les deux semaines qui restaient avant les vacances d'été. Selon Miss Flower, elle avait une pleurésie.

Je suis revenue en cours avec mes dents réparées. L'attitude des gens à mon égard avait changé du tout au tout. Il s'était produit quelque chose, un tournant décisif. Mes yeux s'étaient dessillés. La terre avait accompli le nombre de révolutions requis. J'ai dit adieu à mon enfance.

Donavon s'est fait virer d'Oaklands. Il s'est engagé dans une unité de parachutistes – mais pour la Bosnie, c'était trop tard. Il allait devoir attendre la prochaine guerre, qui n'allait pas tarder. Bradley a quitté l'école avant les vacances, pour entrer en apprentissage chez un chauffagiste. Je le vois toujours, de temps en temps. Il fait faire de la balançoire à ses enfants dans le parc de Bethnal Green.

Personne n'a jamais vraiment su ce qui était arrivé à Cate. J'étais la seule à qui elle se soit confiée. Je ne pense pas qu'elle l'ait jamais dit à ses parents, pas à son père en tout cas. La pénétration digitale n'est pas considérée comme un viol, parce que la loi établit une distinction entre un doigt – ou un poing, ou une bouteille – et un pénis. Je ne vois vraiment pas pourquoi, et je laisse cette polémique aux avocats en vogue.

Les gens étaient nettement plus gentils avec moi.

Comme s'ils s'étaient enfin aperçus de mon existence. Je n'étais plus seulement « la sprinteuse ». J'avais enfin un nom. L'une de mes dents a repris racine, mais l'autre est devenue toute jaune et l'oncle Sandhu a dû se résoudre à me la remplacer par une fausse.

Pendant les vacances, Cate m'a passé un coup de fil. Je ne sais pas où elle avait trouvé mon numéro.

« J'ai pensé que ça te dirait de venir au cinéma.

— Avec toi ?

— Ouais. On pourrait aller voir *Pretty Woman*... Si tu ne l'as pas déjà vu, bien sûr. J'y suis déjà allée trois fois, mais ça ne me dérangerait pas de le revoir... » On a bavardé encore quelque temps. C'était la première fois que j'entendais un soupçon de trac ou de nervosité dans sa voix.

Jamais ma mère ne m'aurait laissée aller voir *Pretty Woman* ! Elle disait que ça n'était qu'une « vulgaire histoire de putain ».

« Tu sais, le personnage de Julia Roberts est une prostituée au grand cœur ! » plaidai-je, mais mes explications ne parvinrent qu'à aggraver mon cas. Apparemment, ma mère avait le droit de dire « putain », sans que je puisse pour autant m'estimer autorisée à dire « prostituée »... Finalement, on est allées voir *Ghost*, avec Patrick Swaize et Demi Moore.

Cate n'a jamais refait allusion à Donavon. Elle était toujours aussi jolie, avec son teint d'opale et sa minijupe. Dans la pénombre du cinéma, nos épaules se sont touchées et ses doigts ont effleuré les miens. Elle m'a pris la main et y a exercé une petite pression amicale, que je lui ai rendue.

Et ça a été le début de notre amitié. Nous sommes devenues des sœurs siamoises. Des inséparables. Miss Flower nous appelait « Poivre et Sel », mais je préférais « Café-crème », la métaphore de Mr Nelson, notre prof de bio (qui était américain et se mettait en rogne dès qu'on osait sous-entendre que sa discipline était la plus facile des matières scientifiques).

Pendant toutes nos études, au lycée, puis à la fac, Cate a été ma meilleure amie. Je l'adorais. Pas sur le plan sexuel, évidemment, même s'il me semble qu'à l'époque j'aurais eu du mal à faire la différence...

Elle prétendait pouvoir prédire l'avenir. Elle dessinait nos destinées : carrière, rencontres, mariages, conjoints, enfants. Il lui arrivait même de se donner des frissons mélancoliques, en imaginant le jour où notre amitié prendrait fin : « Jamais je n'ai eu une amie comme toi, et je n'en aurai jamais d'autre. Plus jamais ! »

J'en étais toute gênée.

Elle disait aussi : « Plus tard, je veux avoir tout un tas d'enfants qui m'aimeront et ne me quitteront jamais. »

Je ne sais pas pourquoi elle me sortait ce genre de chose. Pour ce qui était des sentiments, elle me faisait penser à un petit animal qui aurait dû lutter contre un blizzard glacé, pour pouvoir survivre. Peut-être avait-elle déjà compris certaines choses que j'ignorais.

5

Une autre journée. Le soleil matinal brille, quelque part. J'aperçois un coin de ciel bleu entre deux immeubles et une grue dont la silhouette se découpe, comme dessinée au fusain. Je ne sais plus combien de jours ont pu s'écouler, depuis l'accident – quatre ou quatorze ? Mais les couleurs sont toujours les mêmes. L'air, les arbres, les immeubles. Rien n'a changé.

Je vais tous les jours à l'hôpital en évitant la salle d'attente et les parents de Cate. Je m'installe à la cafétéria et j'attends qu'ils s'en aillent.

Cate est dans le coma. Des machines respirent à sa place. Selon ses médecins, elle souffre d'une perforation du poumon gauche, de graves lésions vertébrales et de fractures multiples, aux deux jambes. Elle avait tout l'arrière du crâne en miettes, mais, moyennant deux opérations, les chirurgiens ont stoppé l'hémorragie.

Le neurochirurgien m'explique qu'en soi le coma n'est pas une mauvaise chose. Le corps affiche fermé et tente de se réparer de l'intérieur.

« Mais, les lésions cérébrales... ? »

Il joue avec son stéthoscope d'un air absent et évite mon regard. « Le cerveau humain est la machine la plus sophistiquée et la plus parfaite de l'univers connu, dit-il. Malheureusement, il n'a pas été conçu pour résister à la collision avec une ou deux tonnes de métal lancées à une certaine vitesse.

— C'est-à-dire ?

— Nous nous servons d'une échelle de un à huit pour mesurer la profondeur du coma, en cas de traumatisme crânien. Celui de Mrs Beaumont est de degré quatre, ce qui correspond à un traumatisme très grave. »

En milieu de matinée, il y a un autre bulletin. L'état de Cate est stationnaire. Je tombe sur Jarrod à la cafétéria et nous en profitons pour prendre un café ensemble, en parlant de chose et d'autre – le boulot, la famille, le prix des œufs, la mauvaise qualité des sacs en papier modernes Notre conversation est entrecoupée de longues pauses, comme si le silence lui-même était devenu une forme de communication.

« Selon les médecins, elle n'a jamais été enceinte, me dit-il. Elle n'a pas perdu d'enfant. Il n'y a eu ni avortement, ni fausse couche. Les parents sont hors d'eux. Ils ne savent qu'en penser.

— Elle devait avoir une bonne raison.

— Ouais. Mais je ne vois pas laquelle. » Le courant d'air émis par la bouche d'aération, au plafond, lui ébouriffe les cheveux.

« Tu crois que Felix était au courant ?

— Sans doute. Comment cacher ce genre de truc à un mari ? » Il jette un œil à sa montre. « Tu es allée la voir, aujourd'hui ?

— Non.

— Allez, viens. »

Jarrod me pilote dans des couloirs et des escaliers uniformément blancs, jusqu'au service de soins intensifs. Il ne peut y avoir plus de deux visiteurs dans chaque chambre. Il faut porter un masque et se désinfecter les mains avant d'entrer. Mais Jarrod n'entre pas avec moi. « Il y a déjà quelqu'un dans la chambre », me dit-il, avant d'ajouter : « Vas-y, elle ne te mordra pas... »

Je sens mon estomac plonger en chute libre. Trop tard pour faire demi-tour.

Les rideaux sont ouverts. La lumière du jour dessine un carré sur le sol. Mrs Elliot, dans son fauteuil roulant, semble prisonnière du rai de lumière, comme un hologramme. Sa peau a la blancheur et la transparence d'une fine porcelaine.

Cate gît près d'elle, dans un enchevêtrement de tubes, de fils, de poches de plasma et de plateaux en inox. Elle a des aiguilles plantées dans presque toutes les veines. Sa tête disparaît sous les bandages. Les bourdonnements et les clignotements des appareils réduisent son existence à une sorte de jeu vidéo.

Je voudrais qu'elle se réveille. Qu'elle ouvre les yeux et qu'elle enlève ce tube, comme un cheveu qui se serait malencontreusement posé au coin de ses lèvres. Sa mère m'indique une chaise près du lit. « La dernière fois que j'ai regardé ma fille pendant son sommeil, elle avait huit ans. Elle avait attrapé une pneumonie. Dans une de ces piscines publiques, je suppose. Chaque fois qu'elle toussait, on avait l'impression de l'entendre suffoquer. Comme une noyée sur la terre ferme... »

Ma main s'avance sur le drap blanc. Je prends celle de Cate dans la mienne. Je sens sur moi le regard de sa mère. Froid et inquisiteur. Elle ne tient pas à ce que je m'éternise.

Je me souviens de Mrs Elliot, du temps où elle marchait. Une grande femme mince qui tendait la joue à sa fille, de loin, pour qu'elle l'embrasse sans abîmer son rouge à lèvres. Elle avait été actrice, autrefois. Elle avait surtout tourné dans des pubs pour la télé. Elle était toujours maquillée avec un soin obsessionnel, comme si elle se tenait perpétuellement prête à être filmée en gros plan. Mais ça, c'était avant l'attaque qui l'avait laissée paralysée du côté droit. Maintenant, l'une de ses paupières reste baissée et aucun maquillage ne pourrait masquer la grimace qui lui tord la bouche.

Dans un murmure, elle me demande : « Pourquoi ce mensonge, pour le bébé ?

— Je n'en sais rien. Elle a demandé à me voir. Elle a dit qu'elle avait fait une bêtise, qu'elle était allée trop loin et que quelqu'un voulait lui prendre le bébé.

— Mais quel bébé ? Elle n'a jamais été enceinte. Jamais ! Et maintenant, elle est là, le bassin en miettes. Même si elle s'en sort, il paraît qu'elle ne pourra plus jamais avoir d'enfants. »

Quelque chose frémit, au fond de moi. Une impression de déjà vu, dans un autre hôpital, à une autre époque de ma vie, lorsque c'était mes os à moi qui étaient en miettes.

Mrs Elliot serre un coussin sur sa poitrine.

63

« Pourquoi avoir fait une chose pareille ? Pourquoi nous avoir menti ? »

Sa voix s'est faite plus vibrante et plus chaleureuse, sous le coup de l'émotion. Elle se sent trahie. Embarrassée. Que raconter à ses amies, à ses voisines ? Je suis soudain prise d'un furieux besoin de ruer dans les brancards pour défendre mon amie. Cate mérite mieux. Mais je me borne à fermer les yeux en écoutant le bruit du vent sur le toit et les bips électroniques des machines.

Comment a-t-elle réussi à leur jouer la comédie, pendant toutes ces semaines ? Pour elle, c'était sans doute devenu une idée fixe. Et curieusement, une partie de moi l'envie. Je ne crois pas avoir jamais rien désiré à ce point. Pas même la médaille olympique. Quand j'ai échoué à ma qualification pour les Jeux de Sydney, j'ai pleuré au bord de la piste – mais c'était des larmes de frustration, plutôt que de chagrin. La camarade qui a décroché ma place devait la désirer davantage.

Bien sûr, une sélection pour les Jeux olympiques ne se compare pas avec le fait de porter un enfant. Peut-être mes idées sont-elles influencées par cette réalité médicale : un bassin rafistolé par la chirurgie moderne et à jamais incapable de supporter l'épreuve d'une grossesse ou d'un accouchement. Pour moi, le désir d'enfant est devenu une ambition trop dangereuse.

Je serre la main pâle de Cate dans la mienne. J'espère qu'elle sent ma présence. Pendant des années, j'ai espéré que je finirais par lui manquer, qu'elle m'appellerait, qu'elle reprendrait contact avec moi. Et voilà. Juste au moment où elle se décide, elle se fait faucher et reste suspendue entre la vie et la mort, comme une question demeurée sans réponse. Mais je veux en avoir le cœur net.

Que voulait-elle. Et pourquoi ?

Le garage de Euston Trafic se trouve à Drummond Crescent, coincé entre Euston Station et la British Library. Juste derrière, la flèche de l'église St. Aloysius s'élance vers le ciel, telle une fusée sur sa rampe de lancement.

L'unité d'investigation des collisions est un endroit bizarre, un mélange de laboratoire high-tech et de garage à l'ancienne, avec des ponts élévateurs, des bacs à graisse et toutes sortes de machines-outils. C'est ici que l'on procède à l'autopsie des véhicules accidentés – et le protocole est à peu près le même pour eux que pour les humains. Ils sont ouverts, démontés, pesés, mesurés...

Le préposé chargé de l'examen, un sergent grassouillet, vêtu d'une salopette, sort la tête de sous un capot défoncé et me jette un coup d'œil.

« Je peux vous renseigner ? »

Je me présente, et sors mon insigne. « Il y a eu un accident vendredi soir, sur Old Bethnal Green Road. Un jeune couple qui s'est fait renverser par une Vauxhall.

— Ouais. Je l'ai vue passer, celle-là. » Il s'essuie les mains sur un chiffon qu'il fait disparaître dans sa poche arrière.

« La femme était une de mes amies.

— Elle est toujours en vie ?

— Oui.

— Une chance.

65

— Où vous en êtes, de l'enquête ?

— C'est fini. J'ai plus qu'à faire mon rapport.

— Qu'est-ce qui s'est passé, à votre avis ?

— Ça paraît évident. Votre copine et son mari ont tenté de *tackler* un taxi. »

Il n'essaie pas de faire de l'humour. C'est sa façon de le dire. « Le chauffeur aurait peut-être pu freiner un poil plus tôt, mais allez savoir ! Il suffit d'une fraction de seconde – un coup d'œil au rétro, qui vient s'ajouter au délai de réaction. Ça peut suffire à faire la différence... ou alors, non. Mais on n'en saura jamais rien.

— Vous n'allez même pas le poursuivre ?

— Pourquoi on le poursuivrait ?

— Négligence, conduite dangereuse, homicide involontaire... Il doit bien y avoir quelque chose !

— Il était en règle – permis, assurance, carte grise. Il était sobre et maître de son véhicule. On n'a rien contre ce type.

— Il roulait trop vite.

— Il a dit qu'ils avaient déboulé devant ses roues et qu'il n'a rien pu faire.

— Vous avez examiné la voiture ?

— Sur place, oui.

— Où est-elle, maintenant ? »

Il pousse un long soupir. « Je vais vous dire une chose, inspecteur Barba. Vous voyez cette cour, là-bas ? » D'un geste, il m'indique une porte roulante, ouverte sur un espace ceint de hauts murs. « J'ai une bonne soixantaine de véhicules, là-dedans, et chacun d'entre eux a joué un rôle dans un accident majeur. Cette semaine, nous avons treize rapports à remettre au coroner, une vingtaine de communiqués au tribunal criminel... Et figurez-vous que je passe la moitié de mon temps dans le box des témoins, et l'autre avec les mains dans le sang et l'huile à moteur jusqu'aux coudes. Évidemment, on peut pas dire qu'il y ait de bons accidents de la route, mais, de mon point de vue, celui de vendredi dernier avait au moins le mérite d'être simple – triste, mais simple. Ils ont déboulé d'entre deux voitures en stationnement. Le conducteur les a vus au dernier moment. Il n'a pas pu s'arrêter. Point barre. »

Toute trace de bienveillance a désormais quitté son visage. « Écoutez... on a vérifié ses freins. On a vérifié son permis et ses antécédents. On a pris son taux d'alcoolémie. On a enregistré sa déclaration sur place, et on l'a laissé rentrer chez lui, ce pauvre homme. Les accidents, ça existe. Si vous avez la preuve que ça n'en était pas un, vous me la transmettez. Sinon, je vous remercie de bien vouloir me laisser travailler en paix. »

Nous nous regardons en chiens de faïence. Je le sens moins en colère que déçu.

« Excusez-moi. Je n'ai jamais eu le moindre doute sur votre compétence.

— C'est ça, oui ! » Son expression s'adoucit. « Mais ce n'est pas grave. Désolé, pour votre amie.

— Ça vous ennuie si je jette un œil à la déposition du conducteur ? »

Non, ça ne l'ennuie pas. Il me pilote jusqu'à un bureau, m'indique un siège. Un ordinateur bourdonne dans un coin et les dossiers s'empilent sur les rayonnages, telles des briques en carton. Le sergent me remet un dossier et une cassette vidéo. Il s'attarde un moment près de la porte. Il n'est visiblement pas très chaud pour me laisser seule dans les lieux.

Le conducteur s'appelait Earl Blake, docker de son état. Mais selon sa déclaration, il faisait quelques heures au noir comme chauffeur de taxi pour arrondir ses fins de mois.

La vidéo, codée au dixième de seconde, commence par des vues d'ensemble de la rue prises au grand angle, avec le tremblement caractéristique des films amateurs. Les invités de la fête vont et viennent entre les grilles d'Oaklands. Certains sont sortis avec leur verre à la main, d'autres sont encore enguirlandés de serpentins, avec des confettis plein les cheveux.

Earl Blake est là-bas, un peu plus loin, en grande conversation avec un policier. Il a repéré la caméra... il semble s'en détourner. Mais ce n'est peut-être qu'une impression.

Suivent les attestations d'une douzaine d'autres témoins qui ont entendu le crissement des freins et vu l'impact. Cinq cents mètres avant, deux taxis stationnés au coin de Mansford Street ont vu passer la Vauxhall de Blake. Il roulait presque au pas, comme s'il cherchait une adresse.

Je parcours le rapport d'enquête, en cherchant la déposition de Donavon et je retrouve son nom et son adresse, qui ont été notés par les policiers. Mais il n'a fait aucune déclaration.

« Oui, je me souviens de lui, dit le sergent. Il avait un tatouage là, sur le cou. » Du pouce, il se trace une croix juste sous la pomme d'Adam. « Il a déclaré n'avoir rien vu.

— C'est faux ! Ça s'est produit pratiquement sous ses yeux. »

Le sourcil du sergent s'arque. « C'est pas ce qu'il m'a dit. »

Je note l'adresse de Donavon sur un morceau de papier.

« Vous n'avez quand même pas l'intention de mener votre petite enquête perso, inspecteur ?

— Non, sergent.

— Si vous détenez des informations concernant cet accident, vous êtes tenue de me les communiquer.

— Oui, sergent. Mais non, je n'en sais pas plus que vous. Mr Donavon a tenté de sauver la vie de mon amie. Je désire simplement le remercier. Question de principe, vous voyez. Ma mère m'a appris les bonnes manières. »

6

L'adresse d'Earl Blake est une petite maison parmi celles qui s'alignent, toutes identiques, sur Pentonville Road, dans le secteur le plus délabré de King's Cross. Il n'est pas chez lui. J'ai les jambes engourdies à force d'attendre derrière mon volant les yeux fixés sur le pare-brise. De temps à autre, je me mets à pianoter sur le tableau de bord selon une séquence rythmique.

Un dealer attend le client, adossé à un mur près du pub qui fait l'angle, le visage à demi dissimulé par la visière de sa casquette de base-ball. Deux filles d'une quinzaine d'années passent devant lui et, comme il les interpelle avec un sourire, elles rejettent la tête en arrière en secouant leurs cheveux et pressent gracieusement le pas.

Un petit break rouge s'arrête et se gare devant moi, le long du trottoir. J'en vois descendre une femme d'âge mûr en uniforme d'infirmière qui sort un sac de provisions de son coffre arrière et se dirige vers la maison. Elle laisse tomber ses clés et pousse un juron.

« Bonjour ! Êtes-vous Mrs Blake ?

— Pourquoi ? Qui la demande ? » Ses boucles bleutées sont fixées et plaquées à son crâne à grand renfort de laque.

« Je suis à la recherche de votre mari.

— Vous faites de l'humour noir, là ? »

Elle a ouvert sa porte. Elle entre.

« Votre mari a provoqué un grave accident, vendredi soir.

— Ça, ça m'étonnerait.

— Il s'agit bien d'Earl Blake ?

— C'est son nom, oui.

— J'aimerais lui parler.

— Eh bien, vous arrivez un peu tard ! me crie-t-elle par-dessus son épaule. Je l'ai enterré voilà six ans.

— Il est mort ?

— Ça, j'espère bien... », ricane-t-elle, avec un petit rire sec.

La maison sent le chien mouillé et le désodorisant pour WC.

« Je suis de la police ! lui crié-je. Désolée, si c'est une erreur. Vous n'auriez pas un fils qui s'appelle Earl ?

— Non. »

Elle pose son sac de provisions sur la table de la cuisine et se tourne vers moi : « Écoutez, cocotte, soit vous entrez, soit vous sortez. Ça coûte les yeux de la tête de chauffer cette maison ! »

Je referme la porte derrière moi, avant de la rejoindre dans la cuisine. Elle s'est assise à la table. Elle envoie promener une de ses chaussures et se masse le pied à travers son gros collant de contention.

71

Je jette un coup d'œil autour de moi. Des boîtes de médicaments s'alignent sur le rebord de la fenêtre. Le frigo disparaît sous toute une collection de coupons de réduction, coincés sous des magnets. Le calendrier s'orne d'un portrait de bébé dans une citrouille évidée.

« Ça vous ennuierait de mettre la bouilloire sur le feu, cocotte ? »

Le robinet crachouille et se met à couler, après quelques éructations.

« Désolée, pour votre mari.

— Il n'y a pas de quoi, cocotte. Il est tombé raide mort à la place où vous êtes, le nez dans ses œufs au plat. Il était en train de râler que ses œufs étaient trop cuits, et vlan ! » Sa main s'abat sur la table. « Je le lui avais pourtant dit et répété, de ne pas venir déjeuner en slibard, mais vous pensez qu'ils vous écoutent ! Il a fallu le sortir d'ici sur un brancard, avec son vieux slip kangourou ! »

Elle envoie promener son autre chaussure dans un coin, derrière la porte de la cuisine. « Je sais bien que tous les hommes finissent par nous quitter, mais en général ils attendent d'avoir fini ce que vous venez de leur mettre dans l'assiette. Que voulez-vous, le mien, il a toujours manqué du plus élémentaire savoir-vivre... »

Mrs Blake se hisse sur ses pieds pour aller ébouillanter la théière. « Vous savez, cocotte, vous n'êtes pas la première !

— C'est-à-dire ?

— Il y a un type qui est passé, pas plus tard qu'hier. Et lui non plus, il ne m'a pas crue quand je lui ai dit que mon mari n'était plus de ce monde. Il prétendait qu'il lui devait de l'argent. Vous imaginez ça ! Je le vois mal jouer au poker dans l'au delà !

— À quoi ressemblait-il, ce type ?

— Il avait un tatouage là, à la base du cou. Une croix... »

Donavon cherche Blake.

« Personnellement, j'ai toujours eu ça en horreur – les tatouages. Earl en avait sur les deux avant-bras. Il avait fait la marine marchande, avant qu'on se rencontre. Il avait voyagé sur toutes les mers du globe, et en avait ramené ces petits "souvenirs". On fait mieux, dans le genre !

— En avait-il un ici, lui demandé-je, l'index sur le sternum. Une scène de crucifixion, par exemple ?

— Earl n'a jamais été très porté sur la religion. Il disait que c'était réservé aux gens qui croyaient à l'enfer.

— Vous auriez une photo de lui ?

— Bien sûr. Et pas qu'une ! Faut dire qu'il a été bel homme, dans le temps. »

Elle m'entraîne dans son salon, un véritable sanctuaire des années 70, plein de vieux meubles et de tapis fanés. Elle fourrage un moment dans une commode, près de la cheminée à gaz, et en sort un album photo.

« La maison est nettement plus facile à tenir, maintenant qu'il n'est plus là. Il me semait des chaussettes sales partout, comme il aurait jeté des miettes aux pigeons... »

Elle me tend une photo. Feu Mr Blake, vêtu d'un blouson à col de fourrure, avec des bandes fluo. Rien à voir avec le chauffeur du taxi de vendredi soir. Ils n'ont que leur âge en commun.

« Recevez-vous parfois du courrier adressé à votre défunt mari ?

— Pour ça, oui. Des pubs. Des banques qui lui envoient des formulaires d'inscription pour des cartes de crédit. Des cartes de crédit... je vous demande ! Qu'est-ce qu'il pourrait bien en fiche ?

— Avez-vous fait annuler son permis de conduire ?

— Non, j'y ai même pas pensé. J'ai vendu sa vieille fourgonnette pour m'acheter le break, mais ce crétin de marchand de voiture m'a entubée. Quel salaud, ce Paki... il a eu le culot de me soutenir qu'elle n'avait que soixante mille kilomètres au compteur. Mmm... je dis pas ça pour vous, cocotte.

— Je ne suis pas pakistanaise.

— Ah bon. Tant mieux ! Parce que des fois, on a du mal à faire la différence, hein ! »

Elle me tend une autre photo.

« Est-ce que vous avez loué des chambres, ou hébergé des visiteurs ?

— Non.

— Auriez-vous été cambriolée ?

— Oui. Y a deux ou trois ans de ça. » Elle me lance un regard suspicieux.

J'essaie de lui expliquer que quelqu'un a dû s'approprier l'identité de son mari, ce qui n'a rien d'un tour de force : il suffit de produire un relevé de compte bancaire et une facture de gaz pour avoir un rapport de crédit, qui vous permet d'obtenir un numéro de sécurité sociale et une liste de vos adresses précédentes. Le reste coule de source – extrait d'acte de naissance, cartes de crédit, passeport.

« Earl n'était pas un mauvais bougre..., dit Mrs Blake. Mais il n'a jamais fait grand-chose de bien. » Elle vacille légèrement et s'aide de ses bras pour se mettre debout. Je vois trembloter ses triceps, sous les manches courtes de sa tunique d'infirmière.

Je ne reste pas pour le thé, à sa grande déception. Je prends congé d'elle et, une fois dehors, je marque une pause sur les marches du perron, le visage levé vers la grisaille du ciel. Une petite bruine s'est mise à tomber. Trois gamins s'exercent à la calligraphie sur le mur d'en face.

Un peu plus loin dans la rue, je repère un petit jardin public triangulaire, avec des bancs, un terrain de jeu et un bac à sable, entourés d'un demi-cercle de platanes et de hêtres pourpres. Sous les branches les plus basses, quelque chose m'accroche l'œil – quelque chose ou, plus exactement, quelqu'un.

À l'armée, quand on vous entraîne à survivre en pleine nature, on vous apprend à vous méfier des quatre choses qui peuvent trahir votre présence – la forme, le reflet, le contre-jour et le mouvement, le plus redoutable étant ce dernier. Et c'est bien un mouvement qui a attiré mon regard. Quelqu'un qui était jusque-là assis sur l'un des bancs vient de se lever et s'éloigne, d'une démarche que je reconnais immédiatement.

Je m'étonne de mes propres réactions. Pendant des années, chaque fois que je repensais à Donavon ou que j'évoquais le souvenir de son visage, un nœud de panique se formait dans ma poitrine – juste là, entre mon cœur et mes poumons. Mais à présent, ce n'est plus de la peur qu'il m'inspire. Je veux des réponses : pourquoi s'intéresse-t-il tant à Cate Beaumont ?

Il sait que je l'ai repéré. Il sort les mains de ses poches et pique un sprint. Si je lui laisse le temps d'atteindre la limite du jardin, il va disparaître dans l'une des rues adjacentes.

Tournant le coin du parc, je pars à fond de train le long du chemin bordé d'une rambarde métallique et de hauts buissons – au coin opposé se dresse un vieux bureau de poste, avec des fenêtres bordées de pierres peintes. Je tourne à gauche, pour continuer le long de la grille extérieure du parc. La sortie est en face de moi. Je ne vois personne s'en approcher. Il devrait déjà être là...

J'attends à la grille, espérant entendre un bruit de pas sur les pavés. Mais rien. De l'autre côté du square, un moteur démarre. Il a rebroussé chemin. Pas si bête.

Cours, mon lapin... Je sais où se trouve ton terrier.

Mon couloir sent l'eau de Javel sur fond de relents de sac d'aspirateur. Ma mère est venue faire le ménage – signe infaillible qu'il y a vraiment quelque chose qui cloche, dans ma vie. Je peux tonner et tempêter, lui objecter que je n'ai pas besoin de femme de ménage, elle persiste à venir en bus depuis l'île aux Chiens sous prétexte de « faire un brin de rangement ».

« J'ai dégivré ton freezer ! m'annonce-t-elle depuis la cuisine.

— Il n'a pas besoin d'être dégivré. Ça se fait automatiquement. »

Elle laisse échapper un petit « pfff ! ». Elle a retroussé son sari vert et bleu et l'a coincé dans l'élastique de son collant de contention, ce qui fait ballonner le tissu dans le dos autour de son derrière, qui en profite pour prendre des proportions monstrueuses... mais ça n'est qu'une illusion d'optique, comme ses yeux, démesurément agrandis par ses verres de lunettes. Ils sont d'un joli brun mouillé, évoquant une bouse de vache bien fraîche...

Elle me tend la joue. Je dois me pencher pour l'embrasser : elle n'atteint qu'à peine le mètre cinquante-cinq, avec une silhouette en forme de poire et des oreilles écartées qui lui permettent de capter les sons avec autant d'acuité qu'une chauve-souris. Elle a aussi ce sixième sens que seules possèdent les mères, et un flair surprenant, curieusement sélectif, qui, tout en lui permettant de détecter une trace de parfum à cinquante mètres, ne l'empêche pourtant pas de renifler les slibards de mes frères pour déterminer s'ils sont à mettre au sale – cette seule idée me file la chair de poule.

« Pourquoi Hari met-il un cadenas sur sa porte ?

— Pour préserver son intimité, peut-être.

— Mais je l'ai trouvée ouverte... »

Bizarre. Hari ferme toujours sa porte avec le plus grand soin.

Maman me prend le visage dans ses mains. « Et toi ? Tu as mangé, au moins ?

— Oui.

— Tu mens. Je le vois du premier coup d'œil. Heureusement que j'ai apporté du riz et du dahl. »

Elle parle un anglais d'une perfection toute scolaire. Le genre d'anglais qu'on apprenait dans la

77

nuit des temps, à l'époque où elle-même allait à l'école.

Je remarque la présence d'une valise dans un coin et, l'espace d'un instant, je suis prise d'inquiétude. Projetterait-elle de s'installer ? Non... Une valise n'y suffirait pas !

« Ton père s'est mis en tête de ranger le grenier.

— Pourquoi ?

— Parce qu'il n'a rien d'autre à faire de ses journées ! » Elle l'a dit avec une pointe d'exaspération.

Après avoir conduit des trains pendant trente-cinq ans, mon père a pris sa retraite et n'arrive toujours pas à s'y faire. La semaine dernière, il a passé en revue tous les placards et a tout rangé, en vérifiant toutes les dates limite d'utilisation.

Maman ouvre la valise. Je reconnais, soigneusement plié sur le dessus, mon vieil uniforme d'Oaklands. Avec un petit pincement de cœur, je sens revenir des images de Cate. Je devrais au moins passer un coup de fil à l'hôpital, pour prendre de ses nouvelles.

« Je ne voulais pas jeter tout ça sans te demander », m'explique ma mère. La valise est pleine d'écharpes, de carnets, d'albums photos, de journaux intimes, de trophées de course... « Dis donc... Je ne savais pas que tu avais eu le béguin pour Mr Elliot !

— T'as lu mon journal !

— Il est tombé ouvert juste à cette page. »

Le matricide serait peut-être une solution...

Mais elle change de sujet : « Essaie de venir le plus tôt possible, dimanche midi, pour nous aider à

78

la cuisine. Vérifie que Hari s'habille correctement. Il n'aura qu'à mettre sa chemise ivoire... »

Mon père fête son soixante-cinquième anniversaire – les réjouissances se préparent depuis des mois. La liste des invités devrait forcément inclure un célibataire sikh éligible. Mes parents rêvent de me voir épouser un bon Sikh, dûment barbu – pas un de ces bellâtres d'Indiens rasés de près qui se prennent pour des jeunes premiers de Bollywood – même si mes frères se sont coupé les cheveux, à part Prakabar, notre aîné, qui a toujours été le gardien des valeurs familiales.

Tous les enfants trouvent quelque chose d'exotique à leurs parents, mais les miens sont franchement bizarres. Mon père, par exemple, est un maniaque des économies d'énergie. Chaque trimestre, il passe au crible la facture d'électricité, la comparant à celle des trimestres précédents, d'abord, puis à celles des autres années pour la même période. Quant à ma mère, elle fait des croix à l'avance sur son calendrier, rayant préventivement des semaines entières – pour ne pas oublier !

« Mais comment tu fais pour savoir quel jour on est ? me suis-je risquée à lui demander.

— Pfff ! Tout le monde sait quel jour on est ! »

Allez discuter, face à une telle logique...

« Tiens, à propos... ton téléphone marche ! me lance-t-elle. Un gentil jeune homme est venu le réparer, cet après-midi.

— Je n'ai rien demandé. Je n'avais pas de problème de téléphone.

— Eh bien, il est venu quand même. »

Un frisson me parcourt, comme si quelqu'un

avait laissé la porte ouverte. Je la bombarde de questions : à quoi ressemblait-il ? Comment était-il habillé ? A-t-il justifié de son identité ? Maman semble d'abord inquiète, puis épouvantée.

« Eh bien... Il avait une écritoire à pince et une boîte à outils.

— Pas de carte d'identité ?

— Ça, j'ai pas demandé.

— Il aurait dû te la montrer en arrivant. Tu l'as laissé seul ?

— J'étais occupée à faire le ménage. »

Du regard, je passe en revue les objets de la pièce. Je monte au premier vérifier le contenu de mes tiroirs et de mes placards. Mes quelques bijoux sont toujours là. Les relevés bancaires, mon passeport, mon jeu de clés de secours – tout a l'air d'y être. Je recompte les chèques de mon chéquier.

« C'est peut-être Hari qui les a appelés... », suggère ma mère.

Je l'appelle sur son portable. C'est un tel capharnaüm, dans ce pub, qu'il a peine à m'entendre. « Tu avais appelé British Telecom ?

— Quoi ?

— Tu as appelé le service de maintenance du téléphone ?

— Non – pourquoi, j'aurais dû ?

— Non. T'inquiète. C'est pas grave. »

Ma mère fait rouler sa tête de côté et d'autre en émettant de petits bruits de succion inquiets.

« Tu crois qu'on devrait appeler la police ? »

J'étais justement en train de me poser la question, mais pour leur dire quoi ? Il n'y a eu ni cambriolage ni effraction et, pour autant que je puisse en juger, rien n'a disparu. Nous sommes confrontées soit au crime parfait, soit à une totale absence de crime.

« OK... Ne t'inquiète pas, m'man.

— Mais cet homme...

— Il est venu réparer le téléphone, rien de plus. » Il ne faudrait surtout pas qu'elle se fasse du mouron ; elle passe déjà trop de temps chez moi...

Elle jette un coup d'œil à sa montre. Si elle ne s'en va pas tout de suite, elle sera en retard pour le dîner. Comme je lui propose de la ramener en voiture, elle me sourit – le sourire le plus large et le plus radieux de la création. C'est, à mon avis, ce qui lui permet de se faire obéir au doigt et à l'œil : tout le monde tient à la voir sourire.

Sur ma table de chevet, j'avise un livre que j'ai commencé hier soir. Mon marque-page n'est pas où il devrait être – à une bonne vingtaine de pages près. Mais j'ai pu le déplacer sans m'en rendre compte... La paranoïa, ce n'est pas la réalité à une échelle plus fine – ce n'est qu'une réaction disproportionnée à des questions qui restent sans réponse.

7

La veille de son dix-septième anniversaire, Cate a trouvé sa mère gisant sans connaissance sur le carrelage de la cuisine. Elle avait été victime d'une hémorragie cérébrale, que Cate me décrivit comme une sorte d'« explosion du cerveau ».

À l'hôpital, Ruth Elliot eut deux autres attaques consécutives qui la laissèrent paralysée du côté droit. Cate se l'est longtemps reproché. Elle aurait dû être chez elle, à cette heure-là, au lieu de faire le mur pour aller voir les Beasties Boys à la Brixton Academy. Pendant le concert, elle s'était laissé embrasser par un type de vingt-cinq ans... un vieillard, autant dire.

« C'est la punition de mon mensonge, disait-elle.

— Sauf que là, c'est plutôt ta mère qui est punie », lui fis-je un jour remarquer.

Cate s'était mise à fréquenter l'église – enfin, pendant quelque temps. Un dimanche, j'y suis même allée avec elle. Je me suis agenouillée, les yeux fermés.

« Qu'est-ce que tu fiches ? m'a-t-elle demandé, dans un murmure.

— Je prie pour ta mère.

— Mais tu n'es pas anglicane. Tu n'es même pas chrétienne. Tu n'as pas peur que ton Dieu soit fâché de te voir abandonner son équipe ?

— Du moment qu'elle est guérie, on se fiche bien de savoir si c'est ton dieu ou le mien qui s'est chargé de la réparation ! »

Quand Mrs Elliot est rentrée chez elle, en fauteuil roulant, elle était toujours incapable de tenir une conversation. Au début, elle ne disait que deux syllabes – « quand ça » – mais sur le ton de la constatation consternée, plutôt que de l'interrogation.

Quoi qu'on lui dise, elle répondait invariablement « quand ça ».

« Comment ça va, aujourd'hui, Mrs Elliot ?

— Quand ça... quand ça...

— Vous avez pris votre thé ?

— Quand ça... quand ça...

— Je vais faire mes devoirs avec Cate.

— Quand ça... quand ça... »

Je sais que ça peut sembler cruel, mais nous ne détestions pas nous amuser un peu avec son handicap.

« On a un contrôle de maths, Mrs Elliot.

— Quand ça... quand ça...

— Vendredi.

— Quand ça... quand ça...

— Le matin.

— Quand ça... quand ça...

— Vers les 9 h 30.

— Quand ça... quand ça...

— À 9 h 34, pour être plus précise. Heure du méridien de Greenwich... ! »

Ils avaient engagé une infirmière pour s'occuper d'elle – une grosse Jamaïcaine prénommée Yvonne, avec des seins comme des oreillers, des bras de bûcheron et des mains toutes roses, mouchetées de taches brunes. Outre qu'elle portait des vêtements toujours hauts en couleurs et des chaussures d'hommes, Yvonne s'entêtait à accuser le climat anglais d'être l'unique source de ses problèmes dermatologiques. Elle était assez robuste pour soulever Mrs Elliot dans ses bras, la porter jusqu'à la douche, puis la ramener dans son fauteuil roulant. Elle lui parlait sans arrêt et lui tenait de longues conversations qui, de loin, semblaient tout ce qu'il y avait de normal et de plausible.

Mais le principal avantage d'Yvonne, c'était ce don qu'elle avait pour combattre la morosité de la maison par ses chansons et ses éclats de rire. Elle-même avait deux enfants – Caspar et Bethany – qui avaient hérité ses cheveux en laine d'acier et son sourire au néon. J'ignore tout de son mari – elle n'y faisait jamais la moindre allusion – mais ce que je sais, c'est qu'elle allait à l'église tous les dimanches, qu'elle ne travaillait jamais le mardi et qu'elle faisait le meilleur *cheesecake* de l'univers connu.

Le week-end, je restais parfois dormir chez Cate. On se louait une cassette vidéo et on se couchait à pas d'heure. Son père, lui, ne rentrait jamais avant 9 heures du soir. Infatigable, toujours impeccablement bronzé, il avait une voix de basse et un stock intarissable de blagues rebattues. Je le trouvais irrésistible. La tragédie qui avait frappé son épouse et les efforts qu'il déployait pour atténuer un peu son calvaire valaient à Barnaby Elliot une grande sympathie, surtout de la part des femmes.

Mais Mrs Elliot ne partageait guère leur admiration. Après quelques mois de thérapie, elle avait peu à peu retrouvé l'usage de la parole, et ne laissait passer aucune occasion d'agresser son mari et de l'humilier publiquement.

« Vous entendez ? s'exclamait-elle lorsque la porte s'ouvrait. Le voilà qui rentre. Il finit toujours par revenir au bercail. Qu'est-ce qu'il va cocotter, ce soir ?

— Voyons, Ruth... je t'en prie », protestait Barnaby, mais il en fallait davantage pour l'arrêter.

« Vous sentez cette bonne odeur de savon et de shampooing qu'il dégage, comme toujours ? Pourquoi se sent-il obligé de prendre une douche juste avant de rentrer chez lui, hein... je vous le demande ?

Mais tu sais bien... Je suis passé au club. J'ai fait une heure de tennis.

— Mouais ! Dis plutôt que tu te laves avant de rentrer, pour te débarrasser des odeurs gênantes.

— Voyons, ma chérie..., soupirait-il. Si nous en parlions tout à l'heure, en haut ? »

Elle tentait d'échapper à l'emprise de ses mains, mais finissait toujours par capituler, tandis qu'il la soulevait du fauteuil presque sans effort, pour lui faire monter les marches. Nous l'entendions crier, puis pleurer. Il la mettait au lit et la bordait, comme une petite fille, avant de nous rejoindre dans la cuisine, autour d'un chocolat chaud.

Il avait déjà une bonne quarantaine d'années, au début de mon amitié avec sa fille, mais il en paraissait nettement moins. Et il se faisait tout pardonner grâce à cette stupéfiante aura de confiance en soi qu'il dégageait. Je l'ai vu s'en tirer à bon compte un nombre incalculable de fois, que ce soit au restaurant ou pendant les journées portes ouvertes de l'école, voire en pleine rue, sur le trottoir. Il pouvait glisser les sous-entendus les plus scabreux, si possible en joignant le geste à la parole, les femmes se contentaient de glousser bêtement, en mollissant des genoux.

Il m'appelait sa « petite princesse indienne », ou sa « petite star de Bollywood ». Une fois qu'il nous avait emmenées faire du poney, j'ai été à deux doigts de tomber dans les pommes, quand il m'a prise par la taille pour me faire descendre de cheval...

Je ne l'aurais avoué à personne au monde, mais Cate avait deviné la vérité. Forcément... ça devait sauter aux yeux. J'étais toujours en quête d'un prétexte pour venir chez elle et pour parler à son père. Ce qu'elle n'a jamais su, c'est que je ne cessais de passer et de repasser devant son bureau à bicyclette, dans l'espoir qu'il m'apercevrait en sortant et me ferait signe de la main. J'ai même foncé à deux reprises la tête la première dans une portière ouverte !

Pour mon amie, mon béguin était le comble du burlesque, ce qui explique peut-être que je n'ai jamais admis avoir aimé un homme, depuis.

C'est bizarre, ces trucs dont on se souvient ! Là, tout me revient en bloc, le bon comme le mauvais, voire l'ignoble. Une indigestion de souvenirs...

J'ai longtemps redouté ce moment, celui de mes retrouvailles avec Barnaby. Selon Jarrod, il dort chez Cate depuis l'accident. Il se terre, ne va plus à son bureau et ne répond plus au téléphone.

La porte d'entrée a des vitres fumées et un heurtoir en laiton terni, patiné à l'ancienne, représentant un buste de femme nue, que je soulève par les hanches pour frapper à la porte. Pas de réponse. Je frappe à nouveau.

Une clé ferraille dans la serrure. La porte s'entrouvre. Il n'est ni rasé ni lavé. Il ne veut pas me voir. Sa délectation morose requiert son entière attention.

« Je vous en prie, Barnaby. Ouvrez-moi. »

Il hésite encore, mais la porte finit par s'ouvrir. J'entre, en le contournant à bonne distance, comme s'il était entouré d'un dangereux champ magnétique. La maison sent le renfermé. Il faudrait aérer, arroser les plantes...

Je le suis dans la cuisine puis dans la salle à manger, un espace ouvert donnant sur le jardin. Partout on sent la patte de Cate – depuis la grande table rustique à la française, jusqu'aux posters arts déco accrochés aux murs. Il y a des photos sur la cheminée. L'une d'elles, un portrait de mariage, représente Cate dans une robe style années 1920, brodée de nacre.

Barnaby se laisse choir sur le canapé et croise les jambes, relevant le revers de son pantalon qui dévoile un mollet glabre. On disait de lui qu'il était sans âge. Certains prétendaient même, avec un petit sourire en coin, qu'il avait un mystérieux portrait dans son grenier. Mais c'est faux. Ses traits sont

87

trop féminins pour bien vieillir. Son visage se fripe, au lieu de prendre de vraies rides de caractère. Encore une dizaine d'années et il se réveillera transformé en vieillard, presque du jour au lendemain.

Jamais je n'aurais imaginé que nous pourrions nous parler à nouveau. Finalement, ça n'a rien d'insurmontable, même si le deuil et le chagrin tendent à exacerber l'intimité entre les gens...

« Il paraît que le père est toujours le dernier au courant, commence-t-il. Autrefois, Cate ne cessait de se payer ma tête. "Ce pauvre vieux papa, toujours dans le brouillard !" »

Il me jette un regard voilé de confusion. De doute.

« Et Felix, il savait ? lui demandé-je.

— Ils faisaient chambre à part.

— C'est lui qui vous l'a dit ?

— Cate ne le laissait plus approcher. Sous prétexte de ne pas faire courir de risques au bébé.

— Mais tout de même, son mari aurait dû...

— Le mariage, c'est une chose ; le sexe, c'en est une autre », dit-il. Il parle en connaissance de cause. Je baisse les yeux, de plus en plus gênée. « Elle l'avait même encouragé à s'offrir les services d'une professionnelle, s'il le désirait. Elle disait que ça ne la dérangeait pas. Ben voyons ! Il aurait dû soupçonner quelque chose de louche.

— Qu'est-ce qui l'empêchait d'avoir des enfants ?

— Une sorte de réaction allergique. Sa muqueuse utérine détruisait les spermatozoïdes de son mari. Je ne me souviens plus du terme exact... Ils ont tout essayé, pendant sept ans régimes – médicaments, herbes médicinales, fécondation in vitro... Ils ont même fait chasser les mauvais esprits de la maison et répandu de l'huile de citronnelle chinoise dans le jardin. Cate était devenue une encyclopédie vivante sur le sujet – ce qui explique qu'on soit tous tombés de si haut. Elle était folle de joie. Je ne l'avais jamais vue aussi gaie. Je me souviens d'avoir observé Felix, certains jours. Il faisait son possible pour y croire, lui aussi, et je pense qu'au fond il était heureux. Mais je sentais que quelque chose le tracassait, qu'il se heurtait à un problème insoluble.

— Vous pensez qu'il avait des doutes ?

— Pendant des années l'utérus de sa femme rejette son sperme, toutes leurs tentatives de FIV échouent les unes après les autres et puis, fffft ! Tout d'un coup, voilà qu'elle se retrouve enceinte. N'importe qui aurait tiqué.

— Mais, à supposer que ce soit le cas...

— Sauf que lui, il *voulait* y croire, comprenez-vous. Elle avait réussi à convaincre tout le monde. »

Il se lève et me fait signe de le suivre. Ses pantoufles claquent doucement contre ses talons, tandis qu'il gravit l'escalier. La porte de la chambre d'enfant est restée ouverte. Toute la pièce a été refaite à neuf – peintures, papier peint, meubles neufs. Un petit lit, une table à langer, une chaise pour bébé avec un coussin orné d'un portrait de Winnie l'Ourson.

Il ouvre un tiroir et en sort un dossier. Les factures des meubles. Les instructions de montage du lit. Il prend une enveloppe et la secoue délicatement, pour en faire tomber deux planches de photos noir et blanc. Des images d'échographie.

Chaque cliché ne mesure guère plus de cinq centimètres sur cinq. Des silhouettes blanches sur fond noir. L'espace d'un instant, j'ai l'impression d'avoir sous les yeux l'une de ces images dont on voit émerger des formes en 3D. Je distingue des petits bras, des petites jambes. Un visage, des yeux, un nez.

« Elles ont été prises à vingt-trois semaines.

— Comment a-t-elle fait ?

— Felix devait assister à l'examen, mais Cate s'était trompée de date. Elle est revenue à la maison avec les photos. »

D'autres papiers attestent l'existence d'un enfant à naître. Il y a des formulaires d'inscription pour l'hôpital, des fiches de rendez-vous, des rapports d'examens médicaux, des lettres, des reçus pour le matériel de puériculture. Une plaquette du ministère de la Santé explique les démarches administratives pour déclarer la naissance d'un enfant. Une autre décline les bienfaits de l'acide folique, aux premiers stades de la grossesse.

Le tiroir contient d'autres papiers. Un paquet de lettres rangées dans un coin, des relevés bancaires, un passeport, des certificats d'assurance-maladie. Dans une chemise distincte sont rassemblés les papiers concernant la fécondation in vitro. Je vois passer à plusieurs reprises le nom du Dr Banerjee, un spécialiste de la stérilité qui exerce à Wimbledon.

« Où avait-elle prévu d'accoucher ?

— À l'hôpital de Chelsea & Westminster. »

J'ouvre une brochure pour des cours de préparation à l'accouchement sans douleur. « Ce qui m'échappe, c'est la manière dont tout ça allait se

90

terminer. Qu'est-ce qu'elle avait prévu de faire, dans quatre semaines ? »

Barnaby hausse les épaules : « Reconnaître qu'elle avait menti, je suppose.

— Non. Réfléchissez un peu. Sa prothèse, c'était du travail d'orfèvre. Elle devait la changer au moins deux ou trois fois par mois, et falsifier des certificats médicaux, des fiches de rendez-vous... Où diable a-t-elle pu se procurer ces photos d'échographie ? Imaginez tout ce mal qu'elle s'est donné. Elle avait sûrement un plan...

— Quel genre de plan ?

— Avec une mère porteuse. Ou une adoption plus ou moins confidentielle.

— Pourquoi ne pas l'avoir fait ouvertement ?

— Elle ne pouvait pas. C'est illégal, de louer les services d'une mère porteuse moyennant finances. Ça peut vous sembler improbable à première vue, mais il est impossible de l'exclure totalement. »

Il ricane et, d'un geste d'impatience, fouette l'air qui nous sépare. « Vous voulez dire que dans un mois, ma fille se serait éclipsée, le temps d'enlever son coussin, et serait revenue avec un bébé tout neuf, fabriqué spécialement pour elle, sur mesure ? Pourquoi pas chez IKEA, pendant que vous y êtes !

— J'essaie d'imaginer ses raisons.

— Je les connais, moi, ses raisons. Elle était tout bonnement obsédée par son désir d'enfant. Elle voulait désespérément être mère.

— Suffisamment pour expliquer ça ? » Je pointe du doigt les photos d'échographie.

Il allonge la main, ouvre un autre tiroir dont il sort un classeur – celui-ci contient des transcriptions

91

de procès, des listes de charges et une décision signée d'un juge.

« Il y a dix-huit mois, Cate a été surprise en flagrant délit de vol, dans un magasin de puériculture. Elle a dit que c'était un malentendu, mais nous y avons tous clairement entendu un appel au secours. Les juges ont été indulgents et lui ont accordé le sursis. Elle était en thérapie depuis six mois et, apparemment, ça lui faisait du bien. Elle était redevenue elle-même. Évidemment, elle évitait les bacs à sable et les sorties d'écoles – mais elle lorgnait les poussettes et les landaus, engageait la conversation avec les mères. Elle ne supportait pas de voir des mères de famille nombreuse afficher une nouvelle grossesse. Elle les accusait de cumuler. L'injustice de la situation la mettait hors d'elle !

» Ils se sont renseignés pour une éventuelle adoption, Felix et elle. Ils ont passé des entretiens. Leur candidature avait même été retenue par les assistantes sociales. Mais cette condamnation pour vol de vêtements d'enfants l'a disqualifiée. Le comité d'adoption l'a déclarée psychologiquement fragile... Et ça a été la goutte d'eau. Elle a complètement dérapé. Un beau matin, Felix l'a retrouvée assise par terre dans la chambre d'enfant, avec un ours en peluche dans les bras. "Regarde ! lui a-t-elle dit. On a un beau petit garçon..." Nous l'avons emmenée à l'hôpital et elle a passé la nuit au service psychiatrique. Ils l'ont mise sous antidépresseurs.

— Ah. Je n'étais pas au courant. »

Il hausse les épaules. « Vous voyez, Alisha, ce serait une erreur que de vouloir mettre à toute force

92

des idées logiques dans la tête de ma fille. Elle n'avait aucune espèce de plan ou de stratégie. La détresse est la mère de toutes les mauvaises idées... »

Tout ce qu'il dit semble aller de soi, mais je n'ai pas oublié ma dernière soirée avec Cate. Elle me suppliait de l'aider. Parce que, disait-elle, « ils voulaient prendre son bébé ». Qui, « ils » ?

Barnaby semble hésiter devant ma détermination et ma sincérité : « Bon. Qu'est-ce que vous voulez savoir de plus ?

— J'aimerais consulter leurs relevés de téléphone et de cartes de crédit, les souches de leurs carnets de chèques, leurs agendas. Y a-t-il eu récemment de grosses sommes débitées sur leur compte en banque ? D'importants retraits en liquide ? Sont-ils partis en voyage ? Ont-ils rencontré quelqu'un ? Vous faisait-elle des cachotteries ? Avait-elle des problèmes d'argent, ou des rendez-vous qu'elle essayait de vous dissimuler ? J'aimerais aussi voir son ordinateur. Peut-elle a-t-elle reçu ou envoyé des e-mails... »

Il a du mal à me dire non d'emblée, mais il tente d'esquiver mes questions. On dirait qu'il a quelque chose derrière la tête.

« Et si vous deviez découvrir quelque chose de gênant pour la famille... ? »

Sa réaction achève de me fiche en rogne : quoi qu'elle ait pu faire, sa fille a besoin de lui !

La sonnette de l'entrée retentit. Il fait demi-tour, visiblement surpris. Je le suis dans l'escalier et j'attends dans le couloir, tandis qu'il va ouvrir.

Yvonne pousse un sanglot guttural, puis, lui

passant le bras autour des épaules, elle lui presse la tête contre sa poitrine.

« Quel malheur ! Quel terrible malheur ! » brame-t-elle. Ses yeux se rouvrent. « Alisha !

— Bonjour, Yvonne. »

Elle pousse Barnaby hors de son chemin, m'empoigne et me serre à mon tour sur son cœur. Je me souviens de cette sensation. C'est comme d'être enveloppé dans une serviette éponge moelleuse et tiède, à peine sortie du sèche-linge. Puis elle me prend les avant-bras et m'éloigne d'elle pour mieux me voir. « Regardez-moi ça ! Ce que tu as grandi !

— Oui.

— Et tes jolis cheveux ! Tu les as coupés !

— Ça fait des lustres. »

Elle, elle a à peine changé. Quelques kilos de plus, c'est tout. Son visage, toujours grêlé, a pris un peu d'embonpoint. Elle a quelques varices, mais porte toujours ses éternelles chaussures d'homme.

Après le rétablissement de Mrs Elliot, Yvonne est restée dans la famille pour faire la cuisine, la lessive et le repassage, comme ces servantes à l'ancienne, qui vieillissent avec leurs patrons.

Elle m'invite à rester dîner, mais je trouve une excuse pour m'éclipser. En arrivant à la voiture, j'ai encore la joue râpée par la barbe de Barnaby, là où il m'a fait la bise. Le temps de me retourner pour jeter un dernier coup d'œil à la maison, me revient le souvenir d'une autre tragédie, d'un autre adieu. Les voix de mon passé se télescopent et se confondent. Le regret me prend à la gorge.

8

Donavon a donné à la police une adresse à Hackney, non loin de London Fields. Bâti un peu en retrait par rapport à la rue, le pavillon délabré dispose d'une cour en terre battue, en partie couverte d'une dalle de béton zébrée de lézardes. Un van Escort décoloré par le soleil y est garé, ainsi qu'une moto. C'est une jeune femme qui vient m'ouvrir. Elle a dans les vingt-cinq ans, une mini-jupe et une grossesse avancée, avec des traces d'acné sur les joues et le front. Elle s'est mis du coton entre les doigts de pied et se tient sur les talons, les orteils relevés.

« Je cherche Donavon.

— Y a personne de ce nom-là dans cette maison.

— Dommage. J'avais de l'argent pour lui.

— Je peux le lui donner, si vous voulez.

— Je croyais que vous ne le connaissiez pas.

— Je voulais juste dire qu'il n'était pas là pour l'instant... mais il ne devrait plus tarder.

— Je préfère le lui remettre en mains propres. »

Elle rumine ça un bon moment, toujours sur ses talons. « Vous êtes des services sociaux ?

— Non.

— De la sécu ?

— Non plus. »

Elle s'éclipse, remplacée par Donavon.

« Eh ben ça, si je m'attendais !

— Allez, ça va, Donavon... »

Il promène le bout de sa langue sur une brèche entre ses incisives supérieures, tandis que son regard me toise de la tête aux pieds. J'en ai froid dans le dos.

« Ta mère ne t'a jamais dit que ça ne se faisait pas, de dévisager les gens ?

— Non, mais elle m'a souvent conseillé de me méfier des inconnues qui prétendent me devoir du fric !

— Je peux entrer ?

— Ça dépend.

— De quoi ?

— J'avais demandé une Thaïlandaise, mais je pense que tu feras très bien l'affaire ! »

Toujours égal à lui-même ! La femme enceinte est toujours derrière lui. « Je te présente Carla, ma sœur », annonce-t-il.

Elle se fend d'un petit hochement de tête renfrogné.

« Ravie de faire votre connaissance, Carla. Je suis une ancienne camarade d'école de votre frère. Vous êtes allée à Oaklands, vous aüssi ? »

Donavon répond à sa place : « Je crois que j'avais un peu chié dans le puits, là-bas.

— Pourquoi tu as pris la fuite hier ? »

Il hausse les épaules. « Tu dois faire erreur sur la personne.

— Je sais parfaitement que c'était toi. »

Il lève les bras, en une parodie de capitulation. « Et alors – qu'est-ce que tu comptes faire, hein ? M'arrêter ? J'espère que t'as amené tes menottes, ça risque d'ajouter un certain piment à la chose... »

Je le suis dans le couloir, où s'alignent des porte-manteaux et quelques paires de chaussures. À la table de la cuisine, Carla s'est replongée dans l'application de son vernis. Armée de son petit pinceau, elle n'hésite pas à lever le pied presque sous son nez, sans craindre de me faire voir sa petite culotte, pour peindre ses ongles. Elle doit être myope.

Sous la table, le chien bat plusieurs fois de la queue, sans pour autant se donner la peine de se lever.

« Je te sers quelque chose ?

— Non, merci.

— Moi, je m'enverrais bien une bière. Hé, Carla... ! Si t'allais nous acheter un pack au coin de la rue ? »

La lèvre supérieure de la jeune femme se retrousse en une petite moue excédée, tandis qu'elle lui arrache de la main le billet de vingt qu'il lui tend.

« Et cette fois, n'oublie pas de me rendre la monnaie ! »

Donavon tire une chaise de sous la table. « Alors, tu t'assieds ? »

Je le laisse s'asseoir le premier. Je préfère garder le bénéfice de l'altitude. « C'est chez toi, cette maison ?

— Chez mes parents. Mon père est mort. Ma mère habite en Espagne.

— Tu t'étais engagé dans l'armée ?

— Ouais. Dans les paras. » Ses doigts trépident sur la table.

« Et pourquoi tu es parti ? »

D'un geste, il m'indique sa jambe : « Problème médical. Fractures multiples au tibia. On faisait des exercices de saut au-dessus d'Andover. Le parachute d'un bleu s'est entortillé autour du mien et on est descendus à deux avec un seul parachute, et donc beaucoup trop vite. Après ça, ils n'ont plus voulu me laisser sauter. Ils avaient annoncé que j'aurais une pension à vie, mais les lois ont changé. Maintenant, je dois gagner ma croûte. »

Je jette un coup d'œil circulaire dans la cuisine. On se croirait dans un atelier de travaux manuels. Lanières de cuir, boîtes de perles de verre ou de céramique, plumes... Sur la table, je remarque un rouleau de fil de fer et des pinces.

« Qu'est-ce que tu fiches ?

— Je fais les marchés. Je vends des bijoux, des bricoles, ce genre de merde. Comme tu vois... je croule pas vraiment sous le fric. »

Sa phrase reste en suspens. Puis il me reparle de son régiment de paras. L'armée lui manque. Carla est de retour avec un pack de bière et un paquet de biscuits au chocolat. Elle va s'asseoir sur l'escalier et se met à grignoter ses biscuits, en laissant traîner une oreille. J'aperçois ses orteils peints entre deux barreaux de la rambarde.

Donavon fait sauter l'opercule d'une boîte et s'abreuve bruyamment, à longs traits – puis il s'essuie les lèvres :

« Comment va-t-elle ?

— Pas très fort. On craint des lésions cérébrales. »

Ses traits se tendent. « Et le bébé ?

— Elle n'était pas enceinte.

— *Quoi ?*

— Sa grossesse était feinte.

— Comment ça, feinte ? Pourquoi aurait-elle...
Putain, à quoi ça rime ? »

Il semble avoir nettement plus de mal à avaler
la grossesse fantôme de Cate que son combat,
pourtant bien réel, contre la mort.

« Pourquoi tu t'intéresses tant à Earl Blake ? lui
demandé-je.

— Pour la même raison que toi.

— C'est ça, ouais ! Quelle différence ça peut
faire, pour toi ?

— Tu ne comprendrais pas.

— Qu'est-ce que t'en sais ? Essaie, pour voir !

— Ah ! Va te faire foutre.

— Tu serais trop content...

— Il aurait pu s'arrêter à temps, ce fumier ! dit-
il soudain, avec une rage froide, à un cheveu de la
violence.

— Tu l'as vu accélérer ? il a braqué dans leur
direction ? »

Il fait « non » de la tête.

« Qu'est-ce qui te fait dire ça, alors ?

— Il mentait.

— Et c'est tout ? »

Il hausse une épaule, comme pour se gratter
l'oreille. « Oublions ça, OK ?

— Non. Je veux savoir. Tu soutiens que le
conducteur mentait, mais qu'est-ce qui te permet
de l'affirmer ? »

Il se détend un peu. « Il mentait. Je le sais, point barre. Il leur a foncé dessus.

— Comment tu peux en être aussi sûr ? »

Il se détourne en marmonnant : « C'est comme ça. Je le sens très bien, quand quelqu'un ment. J'en mettrais ma tête à couper. »

Ma mère m'avait raconté que les gens aux yeux verts, comme les Irlandais, descendaient des fées, et que si d'aventure je venais à croiser le chemin de quelqu'un qui avait un œil vert et l'autre brun, c'était que cette personne était habitée par une gentille fée et qu'il ne fallait pas en avoir peur. Donavon, lui, me file carrément la chair de poule. Je vois rouler l'ossature de ses épaules sous sa chemise.

« J'ai découvert un truc, sur ce Blake, dit-il, soudain plus calme. Il s'est fait engager par cette boîte de taxi, il y a une semaine, mais depuis, il n'a jamais travaillé – pas une seule journée. En revenant de chacun de ses services, il leur a remis plus de quatre-vingts tickets pour la location de la voiture, mais les kilomètres au compteur ne correspondaient pas aux gains qu'il a déclarés. En réalité, il n'a sûrement pas fait plus de quelques kilomètres. Il a dit à ses collègues chauffeurs qu'il avait des habitués, des clients qui lui téléphonaient directement pour qu'il vienne les prendre, et que l'un d'eux était producteur de films. T'imagines, un producteur milliardaire se baladant à Londres dans une vieille Vauxhall Cavalier ? »

Il redresse les épaules, et continue sur sa lancée. « Alors je me suis dit, pourquoi quelqu'un se louerait une bagnole toute la journée, pour aller nulle part ? De deux choses l'une : soit il surveille des gens, soit il les attend au tournant.

— C'est un peu tiré par les cheveux.

— Ouais, peut-être. Sauf que je n'ai pas rêvé. J'ai vu ce coup d'œil que lui a balancé Cate. Elle l'a reconnu. »

Lui aussi, il a remarqué...

Repoussant sa chaise, il se lève et ouvre un tiroir. « Tiens. J'ai trouvé ça par terre, l'autre soir. Cate a dû le laisser tomber... »

Il me tend une enveloppe froissée, qui porte mon nom. Je connais cette petite écriture tarabiscotée. C'est bien celle de Cate. Je soulève le rabat, j'en sors une photo. Une adolescente qui fixe l'objectif d'un regard absent. Elle a des membres fins, presque grêles, et des cheveux mi-longs noirs, coupés à la va-vite et ébouriffés par le vent. Ses lèvres charnues se retroussent sur les bords, ce qui lui donne une expression plus nostalgique que vraiment triste. Elle porte un jean, des sandales et une chemise en coton. Elle a les mains le long du corps, paumes ouvertes, avec un bandage blanc au poignet. Au dos, on a inscrit un prénom : Samira.

« Qui est-ce ? demandé-je.

— Aucune idée.

— Et le numéro ? »

Au coin inférieur droit, je lis un numéro à dix chiffres. Peut-être un numéro de téléphone. J'examine à nouveau la photo, tandis que les questions se bousculent dans ma tête. Cate a feint d'être enceinte. Quel rapport avec cette toute jeune fille, qui n'a même pas l'âge d'être mère ?

Je prends mon portable et je compose le numéro.

Une voix enregistrée m'informe qu'il est indisponible. L'indicatif régional ne correspond pas à la Grande-Bretagne. Ça doit être un numéro du réseau international.

Donavon s'est détendu. Toute colère semble l'avoir quitté. C'est peut-être la bière qui l'apaise.

« Qu'est-ce que tu comptes faire ? me demande-t-il.

— Je n'en sais trop rien. »

Je me lève et, comme je pivote vers la porte, il me rappelle : « J'aimerais te filer un coup de main.

— Pourquoi ?

— J'ai mes raisons. »

Il n'est toujours pas disposé à s'expliquer.

Carla m'intercepte juste avant que je n'arrive à la porte d'entrée.

« Il n'a plus toute sa tête, me glisse-t-elle à l'oreille. Avant, ça allait à peu près, mais il a dû avoir un choc là-bas, en Afghanistan – ou Dieu sait où ils ont pu l'envoyer ! Ça n'est plus le même homme. Il ne dort plus. Il a des idées fixes. Comme ça, pour rien du tout. Je l'entends tournicoter dans la maison en pleine nuit.

— Vous croyez qu'il a besoin d'aide ?

— Je ne sais pas de quoi au juste, mais il a besoin de quelque chose. »

9

Le bureau du superintendant en chef Lachlan North est situé au onzième étage de New Scotland Yard, et donne à la fois sur Victoria Street et sur Westminster Abbey. North s'est posté à sa fenêtre, l'œil collé à l'objectif d'un télescope avec lequel il scrute le trafic, dans la rue.

« S'il croit qu'on va le laisser tourner là, ce crétin ! »

Il attrape un émetteur-récepteur radio et envoie un signal d'appel aux collègues de la circulation.

Une voix lasse lui répond : « Oui, chef ?

— Y a un connard qui vient de faire demi-tour dans Victoria Street, juste sous ma fenêtre. Vous ne l'avez pas vu ?

— Si, chef. On l'a pris en chasse. »

Le superintendant regarde toujours dans son télescope. « Je peux même vous donner son numéro, si vous voulez.

— Tout est sous contrôle, chef.

— Impeccable. Fin de communication. »

Se détournant de la fenêtre, le superintendant vient s'asseoir à son bureau, devant moi. « Nos rues sont pleines d'imbéciles dangereux, inspecteur Barba.

— Oui, chef.

— Et j'ai appris d'expérience que les plus dangereux ne sont pas les criminels, mais les cons.

— Ils sont plus nombreux, chef.

— Oui. Exact. »

Il plonge la tête dans un tiroir et en sort une chemise vert foncé, dont il feuillette le contenu. Il s'éclaircit la gorge et sourit, dans un vague effort pour m'attendrir. Mais un doute tenace me travaille de l'intérieur.

« J'ai reçu les résultats de votre examen médical, inspecteur Barba, ainsi que votre bilan psychologique. Et je dois dire que vous vous êtes remise de vos blessures avec une surprenante rapidité. J'ai bien pris note de votre demande, pour reprendre le service actif dans le cadre du groupe de protection diplomatique. Le mot qui s'impose, c'est "courage"... » Il tire sur ses manches, et finit par cracher le morceau : « Mais, au vu des circonstances et après mûre réflexion, nous avons décidé de vous muter dans un autre service. Après ce terrible accident, vous pourriez avoir développé une certaine... appréhension des coups de feu. Vous comprendrez que cela poserait un grave problème, si vous étiez à nouveau affectée à la protection d'un diplomate ou d'un chef d'État étranger. Ça pourrait devenir très gênant.

— Je n'ai aucune raison d'appréhender les coups de feu, monsieur le superintendant. Jusqu'à présent, personne ne m'a tiré dessus ! »

Sa main s'élève pour m'imposer silence :

« Croisons les doigts pour que ça dure, inspecteur. Mais quoi qu'il en soit, nous avons l'obligation d'assurer la sécurité de nos hôtes étrangers et, même si vous gardez mon entière confiance, je ne dispose d'aucun moyen de tester vos capacités, en cas de coup dur – imaginez que le climat politique se gâte et qu'un méchant terroriste essaie de descendre l'ambassadeur d'Israël sous notre nez ! » Il ponctue son explication en martelant le dossier de l'index.

« Voyez-vous, inspecteur Barba, mon job consiste pour l'essentiel à gérer les priorités et les compétences de mes subordonnés – tâche ingrate s'il en est, mais je ne m'attends pas à ce qu'on me tresse des couronnes ! Je me contente, modestement, de me mettre au service de mon pays, en assurant au mieux la sécurité de mes concitoyens. » Sa poitrine se soulève. « Comprenez-moi bien. Ici, personne ne veut vous perdre. Au contraire ! Des filles de votre trempe, il nous en faudrait beaucoup plus dans la police métropolitaine, et c'est pourquoi j'ai le plaisir de vous offrir un poste d'officier de recrutement. Nous avons un besoin urgent de motiver d'éventuelles candidates, et tout particulièrement dans les minorités ethniques. Vous leur tiendrez lieu à la fois de modèle et de leader. »

Ma vision s'obscurcit. Je me sens comme prisonnière d'un brouillard. North se lève, retourne à la fenêtre, se penche à nouveau pour regarder dans son télescope.

« Incroyable ! Quelle bande de crétins ! » s'exclame-t-il en secouant la tête.

Puis il se tourne vers moi, et vient s'asseoir d'une

fesse au coin de son bureau. Juste en arrière-plan de sa tête, je reconnais une vieille photo sépia, le célèbre portrait des Bow Street Runners, le premier corps de policiers londoniens, dont la fondation remonte au XVIIIe siècle.

« Nous attendons énormément de vous, inspecteur Barba. Et nous savons que vous ne nous décevrez pas.

— Avec tout le respect que je vous dois, chef, je n'ai aucune appréhension des coups de feu. J'ai totalement récupéré. Je suis au sommet de ma forme. Je cours le mile en quatre minutes et demie, et mes résultats au tir à la cible restent inégalés dans le Groupe de Protection Diplomatique. En cas d'attaque, mes performances de conducteur à très haute vitesse sont excellentes. En fait, mes compétences n'ont pas varié d'un iota !

— Bien sûr, bien sûr... Ça, nous en sommes tous persuadés. Vous êtes plus que compétente. Mais la décision est prise. Elle n'est plus de mon ressort. Vous êtes attendue au centre de recrutement de Hendon dès lundi matin. »

Il va m'ouvrir la porte et attend que je quitte la pièce. « Vous faites toujours partie de notre équipe, Alisha. Vous en êtes l'un des meilleurs membres, et nous sommes tous très heureux de vous savoir de retour. »

Les mots me manquent. Je devrais m'insurger, riposter, taper du poing sur son bureau en exigeant une révision de cette décision, mais je me borne à quitter la pièce, la tête basse. La porte se referme derrière moi.

Une fois dehors, je pars à pied le long de Victoria

Street. Peut-être me surveille-t-il de sa fenêtre, avec son télescope. Je suis prise d'une soudaine envie de regarder droit dans son objectif, en le gratifiant d'un magistral bras d'honneur.

Mais ça aussi, je m'en abstiens. Mon côté bien élevé, vous voyez. C'est mon problème. Je n'ai jamais su en imposer à l'adversaire, ni instaurer un rapport de force. Je ne m'exprime pas à coups de clichés sportifs, je ne me rebiffe pas, je n'ai pas ce truc qui pend entre les jambes. Et malheureusement, je ne peux pas non plus me rabattre sur ces armes typiquement féminines (et potentiellement dévastatrices), que sont un décolleté foudroyant ou un postérieur aérodynamique, à la Jennifer Lopez. La seule qualité dont je puisse me prévaloir, outre ma conscience professionnelle, c'est d'être une femme, avec la crédibilité que me confèrent mes origines ethniques. Et c'est tout ce qu'on attend de moi, dans la police londonienne.

J'ai vingt-neuf ans et je n'ai toujours pas renoncé à me croire capable de faire quelque chose de ma vie. Je suis différente, unique, au-delà de toute comparaison. Je n'ai ni la troublante beauté de Cate, ni sa tristesse, ni son rire irrésistible, ni ce don qu'elle avait de réveiller le guerrier qui sommeille en chaque homme. Mais j'ai une certaine sagesse, doublée d'une détermination d'acier.

À seize ans, je visais la médaille olympique ; maintenant, je veux me distinguer. Peut-être ma plus grande prouesse serait-elle de tomber amoureuse. Partir à la découverte de l'être aimé. C'est vrai, il n'existe pas de plus haut défi. Et ce n'est pas Cate qui me contredirait.

Quand j'ai besoin de réfléchir ou d'oublier, je cours. Ça m'éclaircit l'esprit en canalisant mes pensées, telle une lentille optique qui condenserait le monde. Quand je cours au sommet de ma forme, je flotte au-dessus du sol, comme les athlètes se voient courir en rêve.

Les médecins avaient prédit que je ne pourrais plus jamais marcher, mais je les ai fait mentir. Cette idée me réjouit. Je déteste me comporter de façon prévisible. J'aime être là où on ne m'attend pas.

J'ai commencé comme les bébés, en marchant à quatre pattes. « Réapprenez à marcher, avant de vouloir courir ! me disait mon kiné. Commencez par faire un pas, puis un second... » Nous nous sommes affrontés en un duel permanent, lui et moi. Plus il me couvait, plus je le maudissais. Il me tordait le corps, je menaçais de lui casser un bras. Quand il me traitait de chochotte, je le traitais de sale brute.

« Allez-y... mettez-vous sur la pointe des pieds.

— C'est ce que j'essaie de faire !

— Appuyez-vous sur mon bras. Fermez les yeux. Vous sentez cette tension, dans votre mollet ?

— Je la sens dans la prunelle de mes yeux. »

Après des mois en traction, et encore plus de temps en fauteuil roulant, j'avais totalement perdu le contact avec le sol. Je ne sentais plus où s'arrêtaient mes jambes. Je me cognais dans les murs, je trébuchais sur les trottoirs. Pour moi, la moindre volée de marches était un nouvel Everest, et mon séjour une course d'obstacles.

Je me forçais à relever de minuscules défis – sortir dans la rue chaque matin, d'abord cinq minutes, puis dix, puis vingt. Et ce, après chacune de mes opérations. Je me suis forcée à sortir pendant tout un hiver, puis au printemps, puis durant la canicule de l'été, dans l'atmosphère saturée de gaz d'échappement, lorsque l'air vibre au-dessus des pavés chauffés à blanc.

Du coup, j'ai exploré chaque pouce de l'East End, qui est comme une immense usine, avec un million de pièces en mouvement dans un vacarme infernal. J'ai vécu des années dans d'autres quartiers de Londres, sans jamais échanger ne fût-ce qu'un coup d'œil avec mes voisins. Ici, j'ai fait la connaissance de Mr Mordachai qui habite la maison d'à côté et se charge de tondre mes trois mètres carrés de gazon, et de Mrs Goldie, ma voisine d'en face, qui porte mes vêtements au pressing.

Dans l'East End, tout le monde est sur le pied de guerre. Ça se chamaille, ça ferraille et ça s'enguirlande à qui mieux mieux, dans une sorte d'état d'urgence chronique. On marchande, on chicane, on gesticule en se tapant le front. La « faune des abysses », disait Jack London il y a un siècle. Depuis, certaines choses ont changé mais pour l'essentiel, c'est toujours pareil.

Je cours près d'une heure le long de la Tamise, dépassant Westminster, Vauxhall, et l'ancienne usine électrique de Battersea. Je sais à peu près où je suis – dans les petites rues de Fulham. Mon ancien chef, l'inspecteur divisionnaire Vincent Ruiz, habite à Rainville Road. Il a pris sa retraite, mais on se téléphone encore, presque tous les jours. Il me pose généralement deux questions, toujours les mêmes – « Comment ça va ? » et « Est-ce qu'il vous manque quelque chose ? » Auxquelles je réponds successivement – « Très bien » et « Non, merci, j'ai tout ce qu'il me faut. »

Je le repère de loin. Il s'est installé au bord du fleuve, sur un pliant, la canne à pêche à la main, avec un bouquin sur les genoux.

« Qu'est-ce que vous faites, chef ?

— Je pêche.

— Vous espérez vraiment prendre quelque chose ?

— Non.

— Alors, pourquoi vous donner tout ce mal ? »

Il pousse un long soupir, avant de me répondre de sa voix la plus « Ah-ma-grande-sauterelle, il-vous-reste-beaucoup-à-apprendre » : « Vous savez, Alisha... Pêcher n'a qu'un lointain rapport avec le fait d'attraper des poissons. Il ne s'agit même pas d'espérer pêcher quelque chose. C'est un exercice de détachement, d'endurance et de patience – et avant tout un excellent prétexte (il lève une boîte de bière blonde) pour s'envoyer une petite bière. »

Il a pris quelques kilos, depuis son départ à la retraite. Le sucre, les pâtisseries qu'il grignote avec son café et les mots croisés du *Times*. Il porte les cheveux plus longs. Ça me fait tout drôle de me dire qu'il n'est plus flic, à présent. Que ce n'est plus qu'un citoyen comme les autres.

Il rembobine sa ligne, remballe son pliant.

« Vous m'avez l'air d'avoir couru un marathon.

— Oh, pas tout à fait. »

Je lui donne un coup de main pour transporter son matériel. Il habite juste de l'autre côté de la rue, dans une grande maison individuelle, avec des fenêtres à petits carreaux sertis de plomb, au-dessus de longs bacs à fleurs vides. Il s'empresse de ranger une liasse de feuillets dactylographiés qui traînaient sur la table de la cuisine, et remplit la bouilloire.

« Alors, chef, qu'est-ce que vous avez fait, ces derniers temps ?

— Je préférerais que vous ne m'appeliez plus chef.

— Comment dois-je vous appeler, en ce cas ?

— Vincent.

— Et si je vous disais juste "inspecteur" ?

— Je ne suis plus inspecteur.

— Ça pourrait être un genre de surnom... »

Il hausse les épaules. « Vous allez vous refroidir. Je vous apporte un pull... »

Je l'entends fourrager un moment dans ses placards, au premier, et il redescend avec un cardigan qui sent la lavande et les boules de mites. « C'était à ma mère », m'explique-t-il, sur le ton de l'excuse.

Je l'ai rencontrée une seule fois. Mrs Ruiz mère avait l'air de sortir d'un conte de fées d'Europe centrale – une vieille édentée avec un châle à franges et des tas de bagues et de bijoux.

« Comment va-t-elle ?

— Elle perd complètement la boule. Elle n'arrête pas de harceler le personnel de la maison de retraite en les accusant de lui donner de l'urticaire. Vous parlez d'un boulot de merde ! J'en ai le cœur serré, pour ces pauvres bougres... »

Ruiz part d'un grand éclat de rire qui fait plaisir à entendre. D'ordinaire, c'est un taciturne. Il semble né avec les sourcils froncés et une piètre opinion de l'espèce humaine – ce qui ne m'a jamais rebutée. Sous ses dehors bourrus, je sais que Ruiz cache non pas un cœur d'or, mais... bien davantage.

J'ai repéré une vieille Remington dans un coin.

« Vous vous recyclez dans la littérature, inspecteur ?

— Mais non, mais non, répond-il, un poil trop vite.

— Vous écrivez un livre.

— Dites pas de bêtises. »

Je tente de réprimer le sourire qui me monte aux lèvres. Il va être à cran maintenant. Il déteste qu'on se moque de lui. Il attrape son manuscrit et l'enfourne tant bien que mal dans un vieil attaché-case, puis il revient s'asseoir à table, les mains arrondies autour de sa tasse de thé.

Je laisse prudemment s'écouler quelques minutes. « Alors, de quoi ça parle ?

— Quoi, *ça* ?

— Votre livre.

— Ça n'est pas un livre. Quelques notes, tout au plus.

— Un genre de journal ?

— Non. Un genre de notes. » Le sujet est définitivement clos.

Je n'ai rien pris depuis mon petit déjeuner. Ruiz me propose de me préparer quelque chose. Des *pasta alla putanesca*. C'est parfait, mais bien trop compliqué et trop subtil pour que je puisse le décrire – et bien plus succulent que tout ce que j'aurais pu cuisiner moi-même. Il dispose des copeaux de parmesan sur des tranches de pain noir qu'il passe au gril.

« C'est un délice, inspecteur.

112

— On dirait que ça vous surprend.

— Mais ça me surprend !

— Tous les hommes ne sont pas des taches, en cuisine.

— Et toutes les femmes ne sont pas des fées du logis ! »

Je vais chez le traiteur indien de mon quartier plus souvent que chez ma propre mère – c'est ce que j'appelle le « régime tandoori ».

Je me trouvais avec Ruiz, le jour de mon accident. Depuis, nous n'en avons jamais reparlé. C'est devenu une sorte de convention entre nous. Je sais qu'il se sent responsable mais ce n'est pas de sa faute. Rien ne m'obligeait à venir, ce jour-là. Et, à présent, il n'a aucun moyen d'obliger la police métropolitaine à me rétablir dans mes anciennes fonctions.

Les assiettes sont lavées, rincées, essuyées et rangées.

« Eh bien, moi, je vais vous raconter une histoire, attaqué-je. Le genre d'histoire dont vous raffolez, parce qu'elle est construite autour d'un vrai puzzle. Je ne vous dis pas si elle est véridique ou imaginaire. Je vous demande juste de m'écouter jusqu'au bout, sans m'interrompre. J'ai besoin de mettre un peu d'ordre dans les détails, pour voir comment ça s'agence. Quand j'aurai fini, je vous poserai une question à laquelle vous répondrez par oui ou par non. Et puis vous pourrez m'en poser une, à votre tour.

— Une seule ?

— Oui. Je ne voudrais surtout pas que vous vous mettiez à tout chambouler dans l'enchaînement des

113

faits, ni à y creuser des tunnels. Pas tout de suite...
Demain, on verra. Alors, nous sommes bien
d'accord ? »

Il hoche la tête.

Avec la plus grande application, je commence à
lui brosser la toile de fond. Cate. Donavon. Earl
Blake. C'est un peu comme de démêler un fil de
pêche. Si on tire trop sur les nœuds de l'intrigue, on
a tôt fait de l'étrangler, et il devient presque impossible de distinguer ce qui relève des faits, ou de la
pure interprétation.

« Et en supposant que Cate ait loué les services
d'une mère porteuse... Au cas où les choses auraient
tourné au vinaigre, il pourrait bien y avoir un bébé,
quelque part dans la nature. Un bébé qui serait de
Cate.

— La loi punit ce genre d'arrangement, dit-il.

— Mais ça se fait. Et il y aura toujours des candidates. En général, elles font partie de la famille
– une sœur ou une cousine. On leur paie tous leurs
frais. Ça, c'est autorisé.

— Ce qui est interdit, c'est de louer son ventre
pour mettre un enfant au monde.

— Exactement. »

Je lui montre la photo de Samira. Il la contemple
longtemps, comme s'il y avait une chance infime
pour que ce visage finisse par lui dire quelque chose.
Il retourne la photo, découvre les chiffres.

« Les quatre premiers pourraient être l'indicatif
d'un numéro de portable, à l'étranger. Commencez
déjà par retrouver le préfixe du pays concerné, sinon
vous ne pourrez pas l'appeler. »

À mon tour d'ouvrir de grands yeux.

114

« Qu'est-ce que vous croyez ! Je ne suis pas totalement allergique à la technologie, proteste-t-il.

— Et ces fameuses notes, que vous tapez sur une machine à ruban ! »

Il glisse un coup d'œil vers sa vieille Remington. « Ouais, mais pour moi, elle a une grande valeur sentimentale. »

Les nuages s'espacent, juste le temps de nous laisser entrevoir le coucher du soleil, dont les derniers rayons s'attardent sur la Tamise. Plus que quelques minutes et ils s'éteindront, nous plongeant dans d'humides ténèbres.

« Je crois me souvenir que j'avais droit à une question, dit-il.

— Une, oui.

— Vous voulez que je vous ramène chez vous ?

— Et c'est tout ?

— On pourrait faire un saut à Oaklands, en passant. Vous me montrerez l'endroit où c'est arrivé. »

L'inspecteur roule dans une vieille Mercedes, avec des sièges en cuir blanc et une suspension un peu amortie. Il a l'allure d'un joueur de pétanque à l'anglaise, au volant de ce monument, sans compter qu'elle doit lui coûter des fortunes en essence, mais Ruiz n'a jamais été du genre à s'en faire pour l'environnement – pas plus que pour l'allure qu'il peut avoir.

C'est bizarre de me retrouver sur le siège passager, et non derrière le volant, moi qui lui ai si longtemps tenu lieu de chauffeur. Je ne saurai jamais pourquoi il m'avait choisie. Selon certains bruits de couloir, l'inspecteur aurait eu un petit faible pour les dames – surtout si elles sont jeunes et jolies. Je n'en ai jamais cru un mot.

Quand on m'a mutée aux homicides, Ruiz m'a donné ma chance, sans jamais me manquer de respect. Jamais il ne m'a appliqué de régime spécial à cause de ma couleur, de mon âge ou de mon sexe.

Dès le début, je l'ai averti que je voulais participer aux enquêtes et il ne m'a pas caché que j'allais devoir être plus rapide, plus futée et plus efficace que n'importe lequel de mes collègues masculins candidats au même poste. Il savait que c'était injuste et ne défendait pas le système. Il se bornait à m'inculquer les réalités de la profession.

Du temps où j'étais encore en stage de formation, Ruiz était déjà une légende vivante. À Hendon, nos instructeurs le citaient en exemple et nous racontaient ses exploits. Il n'était encore qu'inspecteur stagiaire quand, en 1963, il avait arrêté Roger Cordrey, l'un des cerveaux du fameux casse du train, et contribué à récupérer les 141 000 livres du butin. Plus tard, il avait gagné ses galons d'inspecteur en contribuant à épingler le violeur de Kilburn, qui avait écumé les quartiers nord en semant la terreur, pendant huit longs mois.

Il n'a jamais été du genre nostalgique et ne vous rebat pas les oreilles du bon vieux temps, mais je crois qu'il regrette effectivement l'époque où la différence était plus facile à faire entre les flics et les délinquants. L'époque bénie où la population respectait ceux qui tâchent d'assurer sa sécurité.

Ruiz gare sa Mercedes sur Mansford Street, et nous continuons à pied jusqu'à l'école. Les hautes silhouettes des bâtiments victoriens, nettes et sombres, se découpent dans la pénombre ambiante. Quelques guirlandes électriques multicolores restent accrochées aux fenêtres du grand hall. Peut-être n'est-ce qu'un tour que me joue mon imagination, mais il me semble qu'il reste une tache plus sombre sur la chaussée, là où Cate est tombée. Quelqu'un a attaché un bouquet au lampadaire le plus proche.

« Ils sortaient d'entre les voitures, dit-il. Leur ligne de vision était limitée par les véhicules en stationnement. Ils n'ont pas pu y voir grand-chose...

— Cate a tourné la tête.

— Mais elle n'a pas dû voir arriver le taxi. Soit elle ne l'a pas vu, soit il roulait à toute vitesse.

— Deux autres chauffeurs de taxi ont dit qu'ils l'avaient aperçu, un peu plus haut dans la rue, roulant presque au pas. Ils en avaient conclu qu'il cherchait une adresse... »

Je repasse mentalement les événements en revue « Il y a autre chose... Il me semble que Cate avait reconnu le chauffeur.

— Parce qu'elle le connaissait ?

— Peut-être l'avait-il déjà prise en charge, lors d'une course précédente.

— Ou peut-être l'avait-il suivie, ajoute Ruiz.

— Quoi qu'il en soit, elle avait peur de lui. Je l'ai vu à son regard. »

Je lui parle du tatouage, qui s'étalait sur toute sa poitrine.

« Ça doit pouvoir se retrouver, un truc pareil, dit Ruiz. Il nous faudrait juste un allié dans la place. » Je le vois venir... « À propos, comment il va, ce brave petit Dave ? Vous fricotez toujours ensemble ?

117

— Même si c'était le cas, je ne vois pas en quoi ça vous concerne. »

Les demoiselles sikhs rougissent, elles aussi – mais de l'intérieur.

Dave King est inspecteur aux Homicides pour le secteur ouest, l'ancienne division de Ruiz. Il a une trentaine d'années et une touffe de cheveux rebelles, couleur pain d'épice, qu'il coupe toujours court, dans l'espoir toujours déçu de la domestiquer. Son surnom de « brave petit Dave » date de l'époque où il avait été recruté de fraîche date dans le service, mais depuis cinq ans ont passé. Le « petit nouveau » a été promu sergent.

Dave habite un appartement à West Acton, près d'Uxbridge Road, dans un quartier où les tours à gaz dominent la ligne d'horizon. Il n'a pas besoin de réveil : tous les matins, les trains des lignes de Paddington le réveillent en fanfare.

Son appartement est bien placé pour décrocher la palme d'or du studio de célibataire. Il contient en tout et pour tout un lit *king size*, une télé grand écran, un canapé et quelques cartons pleins de bricoles. Le papier peint du mur est arraché de part en part. La moquette a été enlevée, mais jamais remplacée.

« Mmmh ! J'adore votre déco, raille Ruiz.

— OK, ouais... Vous croyez que j'ai que ça à faire ? » réplique Dave, avant de me jeter un regard interrogateur, genre : « Qu'est-ce qui se passe, encore ? »

Je lui pique un petit baiser sur la joue en glissant la main sous son T-shirt, le long de son épine dorsale. Il est allé jouer au rugby. Il sent la pelouse fraîchement tondue.

Voilà deux ans que nous sommes plus ou moins ensemble, lui et moi. Ruiz relèverait ce « plus ou moins » avec un sourire en coin. Même en soustrayant mes mois de convalescence à l'hôpital, c'est la relation la plus durable que j'aie eue de toute ma vie.

Dave croit qu'il veut m'épouser, mais il n'a jamais rencontré ma famille. Épouser une Sikh, c'est épouser sa mère, sa grand-mère, ses tantes et ses frères. Je sais bien que toutes les familles ont un certain « bagage » de culture et de traditions, mais dans le cas de la mienne, ce serait plutôt une de ces vieilles valises mal ficelées que l'on voit tourner indéfiniment sur les tapis des aéroports...

Dave essaie de m'en remontrer en m'assenant les histoires de sa propre famille – de sa mère, surtout, qui ramasse les bestioles écrasées sur le bord de la route et les conserve dans son congélateur. Elle fait partie d'une secte qui milite pour la sauvegarde des blaireaux et assiège les conseils municipaux pour faire construire des petits tunnels sous les routes les plus fréquentées et les plus meurtrières.

« Désolé, mais je n'ai rien à vous offrir, dit-il sur le ton de l'excuse.

— Déplorable ! » répond Ruiz qui grimace en regardant les photos sur le frigo. « Qui c'est ?

— Ma mère, dit Dave.

— Ben dites donc... Vous devez plutôt tenir de votre père ! »

Dave débarrasse la table et approche des chaises. Je récapitule tout, depuis le début. Ruiz ajoute son grain de sel, ce qui confère un certain poids à l'ensemble de la présentation. Pendant tout ce temps, Dave plie, déplie et replie un morceau de papier, en se creusant la cervelle pour trouver une bonne raison de ne rien faire.

« Pourquoi tu n'attends pas l'ouverture de l'enquête officielle ? demande-t-il.

— Tu sais ce que c'est. Les pièces à conviction ont vite fait de disparaître...

— Je ne tiens pas à piétiner les plates-bandes d'un collègue.

— Allez, allez, mon petit Dave, fait Ruiz d'un ton caressant. Vous êtes trop bon danseur pour risquer d'écraser les orteils de quiconque ! »

Quand je veux, je peux faire preuve d'un culot éhonté. Je peux battre des cils et jouer de mon œil de biche mieux que les plus douées – n'en déplaise à mes consœurs. Je lui prends son papier des mains, en laissant mes doigts s'attarder sur les siens. Il les chasse. Il veut rester maître du jeu...

« Il avait un accent irlandais, mais le plus intéressant, c'était son tatouage... » Et je le lui décris.

Le portable de Dave trône dans sa chambre, sur un bureau improvisé : la porte des toilettes, calée sur deux tréteaux. Tout en me masquant l'écran de la main, il entre son nom d'utilisateur, puis son mot de passe.

Le système informatique de la police nationale est une immense base de données qui répertorie tout – noms, surnoms, pseudonymes, cicatrices, tatouages, accents, taille, pointure, poids, âge, couleur d'yeux et de cheveux, casier judiciaire, acolytes, accointances et *modus operandi* – pour toutes les personnes fichées au Royaume-Uni. Un signalement, même très partiel, peut parfois suffire à établir des liens ou une liste de suspects potentiels.

À la belle époque, pratiquement n'importe quel officier de police pouvait y accéder via Internet. Malheureusement, deux ou trois ripoux ont essayé d'arrondir leurs fins de mois en vendant des informations. Et maintenant, chaque interrogation du fichier, ne fût-ce qu'une banale recherche de plaque minéralogique, doit être officiellement justifiée.

Dave entre la tranche d'âge du suspect, son accent et les caractéristiques de son tatouage. En moins de quinze secondes, le système établit la correspondance avec huit candidats possibles. Il clique sur le premier nom, et un nouvel écran apparaît – deux photos s'affichent. Le même client, vu de face et de profil. La date de naissance, les antécédents et la dernière adresse connue viennent s'inscrire au bas de l'écran. Ce n'est pas lui. Le visage est trop lisse. Trop jeune.

« Au suivant... »

Le candidat n° 2 a nettement plus de bouteille. Il a des lunettes à monture d'écaille et des sourcils broussailleux, avec l'allure générale d'un bibliothécaire qui se serait fait épingler lors d'une descente anti-pédophiles. Pourquoi les photos de l'identité judiciaire vous donnent-elles une mine si patibulaire ? Ça ne tient pas seulement à la brutalité de l'éclairage, ni au fond blanc uni, avec cette règle noire qui donne l'échelle des tailles. Tout le monde a systématiquement l'air sombre, déprimé et, pis : coupable.

Nouvelle série de photos. Un type d'une quarantaine d'années avec le crâne rasé. Il y a quelque chose dans son regard – une sorte d'insolence, comme s'il avait conscience d'être plus malin que la majorité de ses frères humains, et que sa morgue le portait à la cruauté.

J'allonge la main vers l'écran pour masquer le sommet de son crâne, en m'efforçant d'imaginer à quoi il ressemblerait, avec les cheveux tirés en arrière en une queue de cheval grisonnante.

« C'est lui.

— Vous en êtes sûre ?

— Certaine. »

Il s'agit de Brendan Dominic Pearl, né en 1958 à Rathcoole, un secteur loyaliste, au nord de Belfast.

« IRA, murmure Dave.

— Comment tu sais ça ?

— Classiques, les antécédents. » Il affiche la page de la biographie. Pearl est le fils d'un ouvrier métallurgiste des docks de Belfast. Son frère aîné Tony est mort en 1972, dans un entrepôt qui servait d'atelier de fabrication d'explosifs à l'IRA. Une explosion accidentelle.

Un an plus tard, à quinze ans, Brendan Pearl est condamné pour attaque à main armée et port d'arme illégal. Il écope de dix-huit mois dans une prison pour mineurs. En 1977, il lance une attaque au mortier contre un poste de police de Belfast qui fait quatre blessés, et plonge pour douze ans.

À la prison de Long Kesh, en 1981, il participe à une grève de la faim avec une vingtaine de détenus républicains qui exigent d'être traités comme des prisonniers de guerre, et non comme des droit commun. Bobby Sands, le plus célèbre d'entre eux, meurt au bout de soixante-six jours. Pearl tombe dans le coma, mais s'en tire.

Deux ans plus tard, en juillet 1983, avec son codétenu Frank Farmer, ils parviennent à sortir de leurs quartiers et escaladent le toit de la prison pour accéder au secteur loyaliste, où ils assassinent Patrick McNeill, un leader du camp adverse, et mutilent deux autres détenus. La sentence de Pearl est commuée en prison à vie.

Ruiz nous a rejoints. « C'est lui. C'est le chauffeur », lui dis-je, le doigt pointé sur l'écran.

Ses épaules se soulèvent soudain, pour s'affaisser l'instant d'après. Ses yeux sondent les miens.

« Vous êtes sûre ?

— Oui. Pourquoi ? Qu'est-ce qui cloche ?

— Je le connais. »

À mon tour de rester bouche bée.

Ruiz examine la photo de plus près, comme si ses souvenirs avaient besoin d'être lentement ramenés à la surface ou échangés contre des informations dont il n'a pas besoin sur le moment.

« Dans toute prison, il y a des gangs organisés. Pearl, c'était l'un des exécuteurs de l'IRA. Son arme favorite était une barre de métal terminée par un crochet, comme un harpon pour la pêche au gros. C'est ce qui lui a valu le nom de "pêcheur de Shankhill". Évidemment, il n'y a pas des masses de poissons à pêcher, dans le Maze[1], mais il lui avait trouvé un autre usage, à son harpon : il le glissait

---

1. Le « Labyrinthe », surnom de la prison de Long Kesh, en Irlande du Nord. *(N.d.T.)*

entre les barreaux pendant que les prisonniers dormaient, et leur ouvrait la gorge d'un coup de poignet en s'arrangeant au passage pour leur bousiller les cordes vocales, histoire de les empêcher d'appeler à l'aide. »

J'ai soudain l'œsophage plein de coton. Ruiz marque une pause, immobile, la tête inclinée.

« À la signature du traité de paix du Vendredi saint, on a libéré plus de quatre cents prisonniers des deux camps, républicains comme loyalistes. Le gouvernement britannique avait établi une liste d'exceptions – ceux que la police voulait garder sous les verrous. Pearl en faisait partie et, bizarrement, l'IRA n'a émis aucune protestation. Eux non plus, ils n'en voulaient pas, de ce Pearl.

— Qu'est-ce qu'il fiche en liberté, en ce cas ? » demande Dave.

Ruiz lui décoche un sourire : « Bonne question, mon petit Dave. Pendant quarante ans, le gouvernement a prétendu qu'en Irlande du Nord ce n'était pas une guerre que nous menions, mais une simple opération de police. Puis ils ont signé l'accord du Vendredi saint, en clamant sur tous les toits que la guerre était finie.

» Pearl s'est trouvé un bon avocat, et c'est exactement ce qu'il a plaidé – qu'il était prisonnier de guerre. Il ne pouvait y avoir aucune exception. On venait de libérer des centaines de snipers, d'assassins et de poseurs de bombes. Pourquoi y aurait-il eu deux poids deux mesures ? Il s'est trouvé un juge pour lui donner raison. On les a libérés le même jour, lui et Frank Farmer. »

L'inspecteur divisionnaire se gratte le menton et

le cou – sa barbe crisse comme du papier de verre.
« Certains soldats ne peuvent survivre, en temps de
paix. Ils ont besoin du chaos. Pearl est de ceux-là.

— Comment se fait-il que vous sachiez tout ça ? »
Un voile de tristesse lui assombrit le regard.

« Parce que j'étais de ceux qui l'avaient établie,
cette fameuse liste. »

10

Dave s'agite près de moi et son bras se glisse autour de mes seins. Je le soulève avec précaution, pour le remettre sous son oreiller. Il dort à poings fermés, si profondément que je pourrais déplacer tout son corps à ma guise, comme une marionnette pour un film d'animation.

Les chiffres luminescents du réveil rougeoient sur la table de chevet. Je lève la tête. 10 h 30. Et nous sommes dimanche matin. Où sont passés les trains ? Ils ne m'ont pas réveillée. Il me reste moins d'une heure et demie pour prendre ma douche, m'habiller et filer me faire belle pour l'anniversaire de papa.

Je roule au bas du lit et j'entreprends de rassembler mes affaires – enfin, celles que m'a prêtées Dave. Mon survêtement est encore trempé.

Il allonge le bras, et m'attrape, promenant ses pouces sous mes seins, selon un chemin que seuls les hommes savent trouver.

« T'essaies quand même pas de filer à l'anglaise ?

— Je suis en retard. Je dois y aller.

— Je pensais te préparer le petit déjeuner.

— Tu peux me raccompagner en voiture. Et

après ça, tu n'auras plus qu'à remettre la main sur Brendan Pearl. »

Voilà le problème avec les femmes. Nous nous gardons bien de trop préciser ce que nous voulons, pour nous réserver le droit de protester vertement, au cas où nous ne l'obtiendrions pas. Imparable, non ?

Il va nous faire du café, pendant que je cours sous la douche. Je n'ai pas cessé de m'interroger sur ce qui aurait bien pu amener Cate à côtoyer un Brendan Pearl. Ils vivaient dans des univers parallèles, sans aucun point de contact – et pourtant, Cate l'a reconnu. Je crois de moins en moins à la théorie de l'accident. D'ailleurs, je n'y ai jamais cru.

Pendant tout le trajet vers l'East End, Dave me parle du boulot, de son nouveau chef, Il m'explique que ce n'est pas la fête tous les jours, dans le service, mais je ne l'écoute que d'une oreille.

« Tu n'auras qu'à repasser chez moi, ce soir, me propose-t-il, s'efforçant de ne pas avoir l'air de mendier ma présence. On pourrait se commander une pizza et louer une vidéo.

— Super. Je te rappelle... »

Pauvre Dave. Je sais qu'il espère et mérite mieux. Un de ces jours, il va finir par appliquer mes sages conseils et se trouver quelqu'un d'autre. Et moi, je vais le perdre, avant même d'avoir songé à le retenir...

Il y a pourtant des tas de trucs que j'aime chez lui. Il est gentil. Il change les draps. Il me supporte. Je suis en sécurité près de lui. Il s'arrange toujours pour que je me sente belle, et me laisse gagner aux fléchettes.

Mais il y a aussi des choses qui me hérissent... Il rit trop fort. Il mange n'importe quoi. Il a des CD de Mariah Carrey, et du poil sur les épaules (eh oui, un vrai gorille !). Bon Dieu, ce que je peux pinailler sur les détails...

Ses copains du rugby ont tous des sobriquets tels que Bronco ou Sluggo, et ils parlent entre eux cet étrange sabir, compréhensible d'eux seuls et de quelques fans de rugby capables d'apprécier les subtilités de la mêlée ouverte, de la passe sautée, et du maul pénétrant. Un jour, Dave m'a emmenée à un match, après quoi on est tous allés au pub, femmes et petites amies incluses. Il y avait de l'ambiance. Tout le monde était sympa. Je me sentais vraiment en famille. Dave ne m'a pas lâchée d'une semelle et n'a cessé de me lancer des coups d'œil en coulisse, en souriant aux anges.

J'ai mis de côté mes principes de buveuse d'eau, le temps d'offrir une tournée. Et comme j'allais passer les commandes, j'ai aperçu nos tables, dans le miroir du bar.

« Qu'est-ce qu'on fait, après ? a demandé Bronco. Personnellement, je ne cracherais pas sur un petit curry... »

Et Sluggo de ricaner : « Question curry, je crois que Dave est déjà servi ! »

Ils se sont marrés en chœur. Un autre copain a ajouté : « Je te parie même que c'est le modèle au poulet !

— Et plutôt du genre *super hot*... ! »

Je ne m'en suis pas formalisée. C'était somme toute assez drôle. Dave rigolait avec les copains, mais à ça, je ne voyais rien à redire. Ce qui m'est apparu ce jour-là, ô combien clairement, c'était que ma première idée était la bonne. Dave et moi, nous pouvions partager notre lit, notre salle de bains ou nos week-ends – mais pas toute une vie.

Nous arrivons dans ma rue et je vois du premier coup d'œil qu'il manque quelque chose.

« Le salaud. Je vais l'étrangler !

— Qu'est-ce qu'il y a ?

— Mon frère a pris ma voiture. »

J'ai déjà composé le numéro de Hari. Le vent couvre et distord sa voix. Normal, il conduit toutes vitres baissées.

« Allô ?

— Tu me ramènes immédiatement ma voiture ! Où es-tu ?

— À Brighton.

— Tu rigoles ou quoi ! C'est l'anniversaire de papa.

— Ah ? C'était aujourd'hui ? » Il se creuse désespérément la cervelle pour trouver une excuse. « T'as qu'à lui dire... ben, que j'ai dû partir enquêter sur le terrain, pour la fac.

— Compte surtout pas sur moi pour mentir à ta place.

— Allez, quoi...

— Non.

— OK. Je rapplique dare-dare. »

Je consulte ma montre. Cette fois, je suis en retard. « Je te déteste, Hari ! »

Il part d'un grand éclat de rire. « Une chance que je t'aime pour deux ! »

Dans ma chambre, j'ouvre mes placards et je sors toutes mes chaussures. Je dois mettre un sari pour faire plaisir à papa. Dans sa tête, le sari, c'est le salut – comme si l'un entraînait automatiquement l'autre, en me garantissant de me dégoter un mari, par exemple.

Et Dave qui m'attend en bas...

« Tu peux m'appeler un taxi, s'il te plaît ?

— Je vais t'emmener.

— Non, je ne rigole pas.

— Je n'en aurai que pour un quart d'heure. Et de là, j'irai au boulot. »

De retour dans ma chambre, j'entreprends de draper mon sari autour de ma taille, de droite à gauche, en glissant le premier pan sous mon corsage et en m'assurant que l'ourlet m'arrive à la cheville – après quoi, je forme sept plis sur le devant, de façon à ce qu'ils tombent dans le droit-fil du sari. Et, tout en maintenant les plis en place, je passe le pan de tissu restant en travers de mon buste, en le drapant sur mon épaule gauche.

Celui-ci est en soie de Bénarès rouge et verte, ornée de délicats motifs en brocart, de jolies silhouettes d'animaux argentées qui se découpent en bordure du tissu.

Relevant mes cheveux à l'aide d'un peigne doré, je me maquille et je mets mes bijoux. Les Indiennes sont censées en porter des tonnes, en signe de prospérité et de standing social.

Je m'assieds sur les marches pour boucler mes sandales. Dave en reste bouche bée.

« Qu'est-ce que tu as ? Ça ne va pas ?

— Non – euh, je veux dire... si.

130

— Ben alors, quoi ?

— C'est juste que je te trouve belle... »

J'ai l'air d'un sapin dans une vitrine de Noël, tu veux dire...

D'une tape, j'écarte sa main qui s'allonge vers moi : « On ne touche pas à la marchandise ! Et maintenant, arrange-toi pour qu'on n'ait pas d'accident. Je ne tiens pas à rendre l'âme dans cet accoutrement. »

Mes parents habitent toujours la maison où j'ai grandi. Ma mère a horreur du changement. Pour elle, dans un monde parfait, les enfants ne grandiraient pas, ne quitteraient jamais la maison, n'apprendraient pas à cuisiner ou à faire leur lessive. Sachant son rêve irréalisable, elle s'applique à collecter et à entasser le bric-à-brac de notre enfance en une sorte de musée dont elle est le conservateur en chef.

En arrivant dans l'impasse, je sens me monter aux joues une bouffée de chaleur familière. « Vas-y. Dépose-moi là.

— Où c'est ?

— T'occupe. Ici, ce sera très bien. »

Nous passons devant une enfilade de boutiques et, cinquante mètres plus loin, j'aperçois mon neveu et ma nièce qui jouent dans le jardinet. À peine m'ont-ils reconnue, qu'ils courent annoncer mon arrivée à toute la tribu.

« Vite, vite ! Fais demi-tour !

— Je ne peux pas... »

Trop tard. Ma mère sort et remonte la rue dans

131

notre direction. Mon pire cauchemar est à deux doigts de se réaliser.

Elle m'embrasse en me serrant sur son cœur à m'en écraser les seins.

« Où est resté Hari ?

— Je lui ai rappelé plusieurs fois que c'était aujourd'hui ! J'ai même repassé sa chemise...

— Ce garçon finira par avoir ma peau. Regarde ça, tous les cheveux blancs que je me fais ! » dit-elle, l'index pointé sur sa tempe.

Son regard s'attarde sur ce cher petit Dave. Elle attend que je me charge des présentations.

« C'est un ami du service. Il n'a pas le temps.

— Pffffhh ! lâche-t-elle. Il a un nom, au moins ?

— Bien sûr, bien sûr. Je te présente le sergent Dave King. Dave King, ma mère.

— Enchanté de faire votre connaissance, Mrs Barba. Ali m'a tellement parlé de vous ! »

Elle éclate de rire. « Voulez-vous rester déjeuner avec nous, sergent King ?

— Non, il n'a pas le temps.

— Pas le temps ? Mais on est dimanche !

— Dans la police, on n'a pas de week-end.

— Peut-être, mais vous avez tout de même le droit de prendre une pause pour déjeuner, il me semble ! » Et là-dessus, elle sourit, scellant ma défaite. Personne ne peut résister à un tel sourire.

Des petits pieds trottinent devant nous dans le couloir. Harveen et Daj se disputent pour savoir lequel des deux va annoncer à la famille que leur tante préférée arrive en bonne compagnie. Harveen revient vers moi et me prend par la main pour me traîner jusqu'à la cuisine. Elle a tout juste sept ans, mais d'infimes petites lignes de froncements de sourcils lui barrent déjà le front. Daj est son aîné de deux ans et, comme tous les mâles de la famille, il est d'une beauté renversante et outrageusement gâté.

« Tu nous as apporté quelque chose ? demande-t-il.

— Un bisou, si tu veux.

— Et pas de cadeaux !

— Juste pour Bada. »

Toutes les surfaces planes de la cuisine disparaissent sous les plats. L'air est chargé de vapeurs odorantes et d'épices. Mes deux tantes et mes belles-sœurs parviennent à tenir une conversation au milieu du fracas des marmites et des ustensiles. Tournée d'embrassades. Des montures de lunettes me raclent les pommettes, des mains expertes rectifient le tombé de mon sari ou ma coiffure – mais tous les regards convergents vers le Nouveau —ce cher petit Dave.

Bien que sœurs, mes tantes Meena et Kala ne pourraient guère être plus différentes. Meena est d'une beauté presque masculine, avec des mâchoires volontaires et des sourcils très noirs – alors que Kala est la discrétion et la normalité mêmes, ce qui explique peut-être qu'elle tienne à porter cette extravagante paire de lunettes, pour sortir un peu du lot.

Meena ne cesse de jouer avec mes cheveux. « Comment une jolie fille comme toi peut-elle rester si longtemps sans mari ! »

On me colle un bébé dans les bras – le dernier de la famille. Le petit Ravi a six semaines, des yeux comme deux grains de café et de jolis petits bras potelés, dans les plis desquels on pourrait glisser une pièce de dix pence.

Les vaches sont sacrées pour les Hindous, mais pour les Sikhs, c'est les bébés – et surtout les garçons. Ravi m'attrape l'index et serre de toutes ses forces, en fronçant les paupières.

«Elle a toujours su y faire avec les bébés!» s'extasie ma mère.

Dave, qui devrait grimacer d'horreur, semble boire du petit-lait. Sadique, va !

Les hommes sont dans le jardin. J'ai déjà repéré le turban bleu de mon père qui dépasse tous les autres. Sa barbe est peignée en arrière et descend le long de son cou, comme un filet d'eau argentée.

Comme j'entreprends de compter les têtes du troupeau, mon cœur se serre. Il y en a un de trop. Ils ont invité quelqu'un, pour me le présenter.

Ma mère emmène Dave dans le jardin. Il jette un œil vers moi par-dessus son épaule, comme s'il hésitait à obéir, puis descend un petit escalier latéral, longe l'allée moussue, dépasse la porte de la buanderie et rejoint le groupe des convives, dont tous les visages se tournent vers lui. Les conversations se tarissent.

On croirait voir s'ouvrir la mer Rouge. Les gens reculent pour laisser Dave face à face avec mon père. Ils se regardent dans les yeux. Dave reste de marbre, ce qui est tout à son honneur.

Je n'entends pas ce qu'ils se disent. Mon père regarde du côté de la fenêtre de la cuisine et m'aperçoit. Il me sourit et tend sa main à Dave qui

134

la lui serre. Tout à coup, les langues se délient à nouveau.

Ma mère est près de l'évier, occupée à préparer des mangues. Son couteau tranche avec fluidité la chair jaune pâle. « On ne savait pas que tu allais nous amener un ami.

— Je ne l'ai pas *amené* !

— Ton père avait déjà invité quelqu'un. Tu vas devoir aller le saluer, ne serait-ce que par politesse. C'est un docteur.

— Et un grand docteur ! ajoute ma tante Kala. Très connu dans sa branche... »

Je cherche des yeux l'oiseau rare et je finis par le localiser dans l'assistance. Il me tourne le dos, vêtu d'un impeccable costume du Pendjab qui semble avoir été empesé pour l'occasion.

« Mais il a de la brioche !

— Signe de succès, réplique Kala.

— Et il faut un gros marteau, pour enfoncer un gros clou ! » ajoute Meena, en caquetant comme une écolière. Kala lève les yeux au ciel.

« Oh ! Pas la peine de faire cette tête ! Une épouse doit savoir faire le bonheur de son mari, dans l'intimité... » Et les échanges d'arguments continuent, tandis que je retourne à la fenêtre.

L'inconnu fait soudain volte-face et nos regards se croisent. Il lève son verre dans ma direction, comme pour me porter un toast, puis le renverse et le secoue vigoureusement, pour m'indiquer qu'il est vide.

« File lui remplir son verre », me lance Meena, en me tendant un pichet.

Je prends mon souffle et descends le petit escalier

qui mène au jardin. Mes frères sifflent. Ils savent que je déteste porter le sari. Je sens les regards se tourner vers moi, mais je garde les yeux résolument vissés sur mes sandales.

Mon père est toujours en grande conversation avec Dave et mon oncle Rachid, un maniaque du pince-fesse. Ma mère prétend que c'est un « trouble obsessionnel compulsif », mais pour moi, l'oncle Rachid n'est qu'un vieux cochon. Ils parlent cricket. Tous les garçons de la famille se passionnent pour les matchs de cricket, en saison et hors saison.

Les Indiens sont généralement des hommes élancés, avec les traits fins et de longues mains graciles. Mes frères, eux, sont de grands gaillards carrés, aux visages taillés à coups de serpe – à l'exception de Hari qui ferait une admirable jeune première.

Mon père m'embrasse sur la joue. Je m'incline légèrement. Il demande à son invité d'approcher et fait les présentations.

« Alisha, je te présente le Dr Sohan Banerjee. »

Je hoche la tête, sans relever les yeux.

Le nom me dit vaguement quelque chose. Où l'ai-je déjà entendu ?

Le pauvre Dave n'y comprend rien. Il n'est pas sikh. (Une chance, car si j'avais ramené un Sikh chez mes parents, ils auraient sacrifié une chèvre !)

Le Dr Banerjee se tient droit comme un I. Il incline la tête. Mon père continue à parler. « Sohan m'a contacté personnellement pour me demander de te rencontrer, Alisha. De famille à famille... comme il se doit. »

Je ne suis pas censée émettre le moindre commentaire.

« Il est couvert de diplômes, tu sais... »

Oui... sans oublier ses multiples mentons !

J'ignore jusqu'où les choses pourraient encore s'aggraver. Tous les regards restent fixés sur moi. Dave se tient prudemment à l'autre bout du jardin et parle avec Prakabar, mon frère aîné qui, étant la personne la plus religieuse de la famille, ne doit pas voir tout ça d'un très bon œil.

Le docteur tente d'engager la conversation. Je dois faire un effort de concentration pour comprendre ce qu'il me dit : « Il paraît que vous êtes officier de police ?

— Oui.

— Et vous n'habitez plus chez vos parents. Rares sont les Indiennes célibataires qui disposent d'un domicile personnel. Pourquoi n'êtes-vous pas encore mariée ? »

La brutalité de la question me fait sursauter. Il n'attend pas ma réponse : « Êtes-vous toujours vierge ?

— Je vous demande pardon ?

— Eh bien, votre mère a dû vous expliquer tout cela, je suppose...

— Occupez-vous de vos oignons !

— Qui ne dit mot consent.

— Ça, ça m'étonnerait !

— Oh, que si. Et je le sais d'expérience. Voulez-vous boire quelque chose ?

— Non.

— Inutile de vous mettre ainsi sur la défensive, Alisha. Mes parents aimeraient que j'épouse une

Indienne parce que ce sont de bonnes mères, et qu'elles ne rechignent pas à la tâche. Peut-être... mais je ne voudrais sûrement pas d'une paysanne mal dégrossie, qui ne saurait pas tenir une conversation ! »

Je dois me forcer à déglutir pour empêcher la boule de colère qui me noue la gorge de remonter. Finalement, je la lui sers avec mon sourire le plus sucré : « Dites-moi, Dr Banerjee...

— Appelez-moi Sohan.

— Mon cher Sohan... vous arrive-t-il parfois de vous masturber ? »

Sa bouche s'ouvre et se referme sans émettre un son, comme celle d'une marionnette. « Eh bien, je ne crois pas que...

— Qui ne dit mot consent ! »

La colère lui voile un instant le regard, comme un filtre rouge sang. Il grince des dents, mais parvient à sourire : « Touché ! Un à un, la balle au centre !

— Quelle est votre spécialité ?

— L'obstétrique. »

Et soudain, ça me revient : je sais où j'ai vu son nom. Dans les papiers que m'a montrés Barnaby Elliot. Sohan Banerjee est un spécialiste de la stérilité. C'était le gynéco de Cate.

Sur les cent mille Sikhs de Londres, qui comptent dans leurs rangs quoi... – peut-être quatre cents obstétriciens –, quelles sont les chances pour que le gynéco de Cate se pointe, comme par hasard, à l'anniversaire de mon père ?

« Eh bien, nous avons au moins une amie commune, lui déclaré-je. Cate Beaumont. Peut-être avez-vous entendu parler de son accident ? »

Son regard s'échappe vers le toit de l'auvent, constellé de taches de mousse. « C'est sa mère qui me l'a appris, oui. Quel terrible malheur...

— Vous a-t-elle informé par la même occasion que Cate avait feint d'être enceinte ?

— Oui.

— Et quoi d'autre ?

— Il serait contraire à l'éthique de rapporter les détails de notre conversation... » Il marque une petite pause. « Fût-ce à un officier de police », achève-t-il.

Mon regard tente d'intercepter le sien – ou vice versa.

« Quand avez-vous vu Cate pour la dernière fois ?

— Il y a un an.

— Et pourquoi ne pouvait-elle pas avoir d'enfants ?

— Il n'y avait pas de problème bien précis. J'ai fait pratiquer une laparoscopie, des analyses de sang, des échographies, une biopsie de l'utérus, et on n'a rien trouvé. Pas trace d'anomalies, d'adhérences, ni de fibromes. En principe, rien ne s'opposait à ce qu'elle puisse concevoir. Mais malheureusement, il existait une sorte d'incompatibilité génétique entre elle et son mari. Felix avait un spermogramme un peu bas, mais avec une autre femme, il aurait fini par engendrer des enfants sans trop de difficulté. Sauf que dans leur cas, ses spermatozoïdes étaient détectés comme des cellules cancéreuses et donc détruits par le système immunitaire de sa femme. Tout en étant théoriquement possible, la conception était en pratique très improbable.

139

— Leur avez-vous suggéré d'avoir recours à une mère porteuse ?

— Oui. Mais il n'y a pas tant que ça de femmes qui soient volontaires pour porter l'enfant d'une autre. Et il y avait un autre problème...

— Lequel ?

— L'achondrogénèse – vous connaissez ?

— Non.

— Une maladie génétique rarissime, provoquant des malformations létales des os et des cartilages.

— Quel rapport avec Cate ?

— Sa seule grossesse connue a été interrompue à six mois par une fausse couche. L'autopsie du fœtus avait révélé des malformations graves. Pour leur malheur, les Beaumont étaient tous deux porteurs d'un gène récessif. Si par miracle elle était retombée enceinte, il y avait une chance sur quatre pour que l'enfant ne soit pas viable.

— Mais ils n'ont pas renoncé pour autant. »

Il m'interrompt d'un geste : « Vous m'excuserez, Alisha, mais dois-je comprendre que vous enquêtez de façon officielle ?

— Pour l'instant, je cherche simplement des réponses à mes questions.

— Je vois. » Il médite un instant là-dessus. « À votre place, je ferais preuve de la plus extrême prudence. Les intentions les plus pures peuvent être mal interprétées... »

Je ne saurais dire s'il s'agit là d'une mise en garde ou d'un simple conseil, mais son regard soutient le mien, jusqu'à me mettre mal à l'aise. Je sens en lui une sorte de bluff, cette morgue typique des Sikhs cultivés de sa génération, qui pourraient en remontrer aux Anglais les plus snobs, sur le terrain de l'arrogance. Mais il finit par se détendre. « Tout ce que je peux vous dire, c'est qu'en deux ans, Mrs Beaumont a subi cinq implantations d'embryons obtenus par les techniques de fécondation in vitro.

— Cinq.

— C'est bien ce que j'ai dit.

— J'avais cru comprendre que c'était six.

— Non. Je suis sûr de mon chiffre. C'est une technique très délicate, vous savez. Le genre de chose qu'on ne peut bricoler dans sa cuisine avec un bocal et une seringue. C'est l'ultime recours, quand tout le reste a échoué.

— Et qu'est-ce que ça a donné, pour Cate ?

— Cinq fausses couches. Statistiquement, moins d'un tiers des tentatives de fécondation in vitro débouchent sur des grossesses. Mon taux de succès est parmi les plus élevés, mais je n'ai jamais prétendu faire des miracles. »

Et pour une fois, son aveu me semble dénué de toute affectation. Il est sincèrement déçu.

Ma tante Meena rameute tout le monde. Les invités s'installent. Mon père trône en tête de table. Je suis dans le coin des femmes, tandis que les hommes se rassemblent à l'autre bout. Dave est à côté de Banerjee.

Hari, qui débarque juste pour le dessert, reçoit un accueil digne du fils prodigue de la part de mes tantes, qui plongent les doigts dans ses longs cheveux pour les ébouriffer. Il se penche vers moi et me glisse à l'oreille : « Dis donc, petite sœur... on dirait que t'as décidé de mettre les bouchées doubles ! Moi qui pensais que tu t'étais juré de mourir vieille fille ! »

Nous formons une tablée animée. Les convives se passent les plats, les exclamations fusent, ponctuées d'éclats de rire qui animent les conversations, comme les épices dans les sauces. Nous mangeons sans cérémonie, mais en appliquant à la lettre un certain rituel. On se lève pour prendre la parole, on félicite les cuisinières, tout le monde fait silence dès que mon père ouvre la bouche pour parler et on évite soigneusement les sujets qui fâchent.

À la fin du repas, je ne laisse pas Dave s'éterniser. Il a du pain sur la planche... Banerjee aussi se prépare à prendre congé. Je n'arrive toujours pas à comprendre ce qu'il est venu faire ici. Il ne peut s'agir d'une pure coïncidence.

« Accepteriez-vous de me revoir, Alisha ? s'enquiert-il.

— Non, désolée.

— Pensez à vos parents. Cela leur ferait plaisir.

— Oh ! Ils s'en remettront. »

Il roule la tête de côté et d'autre, en terminant par un hochement embarrassé. « Eh bien... que pourrais-je ajouter... ?

— "Au revoir" c'est ce qui se dit d'habitude. »

Il fait la grimace. « Oui. Eh bien, au revoir, Alisha. Et tous mes vœux de rétablissement, pour votre amie... »

En refermant la porte de l'entrée, je me sens en proie à un curieux mélange d'angoisse et de soulagement. Je me serais bien passée de cette nouvelle énigme...

Hari me rejoint dans le couloir. Je vois ses yeux

noirs scintiller dans la pénombre. Il glisse son bras autour de mes épaules. Il tient mon portable à la main. Ouvert.

« Quelqu'un vient d'appeler, au sujet de ton amie. Tu sais, Cate... Elle vient de mourir. »

11

Il y a des voitures garées dans l'allée, devant chez les Elliot, ainsi que de chaque côté de la rue. La famille. Une veillée mortuaire. Je sais que je ferais mieux de leur fiche la paix... J'hésite toujours sur la conduite à tenir, lorsque ma main se pose, comme malgré elle, sur la sonnette de la porte d'entrée.

La porte s'ouvre. À son habitude, Barnaby brille comme un sou neuf – récuré, rasé de près et tiré à quatre épingles, mais avec les yeux rouges et le regard flou.

« C'est qui, chéri ? » lance une voix de l'intérieur. Il se raidit et recule d'un pas. J'entends des roues en caoutchouc crisser sur le parquet ciré, et la mère de Cate apparaît. Ses vêtements de deuil, uniformément noirs, donnent à son visage quelque chose d'encore plus fantomatique.

« Entrez, entrez, dit-elle, avec un sourire douloureux.

— Je suis navrée, pour Cate. Si je peux faire quoi que ce soit... » Elle s'éloigne dans un crissement de roues, sans ajouter un mot. Je suis son mari jusqu'au salon, pris d'assaut par des gens à la mine sombre, parmi lesquels je reconnais quelques visages familiers. Judy Sutton et son frère Richard, qui était le directeur des relations publiques de Barnaby pour ses deux campagnes électorales. Judith, elle, travaille à la Chase Manhattan. Paula, la tante de Cate, se tient près de Jarrod, et dans un coin je repère le révérend Lunn, un pasteur anglican ami de la famille.

Yvonne s'est effondrée dans un fauteuil d'où elle parle au révérend, entre deux sanglots. Ses vêtements, d'habitude si bigarrés, reflètent son humeur – sombre. Ses deux enfants l'accompagnent. Ils sont grands, à présent, et nettement plus anglais que jamaïcains. La fille est superbe ; quant au garçon, il préférerait manifestement être ailleurs.

Yvonne sanglote de plus belle en me voyant arriver, et me tend les bras pour m'embrasser. Mais avant que j'aie pu dire ouf, Barnaby m'empoigne le coude et m'entraîne hors de la pièce : « Comment vous saviez, pour l'argent ? » crache-t-il entre ses dents. Son haleine empeste l'alcool.

« De quoi parlez-vous ? »

Les mots ont peine à se frayer un chemin hors de son gosier. « On a retiré quatre-vingt mille livres sur le compte de Cate.

— D'où sortait-elle tout cet argent ? »

Il baisse la voix d'un ton : « Il venait de sa grand-mère. Un héritage. J'ai consulté ses relevés de comptes. La moitié de la somme a été tirée en décembre, et l'autre en mars.

— Des chèques bancaires ?

— Du cash... La banque a refusé de m'en dire davantage.

— Et vous auriez une idée de la destination de cet argent ? »

Il secoue la tête et titube légèrement en avant. Je le pilote en direction de la cuisine dont la table est jonchée de cartes de prompt rétablissement et d'enveloppes ouvertes – autant de vœux pieux, désormais inutiles.

Je vais remplir un verre d'eau au robinet et je le lui tends. « L'autre jour, vous m'avez parlé d'un médecin que Cate avait consulté. Un spécialiste de la stérilité.

— Oui. Et alors ?

— Vous l'avez rencontré ?

— Non, jamais.

— À votre connaissance, est-ce qu'il aurait proposé à Cate des solutions alternatives à la fécondation in vitro... comme l'adoption, ou les mères porteuses ?

— Pas que je sache. Ce dont je suis sûr, c'est qu'il n'était pas très optimiste quant aux chances de Cate ; et il refusait d'implanter plus de deux embryons à la fois. Au bout de trois tentatives, il laissait tomber, par principe. Cate a dû le supplier, pour qu'il lui donne cinq chances.

— Cinq ?

— Ils avaient prélevé dix-huit œufs, mais il n'y en avait que douze de viable. Ensuite, ils ont implanté les embryons deux par deux. Cinq fois, au total.

— Ce qui en fait dix. Que sont devenus les deux derniers ? »

Il hausse les épaules. « Le docteur Banerjee a refusé de continuer. À cause de l'état de Cate. Elle était au bord de la dépression.

146

— Elle aurait pu changer de médecin, et de clinique.

— Felix n'était pas d'accord. Les dosages hormonaux, les tests, les crises de larmes... il refusait de lui imposer tout ça, une fois de plus. »

Ça ne justifie tout de même pas l'énormité de la somme. Quatre-vingt mille livres, ce n'est pas rien. Cate essayait d'avoir un bébé, mais quelque chose a dû mal tourner. Ce qui expliquerait qu'elle m'ait appelée à l'aide.

Je me repasse le film de toute l'histoire, en soulignant mentalement les preuves. Certains détails et semi-vérités ont pris la solidité de faits avérés. Je commence à comprendre le point de vue de Barnaby. Il s'en fait pour ses projets politiques. Un tel scandale, s'il venait à éclater, ne lui laisserait plus la moindre chance sur ce plan-là.

« C'est précisément pour ça que j'ai besoin de voir l'ordinateur de Cate, lui dis-je.

— Elle n'en avait pas.

— Vous avez cherché ?

— Oui. »

Son verre tinte contre ses dents. Il ment.

« Les fichiers que vous m'avez montrés l'autre jour, ainsi que les lettres de Cate... je peux vous les emprunter ?

— Non. »

Ma frustration fait place à de la colère. « Pourquoi faites-vous cela ? Comment puis-je vous faire comprendre ? »

Sa main m'effleure le genou. « Et si vous essayiez d'être plus gentille avec moi... »

Ruth Elliot se matérialise dans la cuisine. Cette

147

fois, ses roues n'ont fait aucun bruit. Elle me regarde comme si elle s'apprêtait à cracher une grenouille : « Les gens s'en vont, Barnaby. Venez au moins leur dire au revoir. »

Il la suit en direction de la porte d'entrée. J'attrape mon manteau et je les double dans le couloir.

« Merci d'être passée, ma chère », me dit-elle machinalement, en me tendant les bras. Ses lèvres m'effleurent le front, comme un froid papier de verre.

Barnaby me raccompagne jusqu'à ma voiture puis m'enveloppe de ses bras, tandis que sa bouche me frôle l'oreille. Il se penche sur moi et je dois changer de position, pour éviter le contact de ses cuisses contre les miennes.

« Pourquoi les femmes sont-elles toujours comme ça, avec *moi*... ? »

J'ai depuis longtemps tourné le coin de la rue, mais j'ai encore dans le cou la tiédeur de son haleine. Pourquoi les hommes sont-ils tellement persuadés que c'est d'*eux* qu'il s'agit ?

Je pourrais sûrement trouver des excuses ou des arguments pour justifier ce que je m'apprête à faire – mais quelle que soit la façon dont on présente les choses, il s'agit toujours d'enfreindre la loi. Une brique, enroulée dans un imper. La vitre qui se brise et tombe à l'intérieur. Pour l'instant, ça n'est que du vandalisme, ou de la déprédation. Je passe la main à l'intérieur, je tourne le verrou. À présent, c'est une effraction. Et si je trouve le portable de Cate, ce sera du vol. Ce n'était donc que cela, la pente savonneuse du crime ?

Il est minuit passé. J'ai revêtu un jean noir, des gants de cuir sombres et un col roulé bleu marine, tricoté par ma tante Meena. Je me suis munie d'un grand rouleau de plastique noir, d'adhésif, d'une lampe-torche et d'une clé USB, pour stocker les fichiers informatiques.

Je ferme les yeux. J'ai en mémoire l'agencement du rez-de-chaussée... J'y suis venue, pas plus tard qu'il y a trois jours... Les éclats de verre crissent sous mes semelles. Le voyant rouge du répondeur clignote, près du téléphone.

Jamais je n'aurais dû venir là. Barnaby m'a menti. Non pas que je le soupçonne de quoi que ce soit de bien grave. D'instinct, la personne la plus intègre tente de protéger ses proches. Mais nous sommes parfois aveugles aux distorsions que nos meilleures intentions et notre loyauté elle-même infligent à notre raisonnement...

Barnaby a peur de ce que je pourrais trouver, et moi aussi. Il craint de découvrir une inconnue, sous les traits de cette Cate qu'il croyait si bien connaître. Je partage ses craintes.

Je monte au premier. Dans la chambre d'enfant, je recouvre la fenêtre d'un film de plastique noir, fixé à l'adhésif, avant d'allumer ma lampe-torche.

Toutes ces précautions sont peut-être superflues, mais je ne peux courir le risque d'alerter les voisins. Quelqu'un pourrait venir voir ce qui se passe, ou appeler la police. Ma carrière (ou ce qu'il en reste) ne tient déjà plus qu'à un fil. J'ouvre un tiroir de la commode. Les fichiers ont disparu, tout comme le

149

paquet de lettres. Je fouille dans les autres pièces, explorant systématiquement les placards, les tiroirs, sous les matelas et sous les lits.

Près de la chambre principale, j'avise une petite pièce contenant un bureau et une armoire à dossier. La fenêtre est restée entrouverte. Dehors, le jardin est noyé d'ombre sous son tapis de feuilles mortes.

Là aussi, je déroule un plastique noir pour masquer la fenêtre, avant d'allumer ma torche. Sous le bureau, juste au-dessus de la plinthe, je repère une prise de téléphone. Le tiroir du petit meuble contient des CD et des instructions pour se connecter à l'ADSL. J'avais donc raison sur toute la ligne – pour l'ordinateur, comme pour Barnaby.

Les autres tiroirs contiennent du matériel de bureau standard, des marqueurs, une agrafeuse, des trombones, une pelote de bracelets élastiques, des post-it, un briquet.

Puis je fouille l'armoire, en feuilletant les dossiers qui y sont suspendus. Pas de date. Pas d'étiquettes. Je vais devoir tout vérifier. Des pochettes plastiques contiennent les papiers de la maison. Chaque facture téléphonique donne la liste des appels passés à des mobiles et à des numéros longue distance. Je pourrais les vérifier un à un, mais cela prendrait des journées.

Dans la liasse des factures, j'en repère une qui vient d'un fournisseur Internet. Les gens gardent parfois des copies de leurs e-mails sur leurs serveurs, mais il me faudrait le mot de passe de Cate et son nom d'utilisateur...

J'en ai fini avec le bureau. Je passe à la chambre principale, où je ne trouve aucun papier, en dehors de la bibliothèque. Felix dormait du côté gauche. Il avait des lunettes de lecture et était un lecteur assidu d'Armistead Maupin. Je m'assieds du côté de Cate. Le tiroir de son chevet contient une crème de nuit, un flacon de lotion hydratante, des limes à ongles en carton, et un petit cadre, posé face contre la table. Je le retourne.

Deux adolescentes éclatent de rire devant l'objectif, bras dessus bras dessous, les cheveux dégoulinants d'eau de mer. Pour un peu, je pourrais encore sentir le goût du sel sur notre peau, et entendre le bruit des vagues derrière nous, sur les galets...

Tous les ans au mois d'août, la famille Elliot louait une villa en Cornouaille où ils passaient leur temps à nager et à faire de la voile. Un été, Cate m'avait invitée. Je devais avoir quinze ans. C'était mes premières vacances d'été à la mer.

J'avais un peu honte de mon maillot une pièce en seersucker vichy vert anis, choisi par ma mère. Heureusement, Cate m'avait prêté un de ses bikinis.

Nous allions nager, pédaler, ramasser des coquillages et regarder les surfeurs à Widemouth Bay. Quelques-uns nous avaient même proposé de nous apprendre à surfer, mais Barnaby y avait mis bon ordre, en nous interdisant de fréquenter cette bande de fumeurs de joints et de traîne-savates. Il nous a appris à faire de la voile dans les estuaires du coin sur un dériveur, une coquille de noix si exiguë qu'il ne pouvait emmener qu'une de nous deux à la fois.

Quand nous étions assis côte à côte dans le bateau, Barnaby et moi, il arrivait que sa jambe frôle la mienne. Et quand nous faisions du rappel, au-dessus de l'eau, il me passait un bras autour de la taille pour m'empêcher de tomber. J'adorais son odeur, ce mélange de sel marin et de lotion solaire.

Le soir, nous jouions aux charades ou au Trivial Pursuit. Je m'arrangeais toujours pour m'asseoir près de lui, parce qu'il me donnait des petits coups de coude dans les côtes, tout en nous racontant des blagues, ou s'affalait sur moi jusqu'à ce que nous nous écroulions tous les deux, pliés de rire.

« Tu lui fais du gringue, ma parole ! » me disait Cate, dans l'intimité de notre chambre. Nous dormions sous les combles. Mr et Mrs Elliot occupaient la chambre principale, au premier, et Jarrod disposait d'une pièce rien qu'à lui, donnant sur l'arrière de la maison.

« Alors là, pas du tout !

— Mais si, ça saute aux yeux !

— Ne sois pas ridicule.

— C'est dégoûtant ! Il a l'âge d'être...

— Ton père ! »

Elle a éclaté de rire. Elle avait raison, évidemment – je l'aguichais et il me le rendait bien. D'autant que Barnaby ne connaissait pas d'autre façon de se comporter, vis-à-vis de tout ce qui portait jupon.

Il faisait une température torride, sous ce toit. Un vrai piège à chaleur. Cate et moi, nous nous allongions sur nos couvre-lits et nous bavardions sans fin pendant une bonne partie de la nuit.

« Tu sais ce que c'est, ton problème ? me disait-elle. C'est que t'as jamais embrassé un garçon.

— Bien sûr que si ! »

— Je ne parle pas de tes frères. Je te parle d'un vrai baiser... avec la langue. »

Je me suis sentie rougir dans le noir.

« Et je pense que tu devrais t'entraîner.

— Pardon ?

— Tiens. Fais comme ça... », me dit-elle, en rapprochant le pouce et l'index. « Tu imagines que ce sont les lèvres d'un garçon, et tu t'entraînes à les embrasser. » Elle a pris ma main et y a collé ses lèvres, en glissant sa langue entre mon pouce et mon index. J'avais les doigts pleins de salive.

« À ton tour maintenant. Vas-y, essaie... » Elle m'a tendu la main. Sa peau avait le goût de savon et de dentifrice. « Non ! Pas tant de langue. Berrrk !

— Toi, tu mets beaucoup de langue !

— Nettement moins que toi. »

Elle s'est essuyé la main sur le bras et m'a regardée avec une affectueuse impatience. « Bon... maintenant, faut que tu travailles la position.

— Qu'est-ce que c'est ?

— Faut que tu penches la tête sur la droite, ou sur la gauche, pour éviter qu'on se cogne le nez. On n'est pas chez les Esquimaux ! »

Balançant sa queue de cheval par-dessus son épaule, elle m'a attirée à elle, a pris mon visage entre ses mains et a posé ses lèvres sur les miennes. Je sentais les battements de son cœur et les pulsations de son sang à travers sa peau. Sa langue s'est insinuée entre mes lèvres, avant d'explorer mes dents. Nous respirions le même air. Je restais là, les yeux clos. C'était une sensation stupéfiante.

« Waouh ! fit-elle. T'apprends vite.

— Tu parles... J'ai un bon prof ! »

Et j'avais aussi le cœur qui battait à tout rompre.

« Vaudrait peut-être mieux ne pas recommencer.

— Ouais. C'était un peu bizarre, hein ?

— Ouais. Un peu. »

Je me suis essuyé les mains sur ma chemise de nuit.

« Eh bien, maintenant au moins, tu sauras le faire », a-t-elle conclu, en ouvrant un magazine.

À quinze ans, elle avait déjà embrassé des tas de garçons, même si elle ne le criait pas sur tous les toits. Par la suite, il y en eut bien d'autres – autant de perles et de cailloux qu'elle s'enfilait autour du cou. Et chaque fois que l'un d'eux s'en allait, ça ne lui tirait qu'un vague haussement d'épaule, en signe de tristesse ou de résignation.

Je promène mes doigts sur la photo, en me demandant si je vais l'emporter. Qui s'en rendrait compte ? À la même seconde, une réponse s'impose à moi. Je rebrousse chemin vers le petit bureau et retrouve le briquet dans le tiroir. Jadis, quand je restais passer la nuit chez Cate, elle ramenait des cigarettes en cachette et fumait, penchée à la fenêtre pour que ses parents ne sentent pas la fumée... Et si par hasard... ?

J'arrache le film de plastique noir, je soulève la fenêtre à guillotine et, prenant appui des deux mains sur le rebord, je me penche à l'extérieur, cinq mètres au-dessus du jardin.

Dans la pénombre, je parviens à suivre des yeux le trajet de la gouttière, fixée aux briques du mur par des cerclages métalliques. Mais j'ai besoin d'y voir un peu plus clair. Je prends le risque d'allumer ma lampe-torche, que je braque sur la conduite. Et là, je distingue le bout d'une petite ficelle, enroulée et nouée autour du cerclage le plus proche. Hors de ma portée.

Avec quoi pouvait-elle bien l'attraper ?

Je fouille la petite pièce du regard. Derrière le bureau, coincé contre le mur, je déniche un porte-manteau en fil de fer qui a été tordu, pour créer une forme de losange allongé, terminée par un crochet. Je retourne à la fenêtre et, ce crochet de fortune tendu à bout de bras, je parviens à le passer dans une boucle de la cordelette que j'attire à moi... Je la tiens. Elle traverse une partie du mur et passe par-dessus un petit clou – comme je continue à tirer, je vois émerger une boîte, une sorte de pot de peinture, jusque-là dissimulé par les buissons du jardin. Je le ramène vers moi, jusqu'à ce que je puisse l'attraper en tendant le bras.

Je soulève le couvercle à l'aide d'une pièce de monnaie. À l'intérieur se trouvent un demi-paquet de cigarettes et un autre paquet, plus grand, enveloppé de plastique et maintenu par des élastiques. Je prends le paquet, remets le couvercle en place et laisse filer la cordelette entre mes doigts, pour faire redescendre le pot.

Je vais m'asseoir dans la chambre. Ôtant les élastiques, je déroule ce qui semble être une pochette plastique avec des papiers pliés et rassemblés dans l'un des coins. J'en répands le contenu sur le lit : deux billets d'avion, une carte d'Amsterdam et une brochure.

Les billets sont datés du 9 mars – retour le 11 – départ d'Heathrow, arrivée à Schiphol, aux Pays-Bas – un vol de British Midlands.

La carte d'Amsterdam s'orne, en couverture, d'une photo du Rijksmuseum. Les plis en sont marqués et même usés par endroits. Le plan représente le cœur historique de la vieille cité, avec des canaux et des rues concentriques, disposés en forme de fer à cheval. Au dos de la carte figurent un répertoire, des lignes de bus, de trams et de trains, et une liste d'hôtels. L'un d'entre eux est souligné. La Tulipe rouge.

Je prends la brochure. Une pub pour un établissement à but humanitaire, à première vue. « Le Centre d'adoption Renaissance. » Il y a un numéro de téléphone et une boîte postale à Hayward's Heath, dans le Sussex. La photo de couverture montre des bébés épanouis et des couples radieux, avec cette citation : *N'est-ce pas merveilleux de savoir que si vous ne pouvez pas assumer votre rôle de mère, quelqu'un d'autre est prêt à prendre le relais ?*

Et ça continue comme ça, dans tout le reste de la brochure – d'autres photos, d'autres témoignages...

VOUS SOUHAITEZ ADOPTER ? Si vous voulez le faire dans des conditions de sécurité optimales, ne cherchez plus – nous sommes là ! Depuis 1995, notre centre a aidé des centaines de couples à adopter des bébés. Notre équipe de psychologues et de professionnels de la santé peut vous aider à réaliser votre rêve.

Et sur la page d'en face, ce titre :

ÊTES-VOUS ENCEINTE ?
ÊTES-VOUS EN QUÊTE D'UNE SOLUTION ?
Nous pouvons vous aider ! Nous vous assurerons soutien et assistance pendant et après votre grossesse.

Nous pouvons vous fournir une allocation adaptée à votre cas. L'adoption ouverte, c'est la possibilité de garder le droit de choisir.

Avec, en dessous, la photo d'une petite main agrippée aux doigts d'un adulte.

Puis le témoignage d'une certaine Julie : *Merci d'avoir transformé ma grossesse non désirée en une bénédiction pour tout le monde !*

Page suivante, je lis d'autres témoignages, provenant cette fois de couples : *Nous avons choisi l'adoption et cela nous a valu une magnifique petite fille, qui a apporté à nos vies la plénitude qui leur manquait.*

Une feuille volante glisse de l'intérieur de la brochure.

Cet enfant pourrait être à vous. Né ce mois-ci – un garçon, blanc, de père inconnu. La mère, dix-huit ans, est une ancienne prostituée toxicomane, mais elle est à présent désintoxiquée et parfaitement suivie. Ce bébé pourrait être le vôtre, moyennant le règlement d'une prime d'inscription et des frais médicaux.

Je range les papiers dans le sac de plastique, que je fixe au moyen des élastiques.

Il manquait un préfixe au numéro de téléphone inscrit au dos de la photo de Samira... Or, Cate est allée aux Pays-Bas en mars – c'est-à-dire aux alentours de la date où elle a annoncé qu'elle était enceinte.

Je décroche le téléphone, près du lit. J'appelle les renseignements internationaux. Ce n'est peut-être pas une idée de génie, que de téléphoner sur les lieux de son crime, comme si j'avais besoin de me confesser, mais l'opératrice me donne l'indicatif des

157

Pays-Bas. Je commence par composer le 31, et j'appelle le numéro.

La connexion s'établit. La sonnerie est plus longue que d'ordinaire, et comme assourdie.

Quelqu'un décroche. Silence.

« Allô ? »

Silence.

« Allô. Vous m'entendez ? »

Quelqu'un respire à l'autre bout du fil.

« Je voudrais parler à Samira. Est-ce qu'elle est là ? »

Une voix de gorge, rauque et chargée, répond : « Qui la demande ? »

L'accent pourrait être hollandais, mais je pencherais plutôt pour l'Europe de l'Est.

« Une amie.

— Votre nom ?

— En fait, je suis l'amie d'une amie.

— Votre nom, et le nom de votre amie ? »

Cette méfiance me submerge comme une ombre glacée. Je déteste cette voix. Je sens ses efforts pour me percer à jour, s'immiscer en moi, en quête de mon âme.

« Est-ce que Samira est bien là ?

— Il n'y a personne, ici. »

J'essaie de rester calme. « J'appelle de la part de Cate Beaumont. J'ai le reste de l'argent. »

J'extrapole à l'aveuglette, à partir des éléments que j'ai. Où est-ce que tout ça va me mener ?

Pas bien loin.

Click ! Ça a raccroché.

Je repose le combiné, avant de lisser le couvre-lit et de rassembler mes affaires. Je vais franchir la porte, lorsque j'entends un bruit, en bas. Un genre de tintement, que j'identifie immédiatement – j'ai produit exactement le même, tout à l'heure en posant le pied sur un morceau de verre près de la porte-fenêtre.

Il y a quelqu'un dans la maison. Quelles sont les probabilités pour que la même maison soit victime de deux intrusions la même nuit ? Infimes. Autant dire nulles. Glissant le paquet dans la ceinture de mon jean, je vais jeter un coup d'œil. J'entends des voix étouffées dans le couloir du rez-de-chaussée. Ils sont au moins deux. Une lampe-torche balaie les premières marches de l'escalier. Je recule vivement.

Que faire ? Je ne devrais pas être là, mais eux non plus. En face de moi, je distingue une volée de marches qui montent au grenier. Je les gravis quatre à quatre et j'arrive devant une porte qui s'ouvre, sur des charnières rouillées.

« T'as rien entendu ? fait une voix en bas.

— Quoi ?

— Y a eu comme un bruit.

— Mais non !

— Viens, on va voir en haut. »

L'un des deux a un accent à couper au couteau. Irlandais. Brendan Pearl... ?

« Hey !

— Quoi ?

— T'as vu ça ?

— Quoi ?

— Pourquoi ils ont mis du plastique aux fenêtres ?

159

— J'en sais fichtre rien. On fait le boulot et on se tire ! »

Le grenier est plein de recoins. Mes yeux commencent à s'habituer à l'obscurité. Je repère un petit lit en fer forgé, une armoire, un ventilateur sur pied et des tas de cartons pleins de vieilleries et de bric-à-brac.

Je me glisse dans l'espace formé par la pente du toit, derrière l'armoire. Je tire quelques cartons devant moi. Il me faudrait une arme... Les quatre coins du lit de fer forgé s'ornent de grosses boules de cuivre. J'en dévisse une délicatement, puis, ôtant une de mes chaussettes, je glisse la boule dedans. Elle tombe au fond et je la soupèse. Le genre de masse d'armes à laquelle aucun os ne résiste !

Je retourne dans ma cachette, l'oreille aux aguets, l'œil rivé à la porte. Il faut que j'appelle la police. Mais si j'ouvre mon portable, la lueur de l'écran risque d'illuminer les alentours comme une enseigne au néon qui proclamerait : « Coucou ! Je suis là ! »

Arrondissant mes mains autour de l'appareil pour le masquer, je compose le 999. Le standard décroche.

« Policier en difficulté. Violation de domicile avec effraction... »

Je murmure l'adresse et le numéro de mon insigne. Je ne peux rester en ligne. Je referme mon téléphone. L'écran s'éteint. Il n'y a plus que le bruit de mon souffle et les pas dans l'escalier.

La porte s'ouvre. Le rayon d'une torche balaie la pièce. Je ne vois pas celui qui la tient, mais lui non plus, il ne peut me voir.

Il trébuche sur un carton, déversant sur le sol

quelques dizaines de boules de Noël. Le pinceau lumineux s'arrête sur l'une d'elles, tout près de mes pieds.

Il pose la torche sur le lit, en face de lui. La lumière se reflète sur son front. C'est bien lui. Brendan Pearl. Je fais porter mon poids sur l'avant de mes pieds. Je suis prête... Mais qu'est-ce qu'il fabrique ?

Il tient quelque chose à la main. Un cube, un petit bidon carré, sur lequel il appuie, pour en faire jaillir un jet de liquide qui prend des reflets argentés dans la lumière de la lampe. Il appuie à nouveau, arrosant les cartons. Il dessine de grands zigzags sur les murs. Quelques gouttes du liquide m'aspergent le front, me tombent dans les yeux.

Des lucioles rouges me vrillent dans le cerveau, tandis que l'odeur me prend à la gorge. Du benzène... du carburant pour briquet. Le feu !

La douleur est atroce, à la limite de l'insoutenable, mais je ne dois pas bouger. Ils vont incendier la maison. Je dois me sortir de là... mais je n'y vois plus rien. Des pas font vibrer l'escalier. Il est parti. Je sors à quatre pattes de ma cachette. Je vais appuyer l'oreille à la porte.

Mes yeux sont hors d'usage. Je dois les rincer à grande eau de toute urgence. Il y a une salle de bains au premier, et une autre dans la grande chambre. Je pourrais y trouver de l'eau, mais seulement si Pearl est parti... Et je ne peux m'offrir le luxe d'attendre davantage.

En bas, quelque chose se brise à grand fracas avant de s'écrouler. Ma vision est totalement floue, mais je perçois une tache de lumière – non, ce n'est pas de la lumière... c'est du feu !

Le rez-de-chaussée est déjà en flammes. La fumée monte. M'accrochant à la rambarde de l'escalier, j'arrive au palier du premier. Je repars en longeant le mur à tâtons et je trouve le cabinet de toilette où je m'asperge les yeux. Je ne distingue plus que des contours confus, des masses floues, sombres, sans le moindre détail.

La fumée s'épaissit. À quatre pattes, je traverse la chambre. La moquette sent le benzène à plein nez. La fenêtre du petit bureau est restée ouverte... Quand le feu atteindra cet étage, il redoublera de violence. Je traverse le palier. Je me cogne la tête contre un mur. Ma main a retrouvé la plinthe ; je n'ai plus qu'à la suivre. La chaleur frise l'intolérable.

Je suis à la fenêtre. Je me penche dehors, je reprends mon souffle entre deux quintes de toux. Un bruit sourd gronde dans mon dos. Les flammes s'engouffrent par la porte ouverte. Affamées. Aspirées par le courant d'air qu'elles happent goulûment.

Je grimpe sur le rebord. Je ne vois même plus le jardin, en bas. Il y a au moins cinq mètres de dénivelé. Je vais me briser les jambes. Je regarde là où devrait se trouver la gouttière, mais mes yeux ne voient plus. À combien de distance peut-elle être ? Un mètre, un mètre vingt ? Davantage... ?

Je sens les flammes me lécher l'arrière des jambes. Au rez-de-chaussée, une fenêtre explose. Les éclats de verre s'éparpillent dans les buissons.

Je dois risquer le tout pour le tout. Parier sur ma

162

mémoire et sur mon instinct. Basculant de côté, je me jette dans le vide, les bras tendus, et je tombe...

Ma main gauche atterrit à quelques centimètres de la conduite, et ma droite parvient à s'y agripper fermement. Mais mon élan risque de me faire lâcher prise – ou de me déboîter l'épaule. Ça y est, j'ai réussi à m'accrocher des deux mains. Ma hanche vient se plaquer contre les briques. Je reste un instant suspendue, puis je descends, en me balançant, une main après l'autre, centimètre par centimètre, en direction du sol. Les sirènes se rapprochent. Mon pied a enfin pris appui sur de la terre meuble et je m'élance en titubant sur une dizaine de mètres, avant de plonger dans un massif de fleurs où je m'étale de tout mon long.

Toutes les fenêtres de la maison crachent des flammes, à présent. À travers le rideau de mes larmes, ça ressemblerait presque à une fiesta d'étudiants – il n'y manque pas un crépitement, pas un pétard. La danse des flammes elle-même a un petit air de fête. Une sacrée pendaison de crémaillère !

12

Deux flics ont débarqué. La tête du premier me dit quelque chose. J'ai dû le croiser quelque part au cours de mes stages, à l'école de la police. Eric Softell – son nom sonne comme une marque de papier hygiénique, ce qui lui avait valu le surnom de « lèche-cul », dès les premiers jours du stage. Pas de ma part, évidemment... jamais une jeune fille sikh ne se risquerait à distribuer des surnoms.

« J'ai entendu dire que vous n'étiez plus dans la police, me dit-il.

— Non.

— Et vous courez toujours ?

— Oui. Mais pas assez vite, à ce qu'il paraît... »

Il décoche un large sourire en direction de son coéquipier, l'inspecteur Bill Marsh.

Tout ce qui se dit, concernant la solidarité et l'esprit de corps entre policiers, est malheureusement très surfait. Je n'ai pas le sentiment que mes collègues, dans leur grande majorité, soient particulièrement serviables ou dévoués. Mais ils sont pour la plupart honnêtes, et certains sont même de vrais amis, tels que le divisionnaire Ruiz.

Un infirmier m'a rincé les yeux à l'eau minérale. Je m'assieds à l'arrière de l'ambulance, la tête en arrière, pendant qu'il m'applique un pansement de gaze sur l'œil gauche.

« Vous allez devoir consulter un ophtalmo, me conseille-t-il. Faudra compter une bonne semaine, avant qu'on puisse mesurer les dégâts.

— Pourquoi ? Il peut y avoir des séquelles ?

— Consultez. »

Derrière lui, les tuyaux et les lances à eau serpentent sur la chaussée trempée. Les pompiers, revêtus de leurs grandes vareuses à bandes phosphorescentes, sont pratiquement venus à bout des flammes. Vue de l'extérieur, la maison tient toujours debout, mais ses entrailles sont parties en fumée. Le grenier s'est effondré sous le poids de l'eau.

J'ai appelé Hari pour qu'il vienne me chercher en voiture. Il regarde les pompiers s'activer avec un mélange de crainte, d'admiration et d'envie. Quel gamin n'a jamais rêvé de s'amuser avec une lance à incendie ? Sentant la tension monter entre moi et Softell, Hari tente de s'interposer en jouant les grands frères protecteurs – ce qui lui va comme des guêtres à une vache !

« Dis donc, *punka-wallah*[1]... si t'allais plutôt nous chercher une tasse de thé ? » riposte Softell.

Hari n'a pas bien compris l'insulte, mais il a reconnu le ton.

Je devrais hausser la voix, moi aussi, mais j'ai trop

---

1. Sobriquet péjoratif désignant un domestique indien. (*N.d.T.*)

l'habitude de ce genre de remarque dans la bouche de ce genre d'individu. Pendant le stage d'entraînement, on nous avait lâchés sur un terrain de manœuvres, équipés de bouclier anti-émeutes. Un autre groupe de jeunes recrues avait pour consigne de nous agresser, verbalement et physiquement. Il n'y avait aucune règle, si ce n'est que nous devions soutenir l'assaut sans nous rebiffer. Et Softell en avait profité pour me cracher à la figure, en me traitant de « sale pute de Paki ». J'ai riposté d'un sourire. Tout juste si je ne l'ai pas remercié...

J'ai une légère brûlure à la cuisse gauche, et les jointures des doigts à vif. Questions... réponses... Le nom de Brendan Pearl ne leur évoque rien.

« Si vous nous expliquiez à nouveau ce que vous fichiez dans cette maison ?

— Je passais dans le quartier. J'ai vu qu'il y avait un cambriolage en cours. Je suis entrée. J'ai appelé le standard.

— Depuis l'intérieur ?

— Oui.

— Vous les aviez suivis dans la maison ?

— Oui. »

Il secoue la tête. « Vous passez devant la maison d'une copine et vous reconnaissez le type – celui-là même qui conduisait la voiture qui l'a renversée, deux semaines plus tôt. Qu'est-ce que t'en penses, Bill ?

— Ça m'a l'air foireux, comme explication... » C'est Marsh qui prend les notes.

« Et comment avez-vous reçu du combustible à briquet dans les yeux ?

— Il en a aspergé toute la maison, de l'intérieur.

— Ouais, c'est ça... et vous, vous étiez cachée au grenier, dans un coin sombre... »

Sale enfoiré.

Il a négligemment posé le pied sur le châssis arrière de l'ambulance. « En supposant, je dis bien en supposant, que vous vous soyez contentée de rester planquée là-dedans... pourquoi avoir pris le risque d'y être allée ?

— J'ai d'abord cru qu'il était seul. »

Je suis en train de m'enliser...

« Pourquoi ne pas avoir demandé du renfort avant d'y aller ? »

... De plus en plus profond.

« J'en sais rien, inspecteur. »

Des gouttelettes se forment sur le bord de sa chaussure cirée.

« Vous voyez d'ici de quoi ça a l'air, votre histoire ? ricane-t-il.

— Non. De quoi ?

— Une maison prend feu. On trouve sur place un témoin dégoulinant de benzène. Règle numéro un, en cas d'incendie volontaire : neuf fois sur dix, la personne qui crie au feu est celle qui l'a allumé.

— Vous rigolez ou quoi ? Pourquoi j'aurais fait une chose pareille ? »

Ses épaules se soulèvent avant de s'affaisser. « Est-ce que je sais ? Peut-être que vous aimez ça... »

Tout le quartier est réveillé. Les voisins s'attroupent sur les trottoirs, en imper ou en robe de chambre. Des gosses sautent sur un tuyau pour jouer avec une fuite qui projette un geyser de brouillard argenté dans la lumière des lampadaires.

Une voiture s'arrête, au-delà de la barrière des

auto-pompes. C'est Ruiz. Il se fraie un chemin dans le cercle des badauds, ignorant les protestations des agents qui tentent de les contenir.

Il marque une pause, le temps d'estimer l'étendue des dégâts, puis continue le long de la rue, pour me rejoindre. Le pansement blanc qui me masque l'œil gauche doit me donner l'allure d'un pirate en négatif...

« Dites donc, Ali... ça vous arrive de vivre une journée ordinaire, comme tout le monde ?

— Ça m'est arrivé une fois. Un mercredi. »

Il me toise des pieds à la tête. Je fais porter presque tout mon poids sur ma jambe droite, à cause de la brûlure de ma cuisse. À ma grande surprise, il se penche vers moi et m'embrasse sur la joue. Une grande première !

« Je croyais que vous étiez à la retraite, intervient Bill Marsh.

— Tout juste, fiston.

— Ben, dans ce cas, qu'est-ce que vous fichez là ?

— C'est moi qui l'ai appelé », expliqué-je.

Ruiz observe les deux jeunes flics à la dérobée. « Ça vous dérange, si j'écoute un peu ? »

Ça sonne comme une question, mais ça n'en est pas une. C'est un de ses trucs favoris, à l'inspecteur divisionnaire – transformer les questions en affirmations.

« Non, à condition que vous ne restiez pas dans nos pattes », marmonne Softell.

Son collègue décroche son téléphone et appelle une équipe de la police scientifique. Les pompiers vont mener leur propre enquête. Je m'éloigne à cloche-pied de l'ambulance qui doit répondre à un autre appel. Ruiz me prend le bras.

Hari m'attend toujours. « Tu peux rentrer, maintenant, Hari.

— Et toi ?

— J'en ai encore pour un certain temps.

— Tu veux que je t'attende encore un peu ?

— Non, merci. Ça ira. »

Il lance un coup d'œil furibard vers Softell. « Tu le connais, ce connard ?

— Il est correct. Pas de problème.

— Pas étonnant que tout le monde les déteste, ces sales flics.

— Hé, surveille ton langage ! »

Il me sourit d'une oreille à l'autre. « Je ne parle pas pour toi, évidemment ! »

D'autres questions, d'autres réponses. Softell semble se désintéresser des raisons de ma présence sur les lieux. Il m'interroge sur Brendan Pearl.

« Vous pensez donc que cet incendie criminel pourrait être lié à la mort des époux Beaumont ?

— Oui.

— Et pourquoi Pearl aurait-il voulu brûler la maison de ses victimes ?

— Pour détruire des indices, peut-être. Des lettres, des e-mails, des enregistrements téléphoniques. Des pièces à conviction. Tout document susceptible de l'incriminer. »

Je lui parle de la grossesse de Cate, de l'argent prélevé sur son compte. « Je crois qu'elle avait prévu d'acheter un bébé. Quelque chose aura mal tourné... »

Marsh prend la parole : « Mais de nos jours, tout le monde adopte des gamins à l'étranger – des

169

orphelins chinois, roumains ou coréens. Pourquoi s'embêter à acheter un bébé ?

— Elle a essayé d'adopter. Mais ça n'a pas marché.

— Et comment ça s'achète, un bébé ? »

Je n'ai pas toutes les réponses. Softell jette un coup d'œil à Bill Marsh. L'espace d'une seconde, je sens passer entre eux quelque chose d'invisible.

« Pourquoi n'avez-vous pas signalé tout ça ?

— Pas de preuves.

— Alors, vous êtes allée en chercher. Vous êtes entrée par effraction.

— Non.

— Et puis vous avez tenté de couvrir vos traces avec un bidon de benzène et une histoire à dormir debout.

— Faux ! »

Les poings de Ruiz se crispent et se desserrent alternativement. Pour la première fois, je remarque son air las, décati, dans son vieil imper mastic, lustré aux coudes.

« Dites donc, inspecteur..., lui dit-il, je vous vois venir, gros comme une maison ! Vous êtes en quête d'un scénario qui coïncide avec les schémas standards. Un parfait exemple de bavure policière que vous aurez résolu pour 9 heures, histoire de ne pas arriver en retard à votre cours de danse classique ! Mais vous oubliez à qui vous avez affaire. C'est une de vos collègues, que vous interrogez, là. Votre boulot consiste à la croire sur parole. »

Pas assez fin pour saisir au vol cette bonne occasion de la boucler, Softell pouffe de rire. « Et vous, vous vous prenez pour qui ?

— Pour Godzilla !

170

— Qui ça ? »

Ruiz lève les yeux au ciel. « Godzilla, vous ne connaissez pas ? Un vieux dinosaure qui va réduire votre carrière en miettes, si vous ne traitez pas cette jeune dame avec tout le respect qui lui est dû. »

Softell joue les offensés. Il sort son portable, compose un numéro. Je l'entends parler à son supérieur. Je ne peux évidemment qu'imaginer la suite. Ruiz a toujours pas mal d'appuis dans la police londonienne, des gens qui n'ont pas totalement oublié ses prouesses passées.

En raccrochant, Softell semble s'être considérablement calmé. Un groupe de travail a été constitué pour enquêter sur l'affaire. Un mandat d'arrêt a été lancé contre Brendan Pearl.

« Je veux vous voir dans mon bureau dès demain matin, me dit-il. Pour prendre votre déposition.

— Et maintenant je peux disposer ?

— Ouais ! »

Ruiz refuse de me laisser reprendre le volant et me raccompagne dans ma propre voiture. Les jambes à l'étroit, ratatiné sur le siège conducteur de mon petit break, il me fait penser à un Oui-Oui du troisième âge.

« C'était Pearl ?

— Oui.

— Vous l'avez vu ?

— Oui. »

Il a lâché le volant d'une main pour se gratter le menton. Il lui manque deux phalanges à l'annulaire gauche (emportées par une balle ultra-puissante – mais il raconte à qui veut l'entendre que c'est sa

171

troisième femme qui l'a attaqué à coups de hachoir).

Je mets Ruiz au courant – les billets d'avion, la brochure du centre d'adoption. Nous avons l'un et l'autre entendu parler de ces histoires épouvantables de vol et de trafic d'enfants. Cela relève pour l'essentiel du mythe urbain, comme les fermes à bébés au Guatemala ou les jeunes fugueurs kidnappés dans les rues de Sao Paulo pour la collecte d'organes...

« Supposons que vous ayez raison, que Cate Beaumont ait monté un plan d'adoption au noir, voire d'achat de bébé... pourquoi se serait-elle donné la peine de feindre une grossesse ?

— Peut-être voulait-elle faire croire à son mari que le bébé était de lui.

— Ça n'était pas dénué de risques. Et si le bébé n'avait eu aucune ressemblance avec lui ?

— Des millions de maris se contentent de supposer qu'ils sont le père de leurs enfants. L'histoire fourmille de ce genre de quiproquos. »

Ruiz arque un sourcil. « De mensonges, vous voulez dire... »

Je mords aussitôt à l'hameçon : « Oui, chef... les femmes aussi peuvent tricher. Et parfois, elles n'ont pas le choix : qui est-ce qui doit rester changer les couches, chaque fois qu'un pauvre crétin décide qu'il n'est pas prêt à s'engager, ni à renoncer à sa Harley – quand ce n'est pas à sa collection de films pornos – hein !? »

Silence.

« Ça vous a fait l'effet d'un réquisitoire ?

— Un peu, oui.

— Eh bien, vous m'en voyez désolée ! »

Ruiz se met à penser tout haut, en puisant dans sa mémoire. C'est son secret : il n'oublie jamais rien. D'autres s'arrachent les cheveux et poussent des jurons en tentant de se souvenir de tel ou tel détail. Lui, jamais. Ça lui vient comme ça, sans effort. Les faits, les chiffres, les noms, les citations.

Il y a trois ans, la police italienne a démantelé un gang de trafiquants ukrainiens qui voulaient vendre un bébé à naître. Ils avaient même institué un système d'enchères, pour trouver l'acheteur idéal. Quelqu'un était allé jusqu'à deux cent cinquante mille livres.

« Cate s'est rendue à Amsterdam en mars. Elle a pu passer un marché avec des trafiquants.

— Comme ça, toute seule, sans intermédiaire ?

— Mystère.

— Et comment communiquaient-ils avec elle ? »

Je repense à l'incendie. « Ça, on ne le saura peut-être jamais. »

Il me dépose chez moi. Nous prenons rendez-vous pour le lendemain matin.

« Vous devriez aller voir un ophtalmo.

— Après ma déposition. »

Une fois dans ma chambre, je débranche le téléphone et j'éteins mon portable. J'ai suffisamment communiqué avec mes contemporains pour aujourd'hui. Je n'ai plus qu'une envie : une bonne douche et au lit ! J'aimerais enfouir ma tête dans mon oreiller et pleurer jusqu'à plus soif, jusqu'à ce que le sommeil ait raison de mon chagrin. C'est le genre de luxe qu'on peut encore s'offrir, quand on est une fille, non ?

13

Wembley Police Station est un bâtiment neuf, repeint en bleu et blanc, sur Harrow Road. Le nouveau stade national n'est qu'à un ou deux kilomètres de là, avec ses tours de projecteurs qui se dressent au-dessus de la ligne des toits.

Softell me fait patienter avant de prendre ma déposition. Son attitude a changé du tout au tout. Il a lancé une recherche sur Pearl dans le système informatique et je vois scintiller dans ses yeux une étincelle d'intérêt, telle celle qui allume les brûleurs de ma gazinière. Softell est de ces flics qui font toute leur carrière avec la tête dans le sable, en évitant de faire des vagues et en se gardant bien de chercher à comprendre les mobiles des gens. Mais, là, il a flairé un créneau.

Pour lui, la mort de Cate et de Felix Beaumont n'est qu'un sujet accessoire. Une diversion. Je ne vois que trop bien ce qu'il s'apprête à faire : se débarrasser de Cate le plus vite possible, en en faisant une banale névrosée, avec des antécédents psychiatriques et judiciaires. Son vrai gibier, c'est Pearl.

« Vous n'avez aucune preuve de l'existence de ce bébé, attaque-t-il.

— Où est passé l'argent, alors ?

— Quelqu'un a pu le leur extorquer.

— Oui, avant de les tuer.

— Ce n'est pas ce qu'en pensent les experts chargés du rapport de l'accident. »

Il me tend un texte dactylographié que je dois relire en signant chaque page, et en contresignant chaque modification du texte. Je survole mes propres paroles. J'ai menti sur deux points : le motif de ma présence dans la maison et les circonstances qui ont précédé l'incendie. Et cette déposition, signée de ma main, ne va rien arranger...

Il récupère le document, redresse les pages, les agrafe. « Un petit bijou de professionnalisme ! ricane-t-il. Quand on commence, on ne sait pas où ça va s'arrêter – les mensonges, je veux dire. Ça ne peut aller que de mal en pis.

— Peut-être, ouais. Vous êtes bien placé pour le savoir... », rétorqué-je, tout en regrettant de ne rien trouver de plus cinglant pour lui clouer le bec. En fait, j'aimerais pouvoir déchirer ma déposition et tout recommencer, de A jusqu'à Z.

Ruiz m'attend à la réception.

« Comment va votre œil ?

— L'ophtalmo a dit que je devrai garder un bandeau sur l'œil pendant une semaine.

— Et alors ? Où il est, votre bandeau ?

— Dans ma poche. »

Les portes s'ouvrent automatiquement devant nous.

« Votre amoureux a appelé six fois en l'espace

d'une heure. Vous n'avez jamais pensé à prendre un petit chien, à sa place ?

— Qu'est-ce que vous lui avez dit ?

— Rien. C'est pour ça qu'il a rappliqué... »

Levant les yeux, je découvre Dave qui attend, appuyé à la voiture de Ruiz. Il m'enveloppe de ses bras puissants, et m'étreint à me couper le souffle, le visage enfoui dans mes cheveux. Ruiz se retourne, l'air faussement embarrassé.

« Qu'est-ce que tu fais Dave ? Tu me renifles ?

— Ben, ouais. Trop heureux de te récupérer en un seul morceau.

— N'exagérons rien... quelques égratignures, tout au plus !

— Hmmm... j'apprécierai d'autant plus, en les embrassant.

— Plus tard, peut-être... si tu es sage ! »

Dave est l'élégance même, dans son costume bleu marine, qu'il porte sur une chemise blanche, avec une cravate bordeaux. Il soigne sa mise depuis qu'il a pris du galon. Mais en y regardant de plus près, j'aperçois sur sa cravate une tache de sauce qu'il n'a pas réussi à nettoyer... (Le genre de détail qui n'échapperait pas à l'œil de lynx de ma mère. Brrrr ! j'en ai froid dans le dos !)

J'ai l'estomac dans les talons. Normal, je n'ai rien avalé depuis hier.

Nous nous trouvons un café, près de Wembley Central. Le menu est affiché sur un tableau noir et l'air véhicule un taux de graisse en suspension assez élevé pour plaquer les cheveux de Dave sur son crâne. C'est un bistrot à l'ancienne, avec tables en

Formica, serviettes en papier et serveuse à cran, piercing dans le nez compris.

Je me commande un thé et des toasts. Ruiz et Dave optent pour le plat du jour, servi à toute heure, que l'on surnomme le « 999 » parce que c'est l'infarctus assuré. Nous gardons le silence jusqu'à ce que nos assiettes soient vides et le thé servi. Ruiz prend le sien avec du lait et du sucre.

« Je connaissais un type, dans le temps…, dit-il. Un copain avec qui je jouais au rugby. Il ne m'a jamais parlé de son boulot, mais je sais qu'il travaille au MI5[1]. Je l'ai appelé ce matin, et il m'a dit deux ou trois choses sur Brendan Pearl.

— Ah oui ? »

L'inspecteur sort un calepin fatigué, qui ne tient que grâce à un élastique, et dont il feuillette les pages volantes entre ses doigts. Certains flics préfèrent ne pas prendre de notes, pour garder la « flexibilité » de leurs souvenirs, au cas où ils seraient appelés à témoigner. Mais en dépit de sa proverbiale mémoire, Ruiz aime consigner ses souvenirs.

« Selon ce copain, le dernier emploi connu de Pearl serait un poste d'expert conseil en sécurité pour une entreprise de construction, en Afghanistan. Trois entrepreneurs étrangers se sont fait descendre, en septembre 2004, dans un convoi qui circulait sur la nationale reliant l'aéroport au centre de Kaboul – un attentat suicide. Pearl comptait parmi les blessés. Il a passé trois semaines dans un hôpital

1. Branche des services secrets du Royaume-Uni, chargée de la sécurité nationale. *(N.d.T.)*

allemand, puis a demandé de signer le registre de sortie. Depuis, personne n'a eu de ses nouvelles.

— Pourquoi refait-il surface maintenant ? demande Dave.

— Et comment Cate a-t-elle pu le rencontrer ? » ajouté-je.

Ruiz rassemble ses pages et remet l'élastique en place. « Le mieux serait peut-être d'aller y jeter un œil, à ce fameux centre d'adoption. »

Dave renâcle : « Mollo ! Nous ne sommes pas chargés de l'enquête.

— *Officiellement*, non, admet Ruiz.

— Ni même officieusement !

— Disons que c'est une enquête *indépendante*.

— Entreprise en toute illégalité !

— Mais en toute liberté... »

Je les interromps pour suggérer : « Et si tu nous accompagnais, Dave ? »

Il hésite.

Ruiz a flairé l'ouverture. « C'est ce que j'apprécie chez vous, mon cher petit Dave : votre sens de l'initiative et de l'improvisation. D'aucuns nous reprochent de n'être qu'un ramassis de flicaillons frileux et procéduriers. Mais vous, vous en êtes un brillant contre-exemple. Vous ne craignez ni d'affirmer vos opinions, ni de vous en remettre à votre flair... »

On croirait voir un pêcheur à la mouche. Sa ligne fouette l'air, la mouche se pose sur l'eau et dérive sur le courant... plus loin, plus loin...

« Bon, d'accord, finit par dire Dave. Un simple coup d'œil, ça ne mange pas de pain... »

Rien n'indique l'adresse ni la localisation du centre Renaissance. Pas l'ombre d'un panneau dans le village le plus proche, ni même devant les hautes grilles, flanquées de deux imposants piliers de pierre. Une allée de gravier serpente dans les champs, avant de franchir un petit pont. Les vaches frisonnes qui constellent les pâturages s'agitent à peine sur notre passage.

Nous finissons par nous arrêter devant une grande bâtisse XVIIIe. On devine au loin le ronflement des avions de Gatwick. Je glisse mon bras sous celui de Dave.

« OK. On est mariés depuis six ans. Un grand mariage, dans la plus pure tradition sikh – et bien sûr, la mariée était la plus belle ! Voilà cinq ans qu'on essaie d'avoir un bébé, mais ton spermogramme est un peu bas...

— Tu tiens vraiment à mettre *mes* spermatozoïdes en cause ?

— Allez ! Tais-toi et passe-moi la bague. »

Il fait glisser l'anneau de platine qu'il porte au petit doigt et que j'enfile illico à mon annulaire gauche.

Nous avons laissé Ruiz dans le dernier pub que nous avons croisé. Il a immédiatement engagé la conversation avec les gens du cru, et nous avons déjà pu glaner quelques éléments. Le centre d'adoption est une association privée à visée humanitaire, déclarée d'utilité publique. Son fondateur, Julian Shawcroft, est l'ancien P-DG d'une clinique de Manchester, spécialisée dans le traitement de la stérilité et la procréation assistée.

Une toute jeune femme d'à peine une vingtaine

d'années vient nous ouvrir. Elle porte de grosses chaussettes de laine et sa robe de chambre bleu ciel fait de son mieux pour masquer une grossesse bien mûre.

« Excusez-moi, mais je ne peux pas vous renseigner, nous annonce-t-elle d'emblée. Stella m'a juste demandé de surveiller son bureau, pendant qu'elle est allée aux petits coins.

— Stella ?

— Oui, c'est elle, la responsable. Enfin, pas vraiment... le grand boss, c'est Mr Shawcroft, mais il est souvent en déplacement. Sauf qu'aujourd'hui, justement, il est là... C'est lui, le directeur général. Le P-DG, si vous préférez. J'ai jamais réussi à piger la différence... Entre nous, qu'est-ce que peut bien fabriquer un P-DG, que le dirlo ne fait pas, hein ? Mais là, on s'écarte un peu du sujet. Je m'appelle Meredith. Qu'est-ce que vous pensez du prénom Hugh ? Sympa, non ? Comme Hugh Jackman... il est tellement chou. À part lui, je ne vois pas d'autre Hugh...

— Hugh Grant ? suggéré-je.

— Ah, oui ! Cool.

— Ou Hugh Keffner[1], propose Dave.

— Tiens ! Qui c'est ?

— Personne, personne. Aucune importance. »

Ses cheveux sont juste assez longs pour être rassemblés en queue de cheval et le vernis de ses ongles commence à s'écailler, là où elle l'a rongé.

Le hall de la grande maison de maître s'orne de deux sofas aux teintes fanées, disposés de part et

---

1. Fondateur et propriétaire du magazine *Playboy*. (*N.d.T.*)

d'autre de la cheminée. L'accès au grand escalier est condamné par un cordon bleu à pompons, tendu entre deux poteaux de laiton.

Meredith nous emmène jusqu'à une pièce située sur le côté et contenant des bureaux. Je compte plusieurs écrans d'ordinateur. Une grosse photocopieuse crache des pages, tandis qu'une source lumineuse va et vient sous la vitre.

Des affiches sont accrochées aux murs. Sur l'une d'elles, un couple joue à balancer un enfant entre leurs bras tendus sauf que la silhouette de l'enfant est découpée dans le paysage, comme une pièce manquante. *Y aurait-il dans votre vie un trou de la taille d'un enfant ?* dit la légende.

De l'autre côté des grandes portes-fenêtres, j'aperçois une roseraie et ce qui a dû être jadis une pelouse de croquet.

« C'est pour bientôt ? demandé-je à Meredith.

— Plus que deux semaines.

— Et pourquoi êtes-vous venue ici ? »

Elle étouffe un petit rire. « Ben, parce que c'est un centre d'adoption, tiens !

— Oui, mais je pensais que les gens venaient ici pour adopter, pas pour accoucher...

— Eh bien, disons que je n'ai pas encore pris ma décision », réplique-t-elle, sur le ton de l'évidence.

Une femme nous rejoint – la dénommée Stella – et nous prie de l'excuser de nous avoir fait attendre. Elle a l'allure de la parfaite secrétaire de direction : pantalon et polo noir, chaussures en imitation serpent à bouts pointus et petits talons.

Son regard me survole vivement, de la tête aux pieds, comme pour faire un rapide inventaire.

Navrée, mais je n'ai pas de polichinelle dans le tiroir ! me retiens-je de m'exclamer. Elle jette un coup d'œil dans ses registres.

« Nous n'avons pas de rendez-vous, lui expliqué-je. Nous nous sommes décidés comme ça, à l'improviste.

— L'adoption est une affaire sérieuse, qui ne se traite pas sur un coup de tête.

— Oh, je ne parle pas de cette décision-là. Ça fait des mois que nous en parlons. C'est juste que, là, nous passions dans le voisinage...

— Oui, j'ai une tante dans le coin, ajoute Dave.

— Ah. Je vois.

— Et nous aimerions adopter un bébé », précisé-je, bien inutilement.

Stella prend note de nos noms. Je me présente comme Mrs King, ce qui ne sonne pas si biscornu que je le craignais.

« Nous sommes mariés depuis six ans. Cela fait cinq ans que nous tentons d'avoir un enfant.

— C'est parce que vous ne pouvez pas avoir d'enfants que vous avez pensé à l'adoption ? »

La question est lourdement chargée. « J'ai grandi dans une famille nombreuse et j'aurais aimé pouvoir en fonder une, moi aussi. Ce qui fait que, tout en voulant avoir nos propres enfants, nous avons toujours envisagé l'adoption.

— Seriez-vous prêts à adopter un enfant qui aurait déjà un certain âge ?

— Nous préférerions un bébé.

— Peut-être, oui... mais les bébés adoptables sont rares dans ce pays, et la liste d'attente est longue.

182

« — Quel délai faut-il prévoir ?

— Cinq ans. »

Dave souffle en gonflant les joues. Il tient son rôle à merveille, bien mieux que je ne l'aurais cru. « Mais je suppose qu'il existe des moyens d'accélérer les choses, dit-il. Il n'est de roue si lente qu'elle ne puisse se graisser... »

Stella semble piquée au vif par cette supposition. « Mr King, nous sommes une fondation à but non lucratif, soumise aux mêmes contraintes et aux mêmes règles que les filières d'adoption officielles. Notre premier critère, et d'ailleurs le seul, est l'intérêt de l'enfant. Le "graissage", comme vous dites, ne peut entrer en ligne de compte.

— Non, bien sûr. Je ne voulais absolument pas suggérer que...

— Mon mari travaille dans la direction d'entreprise, expliqué-je en prenant un air gêné. Et il est convaincu qu'aucun problème ne résiste à un renfort d'argent ou de personnel... »

Elle hoche la tête d'un air compatissant et semble pour la première fois s'apercevoir de ma couleur. « Nous pouvons faciliter les adoptions d'un pays à l'autre, mais il n'y a pas d'enfants disponibles pour l'adoption en Europe de l'Ouest. La plupart des parents acceptent des enfants originaires d'Europe de l'Est.

— Oh, nous ne sommes pas très regardants sur ce plan, lâche Dave et je lui envoie un coup de pied dans le tibia, sous le bureau. Euh, enfin... pas braqués. Enfin, je veux dire, ce n'est absolument pas une question de race... »

Stella le lorgne d'un œil méfiant. « Il y a tant de

183

mauvaises raisons pour adopter. Certains couples tentent de sauver leur mariage, ou de remplacer un enfant qu'ils ont perdu, voire de s'offrir le dernier accessoire en vogue, pour faire comme tout le monde...

— Ce n'est vraiment pas notre cas, l'assuré-je.

— Tant mieux. Eh bien, pour les enfants étrangers, les procédures d'évaluation et d'approbation sont exactement les mêmes que pour des enfants britanniques. Le protocole inclut des visites médicales, une enquête sociale, une recherche d'antécédents judiciaires et des interviews avec des psychologues et des travailleurs sociaux. »

Elle se lève et va prendre un dossier dans un placard – le formulaire fait bien trente pages.

« Je me demandais si Mr Shawcroft était ici, aujourd'hui ?

— Pourquoi ? Vous le connaissez ?

— Seulement de réputation. C'est comme ça que j'ai entendu parler du centre... par une amie.

— Comment s'appelle votre amie ?

— Cate Beaumont. »

Je ne saurais dire si le nom lui évoque quelque chose.

« Mr Shawcroft est souvent en voyage pour ses activités de collecte de fonds, mais il se trouve qu'il est là, aujourd'hui. Peut-être pourra-t-il vous recevoir quelques minutes. »

Elle s'excuse et monte au premier.

« Qu'est-ce que t'en penses ? demande Dave.

— Surveille la porte... » Contournant le bureau, je vais jeter un œil dans le tiroir du placard à dossiers.

« Perquisition illégale !

— Surveille la porte, et tais-toi. »

Mes doigts s'immiscent entre les dossiers. Chaque famille adoptive en a apparemment un, mais je ne vois pas de dossier Beaumont... ni Elliot. Certaines chemises sont marquées d'une pastille de couleur. Il y a des noms dactylographiés sur les étiquettes. À première vue ça pourrait être des enfants, mais non... Je consulte les dates, et ça ne colle pas. Ce sont des femmes. Jeunes.

Un nom me saute aux yeux. Carla Donavon – la sœur cadette de Paul, qui est enceinte. Coïncidence ? Ça m'étonnerait.

« Ces fichiers sont confidentiels. » La voix, désincarnée, m'a fait sursauter.

Mes yeux se posent sur Dave, qui secoue la tête. C'est l'intercom, posé sur le bureau. J'explore le plafond du regard. Il y a bien une petite caméra de sécurité, là-bas, dans un coin... J'aurais dû la repérer.

« Si vous voulez des renseignements, le plus simple est de nous les demander, Mrs King, dit la voix. À supposer que ce soit votre vrai nom...

— Est-ce l'habitude dans cet établissement, d'écouter aux portes ?

— Est-ce votre habitude, de fouiller dans les tiroirs pour consulter des dossiers hautement confidentiels ? Qui êtes-vous, au juste ?

— Nous sommes officiers de police, répond Dave. Je suis le sergent Dave King et voici l'inspecteur Alisha Barba. Nous enquêtons sur la mort d'une jeune femme dont nous avons de bonnes raisons de penser qu'elle a été de vos clientes. »

Le léger bourdonnement de l'intercom s'éteint et nous voyons entrer un homme entre deux âges, plutôt râblé, avec un visage large qui se plisse sous l'effet de son sourire – qu'il a désarmant. Ses cheveux, autrefois blonds, l'auréolent de petites boucles, serrées comme des copeaux de bois.

« Ma main à couper qu'il existe des lois interdisant aux policiers de s'introduire quelque part sous de fausses identités pour mener des recherches sans autorisation préalable...

— Le tiroir était resté ouvert. J'ai juste voulu le refermer ! » Mon explication me vaut un nouveau sourire. On s'attendrait à ce qu'il soit furieux, et sur ses gardes, mais tout cela a plutôt l'air de l'amuser. Il met un point d'honneur à refermer à clé l'armoire des dossiers, avant de nous adresser à nouveau la parole :

« Eh bien, maintenant que les présentations sont faites, je peux vous proposer une petite visite guidée, qui vous laissera tout le temps de m'expliquer les raisons de votre présence. »

Il nous fait traverser un vaste hall puis franchir l'une des portes-fenêtres qui donnent sur la terrasse. La jeune femme que nous avons rencontrée en arrivant est là, dans le jardin, sur une balançoire. Sa robe de chambre ballonne mollement, tandis qu'elle se balance de plus en plus haut.

« Doucement, Meredith ! » lui crie-t-il, puis à nous : « Elle est intenable, cette petite.

— Que fait-elle ici ?

— Elle ne sait pas encore ce qu'elle va faire. Renoncer à un bébé est une décision difficile, qui exige pas mal de cran. Nous aidons des jeunes femmes comme elle à la prendre.

— En les poussant à renoncer à leur enfant ?

— Au contraire. Nous les entourons d'affection, nous les soutenons, moralement et matériellement. Nous leur apprenons à s'occuper d'un bébé, pour les préparer à faire face à leurs responsabilités. Et si elles décident finalement de faire adopter leur enfant, nous avons un système de bourse qui leur permet de trouver un appartement ou un travail, et nous arrangeons des adoptions selon un système dit "ouvert".

— C'est-à-dire ?

— La mère biologique et les parents adoptifs ont l'occasion de se rencontrer et de faire connaissance. Le plus souvent, ils restent en contact après l'adoption. »

Shawcroft nous entraîne sur l'allée de gravier qui contourne l'aile sud de la propriété. Les baies vitrées nous laissent apercevoir un salon où plusieurs jeunes femmes jouent aux cartes, près d'une cheminée.

« Nous organisons des cours de préparation à l'accouchement, des séances de massage et de relaxation. Et nous avons même un excellent gymnase, continue-t-il.

— Tiens ! Pourquoi ?

— Pourquoi pas ?

— Je ne vois pas ce que ça a d'indispensable... »

Shawcroft a repéré l'ouverture et s'y engouffre, pour nous exposer sa philosophie. Il plaide sa cause avec passion, stigmatisant les traditions séculaires pour lesquelles une fille mère était un suppôt de

187

Satan, une proscrite qui devait être tenue à l'écart de la bonne société.

« Élever seule son enfant n'a plus rien de scandaleux, mais ça reste une rude épreuve, explique-t-il. Voilà la raison d'être de ce centre : il y a encore bien trop d'orphelins et d'enfants non désirés dans ce pays, et surtout dans le reste du monde. Nous disposons de trop peu de moyens pour améliorer leur sort.

» Avez-vous seulement une idée de la lenteur de notre système d'adoption, de sa pesanteur, de sa partialité ? Nous le laissons aux mains d'une bureaucratie qui manque d'argent, de personnel et d'expérience – des gens qui se prennent pour Dieu le Père et jouent impunément avec la vie de ces enfants. »

Dave reste quelques pas en arrière.

« J'ai commencé dans un minuscule bureau, à Mayfair. Je travaillais seul. Je demandais cinquante livres pour une consultation de deux heures. Deux ans plus tard, j'avais une équipe de huit personnes qui travaillaient avec moi à plein temps et j'avais déjà suivi plus d'une centaine d'adoptions, voyez où nous en sommes, à présent..., achève-t-il, embrassant d'un geste la grande propriété.

— Comment avez-vous pu obtenir tout ça ?

— Grâce à nos généreux donateurs. Nous sommes quatorze – conseils et psychologues, spécialistes de l'orientation professionnelle, visiteurs médicaux, assistantes sociales... »

Dans un coin du jardin, j'aperçois un sac de golf sous un parasol, avec un seau plein de balles qui attendent d'être jouées. Je remarque quelques cals sur ses doigts.

« C'est mon seul vice, m'explique-t-il en regardant les pâturages, au-delà de la clôture. Les vaches détestent voir arriver mes balles dans leur champ, mais j'ai développé un *slice* rédhibitoire depuis mon opération.

— Votre opération ?

— De la hanche. Mon âge me rattrape à grands pas... »

Empoignant l'un des clubs, il envoie délicatement une balle en direction d'un rosier. Une rose se répand en une averse de pétales. Examinant ses doigts, il ouvre et referme plusieurs fois le poing.

« En hiver, ça m'est toujours plus difficile de manier un club. Certains joueurs mettent des gants, mais je préfère garder le contact avec le manche... »

Il marque une pause et se retourne vivement vers moi : « Et maintenant, inspecteur, trêve de salamalecs. Pourquoi êtes-vous ici ?

— Connaissez-vous une certaine Cate Beaumont ?

— Non. » La réponse est immédiate, sans l'ombre d'une hésitation.

« Vous n'avez même pas besoin de consulter les fichiers de vos clientes ?

— J'ai tous leurs noms en tête.

— Même celles qui n'ont pas réussi à adopter ?

— Surtout celles-là ! »

Dave nous a rejoints. Il prend un driver à tête métallique et vise une vache, au loin, avant de se raviser.

« Mon amie Cate Beaumont a fait croire à tout

189

son entourage qu'elle était enceinte et a vidé son compte en banque. J'ai tout lieu de croire qu'elle avait prévu d'acheter un bébé.

— C'est illégal.

— Elle avait chez elle une de vos brochures...

— Ça n'a rien d'illicite. »

Shawcroft m'étonne. Il répond à mes questions sans s'offusquer, ni prendre la mouche. « Où se trouve votre amie, à présent ?

— Elle est morte. Assassinée. »

Il répète le mot, cette fois avec un certain respect. Mais il n'a pas cillé. Ses mains restent parfaitement calmes.

« La brochure comportait une annonce pour un petit garçon dont la mère était une prostituée toxicomane. L'annonce parlait d'une "prime d'inscription" et du remboursement des frais médicaux... »

Shawcroft se passe lentement la main sur la joue. Il cherche à gagner du temps. L'espace d'un instant, je sens quelque chose lutter en lui. J'attends. J'attends un démenti qui ne vient pas.

« Cette prime d'inscription sert à payer les papiers, les frais de dossier – les visas, les certificats de naissance, vous voyez.

— La loi interdit de vendre des enfants.

— Ce bébé n'était pas à vendre. Chaque couple candidat a fait l'objet d'un examen attentif. Il nous faut un arbitrage fiable, des rapports d'experts. Il faut suivre des collectifs de travail et des séances de groupe. Enfin, il y a un conseil d'adoption, composé de professionnels hautement qualifiés qui doivent donner un avis favorable aux candidats, avant qu'on puisse leur proposer un enfant.

— Si tout cela est si clair, pourquoi votre annonce donne-t-elle un numéro de boîte postale ?

— Savez-vous combien d'enfants meurent dans le monde chaque année, Alisha ? Cinq millions. Guerre, misère, maladie, famine, mauvais traitements, mines antipersonnel, prédateurs en tous genres. J'ai vu de mes yeux des enfants si affamés qu'ils n'avaient même plus la force de chasser les mouches qui leur tournaient autour. Et ces mères qui serrent leurs bébés étiques sur leurs seins taris... Il y en a même qui jettent leurs enfants par-dessus la clôture des propriétés où habitent des gens riches – ou pis, dans le Gange – parce qu'elles n'ont pas de quoi les nourrir. Sans même parler des orphelins du sida, des bébés du crack, de ces malheureux gosses qui sont vendus comme esclaves pour vingt dollars. Et qu'est-ce qu'on fait, dans ce pays ? On multiplie les obstacles pour les gens qui veulent les adopter. On leur dit qu'ils sont trop vieux, on leur reproche leur religion, ou leur couleur de peau... »

Il n'essaie même pas de masquer l'amertume qui a filtré dans sa voix. « Certains pays ont du mal à admettre leur incapacité à s'occuper de leurs habitants les plus vulnérables et les plus démunis. La plupart sont beaucoup trop lâches. Ils préfèrent laisser mourir les enfants abandonnés, les laisser dépérir dans la faim et le dénuement, plutôt que de leur donner leur chance.

» En soi, ce système est terriblement injuste. Alors oui, j'ai tendance à arrondir les angles. Dans certains pays, on peut passer des contrats avec les futures mères. Des stars de Hollywood le font... voire des ministres ! On peut ainsi sauver des enfants, tout en permettant à des couples stériles de fonder une famille.

— En achetant des bébés.

— En les sauvant de la mort. »

Sous cette cordialité et cette patience à toute épreuve, je sens un tranchant d'acier. La nature même de cet homme recèle quelque chose de vaguement dangereux. Le mélange de sentimentalité, de mysticisme et de dogmatisme qui soustend le fanatisme des tyrans.

« Vous trouvez ça immoral ? Je vais vous dire, moi, ce qui est immoral... c'est de ne rien faire ! De rester là, dans votre bon fauteuil, à l'abri de votre maison douillette, en vous disant que c'est bien suffisant de parrainer un gamin en Zambie.

— Cela ne justifie pas d'enfreindre la loi.

— Chaque famille qui adopte grâce à notre filière est examinée et approuvée par un panel d'experts.

— Vous profitez de leur désespoir, vous l'exploitez.

— Toutes les sommes sont réinvesties dans l'association. »

Il entreprend de me citer des chiffres – le nombre d'adoptions que le centre a à son actif, les casse-tête diplomatiques qu'il doit résoudre. Ses arguments sont parfaitement maîtrisés. Je n'ai aucun moyen rationnel de les contrer. Pis, mes objections semblent égoïstes, mesquines, tatillonnes. Je m'en excuserais presque.

Shawcroft continue à tempêter contre le système mais finit par commettre son unique erreur : un soupçon de chantage émotionnel.

« La mort de votre amie est un grand malheur,

inspecteur Barba, mais je vous déconseille de faire du battage ou de porter des accusations sans fondement contre nos activités. Imaginez un peu... ! Si la police venait frapper aux portes des familles, poser des questions indiscrètes, semer la zizanie dans les foyers... C'est vraiment ce que vous voulez ? »

Stella est apparue sur la terrasse. Elle l'appelle en lui indiquant d'un geste qu'on le demande au téléphone.

« Je vais devoir vous laisser, conclut-il avec un sourire las. Vous savez, le bébé dont vous me parliez... il est né il y a quatre semaines, à Washington. C'est un garçon. Un jeune couple d'Oxford s'apprête à l'adopter. »

Je le suis des yeux, tandis qu'il remonte l'allée en faisant crisser les graviers sous ses semelles. Meredith est toujours sur sa balançoire. Il lui fait signe de rentrer. Le vent a fraîchi, avec la tombée du jour.

Dave me rejoint et nous suivons l'allée en sens inverse, en direction du parking. Nous dépassons une statue, une jeune nymphe chargée d'une urne, puis une autre – un cupidon qui n'a plus de pénis.

« Alors ? me demande-t-il. Qu'est-ce que t'en penses ?

— Pourquoi placer des caméras de surveillance à la réception d'un centre d'adoption, à ton avis ? »

14

« Recherche Donavon désespérément. » Ça pourrait être le titre d'un film d'art et d'essai à la Neil Jordan... mais « Kill Paul » serait une alternative nettement plus plausible, car c'est bien ce que je compte faire, dès que je lui aurai remis la main dessus !

Peut-être n'est-ce qu'une pure coïncidence, mais je n'aime pas la façon dont son nom persiste à refaire surface, dès que je remonte la piste de Cate. Il prétend savoir quand on lui ment. Il doit être expert en la matière, ce fieffé menteur !

Sur le trajet du retour vers Londres, nous racontons à Ruiz notre entretien avec Shawcroft. L'inspecteur ne voit rien de choquant à demander une participation financière aux candidats à l'adoption, s'ils font d'abord l'objet d'un filtrage adéquat. Un contrôle trop sévère ferait le lit du marché noir... Ça peut se défendre. Mais un autocrate fanatique tel que ce Shawcroft n'aurait aucun scrupule à exploiter la compassion pour poser les bases d'une dangereuse croisade.

Notre cher petit Dave a de quoi s'occuper. Nous

le déposons au poste de Harrow Road, en échange de sa promesse de sonder ses fichiers pour en apprendre un peu plus sur Shawcroft. Comme il me pose un baiser sur la joue, il en profite pour me glisser à l'oreille : « Laisse tomber cette histoire, Ali. »

Pas question. Je ne veux, ni ne peux laisser tomber.

Et il ajoute, à mi-voix : « Tu sais, ce n'était pas désagréable d'être ton mari, pour un après-midi... »

Effectivement, du point de vue du timing, nous avons dû battre le record de Britney Spears, mais je me garde bien de retourner le couteau dans la plaie.

Chez Donavon, personne ne vient nous ouvrir. Les rideaux sont tirés et la moto n'est pas devant la maison. Une voisine me suggère d'aller voir au marché de Whitechapel Road, où Donavon tient son stand le week-end.

Nous nous garons derrière le Royal London Hospital et nous suivons le grouillement des bruits, des mouvement et des couleurs. Des dizaines de stands ont envahi les trottoirs. On y trouve de tout – des chocolats belges importés de Pologne, de la feta grecque fabriquée dans le Yorkshire, des sacs Gucci venus tout droit de Chine et des Rolex vendues sous le manteau. Les marchands crient à qui mieux mieux.

« Elles sont belles, mes roses ! Deux livres le bouquet !

— De la moule fraîche, de la moule fraîche !

— Demandez nos tomates ! »

Sans même voir Donavon, j'ai reconnu son stand. À la charpente métallique pend une ribambelle de bracelets et de colliers – à moins que ce ne soit des harpes éoliennes, qui se balancent dans la brise du soir, réfléchissant les derniers rayons du soleil. Dessous, s'entasse tout un bric-à-brac de radios fantaisie, de réveils électroniques et de fers à friser *made in Corea*.

Carla a l'air morte de froid et d'ennui. Elle s'est pourtant équipée de gros collants en laine rouge et d'une jupette en daim qui a peine à la contenir, elle et son ballon.

Franchissant les quelques mètres qui nous séparent, je glisse la main sous son pull en direction de son ventre, jusqu'à ce que j'établisse le contact avec sa peau tiède.

« Hey ! » s'insurge-t-elle.

Je retire la main aussi prestement que si je m'étais brûlée. « Mille excuses, mais j'avais besoin de vérifier.

— Vérifier quoi ?

— Rien. Rien à voir avec vous. »

Le regard de Carla s'est fait méfiant. Ses yeux font vivement la navette entre moi et Ruiz. Je sens émaner d'elle une vibration rapide, presque imperceptible, comme si une terrible angoisse la tenaillait de l'intérieur.

« Est-ce que vous l'avez trouvé ? demande-t-elle.

— Qui ça ?

— Paul. Ça fait deux jours qu'il n'est pas rentré.

— Quand l'avez-vous vu pour la dernière fois ?

— Samedi. Il a reçu un coup de fil et il est sorti.

— A-t-il dit où il allait ?

— Non. Mais d'habitude, il ne s'absente jamais

aussi longtemps. Surtout sans donner de ses nouvelles. »

L'intuition féminine est un mythe comme tant d'autres. Une foule de femmes s'imaginent détenir ce mystérieux pouvoir mais, au risque de décevoir nombre de copines, le sexe ne fait rien à l'affaire. Ce qui compte, c'est la voix du sang. La lignée. Les familles sentent quand quelque chose ne va pas. Le regard de Carla explore la foule, comme pour tenter d'assembler un immense puzzle humain.

« C'est pour quand ? lui demandé-je.

— Pour Noël.

— Qu'est-ce que vous pouvez me dire, concernant le centre d'adoption Renaissance ? »

Ses lèvres s'agitent comme pour tenter de contenir quelque chose qu'elle n'ose pas admettre.

« Ben, vous voyez... j'ai un sérieux doute sur ma capacité à être une bonne mère. Paul me jure que tout se passera très bien. Selon lui, j'ai appris le boulot auprès d'un des pires modèles qui soient au monde, ce qui devrait avoir au moins l'avantage de m'éviter de commettre les mêmes erreurs... » Elle a les mains qui tremblent. « Je n'ai pas voulu avorter. Pas pour des raisons religieuses, voyez... mais je ne sentais vraiment pas le truc. C'est pour ça que j'ai pensé à l'adoption.

— Et vous êtes allée voir Julian Shawcroft ?

— Il a promis de m'aider. Il paraît qu'il pourra même me décrocher un genre d'allocation, vous voyez. J'ai toujours rêvé d'être maquilleuse ou esthéticienne. Il a dit qu'il pourrait m'arranger ça.

— À condition que vous renonciez à votre bébé ?

— Ben, de toute façon, je vois mal comment je

pourrais faire les deux, hein ! Pas question de travailler à plein temps avec un bébé, surtout quand on n'a personne pour le garder.

— Alors, qu'est-ce que vous avez décidé ? » demande Ruiz.

Ses épaules s'affaissent. Son dos se voûte. « Ben, je sais pas encore. J'arrête pas de changer d'avis. Paul voudrait que je le garde. Il se sent capable de s'occuper de nous deux. » Elle se ronge l'ongle du pouce, dont le vernis écarlate s'écaille un peu plus.

Un adolescent au crâne presque rasé s'arrête pour regarder une radio en forme de canette de Pepsi.

« Gaspille pas ton fric avec ça – c'est de la merde en boîte ! » lui crie Carla. En guise de remerciement, le jeune garçon ne lui balance qu'un regard furibard.

« Comment avez-vous appris l'existence du centre d'adoption ?

— C'est une amie qui en a parlé à Paul.

— Qui ça ? »

Elle hausse les épaules.

Ses paupières, tartinées de mauve, ont imperceptiblement tremblé. Elle n'a pas la force de me mentir ; d'ailleurs elle ne voit pas pourquoi elle le ferait. Jetant un coup d'œil au-dessus de sa tête, je reconnais les plumes et les perles.

J'ai déjà vu ça quelque part – chez Cate, accroché au-dessus du petit lit tout neuf, dans la chambre d'enfant.

« Qu'est-ce que c'est, ce gri-gri ? »

Carla en décroche un et me le tend, au bout de son index. C'est un petit cerceau de bois inclus dans

une sorte de filet tissé, d'où pendent des plumes et
des perles.

« Un piège à rêves, m'explique-t-elle. Les Indiens
d'Amérique pensent que les rêves, bons ou mauvais,
pullulent dans l'espace. Ils suspendent ces pièges
au-dessus des lits des enfants pour capturer les rêves
qui passent. Les bons parviennent à se faufiler à
travers les mailles et glissent le long des plumes pour
atterrir doucement sur la tête du bébé. Mais les
mauvais restent empêtrés dans le piège et disparaissent avec le lever du soleil... »

Elle souffle délicatement sur les plumes pour les
faire tournoyer.

Donavon n'était pas venu à la soirée des anciens
pour faire la paix avec Cate. Ils s'étaient déjà vus,
quelque temps auparavant, le jour où il lui a donné
ou vendu ce piège à rêves...

« Est-ce que votre frère voyait Cate Beaumont ? »

Elle hausse les épaules. « Je crois qu'ils étaient
copains, oui...

— Impossible.

— Mais c'est la vérité ! se récrie-t-elle. Même
qu'ils s'écrivaient des lettres, du temps où Paul était
en Afghanistan. J'ai vu les enveloppes.

— Des lettres ?

— Oui, il les gardait précieusement. Il les a
ramenées, à son retour d'Afghanistan. »

Je m'entends la bombarder de questions, pour
savoir où, quand, comment et pourquoi – mais elle
ne peut répondre à la place de son frère. Tous mes
efforts pour lui arracher des dates ou, à tout le
moins, des époques précises, achèvent de la plonger
dans la confusion.

Ruiz intervient et je me tais, mortifiée à l'idée d'avoir tourmenté une femme enceinte, déjà rongée d'inquiétude par la disparition de son frère.

Le soleil de fin d'après-midi glisse derrière les toits, nous plongeant dans l'ombre. Les stands ferment les uns après les autres. Les marchands remballent. Les bacs à glace se vident dans les caniveaux. Les auvents de plastique sont repliés, roulés, ficelés.

Nous aidons Carla à charger son van Escort rouge, puis nous la suivons jusqu'à chez elle. Toujours personne. La maison est déserte. Pas de message sur le répondeur. Je devrais être en rogne contre Donavon, mais je ne ressens qu'une vague angoisse, un grand vide intérieur. Tout ça n'a ni queue ni tête. Pourquoi Cate aurait-elle entretenu une relation épistolaire avec un type qu'elle détestait à mort quelques années plus tôt ? Le soir de l'accident, ils ont eu une grande discussion – mais à quel sujet ?

Ruiz me dépose chez moi. Il coupe le moteur et nous nous abîmons dans la contemplation du quartier, comme si nous nous attendions à voir soudain se métamorphoser ces rues qui n'ont guère dû changer depuis un siècle.

« Vous voulez rester dîner ?

— Non. Je vais y aller.

— Je peux vous préparer quelque chose. »

Il me regarde.

« Ou vous commander une pizza, si vous préférez.

— Vous avez du scotch ?

— Il y a un magasin de spiritueux au coin de la rue... »

Je l'entends s'éloigner en sifflotant, pendant que j'ouvre la porte. Je file tout droit vers le répondeur. Tous les messages sont pour Hari. Ses petites amies. Je vais finir par doubler son loyer, ne serait-ce que pour compenser la note de téléphone...

La sonnette de l'entrée retentit. Ruiz, me dis-je. Mais ce n'est pas lui. C'est un individu nettement plus jeune, vêtu d'un costard foncé. Impeccable. Rasé de près. Épaules et visage carrés. Type nordique. Des lunettes rectangulaires qui semblent un poil trop petites pour son visage. Derrière lui, j'aperçois deux autres gars, postés près de deux voitures garées en double file, qui bloquent la rue. Ils ont l'air on ne peut plus officiel – mais ce n'est pas la police.

« Inspecteur Barba. Nous allons devoir vous demander de nous accompagner. » Il ponctue sa phrase d'un claquement de langue qui pourrait aussi bien être un signal convenu qu'un simple tic nerveux.

« Pourquoi ? Qui êtes-vous ? »

Il me sort un badge du SOCA[1]. L'équivalent britannique du FBI. Un organisme tout récent qui dispose de son propre budget, de son propre décret

---

1. Acronyme de Serious Organised Crime Agency – résultat d'une fusion entre le National Crime Squad et le National Criminal Intelligence Service, cette division de la police britannique se spécialise dans la lutte contre le grand banditisme, et en particulier contre les réseaux de narcotrafiquants, le trafic d'immigrés clandestins et le blanchiment d'argent sale. *(N.d.T.)*

du parlement et de pouvoirs étendus. Qu'est-ce qu'ils peuvent bien me vouloir ?

« Mais je suis officier de police..., balbutié-je.

— Nous savons parfaitement qui vous êtes.

— Suis-je en état d'arrestation ?

— Disons que des personnes importantes aimeraient vous parler. »

Je cherche Ruiz du regard. Il arrive à toutes jambes au bout de la rue, sa bouteille de scotch dans la poche. L'un des types qui montent la garde près des voitures essaie de lui barrer la route, mais Ruiz esquive sur la gauche et, d'un coup d'épaule, l'envoie valdinguer par-dessus un muret de briques. Le type atterrit dans une flaque de boue. Ça sent le roussi.

« Ça va, chef. Pas de problème.

— D'où sortent ces gus ?

— Du SOCA. »

Le rictus qui lui tord le visage en dit plus qu'un long discours – haine, crainte, mépris.

« Vous auriez peut-être intérêt à prévoir quelques affaires pour le voyage », me dit celui qui semble être le plus haut gradé. Ruiz et lui se jaugent et se défient du regard, comme deux coqs dans un poulailler.

J'enfourne un jean, des sous-vêtements et un pull dans un sac de sport. Je range mon arme, enveloppée dans un linge, dans le placard de la cuisine, sur l'étagère du haut. L'idée m'a effleurée de l'emmener, mais j'y ai aussitôt renoncé – trop risqué. Je n'ai aucune idée de ce que peuvent me vouloir ces types, mais la dernière chose dont j'aie besoin, c'est bien de me mettre dans le collimateur du SOCA.

Ruiz me suit jusqu'à la voiture. Une main se pose sur ma tête, tandis que je me glisse sur le siège arrière. Le frein à main est lâché un poil trop brusquement et une accélération soudaine me plaque contre le cuir odorant de mon dossier.

« J'espère que nous n'avons pas trop perturbé le planning de votre soirée, inspecteur Barba, déclare l'homme au costard anthracite.

— Je vois que vous savez mon nom. Puis-je avoir le vôtre ?

— Robert Forbes.

— Vous travaillez pour le SOCA ?

— Pour le gouvernement.

— Dans quel service, au juste ?

— Un service qui fait très peu parler de lui. » Et il émet à nouveau ce curieux claquement de langue.

Nous arrivons au bout de Hanover Street. Sous un réverbère, un motard solitaire, tout de noir vêtu, s'appuie à sa moto en balançant son casque à bout de bras. Une cigarette allumée luit entre ses doigts. C'est Donavon.

Nous nous traînons dans les embouteillages, parc-chocs contre pare-chocs. Je ne vois que la nuque du conducteur. Il a une coupe de GI et des lunettes noires intégrales, à la Bono[1] – lequel a l'air tout aussi crétin quand il porte les siennes en pleine nuit.

---

1. Pseudonyme de Paul David Hewson, chanteur du groupe de rock irlandais U2. *(N.d.T.)*

Je tâche de me rappeler ce que j'ai pu lire du SOCA. C'est un amalgame du National Crime Squad et du National Criminal Intelligence Service, auxquels on a adjoint quelques éléments des services des douanes, du fisc et de l'immigration. Un total de cinq mille officiers, spécialement sélectionnés et entraînés pour démanteler les gangs et les réseaux du trafic de stupéfiants et d'êtres humains.

« Où allons-nous ?

— Je vous emmène voir une scène de crime, dit Forbes.

— Quel crime ? Il doit y avoir erreur.

— Vous êtes bien l'inspecteur Alisha Kaur Barba, âgée de vingt-neuf ans ? Vous travaillez pour la police métropolitaine de Londres et, jusqu'à une date très récente, vous faisiez partie du GPD. Vous avez quatre frères. Votre père est retraité de la Régie des Transports, et votre mère fait de la couture à ses heures. Vous avez fréquenté l'école primaire de Falcon Street et le collège d'Oaklands. Vous avez fait toutes vos études supérieures à l'université de Londres où vous avez décroché une licence de sociologie, avant de terminer major de votre promo à l'école de la police de Hendon. En plus de vos compétences de tireur d'élite, vous êtes une ancienne athlète de niveau international. Il y a un an, vous avez été grièvement blessée en tentant d'appréhender un suspect qui vous a quasiment brisé la colonne vertébrale. Vous avez accepté une médaille du courage, mais refusé la pension d'invalidité à laquelle vous aviez droit. Mais dites-moi... vous m'avez l'air d'avoir sacrément bien récupéré.

« — Sauf que je ne peux plus passer sous les détecteurs de métaux des aéroports sans déclencher toutes les alarmes ! »

J'ignore si ce petit exposé était destiné à m'intimider, mais notre conversation s'arrête là. Forbes ne répondra à aucune de mes questions tant qu'il n'aura pas décidé de le faire. Le silence fait partie du processus de déblocage et d'usure des résistances adverses – c'est du moins ce que m'a appris Ruiz.

Nous prenons la A12 pour traverser Brentford et sortir de Londres. Je n'aime pas la campagne la nuit – trop désert et trop sombre. Même au clair de lune, ça a toujours un petit air pathétique et désolé, comme un bébé d'une semaine dégringolant dans un escalier.

Forbes décroche plusieurs fois son téléphone et répond par monosyllabes, sans rien ajouter de plus que ces clics qui lui vibrent dans la gorge. Il est marié, comme en témoigne son alliance, un gros anneau en or très épais, et sans doute très lourd. Il a chez lui quelqu'un qui lui cire ses pompes et lui repasse ses chemises. Il est droitier. Il n'est pas armé. Il en sait tellement long sur moi que je tiens à rééquilibrer le score...

Nous roulons toujours. Nous dépassons Chelmsford, puis Colchester, avant de prendre à l'est en direction de Harwich, par la A120. Une longue queue de poids lourds et de semi-remorques s'est formée devant nous. On commence à sentir dans l'air quelques effluves marins.

Au-dessus de l'autoroute, un grand panneau annonce que nous arrivons dans la zone portuaire. Nous prenons la route du nouveau port puis, après avoir franchi plusieurs ronds-points, nous arrivons enfin dans la zone de fret. Des dizaines de camions attendent à la grille. Un douanier équipé d'un bâton lumineux et d'une vareuse à bandes fluorescentes nous fait signe de passer.

On aperçoit au loin le port de Felixstowe. D'énormes grues se dressent au-dessus des bateaux, pour transborder les containers. On se croirait dans une scène de la *Guerre des mondes*, face à une invasion de machines extraterrestres qui croissent et multiplient, avant de coloniser toute la planète. Les containers s'alignent sur des centaines de mètres, rangée après rangée, dans toutes les directions.

Forbes se décide enfin à me parler.

« Vous êtes déjà venue dans le coin, inspecteur Barba ?

— Non.

— Harwich est un port de fret et de passagers. Il accueille aussi bien des navires de croisière, des cargos, ou des porte-containers, que des ferries. Chaque jour, des milliers de véhicules accostent ici, en provenance de Suède, du Danemark, de Belgique, d'Allemagne et des Pays-Bas.

— Qu'est-ce que je fais ici ? »

D'un geste, il m'indique quelque chose, droit devant nous. La voiture ralentit. Au beau milieu de la zone des douanes, on a dressé une tente pour les SOCO[1], les collègues de la police scientifique, chargés d'étudier les scènes de crime. Des voitures de police l'encerclent comme des chariots dans un western.

---

1. Acronyme de *Scene of Crime Officers*. *(N.d.T.)*

Les projecteurs au tungstène installés à l'intérieur transforment les épaisses cloisons de toile en écrans, révélant la silhouette d'un camion. Dans la tente, des gens s'activent en ombres chinoises, comme des marionnettes sur une scène de kabuki.

Forbes sort de la voiture et traverse le macadam. Le moteur qui refroidit cliquette comme une horloge. Au même instant, un pan latéral de la tente se soulève et un technicien de la police scientifique en émerge, revêtu d'une combinaison blanche. Il ôte ses gants de latex, qui se détachent de ses mains comme une seconde peau.

Je le connais. C'est George Noonan, un pathologiste du service médico-légal. Son teint laiteux et ses cheveux presque blancs lui ont valu le sobriquet d'« Albinos ». Casqué et ganté de blanc, vêtu d'une combinaison immaculée, il a l'air d'aller à un bal costumé, déguisé en spermatozoïde.

Il discute un certain temps avec Forbes. Mais je suis trop loin. Je n'entends pas un traître mot de leur conversation.

Forbes se tourne vers moi, me fait signe d'approcher. Son visage est dur et tendu comme le fil d'une hache.

Dans la tente, des bâches de plastique tapissent le sol, sur lequel sont posées de grosses mallettes métalliques contenant du matériel médico-légal et des caméras. Le camion stationne au centre, les portes arrière grandes ouvertes. À l'intérieur, s'alignent des palettes de cartons d'oranges, dont certaines ont été poussées sur le côté pour former un étroit passage permettant d'accéder au fond de la remorque. Forbes m'y fait monter.

Là-bas, le flash d'un appareil photo illumine un espace libre, une cavité ménagée entre les palettes, où j'ai d'abord l'impression de voir des mannequins. Des mannequins cassés ou des statuettes d'argile. Puis, comme je m'approche, la vérité s'impose à moi. Ce sont des corps. J'en compte cinq, entassés contre un conduit d'aération fermé – trois hommes, une femme et un enfant. Leurs bouches sont restées ouvertes. Sans souffle. Sans vie.

Ils viennent sans doute d'Europe de l'Est, avec leurs vêtements bigarrés. Un bras est resté en l'air, comme suspendu à un fil. La femme a les cheveux tirés en arrière. Sa barrette d'écaille s'est détachée et lui retombe sur la joue, accrochée à une mèche de cheveux. L'enfant qu'elle tient dans ses bras porte un sweat-shirt Mickey et se cramponne à sa poupée.

Le flash illumine à nouveau l'arrière du camion. Je vois les visages figés sur place, piégés dans ce moment où l'oxygène leur a manqué, ou leur rêve s'est transformé en poussière au fond de leur gosier desséché. Une scène à vous glacer les sangs, à vous hanter jusqu'à votre dernier jour. Une scène qui fait tout basculer. Je suis incapable de me représenter le pays d'où ils viennent – un autre monde, aussi exotique et lointain qu'une autre planète –, mais leur fin m'est d'une insoutenable proximité.

« La mort est survenue au cours des douze dernières heures », déclare Noonan.

Je transpose automatiquement l'information dans mon planning personnel. Qu'est-ce que j'ai fait, pendant ce temps-là ? J'étais dans le Sussex. Au centre d'adoption. En grande conversation avec Shawcroft.

Noonan a collecté quelques rognures d'ongles sanglantes dans une pochette plastique qu'il tient à la main. Je suis prise de nausée.

« Si vous avez envie de vomir, inspecteur, veuillez évacuer ma scène de crime, dit-il.

— Oui, officier. »

Forbes lance un regard vers Noonan : « Quelle est la cause de leur décès ?

— Mort par étouffement, réplique-t-il d'un air las. Ils ont succombé au manque d'oxygène.

— Expliquez-nous un peu ça. »

Pour ma gouverne, évidemment. Forbes tient à me le faire entendre, ainsi qu'à me faire sentir les relents douceâtres de l'essence d'orange mêlés à ceux des déjections humaines. Noonan s'exécute.

« Ça commence par une vague de panique. Les victimes luttent pour chaque souffle, tentent de trouver encore un peu d'air et l'aspirent goulûment. Le stade suivant, c'est le calme de la résignation, puis la perte de connaissance. Les convulsions et l'incontinence sont involontaires. Les derniers spasmes de la mort... Évidemment, nous ne saurons jamais ce qui les a tués en premier, du manque d'oxygène ou de l'accumulation du dioxyde. »

Forbes me prend par le coude et me fait descendre du camion. Une morgue de fortune a été installée pour procéder aux premiers examens. L'un des corps est déjà sur un brancard, allongé sur le dos et recouvert d'un drap que Noonan effleure du bout des doigts.

« L'un d'entre eux avait un portable, dit-il. Quand

ils ont commencé à manquer d'air, ils ont tenté d'appeler. Ils ont composé un numéro d'urgence, mais l'opérateur a cru à un canular, parce que son correspondant était incapable de lui expliquer où il se trouvait. »

Je regarde la poupe de l'énorme ferry, dont les portes d'embarquement sont restées ouvertes.

« Je peux savoir ce que je fais ici ? »

D'un mouvement du poignet, Noonan rabat le drap. C'est un garçon, un adolescent plutôt bien en chair, avec les cheveux noirs. Il a la tête presque parfaitement ronde et toute rose, à l'exception de cette zone bleutée autour de ses lèvres et de son double menton.

Forbes n'a pas bronché. Il m'observe de derrière ses verres rectangulaires qui, par rapport à sa grosse tête anguleuse, ont tout à coup un petit air cocasse.

Je détourne les yeux. Avec une rapidité d'épervier, sa main s'est abattue sur mon bras. « C'est tout ce qu'il avait sur lui. Un pantalon bon marché et une chemise. Aucune étiquette. Le genre de vêtements qui d'habitude ne nous disent rien du tout. Des vêtements industriels, produits en masse. » Ses ongles s'incrustent dans ma peau. « Mais ceux-là, justement, ils nous ont parlé. On a trouvé quelque chose, cousu à l'intérieur. Un nom et une adresse. Et vous savez lesquels ? »

Je fais « non » de la tête.

« Les vôtres. »

Je m'efforce de ne trahir aucune réaction – ce qui, en soi, en est déjà une.

« Vous voyez une explication ?

— Non.

« — Même pas une vague idée ? »

Mon esprit se met à trier les possibilités. Ma mère cousait des étiquettes sur mes vêtements pour éviter que je les perde. Des étiquettes à mon nom, mais sans mon adresse.

« Vous voyez la façon dont ça se présente..., dit-il, en faisant claquer sa langue de plus belle. Vous avez été impliquée dans une enquête concernant un trafic d'enfants, voire des meurtres. Nous pensons qu'il s'appelle Hasan Khan – ce nom vous évoque-t-il quelque chose ?

— Non.

— Le camion est de nationalité hollandaise. Le chauffeur est inscrit sur le registre des passagers sous le nom de Arjan van Kleek. »

Je secoue la tête, une fois de plus.

Ce qui me terrasse, c'est le saisissement plutôt que le choc lui-même. J'en reste consternée, abasourdie, comme si quelqu'un m'avait assommée avec un grand plateau d'inox, dont la vibration me vrillerait encore dans les oreilles.

« Pourquoi ne les a-t-on pas retrouvés plus tôt ?

— Vous avez une idée du nombre de camions qui transitent chaque jour par Harwich ? Plus de dix mille. Si la douane devait inspecter chacun d'eux, la queue des bateaux en attente remonterait jusqu'à Rotterdam ! »

Noonan nous a rejoints. Il se penche sur le corps et parle au jeune garçon comme s'il s'agissait d'un patient et non d'un cadavre.

« Eh bien, jeune homme... essayez d'y mettre un peu du vôtre. Si vous vous laissez examiner de

211

bonne grâce, nous en saurons davantage sur vous. Alors, voyons un peu ça... »

Il l'observe de plus près, approchant ses lèvres de la joue du garçon. « On relève à l'examen de multiples taches de purpura... de moins d'un millimètre... sur le cou et le visage, y compris les paupières, les lèvres et les oreilles, marques consécutives au manque d'oxygénation des tissus... »

Noonan prend des mesures et enregistre ses relevés à l'aide d'un petit dictaphone digital. Il soulève un bras pour examiner la peau, tout en dictant le texte de son rapport.

« Sur l'avant-bras et la main gauches, présence d'anciennes traces de brûlures, vraisemblablement provoquées par un violent choc thermique, voire une explosion. »

Il y a d'autres cicatrices, plus petites, sur la poitrine. Noonan les mesure avec une règle graduée.

« Très inhabituel.

— Qu'est-ce que c'est ?

— Des entailles, faites au couteau.

— Il aurait été poignardé ?

— Tailladé, je dirais », précise-t-il en brandissant en l'air une arme imaginaire. « Aucune de ces blessures n'est très profonde. La lame n'a touché aucun organe, ni aucun vaisseau vital. Excellent contrôle. »

Le pathologiste semble épaté, comme un chirurgien appréciant le travail d'un confrère.

Mais il y a autre chose. Il soulève l'autre bras de son patient et le retourne, exposant le poignet. Un petit papillon jaune, tatoué à mi-chemin entre la main et le coude.

J'en ai assez vu.

« À présent, j'aimerais pouvoir rentrer chez moi, dis-je.

— J'aurais encore quelques questions.

— Ai-je besoin d'un avocat ? »

Ma réaction semble le décevoir. « Je peux vous trouver quelqu'un de très bien, si vous voulez ! »

Je devrais être plus méfiante, mais mon envie d'en savoir davantage l'emporte sur ma prudence naturelle. Rien à voir avec une illusion d'invincibilité, ni avec la conviction d'être protégée par mon innocence – j'ai été témoin de trop d'erreurs judiciaires pour verser dans ce genre d'optimisme naïf.

Il y a un café pour les routiers, dans le terminal. Forbes s'installe à une table et se commande un café et une bouteille d'eau. Pendant toute l'heure qui suit, il dissèque ma vie privée, mes amis, mes associés – et, inlassablement, je lui répète ce que je lui ai déjà dit : je n'ai aucune idée de la manière dont mon nom et mon adresse ont pu atterrir sur les vêtements du jeune Hasan Khan.

« Dites donc... ça ne serait pas ma couleur, par hasard ? » finis-je par lui lâcher.

Et là, les bras lui en tombent. « Pourquoi me fait-on toujours ce coup-là ? Jouer la carte de la race... Chaque fois que j'interroge un suspect issu d'une minorité, je peux parier que ça va finir par arriver sur le tapis. Ça n'a rien à voir avec votre couleur de peau, votre religion ou votre lieu de naissance, Alisha. On a trouvé votre nom et votre adresse sur une étiquette cousue dans les vêtements d'un gamin mort asphyxié. Un immigré clandestin. Et c'est ce qui a attiré notre attention sur vous, point barre ! »

J'aimerais ravaler ma question, mais c'est trop tard.

Il sort un demi-paquet de cigarettes et les compte. Il doit surveiller sa consommation. « Avez-vous ne serait-ce qu'une petite idée de l'ampleur de ce fléau – le trafic de travailleurs immigrés clandestins ? » Puis il repose le paquet et claque du bec, comme pour s'admonester.

« L'an dernier, plus de quatre cent mille personnes ont été victimes de ce trafic, en Europe occidentale. La mafia italienne, les Russes, les Albanais, les Yakusas japonais, les Snake Head chinois – ils y trempent tous et, à l'ombre de ces grands syndicats du crime, opèrent des milliers de petits gangs indépendants qui fonctionnent avec deux ou trois portables, un hors-bord et une fourgonnette. Ils soudoient les gardes aux frontières, les politiciens, les autorités des douanes et de la police. Ce sont de véritables charognards qui s'engraissent sur la misère humaine. Je les hais. Viscéralement. »

Ses yeux se sont vissés dans les miens. Et comme sa langue se remet à claquer, je réalise tout à coup à qui il me fait penser – à l'horripilant Bip-bip que ce pauvre Vil Coyote s'évertue à coincer, multipliant les pièges et les traquenards, tandis que l'autre le nargue avec ses « bip-bip ! ». Et, juste une fois, on aimerait voir le coyote triompher. Voir le poids de cent kilos ou le paquet de dynamite atteindre son but, qu'on puisse enfin lui tordre le cou, à ce sale emplumé !

Comme par hasard, le biper de Forbes se réveille. Il s'éloigne et va à l'autre bout du bar passer son coup de fil. Sa conversation téléphonique lui a visiblement appris quelque chose d'important, car à son retour, je note un net changement de ton :

« Désolé de vous avoir retenue si longtemps, inspecteur Barba.

— Je peux repartir ?

— Oui, bien sûr. Mais il est trop tard. On vous a pris une chambre en ville, dans un pub qui a l'air très sympa. Demain matin à la première heure, je vous ramène à Londres. »

Il tire sur les manches de sa veste comme s'il craignait qu'elles aient rétréci. Je me demande bien qui a pu l'appeler. Les demoiselles sikhs en détresse n'ont guère d'amis haut placés...

Le pub est pittoresque, dans le genre rustique – bien que je ne sois pas fichue de définir au juste ce que ça peut vouloir dire. La salle du restaurant est basse de plafond, avec des filets de pêche qui pendent des poutres et un grand harpon accroché au-dessus du bar.

Forbes m'invite à dîner. « Je tiens à préciser que ce n'est pas un ordre, bien que mon grade soit supérieur au vôtre... » m'assure-t-il, dans un grand effort d'amabilité.

Je sens des odeurs de cuisine. Mon estomac gargouille. Pourquoi pas ? Je pourrai peut-être en apprendre davantage sur Hasan Khan...

Ôtant sa veste, il prend ses aises et allonge ses jambes sous la table. Il passe notre commande, goûte le vin en grande pompe.

« Excellent ! commente-t-il en levant son verre dans la lumière. Vous êtes vraiment sûre que vous n'en voulez pas ? » Et sans attendre ma réponse, il refait le plein dans son verre.

Jusqu'à présent, je l'ai appelé « monsieur », ou « inspecteur Forbes », mais il m'engage à l'appeler par son prénom – Robert – et n'a pas attendu d'y être invité pour m'appeler Alisha. Il me demande si je suis mariée...

« Ça, vous devriez le savoir.

— Mais oui, bien sûr. »

Il a le regard nordique et le rire facile. Ses dents du bas se chevauchent un peu, mais il a le sourire ouvert et franc. Dès qu'il se détend un peu, ses tics s'espacent. Ça doit être une sorte de réflexe nerveux, un peu comme un bégaiement.

« Et votre famille ? me demande-t-il. Depuis quand ont-ils immigré en Angleterre ? »

Je lui parle de mon grand-père. Né dans un petit village, au Gujarat, il s'était engagé à quatorze ans dans l'armée britannique où il avait travaillé, d'abord comme marmiton, avant de gravir les échelons. Après la guerre, un major de l'artillerie royale l'avait ramené en Angleterre pour l'engager à son service comme cuisinier. Mon grand-père avait voyagé sur un streamer qui mettait trois semaines pour relier Bombay et Londres. Il était venu seul, en 1947. Il ne gagnait pas grand-chose chez le major, mais il avait tout de même réussi à économiser de quoi payer le voyage de ma grand-mère. Ils avaient été les premiers Indiens à s'établir dans le Hertfordshire. Ensuite, ils avaient déménagé pour Londres.

Le seul souvenir que j'aie gardé d'eux, c'est une histoire qu'ils m'avaient racontée sur leur premier hiver en Angleterre. N'ayant jamais vu un flocon de neige, ils avaient eu l'impression de se retrouver dans un conte de fées !

J'ai parfois du mal à goûter l'humour noir mais il se trouve que, par une cruelle ironie du sort, mon grand-père, qui avait passé sa vie à essayer de s'intégrer dans la société des Blancs, a fini couvert de suie, écrasé par un camion de charbon qui s'était renversé sur Richmond Hill.

Forbes achève sa seconde bouteille. Il semble pris d'une soudaine mélancolie.

« Excusez-moi cinq minutes, me dit-il. Un besoin pressant... »

Il s'éloigne en slalomant entre les tables, se frayant un chemin à coups d'épaule. À son retour, il se commande un cognac et me raconte qu'il a grandi à Milton Kaynes, une ville nouvelle qui n'existait pas avant les années 1960. Maintenant, il habite à Londres. Il se garde bien de faire allusion à sa femme, mais je suppose qu'il doit en avoir une...

Je voudrais lui parler des clandestins avant qu'il ne tombe ivre mort. « Avez-vous pu remonter la trace du camion ?

— Les containers portent des codes. On peut remonter leur trace dans le monde entier.

— D'où venait-il, celui-là ?

— Il est parti hier d'une usine des faubourgs d'Amsterdam, aux premières heures de la matinée. Les serrures sont censées être inviolables.

— Comment avez-vous eu le nom du gamin ?

— Selon ses papiers, il avait seize ans. Il portait un petit sac en tissu attaché autour de sa taille. Selon la police des Pays-Bas, il est arrivé là-bas il

217

y a un peu plus d'un an et demi. Il venait d'Afghanistan et vivait avec tout un groupe de demandeurs d'asile au-dessus d'un restaurant chinois, à Amsterdam.

— Qu'est-ce qu'il y avait d'autre, dans son sac ? » Forbes baisse les yeux. « Des dessins. Des photos. Je peux vous les montrer, si vous voulez... » Il s'interrompt. « On pourrait aller regarder tout ça dans ma chambre.

— Mais vous pourriez aussi descendre le sac », lui suggéré-je.

Sous la table, je sens son pied remonter le long de mon mollet, tandis qu'il me décoche son sourire de vilain petit canard.

J'aimerais le remettre vertement à sa place, mais les mots ne me viennent pas. Ce genre d'exercice n'a jamais été mon fort. Je me contente d'un sourire poli mais sévère, en lui enjoignant de laisser tomber.

Il fronce les sourcils, sans comprendre.

Pour l'amour de Dieu, Forbes... je ne vous trouve même pas séduisant. Si vous alliez plutôt appeler votre femme pour lui souhaiter bonne nuit ?

Il titube, en montant au premier. « On dirait qu'on a un peu forcé sur la bouteille, pas vrai ?

— L'un de nous, en tout cas... »

Il cherche la clé dans sa poche et tente sans succès de la glisser dans la serrure. Je finis par la lui prendre des mains. Il s'affale sur le lit, les bras en croix, comme une victime offerte en sacrifice aux démons de l'alcool.

Je lui ôte ses chaussures et accroche sa veste au dossier d'une chaise. Le sac en coton est resté sur sa table de chevet. En repartant, je cale la barre de sécurité contre le châssis de la porte, pour l'empêcher de se refermer.

De retour à ma chambre, je téléphone à Ruiz, puis à Dave qui propose aussitôt de venir me chercher. Je l'assure que tout va bien, et que je le rappellerai dès demain matin.

Un quart d'heure plus tard, je suis de retour dans la chambre de Forbes. La porte est restée entrouverte et il ronfle comme un sonneur. Je traverse la pièce sur la pointe des pieds, l'oreille aux aguets. Mes doigts se referment sur le petit sac. Forbes n'a pas bougé d'un cheveu.

Tout à coup, un autre bruit me fait dresser l'oreille. La rengaine d'un portable...

Je vais m'accroupir entre le rideau et le radiateur.

Si Forbes allume sa lampe de chevet, il va me voir ou s'apercevoir de la disparition du sac.

Il roule au bas du lit, attrape sa veste et retrouve son téléphone.

« Oui, oui... Désolé, chérie. J'aurais dû t'appeler. J'ai travaillé tard et je ne voulais pas vous réveiller, toi et les petites. Non, non... Ça va. Je n'ai pas pu. Juste quelques verres. Non. J'ai pas regardé les infos à la télé, ce soir. Ah ! c'est vraiment génial. Ouais... OK, je te rappelle demain matin. Allez, rendors-toi vite. Moi aussi, je t'aime... »

Il balance son téléphone sur le lit et contemple un moment le plafond. Juste quand je commence à croire qu'il va se rendormir, il pousse un grognement sourd et roule hors du lit. La lumière de la salle de bains s'allume, illuminant juste ma cachette, dans son dos. Il baisse son short et pisse.

Je me glisse hors de la lumière et rebrousse

219

chemin vers la porte, que je referme sans bruit derrière moi.

Je dois vraiment avoir la tête à l'envers, car j'ai enfreint l'une des règles d'or que m'a inculquées Ruiz : même en proie au pire stress, ne jamais oublier de respirer ! De retour dans ma chambre, je répands le contenu du sac sur mon lit – un canif dont l'une des lames est cassée, un petit miroir, un flacon de médicaments plein de sable, un dessin au fusain représentant deux enfants et une vieille boîte à biscuits en fer.

Chacun de ces objets devait être chargé de sens pour son jeune propriétaire. Sinon, pourquoi aurait-il pris la peine de les transporter jusqu'ici ? Les dernières possessions terrestres du petit mort de seize ans n'ont hélas pas le pouvoir de m'en dire bien long sur lui – pas plus que de réinsuffler la vie dans ses poumons. Je reste sur ma faim. Hasan mérite mieux. La boîte à biscuits contient une médaille militaire ternie, et une photo en noir et blanc pliée en deux : un groupe d'ouvriers, devant une usine avec un toit rouillé et des volets de bois aux fenêtres. Des caisses s'entassent le long du mur, des barils, des palettes...

Les ouvriers sont disposés sur deux rangées – ceux du premier rang sont assis sur des tabourets avec, au centre, le patriarche ou le patron de l'usine, dans un fauteuil à haut dossier. Il se tient droit comme un I, l'air austère, le regard lointain. Son unique main repose sur son genou. L'autre est mutilée. La manche de sa veste est repliée au niveau du coude.

Près de lui se tient un autre homme, avec qui il a

un air de famille. Son frère, peut-être. Il porte un petit fez. Sa barbe est bien taillée. Lui aussi est amputé d'une main et son orbite gauche semble vide. Du regard, je passe en revue les deux rangées d'hommes. La plupart sont mutilés, blessés ou infirmes. Certains s'appuient sur des béquilles, d'autres ont été gravement brûlés. Leur visage ressemble à du plastique fondu. Au premier rang, un jeune homme est agenouillé sur une sorte de skate-board – non, il n'est pas agenouillé. Ce que j'avais d'abord pris pour ses genoux sont en fait des moignons.

Pas trace d'un sourire dans les rangs. ils sont tous très bruns de peau, avec cette expression uniformément sombre. Même en agrandissant l'image, rien ne pourrait rendre un peu de joie à leurs traits flous, ni leur donner un air moins raide et moins hostile.

Remettant la photo dans la boîte, j'examine le reste du trésor. Le dessin est rogné aux quatre coins. Les deux enfants, un garçon et une fille, ont dans les six ou huit ans. Elle a glissé son bras autour de ses épaules. Elle a le front haut, les cheveux séparés par le milieu. Il semble piaffer d'impatience. La lumière d'une fenêtre ouverte fait scintiller son regard. Il préférerait être dehors...

Le papier est mou, sous mes doigts. On a dû y vaporiser un fixatif, pour empêcher le fusain de baver. En bas, dans le coin gauche, je lis une signature. Non, ce sont deux noms accolés. C'est le portrait de Hasan enfant, avec sa grande sœur : Samira.

Je me rallonge, les yeux fixés au plafond. J'écoute la nuit. Le silence est tel que je m'entends respirer. Jolie musique.

C'est une histoire éparpillée en fragments. Un labyrinthe de semi-vérités et de quasi-mensonges. Cate feint d'être enceinte. Brendan Pearl les renverse et les tue, elle et son mari. Le Dr Banerjee ment, lui aussi – tout comme Donavon, et le centre d'adoption. On fait du trafic d'êtres humains. Des bébés, qui sont achetés et vendus.

J'ai lu quelque part que les victimes d'avalanches étaient incapables de distinguer le haut et le bas, et qu'ils ne savaient donc pas dans quelle direction creuser. Les skieurs et les alpinistes chevronnés ont un truc, pour se diriger dans la neige : ils bavent. La gravité leur indique la bonne direction.

J'aurais besoin de pouvoir me repérer, moi aussi, d'une façon ou d'une autre... Je suis immergée dans un milieu sombre et dangereux. J'ignore si mes efforts me rapprochent de la lumière ou s'ils n'aboutissent qu'à m'ensevelir, toujours plus profond. Je suis victime d'une balle perdue. Un dommage collatéral.

Mes rêves sont aussi convaincants que peuvent l'être les rêves. J'entends des pleurs de nouveau-nés et des berceuses que leur chantent leurs mères. Je fuis éperdument, traquée par des inconnus. Je fais toujours le même rêve, mais je ne sais toujours pas qui sont ces gens. Et juste au moment où je tombe, je me réveille en sursaut.

J'appelle chez Ruiz. Il répond à la deuxième sonnerie. Ce type ne dort jamais !

« Vous pourriez venir me chercher ? »

Il ne pose aucune question. Il raccroche et je l'imagine en train de s'habiller. Puis il prend sa voiture et part à travers la campagne anglaise.

Il a trente ans de plus que moi. Il a été marié trois fois et, dans sa vie privée, ça canarde plus que sur un champ de tir à l'heure de pointe – mais je le connais mieux que n'importe qui d'autre, et il m'inspire une confiance à toute épreuve.

Je sais ce que je vais faire. Jusqu'à présent, j'ai vainement tenté de recomposer le puzzle de la vie de Cate – les endroits qu'elle fréquentait, ce qu'elle pouvait avoir à cacher. Mais à quoi m'avancerait d'appeler un à un les numéros de ses relevés téléphoniques, ou de reconstituer le planning de ses déplacements ? Si je veux la rattraper, le mieux est de remettre mes pas dans les siens.

Je vais donc aller à Amsterdam pour retrouver Samira, dès demain – eh non... pas demain ! me dit mon réveil. Aujourd'hui !

Deux heures plus tard, j'ouvre la porte à Ruiz. Je me demande parfois s'il lit dans mes pensées ou s'il commence par me les injecter dans le cerveau, avant de faire semblant de les déchiffrer, comme au poker, quand on compte les cartes.

« Je crois qu'on est partis pour Amsterdam », dit-il.

LIVRE II

« De toutes les larmes qui sont versées au bord des tombes, les plus amères coulent pour les mots que l'on n'a pas dits, et les choses que l'on n'a pas faites. »

Harriet Beecher-Stowe.

1

Nous étions en seconde année de fac quand Cate avait eu quelques jours de retard et s'était crue enceinte. Nous étions parfaitement synchronisées – même jour, même heure, même lieu, même humeur. Je ne me rappelle plus lequel des garnements qui lui tenaient lieu de petits amis à l'époque avait réussi à contourner ses défenses, mais ce dont je me souviens parfaitement, c'est de sa réaction. Une peur panique.

Nous avons fait un premier test de grossesse, puis un second. Je l'ai accompagnée au centre de planning familial, un horrible bâtiment vert, à Greenwich, non loin de l'Observatoire – la vie s'arrêtait juste sur la ligne de départ du temps...

Après lui avoir posé quelques questions, l'infirmière l'a renvoyée chez elle en lui disant d'attendre encore sept jours. Apparemment, les tests pratiqués trop tôt pouvaient parfois donner des résultats faussement négatifs.

Ses règles sont revenues au cours de la semaine suivante.

« Peut-être que j'étais tout de même enceinte et

que j'ai fait une fausse couche, a-t-elle dit après coup. Peut-être que si je l'avais vraiment désiré... »

Et un peu plus tard, elle m'a demandé tout à trac : « Qu'est-ce qu'ils en font, à ton avis ?

— Qu'est-ce qu'ils font de quoi ?

— Des bébés avortés ?

— Arrête – C'est pas des bébés ! Eh bien, je pense qu'ils doivent s'en débarrasser, d'une façon ou d'une autre.

— S'en débarrasser ?

— En fait, j'en sais fichtre rien, OK ? »

Le souvenir de cette fausse alerte est-il revenu la hanter, pendant toutes ces années où elle s'est évertuée à avoir un enfant ? En avait-elle parlé à Felix ? Y a-t-elle vu un châtiment divin, pour avoir manqué d'amour envers son premier ?

Ça y est, je m'en souviens – du nom du garnement. On l'appelait « le beau Barry ». C'était un moniteur de ski canadien doté d'un sourire éblouissant et du bronzage assorti. Qu'est-ce qu'on peut bien leur trouver, à ces satanés moniteurs de ski ? Doivent-ils leur succès à l'air raréfié des sommets, qui les transforme en demi-dieux (ou, plus vraisemblablement, fait tourner la tête aux filles) ?

Pendant toutes les vacances de Noël, nous avions travaillé dans un hôtel au pied du mont Blanc, dans les Alpes françaises (mais de tout notre séjour, nous n'avons pas vu l'ombre du célèbre massif car il n'a jamais daigné émerger des nuages).

« Une Sikh à skis, tu vois ça d'ici ! ? avais-je objecté.

228

— Eh bien, ce sera une grande première ! » avait-elle insisté.

Nous partagions une chambre au Bloc H – le sobriquet que nous avions donné aux quartiers du personnel. J'étais femme de chambre cinq jours par semaine, de 6 heures à 16 heures, et je ne faisais donc que croiser Cate qui servait au bar, en soirée. Elle perfectionnait son accent slave en se faisant passer pour la comtesse Natalia Radzinsky, fille d'une illustre aristocrate russe...

« Comment tu t'es débrouillée pour attirer Barry dans ton lit ?

— J'ai emprunté ton passe-partout, et on s'est offert la suite royale.

— Tu as... quoi !

— Ne t'en fais pas... j'avais mis une serviette. »

Mon avenir dans l'hôtellerie l'intéressait moins que ma vie sentimentale : « Alors, quand est-ce que tu te décides à perdre ta virginité ?

— Quand j'estimerai que l'heure sera venue.

— Mais qu'est-ce que tu attends ? »

« L'homme de ma vie », lui ai-je répondu, mais j'aurais dû préciser : quelqu'un qui soit digne de mon affection ou du moins de mon estime – voire n'importe qui, pourvu qu'il me désire suffisamment.

Peut-être que finalement, j'étais bien la fille de ma mère. Elle essayait déjà de me caser et avait jeté son dévolu sur mon cousin Anwar, qui enseignait la philo à la fac de Bristol. Anwar était grand et mince, avec de beaux yeux bruns et des petites lunettes cerclées de métal. Il s'habillait toujours avec un goût exquis et adorait Judy Garland. Il a fini par se barrer avec le bibliothécaire de la fac – mais aujourd'hui encore, ma mère nie farouchement qu'il puisse être gay.

Ruiz n'a pratiquement pas desserré les dents, depuis notre départ d'Heathrow. Mais ses silences peuvent être ô combien éloquents.

Je lui ai dit et répété que rien ne l'obligeait à m'accompagner. « Vous êtes retraité, lui ai-je fait remarquer.

— Retraité, peut-être, a-t-il riposté, mais pas encore bon pour la casse », et un imperceptible sourire lui a plissé le coin des yeux.

C'est incroyable, le peu de choses que je sais de lui, après ces cinq années de collaboration assidue. Il a des enfants – des jumeaux dont il ne parle jamais. Sa mère vit dans une maison de retraite. Son beau-père est mort ; quant à son père biologique, je ne sais rien de lui.

Je n'ai jamais rencontré personne d'aussi indépendant. Il ne semble pas rechercher le contact humain, ni même avoir besoin de quiconque. Vous voyez ces émissions de télé réalité où les concurrents sont divisés en tribus rivales qui tentent de survivre... eh bien, ce vieux râleur de Ruiz pourrait constituer une tribu à lui tout seul, et encore – il arriverait en tête du classement !

Amsterdam, capitale européenne des sabots de bois, des drogues douces et de la prostitution assumée. C'est une grande première. Nous n'y sommes jamais allés, ni l'un ni l'autre, mais Ruiz m'a déjà fait part de sa vision des Hollandais : champions pour la bière blonde, moyens en foot et perfectionnistes au point d'emmailloter leurs fromages d'une carapace de cire rouge.

« Et ils sont en général très polis, ai-je ajouté.

— Ouais. Question amabilité, ils nous enfoncent tous ! Ils ont même préféré légaliser la prostitution et la marijuana plutôt que d'avoir à dire non à qui que ce soit ! »

Malgré ses origines tziganes, Ruiz a toujours eu un petit côté pantouflard. La seule fois qu'il s'est risqué à partir en vacances à l'étranger, c'était en Italie. Que voulez-vous, l'inspecteur chef a ses habitudes : bière tiède, cuisine roborative et rugby. Plus il s'éloigne de son quartier, plus il devient xénophobe.

Dans l'avion, nous avons réussi à dénicher des sièges près de la cloison de la cabine. J'ai donc pu enlever mes chaussures et y appuyer mes pieds, sans craindre d'exhiber mes chaussettes rayées rose et blanc. Le siège qui nous sépare étant resté vacant, je l'ai annexé d'autorité pour y poser mon livre, ma bouteille d'eau et mes écouteurs. Possession vaut titre, comme qui dirait...

De l'autre côté du hublot, le paysage ressemble à une vieille table de billard rapiécée, déclinant toutes les nuances de feutre vert, et semée de jolies petites fermes et de charmants petits hameaux, avec çà et là quelques villages. On a un peu de mal à imaginer que tout ça puisse être au-dessous du niveau de la mer et que les ponts eux-mêmes se retrouveraient sous l'eau, si les barrages venaient à céder. Mais les Hollandais sont si forts dans ce genre de sport qu'à force de grignoter du terrain, ils finiront un jour par récupérer toute la mer du Nord, et la M11 filera d'une seule traite jusqu'à Moscou.

Sur le trajet de l'aéroport, le chauffeur du taxi qui nous ramène vers Amsterdam semble nous faire faire plusieurs détours, comme s'il cherchait son chemin. Nous passons et repassons les mêmes ponts, enjambant les mêmes canaux. La seule trace que nous ayons des déplacements de Cate est le plan touristique du centre d'Amsterdam, avec ce cercle qu'elle a tracé autour de l'hôtel de la Tulipe rouge.

La réceptionniste nous accueille d'un grand sourire. C'est une solide jeune femme d'environ vingt-cinq ans à qui il ne manque que deux ou trois kilos pour passer dans la catégorie « rondelette », voire « enveloppée ». Derrière elle, un présentoir avec des brochures touristiques : croisières sur les canaux, randonnées à bicyclette, circuits pittoresques, excursions dans une ferme horticole, spécialisée dans la production des tulipes.

Je fais glisser une photo de Cate sur le comptoir. « Auriez-vous vu cette personne ? »

Elle la regarde avec une attention concentrée. La tête de Cate et son allure n'ont pu passer totalement inaperçues... Mais non. Ce visage ne lui dit rien.

« Essayez de vous renseigner auprès du personnel de l'hôtel... »

Un porteur charge nos valises sur un chariot – un type d'âge mûr, avec un superbe gilet rouge, sur une chemise blanche dont les boutons ont peine à contenir sa bedaine.

Je lui montre la photo, qu'il examine de près, les paupières plissées par la concentration. Je me demande le genre de souvenirs que peuvent bien lui laisser les clients de l'hôtel – leur tête, leurs bagages, le pourboire qu'ils lui ont remis ?

« Chambre 12 », diagnostique-t-il avec un vigoureux hochement de tête.

Ruiz retourne voir la réceptionniste : « Vous pourriez regarder dans le registre des admissions ? Elle a dû séjourner ici au cours de la seconde semaine de mars... »

Elle jette un coup d'œil par-dessus son épaule, pour s'assurer que le directeur n'est pas dans le coin, puis pianote sur son clavier. Une nouvelle page s'affiche et je parcours la liste. Pas trace de Cate... Une seconde ! J'ai vu passer un autre nom, qui m'évoque comme un souvenir... « Natalia Radzinski ».

Le bagagiste hoche à nouveau la tête : « Oui, oui ! La comtesse. » Et comme pour appuyer son affirmation, il ajoute . « Elle avait un grand sac bleu – il mesure dans l'air un rectangle imaginaire. Et un autre, beaucoup plus petit, mais très lourd.

— Était-elle accompagnée ? »

Il secoue la tête. « Très, très lourd. En métal.

— Vous avez une mémoire formidable. »

Il se rengorge.

Mon regard revient à l'écran d'ordinateur. J'ai le sentiment que Cate m'a laissé quelque chose, un indice lisible de moi seule. S'imaginer que les morts pourraient semer des messages destinés aux survivants... absurde, bien sûr. Mais je dois avoir la candeur de l'archéologue.

L'hôtel de la Tulipe rouge comporte seize chambres, dont la moitié donnant sur le canal. La mienne est au premier et celle de Ruiz juste au-dessus. Le soleil fait miroiter les hublots d'un bateau qui passe avec son chargement de touristes. Les sonnettes des bicyclettes teintent. Les cyclistes zigzaguent entre les piétons.

Ruiz frappe à ma porte et nous échafaudons notre plan. Il va passer au SNI – le service de l'Immigration et des Naturalisations, qui s'occupe des demandeurs d'asile aux Pays-Bas –, pendant que j'irai à la dernière adresse connue d'Hasan Khan.

Je prends un taxi pour me rendre à Gerard Doustraat, dans un quartier qui s'appelle *De Pijp* – soit « la Pipe » – comme m'explique mon chauffeur, avant de préciser que pour lui, c'est le véritable Amsterdam. Il y a encore dix ans, le coin passait pour mal famé, mais c'est devenu un secteur florissant – restaurants, cafés, salons de thé. Le Flaming Wok est un restaurant chinois orné de stores en bambou et de faux bonsaïs en plastique. La salle est déserte. Les deux serveurs se tiennent au garde-à-vous près de la porte de la cuisine entrouverte. Des Asiatiques, d'une mise impeccable, chemises blanches et pantalons noirs.

Depuis la porte d'entrée, j'aperçois l'intérieur de la cuisine – tout un assortiment de poêles, de fait-tout et de marmites qui pendent du plafond... Un homme nettement plus âgé, sanglé dans son tablier blanc, officie aux fourneaux. Son couteau rebondit à toute vitesse sur sa planche à découper.

Les serveurs, qui parlent l'anglais de leur menu, s'entêtent à vouloir m'installer à une table. Je demande à voir le patron.

Mr Wang sort de sa cuisine en s'essuyant les

mains sur un torchon et me salue d'un léger mouvement du buste.

« J'aurais quelques questions à vous poser, sur les gens qui habitaient au premier.

— Ils sont partis. Vous vouloir louer ?

— Non... »

Avec un haussement d'épaules que je ne décode pas, il me fait signe de m'asseoir à une table avant de commander une théière. Les serveurs, qui doivent être ses fils, rivalisent de promptitude pour la lui apporter.

« Que sont devenus les anciens locataires ? lui demandé-je.

— Oh, là-haut, ça va, ça vient ! Des fois vide, et des fois plein. »

Ses mains virevoltent pendant qu'il parle, mais de temps en temps il les joint et les serre, comme s'il craignait de les voir s'envoler définitivement.

« Les derniers... ils étaient d'où ?

— De partout. Estonie. Pologne. Ouzbékistan.

— Vous connaissez ce garçon ? » Je lui montre le portrait de Hasan. « Il doit être plus vieux, maintenant. Seize ou dix-sept ans. »

Il hoche la tête. « Celui-là, bien. Il m'a fait la plonge, en échange nourriture. Les autres, ils faisaient les poubelles. »

Notre théière arrive. Mr Wang verse le thé. J'observe quelque temps la danse des petites feuilles vertes qui tournoient dans nos tasses blanches.

« Qui payait le loyer ?

— Tout payé d'avance. Six mois.

— Mais vous deviez avoir un bail... » Mr Wang ne connaît pas le mot. « Un contrat de location ?

« — Non. Pas contrat.

— Et l'électricité ? Le téléphone ? »

Il hoche la tête en souriant. Il est trop poli pour me dire qu'il n'a pas de réponse.

Je lui montre la fille du dessin, puis la photo de Samira. « Et elle, vous l'avez déjà vue ?

— Beaucoup de filles, ici. Ça va, ça vient... fait-il, avec un geste évocateur. Des prostituées, presque toutes », ajoute-t-il sur le ton de l'excuse, comme pour déplorer l'état du monde.

Je demande à voir le logement. L'un de ses fils m'y conduit. Il me fait franchir une porte coupe-feu qui donne sur une ruelle et me pilote jusqu'à une cage d'escalier, à l'arrière de la maison. Nous montons un étage...

J'ai vu mon compte d'appartements glauques, mais peu d'aussi glauques que celui-là. L'atmosphère a quelque chose qui vous prend à la gorge. Il y a une cuisine et une salle de bains, une chambre et un salon, meublé en tout et pour tout d'un canapé plein de brûlures de cigarettes et d'une commode basse, surmontée d'un miroir.

« Les matelas, eux jeté, m'explique-t-il.

— Combien étaient-ils, là-dedans ?

— Dix. »

Quelque chose me dit qu'il les connaissait mieux que son père.

« Vous vous souvenez de cette fille ? lui demandé-je en lui montrant la photo.

— Peut-être, oui.

— Elle habitait ici ?

— Elle leur rendre visite, temps en temps.

— Vous savez où elle habite, maintenant ?

236

— Non. »

Les locataires n'ont laissé que quelques boîtes de conserve vides, des vieux oreillers et des cartes de téléphone périmées. Pas l'ombre d'un indice.

Cela fait, je prends un autre taxi pour rejoindre Ruiz, qui m'attend dans un bar à Nieuwmarkt, un square pavé dans le secteur de Oude Kerk. La plupart des tables extérieures sont vacantes. La saison des touristes américains et des porteurs de sacs à dos tire à sa fin.

« Je n'aurais jamais cru que vous finiriez par vous offrir un guide touristique, chef ! lui dis-je, l'index pointé sur le gros bouquin qu'il a posé sur la table.

— Eh bien, pour tout vous dire, moi non plus. Mais j'ai horreur de demander mon chemin, marmonne-t-il. Je m'attends toujours à ce que la personne réplique "Où est-ce que vous voulez aller ?", comme tout le monde. Et chaque fois, je me rappelle soudain que je suis dans un de ces satanés pays étrangers ! »

Les occupants de la table d'à côté sont des autochtones. Un jeune couple. Ils pourraient être en pleine dispute, ou en train de filer le parfait amour – je serais bien incapable de le dire.

« Ces fichus Hollandais arrivent à fourrer bien plus de consonnes dans une phrase que n'importe qui d'autre au monde ! clame Ruiz, un poil trop fort. Quant à leur fameux "j", c'est ni plus ni moins que de la provocation ! »

Il se replonge dans son guide. Nous sommes à la limite ouest du quartier chaud, dans un secteur qui s'appelle *De Walletjes* – « les Petits Murs ».

« Cet édifice, là-bas, avec toutes ces tourelles et

ces clochetons, c'est le Waag, le corps de garde de la vieille ville. »

À la jeune serveuse qui vient prendre notre commande, Ruiz demande une autre bière, « avec moins de mousse et plus de bière ». Elle me décoche un sourire compatissant.

Ruiz revient du service de l'Immigration. Il ouvre son calepin et me raconte comment Hasan et Samira Khan ont passé clandestinement la frontière allemande, tapis dans le compartiment à bagages d'un autobus de touristes, en juin 2004. On les a ensuite conduits au centre de Ter Appel, où ils ont été interrogés par le service de l'Immigration et des Naturalisations. Hasan a soutenu qu'il avait quinze ans et Samira dix-sept. Ils ont déclaré être nés à Kaboul et avoir passé trois ans dans un camp de réfugiés au Pakistan. Après la mort de leur mère, qui avait succombé à une dysenterie, Hamid Khan, leur père, avait ramené les enfants à Kaboul, où il avait été exécuté par balles, en 1999.

Puis Hasan et Samira s'étaient retrouvés dans un orphelinat.

« C'est l'histoire qu'ils ont racontée à chaque entretien, ensemble ou séparément, sans jamais dévier d'un iota.

— Comment sont-ils arrivés ici ?

— Grâce à des passeurs. Des trafiquants. Mais ils n'ont jamais donné de noms. » Ruiz consulte à nouveau son calepin. « Après les interrogatoires, ils ont été hébergés dans un centre pour mineurs demandeurs d'asile, tenu par la fondation Valentine. Trois mois plus tard, ils ont déménagé pour le campus de Deelen, qui abrite cent quatre-vingts de ces gosses et l'an dernier, en décembre, leurs visas ont été abrogés.

— Pourquoi ?

— Mystère. On leur a donné quatre semaines pour quitter les Pays-Bas. Ils ont fait appel de cette décision, mais se sont volatilisés entre-temps.

— Volatilisés ?

— En général, ça n'attend pas qu'on vienne les rapatrier de force, ce genre d'oiseau...

— *Ce genre d'oiseau ?* »

Il me regarde, l'air gêné. « Ben oui, quoi – enfin, façon de parler. » Il marque une pause, le temps de descendre une lampée de bière. « Mais j'ai pu avoir le nom de l'avocate qui les représente. Mᵉ Lena Caspar. Son cabinet se trouve à deux pas d'ici, dans le centre d'Amsterdam. »

Une moustache d'écume blanche reste accrochée à sa lèvre. « Et il y a autre chose : le gamin avait déjà tenté la traversée, il y a quelques mois. Mais il s'est fait épingler en arrivant en Angleterre, et a été réexpédié aux Pays-Bas sous vingt-quatre heures.

— Il faut croire que cette tentative ne l'avait pas découragé...

— Ouais. Cette fois, il est définitivement guéri. »

2

Le cabinet de Me Caspar est situé sur Prinsengracht, dans un bâtiment à quatre étages qui s'incline d'un ou deux degrés vers les briques du trottoir. Une grande porte cintrée permet d'accéder à une courette, dont une vieille femme, armée d'un seau et d'une serpillière, nettoie les dalles de pierre. Elle nous indique l'escalier.

Au premier, nous entrons dans une salle d'attente pleine de Maghrébins, dont un certain nombre accompagnés d'enfants. Un jeune homme installé derrière un bureau lève les yeux vers nous et repousse sur son nez des lunettes à la Harry Potter. Non, nous n'avons pas de rendez-vous...

Il feuillette les pages de son agenda.

Au même instant, une porte s'ouvre derrière lui, livrant passage à une Nigérienne vêtue d'une grande robe à fleurs. Une fillette s'accroche à sa main et un bébé dort, la tête sur son épaule.

L'espace d'un instant, je ne vois qu'elle – puis je distingue un petit bout de femme, qui se tient juste dans son sillage, comme si elle avait émergé d'un drapé du tissu bigarré.

« Je vous envoie une copie des papiers dès que j'aurai déposé la demande en appel, dit-elle. Surtout tenez-moi au courant, si entre-temps vous changez d'adresse. »

Avec son chemisier blanc, son cardigan noir et son pantalon en flanelle grise, Lena Caspar a tout de l'avocate modèle. Elle m'adresse un petit sourire vacant, comme si nous avions pu nous rencontrer quelque part auparavant, puis elle jette un coup d'œil à Ruiz et semble réprimer un frisson.

« Excusez-nous de vous déranger, maître. Pourrions-nous vous dire un mot ?

— Rien qu'un ? s'étonne-t-elle. Ça, c'est très anglais ! J'ai presque envie d'accepter, juste pour voir celui que vous choisirez ! »

La peau du contour de ses yeux est délicatement fripée, comme un noyau de pêche. « J'ai énormément de rendez-vous, aujourd'hui. Vous allez devoir attendre que... »

Elle s'interrompt en voyant la photo de Samira, que je lui tends. « Son frère vient de mourir. Nous devons la retrouver. »

Mᶜ Caspar nous ouvre la porte de son cabinet et nous entrons sur ses talons. La pièce est presque carrée, avec un beau plancher de vieux chêne. La maison est dans sa famille depuis des générations, explique-t-elle. Elle a abrité le cabinet de son grand-père, puis celui de son père.

Bien que toute prête à nous fournir ces informations, Mᵉ Caspar a la prudence naturelle des avocats.

« Vous ne ressemblez pas à l'idée qu'on se fait d'un officier de police, me dit-elle. J'ai d'abord cru

que c'était vous qui aviez besoin de mes services... »
Puis elle se tourne vers Ruiz : « Mais vous, pas
d'erreur – vous avez tout à fait la tête de l'emploi !

— Je l'avais, vous voulez dire...

— Racontez-moi un peu, dit-elle en se tournant
vers moi. Qu'est-ce qui lui est arrivé, à ce pauvre
Hasan ?

— Quand l'avez-vous vu pour la dernière fois ?

— Il y a à peine moins d'un an. »

Je lui résume les faits : son corps retrouvé sans vie
dans le camion, avec mon nom sur ses vêtements.
Le visage de l'avocate se tourne vers la fenêtre.
Peut-être est-elle au bord des larmes, mais ce n'est
pas le genre de femme à laisser libre cours à ses
émotions devant des inconnus.

« Et pourquoi diable avait-il votre nom sur lui ?

— Je n'ai pas d'explication. J'espérais que vous
auriez une idée, ou une piste. »

Elle fait lentement « non » de la tête.

« J'essaie de retrouver sa sœur. Samira.

— Pourquoi ? »

Que lui répondre... ? J'opte pour le grand saut :
« Parce que j'ai de bonnes raisons de croire qu'une
de mes amies, qui ne pouvait pas avoir d'enfants, a
essayé d'acheter un bébé à Amsterdam. Elle a dû
rencontrer Samira, d'une façon ou d'une autre.

— Samira n'a pas d'enfants.

— Non. Mais elle a un utérus en état de fonctionner. »

Me Caspar me jette un regard incrédule. « Vous
faites erreur. Jamais une musulmane pratiquante ne
louerait son ventre. »

Sa réponse est tombée comme un couperet, avec

242

l'absolue certitude d'un fait ou d'un dogme. Traversant la pièce, elle va ouvrir une armoire dont elle extrait un dossier et revient à son bureau pour en survoler le contenu.

« Les demandeurs d'asile ne sont pas les bienvenus, dans ce pays. Le gouvernement multiplie les obstacles. Notre ministre de l'Immigration prétend que seulement 20 % des candidats sont de véritables réfugiés, et que tous les autres sont des escrocs ou des menteurs. Et malheureusement, les vrais demandeurs d'asile sont diabolisés – on les traite comme des réfugiés économiques. Ils errent de pays en pays, en quête de celui qui acceptera de les accueillir. »

L'amertume qui a vibré dans sa voix se communique à ses épaules menues.

« À leur arrivée, Samira et Hasan n'avaient même pas de papiers. Au service de l'Immigration, on les a accusés de les avoir délibérément détruits. Ils refusaient de croire que Samira était mineure. Elle avait pourtant l'air plus proche de douze ans que de vingt, mais ils l'ont tout de même forcée à passer les tests.

— Les tests ?

— Oui, pour évaluer son âge biologique. Une radiographie de la clavicule qui est supposée indiquer si le sujet a dépassé ou non le cap de la vingtaine. Pour Hasan, c'était le poignet. Un rapport a été établi par un médecin anthropologue de l'université de Tilburg.

» Mais ils s'en sont mordu les doigts. Selon les tests, elle était encore plus jeune ! La malnutrition avait ralenti sa croissance. Ils leur ont donné des visas temporaires. Ils pouvaient donc séjourner ici un certain temps, mais à condition de se prêter à d'autres vérifications. »

Elle tourne une page de son dossier.

« Actuellement, la réglementation en vigueur prévoit de renvoyer les mineurs demandeurs d'asile vers leur pays d'origine. Mais Hasan et Samira n'avaient plus aucune famille. L'Afghanistan arrive à peine à nourrir son propre peuple. Kaboul est une ville de veuves et d'orphelins... » Elle fait glisser vers moi une page de notes – un historique de la famille. « Mais ils parlaient tous deux l'anglais. Leur mère était diplômée de l'université de Delhi. Elle était traductrice chez un éditeur local, quand les Talibans ont confisqué le pouvoir. »

Je parcours les notes. Samira est née en 1987, pendant l'occupation soviétique. Elle avait deux ans quand les Russes sont partis, et dix à l'arrivée des Talibans.

« Et leur père ?

— Il dirigeait une petite usine. » Je revois la photo de Hasan... « Ils fabriquaient des feux d'artifice, poursuit Me Caspar. Les Talibans ont fermé l'usine. Les feux d'artifice étaient interdits. La famille a fui au Pakistan et s'est installée dans un camp de réfugiés. C'est là que la mère est morte. Hamid Khan a d'abord lutté pour élever ses deux enfants, mais au bout d'un certain temps, lassé de vivre comme un proscrit dans un pays étranger, il est revenu à Kaboul. Six mois plus tard, il a été exécuté.

— Dans quelles circonstances ?

— Un adolescent armé d'une kalachnikov l'a fait mettre à genoux dans leur appartement et l'a abattu d'une balle dans la nuque, sous les yeux de ses enfants. Puis les Talibans ont jeté le corps par une fenêtre et l'ont laissé exposé huit jours dans la rue, avec interdiction pour Hasan et Samira d'aller le récupérer. Au bout de ces huit jours, les chiens l'avaient dévoré. »

La tristesse lui assombrit la voix.

« Je me souviens de ce proverbe afghan que Samira aimait citer : *Pour une colonie de fourmis, la rosée est un déluge.* » Cela se passe de commentaires.

« Quand avez-vous vu Samira pour la dernière fois ?

— À la mi-janvier. Elle m'avait fait une surprise pour mon anniversaire. Elle m'avait préparé un feu d'artifice. Je ne sais pas où elle avait pu se procurer les produits et la poudre, mais j'ai été émerveillée. C'était une splendeur.

— Et qu'est-ce que ça a donné, leur demande d'asile ? »

L'avocate nous sort une autre lettre. « Dans ce pays, l'âge de dix-huit ans est le cap fatidique pour les demandeurs d'asile. Au-delà, ils sont considérés comme des adultes. Le permis de séjour temporaire de Samira a été abrogé. Elle a été jugée capable de s'occuper de son jeune frère, qui s'est vu lui aussi retirer son visa. Et on leur a enjoint de quitter le pays.

» J'ai fait appel de cette décision, vous pensez, mais je n'ai pu empêcher qu'ils se retrouvent à la rue. Ils ont dû quitter le campus de Deelen, et comme la plupart des jeunes demandeurs d'asile qui se font éconduire, ils ont préféré fuir, sans attendre d'être rapatriés de force.

245

— Où peut bien être Samira, à présent ? »
Elle écarte les mains, paumes au ciel.

« Comment pourrions-nous la retrouver ?

— Je ne vois vraiment pas.

— Je dois au moins essayer. N'avait-elle pas des amies sur le campus ?

— Elle m'a parlé d'une jeune Serbe, dont j'ignore le nom.

— Est-elle toujours là-bas ?

— Non. Elle aussi, elle a dû prendre la fuite... à moins qu'elle n'ait été rapatriée. »

Le regard de l'avocate fait la navette entre Ruiz et moi. L'avenir semble déjà inscrit dans les lignes soucieuses de son visage, et le voyage s'annonce périlleux.

« Je peux tout de même vous recommander à un ami. Un policier en retraite comme vous, monsieur Ruiz. Il a fait toute sa carrière dans le quartier chaud, et il connaît le secteur comme sa poche, y compris les filles, les proxénètes, les dealers et leurs clients. Les murs eux-mêmes ont des oreilles, dans ce quartier... ! »

Elle note le nom de notre hôtel et promet de nous laisser un message.

« Et surtout, si vous retrouvez Samira, faites preuve du plus grand tact. Quand elle apprendra la mort de son frère, elle sera folle de chagrin.

— Vous pensez que nous pouvons la retrouver ? »

Elle m'embrasse sur les deux joues. « De cœur à cœur, il y a toujours un chemin. »

Dès mon retour à la Tulipe rouge, j'appelle Forbes qui exige d'emblée de savoir où je suis. Une petite voix intérieure, que j'ai pas mal entendue ces derniers temps, me conseille d'esquiver la question...

« Avez-vous interrogé le chauffeur du camion ? demandé-je.

— Auriez-vous filé à Amsterdam ? riposte-t-il.

— Qu'est-ce qu'il vous a dit ?

— Vous n'aviez pas le droit de quitter le pays ! Jusqu'à nouvel ordre, vous êtes une suspecte !

— Ah ? Personne ne m'a rien dit de tel.

— Pas de ça avec moi ! Si vous menez une enquête parallèle, je vous fais déférer devant le conseil de discipline et vous pouvez faire une croix sur votre carrière... et même sur votre pays ! »

Cet horripilant petit bruit a encore cliqueté dans sa voix. Je plains sa femme. Pour elle, ça doit être un véritable supplice de vivre avec ce métronome humain !

Il finit par se calmer quand je lui donne des nouvelles de Hasan et de Samira. Nous échangeons nos informations. Le chauffeur est inculpé d'homicide involontaire, mais il y a autre chose. Les services d'immigration britanniques avaient eu un tuyau concernant ce camion. Avant même que le ferry n'ait accosté à Harwich, ils avaient son immatriculation et s'attendaient à y trouver un groupe de clandestins.

« Comment ont-ils eu le tuyau ?

— Un coup de fil anonyme adressé à la capitainerie du port de Rotterdam, deux heures après l'appareillage du ferry, probablement par les trafiquants eux-mêmes.

— Pourquoi ?

247

— Pour faire diversion.

— Diversion ?

— En sacrifiant ces quelques clandestins, qui ont accaparé l'attention des forces de l'ordre. Avec cette affaire sur les bras, les douaniers et les officiers de l'immigration ont dû être trop occupés pour intercepter un autre convoi, nettement plus important.

— Sur le même bateau ?

— Deux semi-remorques suspects sont passés à l'as. Les entreprises indiquées sur les bordereaux de chargement n'existent pas. Ils ont très bien pu faire passer cent cinquante ou deux cents clandestins dans ces camions.

— Et à votre avis, ils auraient fermé les bouches d'aération à dessein, pour donner plus d'efficacité à leur feinte ?

— Ça, personne n'en aura jamais le cœur net. »

« Je veux un vrai gymnase, pas une salle de fitness », précisé-je à la réceptionniste qui me regarde avec des yeux ronds, sans voir la différence. J'esquisse quelques mouvements de boxe et elle bat en retraite. Cette fois, elle a compris.

Car j'en connais un rayon, en gymnases. Pendant notre dernière année à Oaklands, j'avais réussi à convaincre Cate de s'inscrire avec moi en karaté. Les cours avaient lieu dans une vieille salle de gym sur Penwick Street, principalement fréquentée par des boxeurs ou des vieux croûtons en débardeur qui soufflaient comme des phoques en soulevant leurs haltères sur les bancs de musculation. Notre prof de karaté était un Chinois affligé d'un accent cockney à couper au couteau, que l'on surnommait « Peking » (sobriquet lui-même abrégé en « PK »), ce dont il n'a jamais paru se formaliser.

Il y avait un ring de boxe, une salle de muscu tapissée de miroirs et un gymnase séparé, avec un tapis de sol en mousse, pour le karaté. Pendant les premières leçons, PK nous a expliqué les grands principes de son art. Ces généralités théoriques avaient le don de barber prodigieusement Cate. « Le travail, la discipline mentale et physique, nous apprennent le respect de nos semblables », disait-il.

« Je m'en fous, moi, de mes semblables ! me murmurait Cate à l'oreille. Ce que je veux, c'est apprendre à leur filer des coups de lattes dans les roustons ! »

« Les deux caractères japonais qui composent le mot karaté signifient littéralement "à mains nues", poursuivait PK. C'est un système d'autodéfense qui s'est élaboré au fil des siècles. Chaque geste est fondé sur une connaissance précise et approfondie du corps humain, des muscles et des articulations, et de leur lien avec le mouvement et l'équilibre... »

Cate a levé la main : « Hé, m'sieur ! Quand est-ce qu'on apprend à cogner ?

— ... Nous étudierons donc les techniques de contre-attaque... »

Et de nous expliquer les origines du mot, son sens littéral étant « la loi du poing ». Les coups bas sont mal vus, dans la plupart des arts martiaux. En karaté, on évite même de viser l'articulation de la hanche, les genoux, le cou-de-pied, les tibias, les membres supérieurs et le visage.

« Pfff ! Je ne vois vraiment pas l'intérêt ! a marmonné Cate.

— Là, il parle de compétition.

— Rien à cirer de la compétition ! Ce que je veux, moi c'est les leur briser ! »

Elle persévéra cependant et suivit assidûment les cours théoriques hebdomadaires. Mais, chaque fois, elle harcelait le professeur avec sa fameuse question : Quid des coups de pied dans les valseuses ?

PK a fini par accéder à son souhait. Un soir, après la fermeture du gymnase, tous stores baissés et toutes lumières éteintes, à part celle du ring, il lui a donné un cours particulier.

Elle en est ressortie les joues en feu mais souriante, avec dans le cou ce qui ressemblait fort à un suçon. Après ça, elle n'a plus jamais remis les pieds au karaté.

Moi, j'ai continué. J'ai même gravi les échelons. PK rêvait de faire de moi une ceinture noire, mais j'étais déjà en stage à l'école de la police.

Ruiz en est à sa deuxième bière, quand je le rejoins au restaurant. Il regarde le pizzaïolo qui fait virevolter un disque de pâte avant de le rattraper sur ses poings fermés.

Deux des serveurs me déshabillent du regard en se parlant à mi-voix, comme s'ils tentaient de percer le mystère de mes relations avec Ruiz. Qu'est-ce qu'une jeune Indienne peut bien fabriquer avec ce type mal embouché qui a deux fois son âge ? Pour eux, je ne peux être qu'une call-girl, ou une jeune épouse exotique qu'il s'est commandée par Internet.

Le café est pratiquement vide. Personne ne dîne si tôt, à Amsterdam. Un vieil homme accompagné d'un chien s'est installé près de l'entrée. De temps à autre, il glisse la main sous sa table, pour lui passer quelques bons morceaux.

« Elle pourrait être à peu près n'importe où, dit Ruiz.

— Elle n'a pas quitté Amsterdam.

— Qu'est-ce qui vous permet de l'affirmer ?

— Hasan n'avait que seize ans. Elle ne l'aurait pas abandonné.

— Il n'a pas eu besoin d'elle pour traverser *deux fois* la Manche. »

Évidemment...

« Jusque-là, nous avons mené nos investigations discrètement, en évitant d'attirer l'attention. Et si nous changions de tactique ? En mettant des affiches, par exemple. Ou une annonce dans les journaux... »

Ruiz ne me suit pas : « Votre amie a essayé de shooter dans la fourmilière, elle aussi, et ça ne lui a pas réussi. Nous n'avons pas affaire à des débutants qui navigueraient à vue, et qui auraient tué les Beaumont par mégarde ou dans un moment de panique. C'est un vrai gang de professionnels déterminés et organisés. Des Brendan Pearl.

— Ils seront pris de court.

— Sachant que nous sommes sur leurs traces, ils redoubleront de méfiance.

— Mais ils finiront bien par se trahir ! »

Ruiz continue à argumenter, mais il a compris mon point de vue. Rien ne nous oblige à laisser le hasard, ou le destin, décider pour nous de la suite des événements. Nous pouvons aussi les provoquer.

Une chambre d'hôtel dans une ville inconnue, c'est un antre de solitude où l'esprit humain touche le fond. Je reste étendue dans le noir, incapable de fermer l'œil. Ma mémoire diffuse en continu l'image d'une fillette en tee-shirt Mickey, agonisant dans les bras de sa mère sous une bouche d'aération fermée.

Je voudrais remonter le temps, jusqu'à la soirée des anciens d'Oaklands, et même avant. Si seulement... Si seulement je pouvais retrouver Cate, m'expliquer et pleurer avec elle. Rattraper ces huit années de silence. Et par-dessus tout, me racheter.

3

Mon portable vibre sous mon oreiller.

C'est la voix de Ruiz. « Debout là-dedans !

— Quelle heure est-il ?

— Sept heures à peine passées. Nous avons un visiteur, à la réception. De la part d'Elena Caspar. »

Je saute dans mon jean, et je file me passer de l'eau sur la figure, après avoir tiré mes cheveux en arrière à l'aide d'un bandeau.

Nicholas Hokke a la soixantaine bien sonnée. Il porte la barbe et une courte brosse de cheveux grisonnants. Sa haute taille lui permet de camoufler élégamment un début de brioche qui s'arrondit sous son blouson de cuir.

« J'ai cru comprendre que vous cherchiez un guide », dit-il en s'emparant de ma main qu'il garde dans les siennes. Il sent le talc et le tabac aromatique.

« Je cherche une demandeuse d'asile. Une toute jeune fille.

— Hmmm ! Si nous en parlions autour d'un petit déjeuner ? »

Il connaît un endroit, tout près. Nous pouvons y

aller à pied. Chaque intersection est une inextricable mêlée de bus, de trams, de voitures et de vélos, mais Hokke y retrouve son chemin avec l'aisance d'un demi-dieu marchant sur les eaux.

Il ne faudrait pas me pousser beaucoup pour que je tombe sous le charme de cette ville, tellement plus propre et plus accueillante que Londres, avec ses jolies places pavées, ses canaux, ses façades de meringue multicolore. Ici, je me sens en sécurité : je ne suis qu'une touriste comme tant d'autres.

« La plupart des étrangers tiennent à visiter le quartier chaud, nous explique Hokke. Écrivains, sociologues, politiciens. Et je les y emmène toujours deux fois – de jour, et de nuit. C'est comme de regarder les deux faces d'une pièce de monnaie, l'ombre et la lumière... »

Il marche à grands pas, les mains derrière le dos, s'arrêtant de temps à autre pour nous faire admirer tel monument ou tel détail remarquable, et pour nous expliquer la signification des plaques des rues et des panneaux indicateurs. « Straat » veut dire rue et « steeg », allée ou venelle.

« C'était votre secteur ? lui demande Ruiz.

— Bien sûr, oui.

— Depuis quand êtes-vous en retraite ?

— Deux ans... et vous ?

— Un an. »

Ils hochent la tête de concert, d'un air entendu. Ils se comprennent...

Au détour d'une rue, je découvre enfin les fameuses « vitrines » d'Amsterdam. À première vue, on pourrait les prendre pour de simples baies vitrées, avec leurs châssis de bois et leurs numéros

254

en laiton. Dans certaines, les rideaux sont tirés. D'autres sont ouvertes et attendent déjà le client.

En y regardant de plus près, je vois ce que cela cache. Une fille maigrelette, très brune, vêtue d'un soutien-gorge à sequins et d'un string assorti, est perchée sur un tabouret, les jambes croisées haut et bottées de noir. Sous les lampes à ultraviolet, les bleus de ses cuisses ressortent comme des taches plus pâles.

L'impudence de sa posture et de ses intentions, leur côté ostentatoire me serrent le cœur. Elle me dévisage d'un œil insolent. Elle n'aime pas me voir escortée de ces deux clients potentiels, qui n'oseront pas pousser sa porte en ma présence...

Nous slalomons dans des ruelles de plus en plus étroites. Nous passons devant des vitrines si rappro-chées, de chaque côté de l'étroit passage, que j'ai l'impression de regarder un match de tennis, avec la balle qui va et vient de part et d'autre du filet. Ruiz, lui, garde les yeux fixés droit devant lui.

Une grosse Haïtienne interpelle Hokke et lui fait signe de la main. Elle porte un soutien-gorge orné de franges rouges, qui fait pigeonner sa poitrine, déjà plantureuse. Du haut de son tabouret, son ventre dégouline sur son entrejambe, qu'il masque presque totalement. Hokke s'arrête un moment pour lui parler en néerlandais, puis nous rejoint.

« Elle a quatre enfants, dont un à la fac, nous explique-t-il. Elle est dans le métier depuis plus de vingt ans, mais ça ne l'empêche pas d'être une femme.

— Pourquoi, une femme... ? Qu'est-ce que vous voulez dire ?

— Parce que certaines finissent par devenir de vraies putes... »

Il fait signe à d'autres filles qui lui envoient des baisers ou se claquent la main, l'air faussement repentantes, pour le taquiner.

Il ne semble nullement gêné par leur présence et ne les juge pas, mais il est nettement plus froid avec les toxicomanes et les dealers. Nous croisons un Maghrébin accoudé au parapet d'un pont, qui semble reconnaître Hokke et le rejoint de sa démarche dansante. Notre guide n'a pas ralenti. Le type a les dents brunes de bétel et les pupilles dilatées. Pas un muscle n'a bougé, sur le visage de Hokke. Le type se met à jacasser en néerlandais, en souriant d'une oreille à l'autre. Mais Hokke continue sur sa lancée, comme si de rien n'était.

« Une vieille connaissance ? lui demandé-je.

— De trente ans. Et pendant tout ce temps, il n'a pas cessé de carburer à l'héroïne.

— Un miracle qu'il soit toujours en vie !

— Ce n'est pas la drogue qui tue les toxicos, c'est leur style de vie, réplique-t-il d'un ton définitif. Si les produits étaient moins chers, ils n'auraient pas besoin de voler pour avoir leur dose. »

À l'autre bout du pont, nous croisons un autre camé, plus jeune mais nettement plus délabré. Il pointe vers moi sa cigarette allumée et parle à Hokke d'une voix flagorneuse. Une discussion s'engage, dont je ne comprends pas un traître mot.

« Je lui ai juste demandé s'il était *clean*, explique Hokke.

— Et alors ? Qu'a-t-il répondu ?

— Qu'il était toujours *clean*.

— Et ensuite, le ton a monté ?

— Il voulait savoir si vous étiez sur le marché.

— Pourquoi... il est aussi proxénète ?

— Quand ça l'arrange... »

Nous sommes arrivés au café. Nous nous installons à une table dehors, sous les branches dénudées d'un gros tilleul, emmêlées de petites lucioles électriques blanches. Hokke prend son café noir et se commande des toasts briochés avec de la confiture, puis il sort une pipe miniature, si petite qu'on la croirait destinée à un apprenti fumeur.

« C'est mon seul vice », nous confie-t-il.

Ruiz éclate de rire. « Allez ! Ne me dites pas que vous n'y avez jamais succombé à la tentation...

— À la tentation ?

— Oui, avec les filles des vitrines, pendant toutes vos années de service. Vous avez dû avoir pas mal d'occasions...

— Des occasions, oui. Mais je suis marié depuis quarante ans, Vincent – si je peux vous appeler Vincent – et je n'ai jamais couché qu'avec ma femme. Ça me suffit amplement ! Vous savez, ces filles sont des professionnelles. Elles gagnent durement leur vie et j'aurais honte de leur demander de travailler gratis. Vous connaissez, vous, une banquière ou une avocate qui accepterait de bosser à l'œil ? »

Son visage disparaît temporairement dans un nuage de fumée.

« Alors... cette jeune femme que vous cherchez, vous croyez qu'elle pourrait se prostituer ?

— Elle est sortie d'Afghanistan grâce à des passeurs.

— Les prostituées afghanes sont rares. Les musulmanes, c'est surtout des Turques ou des Tunisiennes. Si elle est clandestine, elle ne doit pas travailler dans les vitrines – à moins d'avoir des faux papiers.

— C'est difficile d'en avoir ?

— Il arrive que les filles du Niger et de Somalie échangent leurs papiers, parce qu'elles se ressemblent toutes – mais en principe, les vitrines sont les plus faciles à contrôler. Pour les trottoirs et les clubs privés, c'est plus délicat. C'est comme un iceberg, on n'en voit que le sommet. Sous la surface, il y a des centaines de filles, dont un certain pourcentage de mineures, qui travaillent sur les parkings, dans des toilettes ou dans des studios privés. Les clients les appellent sur leurs portables... »

Je lui raconte comment Samira a disparu du foyer d'accueil.

« Qui l'a amenée ici, aux Pays-Bas ?

— Des passeurs.

— Et comment les a-t-elle payés ?

— Comment ça, payés ?

— Ils ont forcément exigé quelque chose, en retour...

— Ils étaient orphelins, elle et son frère. »

Il entreprend de vider sa pipe en la tapotant contre le bord du cendrier.

« Peut-être n'ont-ils pas encore payé... » Tout en bourrant sa pipe, il nous explique comment les gangs opèrent, dans les centres et les foyers de demandeurs d'asile. Les filles sont recrutées pour le trottoir. Les garçons travaillent comme coursiers, pour la drogue, ou comme mendiants.

« Parfois, ils ne prennent même pas la peine de les kidnapper dans les foyers. Ils se contentent de les emprunter pour le week-end, avant de les ramener. C'est bien plus sûr, pour les proxénètes. Comme les filles ne disparaissent pas, il n'y a pas d'enquête. Pendant ce temps, elles sont nourries et logées, et elles apprennent quelques mots de hollandais – le tout aux frais du contribuable !

— Vous pensez que c'est ce qui est arrivé à Samira ?

— Je n'en sais rien. Si elle est jeune, elle va être baladée de ville en ville, ou revendue à des trafiquants, dans d'autres pays. C'est un vrai carrousel. Les jeunes sont les plus prisées. Elles rapportent plus d'argent. En les promenant d'une ville à l'autre, on brouille les pistes. Pour la police ou les familles, il devient presque impossible de les retrouver. »

Hokke se hisse sur ses pieds, s'étire et nous fait signe de le suivre. Nous prenons à gauche, puis à droite, sur les trottoirs pavés. Nous nous enfonçons plus loin dans le quartier chaud. Les vitrines s'animent. Les filles pianotent sur leur vitre, pour attirer l'attention de notre guide. Une Marocaine frétille des seins sur son passage, tandis qu'une autre se claque les fesses, en ondulant au rythme d'une musique qui nous demeure inaudible.

« Mais vous les connaissez toutes, ma parole ! »

Il étouffe un petit rire. « Dans le temps, peut-être. Je connaissais l'histoire de chacune, ou presque. Mais maintenant, il y a un mur entre elles et nous. Autrefois, elles étaient pratiquement toutes hollandaises. Et puis on a vu débarquer les Dominicaines et les Colombiennes. Et les filles du Surinam. Maintenant, c'est les Nigériennes et les filles de l'Est.

» Chaque rue à ses spécialités, précise-t-il. Oudekerksteeg, c'est le secteur des Africaines. Les Sud-Américaines sont sur Boomsteeg. Les Asiatiques sur Oudekennissteeg et Barndesteeg. Les transsexuelles opèrent à Bloedstraat, quant aux filles de l'Est, elles sont sur Molensteeg et le long de l'Achterburgwal.

» Il devient de plus en plus difficile de faire sa pelote. Rien que pour payer le loyer de leur vitrine, elles doivent se trouver au moins deux clients – et comptez-en quatre de plus, pour le proxénète. Elles doivent faire six clients avant de commencer à gagner le moindre sou !

» Dans le temps, elles pouvaient économiser, s'acheter leur propre local, puis, une fois propriétaires, le louer à d'autres filles. À présent, les vitrines appartiennent à des sociétés qui les utilisent parfois pour blanchir de l'argent en déclarant que les filles gagnent beaucoup plus qu'en réalité... »

On sent que, sans vouloir nous la jouer mélancolique, Hokke ne peut s'empêcher de regretter le bon vieux temps.

« Maintenant, le quartier est beaucoup mieux organisé et moins dangereux. Mais les vrais problèmes se sont déplacés plus loin... »

Nous longeons un canal, dépassant une flopée de clubs de strip-tease et de cinémas X. De loin, les sex-shops pourraient passer pour des boutiques de souvenirs... Il faut s'en approcher, pour que les objets exposés se révèlent être des godemichés ou des vagins en latex. J'en reste fascinée – fascinée et troublée à la fois. J'aimerais prendre le temps de scruter le contenu des vitrines, pour comprendre à quoi peuvent bien servir tous ces machins...

Hokke a tourné dans une ruelle et frappe à une porte. Un gros type à rouflaquettes vient lui ouvrir. Derrière lui, la pièce est à peine assez large pour qu'il puisse s'y retourner. Les murs sont tapissés de rouleaux de films et de vidéos pornos.

« Je vous présente Nico, le projectionniste le plus occupé de tout Amsterdam. »

Nico nous sourit, en s'essuyant les mains sur sa chemise.

« Cet endroit existe depuis plus longtemps que moi, nous confie Hokke. Regardez ce projecteur... c'est toujours du super-huit !

— Ouais, et maintenant, certaines des actrices doivent être arrière-grand-mères ! » rigole Nico.

Hokke lui demande s'il a entendu parler d'une jeune Afghane qui travaillerait dans les vitrines ou dans les clubs.

« Une Afghane ? Non. Par contre, je ne suis pas près d'oublier une certaine Irakienne – Basinah. Tu t'en souviens, Hokke ? Ce que t'en pinçais pour elle !

— Moi ? Sûrement pas ! Elle avait des problèmes avec son propriétaire, et elle m'avait demandé un coup de main, c'est tout !

— Et alors, ce "propriétaire" – tu l'as arrêté ?

— Non.

— Tu l'as descendu ?

— Non plus.

— T'as jamais été très efficace, comme flic... pas vrai, Hokke ? Toujours en train de siffloter. Les dealers t'entendaient venir à deux rues de là ! »

Hokke secoue la tête. « J'évitais de siffler, quand je voulais vraiment les coincer ! »

Je montre à Nico la photo de Samira. Jamais vue.

« La plupart des trafiquants s'occupent de leurs compatriotes. Les Chinois traitent les Chinoises, et les Russes les Russes. Quant aux Afghans, eh bien... » Il écarte les paumes. « Ils doivent rester chez eux, dans leurs champs de pavots ! » Il ajoute quelque chose en néerlandais, pour Hokke.

« Qu'est-ce que vous lui voulez, à cette fille ?

— Je crois qu'elle sait quelque chose, concernant un certain bébé.

— Un bébé ?

— Oui. J'ai, enfin... j'avais une amie qui feignait d'être enceinte, et ce, probablement parce qu'elle avait prévu d'acheter un bébé ici, à Amsterdam. Mon amie s'est fait tuer, mais elle m'a laissé cette photo... »

Hokke bourre à nouveau sa pipe. « Et vous pensez que ce bébé pourrait faire l'objet d'un trafic ?

— Oui. »

Sa main reste suspendue, tandis que l'allumette se consume et finit par lui brûler les doigts. Après trente ans de carrière dans le secteur, j'ai réussi à surprendre cet homme qui pensait avoir tout vu et tout entendu.

Ruiz attend dehors, observant le manège des clients et des fournisseurs, le jeu de l'offre et de la demande. Les rues commencent à s'animer. La plupart des passants viennent plutôt pour se rincer l'œil que pour consommer. Ce sont en majorité des touristes venus visiter le célèbre « quartier de la Lanterne Rouge ». Un groupe de Japonais passe, cornaqué par une jeune femme qui brandit au-dessus de sa tête la hampe d'un parapluie jaune canari.

« Samira avait un jeune frère, expliqué-je à Hokke et à Nico. Ils se sont enfuis ensemble du foyer de l'Immigration, il y a un peu moins d'un an, quand leur demande d'asile a été rejetée. Qu'est-ce qu'il aurait pu faire, entre-temps ?

— Les garçons aussi peuvent se prostituer, dit Hokke sur le ton de l'évidence. Ou alors, ils deviennent marchands de drogue, pickpockets ou mendiants. Vous en verrez tout un bataillon, si vous passez à Central Station. »

Je sors le dessin au fusain pour Nico... « Il portait un tatouage au poignet.

— Quel genre de tatouage ?

— Un papillon. »

Hokke échange un coup d'œil avec le projection-niste.

« C'est une marque de propriété, fait Nico en se grattant l'aisselle. Il doit travailler pour quelqu'un. »

L'air sombre, Hokke se plonge dans la contem-plation de sa pipe. J'attends la suite. Choisissant chaque mot avec soin, l'ex-policier entreprend de m'expliquer que certains gangs, qui étendent leur contrôle à des quartiers entiers, considèrent les clan-destins et les demandeurs d'asile comme leur cheptel. « Ouais, et elle ferait bien de ne pas se frotter à de Souza ! » lâche Nico.

Hokke a posé l'index sur ses lèvres. Un accord tacite semble se conclure entre eux.

« Qui c'est, ce de Souza ? demandé-je.

— Personne. Oubliez ce nom. »

Nico hoche la tête. « Ça vaut mieux pour tout le monde. »

Les vitrines s'ouvrent. Les clients affluent. Les passants évitent de laisser leur regard se croiser.

La prostitution m'a toujours mise mal à l'aise. Quand j'étais ado, les films tels que *Pretty Woman* ou *American Gigolo* en donnaient une image flatteuse, scintillante et aseptisée. J'étais avec Cate, la première fois que j'ai vu des prostituées dans la vraie vie. C'était à Leeds, à l'occasion d'une rencontre d'athlétisme. Dans le secteur de la gare, où s'alignaient les hôtels les plus miteux de la ville, il y avait des filles à chaque coin de rue. Certaines avaient l'allure d'épaves lessivées par la drogue – rien à voir avec Julia Roberts. D'autres vous toisaient d'un air si féroce qu'on avait l'impression de croiser des murènes, plutôt que des objets de désir.

Je dois avoir une conception naïve du sexe. Pour moi, c'est quelque chose de quasi surnaturel – enfin, ça devrait l'être. Je n'ai jamais été très amateur de blagues salaces, et je déteste l'exhibitionnisme sous toutes ses formes. Cate s'agaçait parfois de ma pruderie, mais moi, ça ne m'a jamais empêchée de vivre...

« À quoi pensez-vous, chef ?

— Je me demande ce qu'ils ont dans le crâne, ces types...

— Les proxénètes ?

— Non, les clients. Quand je vais aux WC, ça ne me fait rien de trouver le siège déjà chauffé par l'usager qui m'a précédé dans les lieux, mais il y a tout de même des endroits où je ne voudrais pas arriver en cinquième ou en vingtième position !

— Vous pensez qu'on devrait interdire la prostitution ?

— Absolument pas. C'était juste une observation personnelle, en passant... »

Et moi de lui citer un article que j'avais lu à la fac, un texte de Camille Paglia, où elle s'efforçait de démontrer que les prostituées étaient non pas les victimes des hommes, mais leurs prédatrices.

« Le sang des féministes n'a dû faire qu'un tour ! »

Nous marchons quelque temps en silence, puis nous nous asseyons. Un rayon de soleil tombe sur la place. Un type s'est juché sur une caisse, près d'un arbre, et déclame quelque chose qui pourrait aussi bien être une version néerlandaise d'*Hamlet* que l'annuaire téléphonique...

De retour à notre hôtel, nous décrochons notre téléphone pour éplucher une liste de numéros que nous a donnée Hokke – foyers d'accueil, avocats, comités de soutien aux réfugiés... Nous y passons le plus clair de la journée, mais peine perdue : personne n'a entendu parler de Samira. Peut-être allons-nous devoir le faire à l'ancienne. Au porte-à-porte... !

J'ai déniché une boutique de reproduction et de photocopie sur Damrak. Un technicien scanne et agrandit la photo de Samira, avant de m'en tirer plusieurs dizaines d'exemplaires sur une imprimante couleur. L'odeur du papier et de l'encre me monte à la tête.

Ruiz va aller à Central Station montrer les photos

aux passants, pendant que je ferai les vitrines du quartier chaud. Les filles se confieront plus volontiers à moi. Ruiz approuve sans réserve cette répartition des tâches.

Avant de partir, j'appelle Barnaby Elliot pour lui demander comment s'est passé l'enterrement... À peine a-t-il reconnu ma voix qu'il m'accuse d'avoir mis le feu à la maison de Cate et de Felix.

« La police m'a dit que vous y étiez ! Il paraît que c'est vous qui avez donné l'alarme, pour l'incendie.

— J'ai donné l'alarme pour une effraction. Je n'ai pas mis le feu.

— Qu'est-ce que vous fichiez sur les lieux ? Vous vouliez retrouver l'ordinateur de ma fille et son courrier. Vous étiez venue les voler ! »

Je garde le silence, ce qui ne fait qu'attiser sa fureur.

« Des inspecteurs sont passés et m'ont bombardé de questions. Je leur ai dit que vous aviez accusé Cate à tort et à travers. À cause de vous, ils nous refusent le permis d'inhumer ! Impossible d'organiser les funérailles, l'église, les faire-part, les notices nécrologiques. Nous ne pouvons même pas dire convenablement adieu à notre fille !

— J'en suis sincèrement navrée, Barnaby. Mais je n'y suis pour rien. Cate et Felix ont été assassinés.

— AH, TAISEZ-VOUS ! TAISEZ-VOUS !

— Écoutez-moi...

— Non ! J'en ai jusque-là, de vos histoires ! Fichez-nous la paix, à moi et à ma famille. Oubliez-nous, une bonne fois pour toutes ! »

À peine a-t-il raccroché que mon portable se met à gazouiller.

266

« Allô ? Alisha ? Allô...

— Je suis là, maman. Je t'entends parfaitement.

— Alors, tout va bien ?

— Oui. Très bien.

— Est-ce que Hari t'a appelée ?

— Non.

— Un superintendant North a tenté de te joindre. Il a dit que tu ne t'étais pas présentée à ton travail... »

Hendon ! Mon nouveau poste, au service de recrutement. Ça m'était complètement sorti de l'esprit...

« Il veut que tu le rappelles.

— OK.

— Tu es sûre que ça va bien ?

— Mais oui, maman. »

Elle entreprend de me narrer par le menu les dernières aventures de mes nièces et neveux – qui a eu sa première dent, dit son premier mot, fait ses premiers pas ou son premier sourire. Et puis vient la litanie des spectacles de fin d'année – concerts ou ballets des écoles, matchs de foot poussins. Toute sa vie gravite autour de ces chers petits. Je devrais en concevoir une pointe de jalousie – mais non, même pas.

« J'espère que tu seras là dimanche, pour déjeuner. Il y aura tout le monde, sauf Hari. Il a un groupe de travail. »

Tiens, je ne connaissais pas encore l'expression !

« Et surtout, *ramène-nous* ton collègue si sympathique... Tu sais, le sergent... »

Elle veut parler de ce cher petit Dave.

« Mais je ne l'avais pas *amené*, la dernière fois...

267

— Nous avons énormément apprécié sa compagnie.

— Maman. Il n'est même pas sikh !

— Ne t'inquiète pas pour ton père. Tu sais, il aboie mais ne mord pas ! Je l'ai trouvé tellement bien élevé, ce sergent King...

— *Bien élevé ?*

— Oui. Je sais bien que tout le monde ne peut pas espérer épouser le prince charmant, mais avec un minimum de patience, on peut s'en fabriquer un sur mesure. Regarde comme je me suis bien débrouillée avec ton père ! »

Comment ne pas craquer ? Elle est désarmante. Elle colle un baiser retentissant dans le combiné – un rituel en voie de disparition, de nos jours. Je lui renvoie son bisou.

Et, comme à point nommé, l'appel suivant se trouve être de Dave. Je commence à me demander s'ils ne sont pas de mèche, ces deux-là !

« Salut ma puce !

— Salut ma poule ! » J'entends son souffle aussi nettement que s'il respirait dans mon cou.

« Tu sais que je me morfonds, loin de toi.

— Une partie de toi, disons...

— Non. Tout mon être. Tu me manques vraiment. »

Et bizarrement, à moi aussi, il me manque. Ça, c'est nouveau !

« Alors ? Tu l'as retrouvée ?

— Non.

— Je veux que tu rentres. On a besoin de parler sérieusement, tous les deux.

— Eh bien, vas-y. Je t'écoute. »

Il a quelque chose à m'annoncer. Je l'entends prendre mentalement son élan.

« Je vais donner ma démission.

— Fichtre !

— J'ai repéré une petite école de voile à vendre, sur la côte sud. Je vais l'acheter.

— Une école de voile.

— C'est un secteur d'avenir. L'été, on fait le plein – et l'hiver, je travaillerai sur des bateaux de pêche ou je me trouverai un poste d'agent de sécurité, quelque part...

— Où tu comptes trouver l'argent ?

— Je vais l'acheter avec Simon.

— Je croyais qu'il vivait à San Diego.

— Oui, mais ils veulent rentrer au pays, lui et sa femme. »

Simon, c'est son frère. Il est fabricant de voiles, ou concepteur de bateaux, ou architecte naval – je n'arrive jamais à m'en souvenir.

« Moi qui pensais que tu adorais ton boulot de flic.

— Ça ne serait pas vivable, si un jour je décidais de fonder une famille. »

Touché. « Sans compter que ça te rapprocherait de tes parents... (Ils habitent à Poole.)

— Eh ouais.

— C'est sympa, la voile... » La nouvelle me laisse sans voix.

« Attends, Alisha... c'est pas tout ! Je voudrais que tu viennes avec moi. Et qu'on soit associés...

— Associés !

— Tu sais que je t'aime. Je veux t'épouser. J'ai des projets pour nous. » Son débit s'accélère. Il est

269

lancé. « Ne réponds surtout pas ! Pas tout de suite. Réfléchis d'abord. Je vais t'emmener voir ça. J'ai déniché un petit cottage à Milford-on-Sea. Un coin superbe. Ne dis pas non... dis "peut-être", et attends de voir... »

Je sens quelque chose chavirer, tout au fond de moi. Je voudrais prendre sa grande main dans les miennes, qui sont nettement plus petites. Je voudrais couvrir de baisers ses paupières closes. Il peut dire ce qu'il veut, je sens bien qu'il voudrait une réponse, une réponse que je ne peux pas lui donner. Ni aujourd'hui, ni demain. Pour moi, le futur se réduit aux trois heures qui viennent.

4

Une fois de plus, je parcours Oude Klerk et Trompettersteeg. Hokke était dans le vrai : c'est un tout autre quartier, à la nuit tombée. On sentirait presque dans l'air des relents de testostérone et de préservatifs usagés.

En passant devant chaque fille, je colle la photo de Samira contre sa vitre. Certaines me crient de dégager en agitant les mains d'un air furibard. D'autres me font des sourires aguicheurs. J'évite de soutenir trop longtemps leur regard, mais je dois tout de même m'assurer qu'elles ont bien vu la photo...

Je fais ainsi Goldbergersteeg et Bethlemsteeg, en tâchant de me rappeler dans quelles vitrines les rideaux étaient tirés, pour y revenir plus tard. Une seule fille essaie de m'attirer dans sa « boutique ». Elle pose le pouce et l'index sur ses lèvres et pointe la langue entre ses doigts réunis. Puis elle me lance quelque chose en hollandais. Je secoue la tête.

« Tu cherches une fille... ? » Elle l'a dit en anglais, cette fois. Elle fait se trémousser ses seins, à peine voilés par son corsage transparent rouge.

« Je ne suis pas lesbienne.

— Mais avoue que t'y as pensé !

— Non.

— Je peux faire l'homme. Eh ! J'ai tout ce qu'il faut ! » Elle m'éclate de rire au nez, à présent.

Je continue. Je tourne au coin de la rue, je longe le canal puis Boomsteeg, jusqu'à Moleensteeg. J'avise trois fenêtres alignées côte à côte, au niveau de la rue, presque en sous-sol. Le rideau de celle du milieu est tiré. À l'intérieur, une jeune femme lève les yeux vers moi. Les ultraviolets donnent à ses cheveux blonds et à ses dessous blancs une opalescence laiteuse. Un minuscule triangle de tissu ne masque qu'à peine son sexe et, plus haut, deux autres mettent en valeur son décolleté.

Un ballon est accroché à la fenêtre, avec des guirlandes et des serpentins. Un anniversaire ? J'applique la photo contre la vitre et je vois passer quelque chose dans son regard. Elle a reconnu Samira.

« Vous savez qui c'est ? »

Elle fait « non » de la tête, mais elle ment.

« Je vous en prie... aidez-moi ! »

On sent quelques vestiges de classe et de beauté dans ses hautes pommettes, dans la courbe élégante de sa mâchoire. Elle a les cheveux séparés par le milieu, dessinant une raie plus sombre. Elle baisse les yeux. J'ai piqué sa curiosité.

La porte s'ouvre. J'entre. La pièce, minuscule, contient en tout et pour tout un lit double, un fauteuil et un petit lavabo. Tout est rose – les oreillers, les draps et la serviette propre qui est étendue par-dessus. L'un des murs est entièrement tapissé de

272

miroirs qui démultiplient l'espace, créant l'illusion que nous partageons la pièce avec une autre fenêtre.

Elle garde une boîte de soda à portée de main. « Je m'appelle Ève, s'esclaffe-t-elle avec un reniflement ironique. Bienvenue dans mon petit Éden ! »

Elle se baisse pour prendre un paquet de cigarettes sous son tabouret. Ses seins ballottent. Elle n'a même pas pris la peine de refermer les rideaux – au contraire, elle reste près de la fenêtre, bien en vue. Mon regard fait l'aller-retour du fauteuil au lit. Où m'asseoir ?

Elle me montre le lit. « Vingt euros les cinq minutes. »

J'entends dans son accent une composante américaine : l'omniprésent pouvoir d'Hollywood, qui a appris l'anglais à toute la planète...

Je lui tends un billet qu'elle fait disparaître d'un geste de prestidigitatrice.

Je lui montre à nouveau la photo : « Elle s'appelle Samira.

— Oui. C'était l'une des filles enceintes. »

Je me redresse, soudain ragaillardie. Revêtue de cette armure invisible qu'est le Savoir.

Elle hausse les épaules. « Mais bien sûr, je peux me gourer. »

Les taches, sur son avant-bras, sont des ecchymoses. Elle en a d'autres sur le cou, encore plus marquées.

« Où l'avez-vous rencontrée ? Où et quand ?

— Quelquefois, on me demande de former des nouvelles. De leur montrer...

— Leur montrer quoi ? »

Elle rigole doucement en s'allumant une cigarette. « À votre avis ? Elles s'asseyent dans le fauteuil ou sur le lit, pour regarder. Ça, c'est au choix du client. Parce que certains aiment bien qu'on les mate. Ça accélère les choses. »

Je me retiens à temps de lui demander à quoi peut servir le fauteuil. Mes yeux sont tombés sur le petit tapis, sans doute destiné à protéger ses genoux.

« Mais vous disiez qu'elle était enceinte. Pourquoi auriez-vous eu besoin de lui montrer quoi que ce soit ? »

Elle lève les yeux au ciel. « Ça, c'était la version à vingt euros. Vous en avez eu pour votre argent... »

Je hoche la tête.

« Je l'ai vue pour la première fois en janvier. Je m'en souviens très bien. Il faisait un froid de canard. » D'un geste, elle m'indique le lavabo. « L'eau est glaciale, en hiver. Je n'ai même pas de chauffe-eau. Ils l'avaient amenée pour qu'elle voie le boulot. Elle ouvrait des yeux grands comme ça... à un moment j'ai bien cru qu'elle allait gerber. Je lui ai dit d'utiliser le lavabo pour se passer de l'eau sur la figure. J'ai tout de suite vu qu'elle n'y arriverait pas. Ça n'est que du sexe, tu sais. Un truc purement physique. Personne ne peut te toucher ici... » Elle pointe l'index sur son cœur, puis sur son front. « Ni là. Mais elle, c'était une de ces putains de pucelles ! »

D'une pichenette, elle fait tomber sa cendre.

« Et alors ? Que s'est-il passé ?

— C'est fini ! lance-t-elle, la main tendue.

— Ça ne fait pas cinq minutes. »

Elle me montre l'horloge, au mur. « Tu vois ça ?

Mon métier consiste à la surveiller, couchée sur le dos. Personne au monde ne sait mieux que moi compter cinq minutes ! »

Je lui donne vingt euros de plus. « Et vous disiez qu'elle était enceinte ?

— Ça, c'était la deuxième fois que je l'ai vue. À Amersfoort, dans une clinique. Elle était dans la salle d'attente, avec une autre fille, une Serbe, enceinte comme elle. Je me suis dit que c'était soit une arnaque à la sécurité sociale, soit le seul moyen qu'elles avaient trouvé pour échapper au rapatriement.

— Vous lui avez parlé ?

— Non. Mais je me souviens que j'en étais plutôt baba. Je pensais qu'elle s'était juré d'être la dernière vierge au monde ! » Sa cigarette se consume, tout près de ses doigts.

« Je veux le nom et l'adresse de cette clinique.

— C'est celle du Dr Beyer, à Amersfoort. Le numéro est dans l'annuaire. »

Elle écrase son mégot sous son talon aiguille. Un coup frappé à la vitre lui fait lever la tête. Dehors, un type pointe l'index sur moi, puis sur elle.

« C'est quoi ton prénom ? me glisse-t-elle d'un air complice.

— Alisha. »

Elle s'approche de la porte. « Il nous veut toutes les deux, Alisha.

— N'ouvrez pas !

— Allez... fais pas ta timide. Il a l'air propre, et j'ai des capotes.

— Mais je ne suis pas une...

— T'es pas une pute, non. Mais t'es pas vierge,

275

non plus. Tu pourrais te faire un peu de fric. T'offrir quelques belles fringues... »

Un petit attroupement s'est formé dehors. Cinq ou six clients nous lorgnent par la fenêtre. J'ai bondi sur mes pieds, prête à mettre les voiles – mais Ève n'a pas renoncé à me convaincre. « Qu'est-ce que t'as à perdre ? »

Je suis à deux doigts de lui répondre : « Ma propre estime », mais je préfère me taire.

Elle ouvre la porte, et je dois la frôler pour sortir. Je sens son ongle courir sur ma joue, tandis qu'elle s'humecte les lèvres du bout de la langue. Les clients bloquent l'escalier et l'accès au trottoir. Je dois me frayer un chemin parmi eux, sentir leur odeur, les frôler au passage. Je rate une marche, je trébuche sur les pavés glissants. Avec une brus-querie que rien ne justifie, j'écarte d'une claque une main qui se tend pour me rattraper. Une seconde de plus et je criais au viol. Mais j'avais raison ! Pour Samira. Pour le bébé. C'était bien pour ça que Cate devait feindre d'être enceinte... Et ça explique aussi la présence de cette photo sur elle, le soir où elle a essayé de m'en parler. Jusqu'au bout, j'ai espéré que je me trompais...

Un petit morceau de ciel gris apparaît, au-dessus de l'attroupement et, un instant plus tard, j'en suis sortie. Je suis déjà loin, dans une autre rue, plus dégagée. Je souffle un grand coup. L'eau noire du canal est zébrée de zigzags rouges et mauves. Je me penche sur une balustrade pour vomir, ajoutant ma propre touche à la palette.

Mon portable se réveille. C'est Ruiz et il a des nouvelles.

« Je crois que je tiens quelqu'un... » Il est essoufflé. « Je montrais la photo de Samira aux passants, à Central Station, quand je suis tombé sur un gamin qui a réagi bizarrement, en reconnaissant Samira.

— Parce qu'il l'a reconnue, vous croyez ?

— Peut-être, mais il ne l'admettra jamais, fût-ce devant Dieu le Père.

— Où est-il ?

— Il a pris la tangente. Je lui file le train, à cinquante mètres. »

L'inspecteur divisionnaire me donne le signalement d'un adolescent – quatorze ans, veste de treillis kaki, jeans et baskets.

« Purée ! s'écrie-t-il.

— Quoi ?

— Je suis à court de batterie. J'aurais dû recharger mon portable, hier soir. Mais y a jamais personne qui me téléphone !

— Si, moi.

— Ouais, ce qui ne fait que confirmer qu'il est grand temps que vous refassiez votre vie ! Je cherche quelque chose que je pourrais vous dire, pour vous repérer, une indication... Attendez, j'arrive à proximité d'un canal !

— Lequel ?

— Ah ! Ils se ressemblent tous. »

J'entends de la musique en arrière-plan. Les voix des filles qui s'interpellent d'une vitrine à l'autre.

« Minute... ! dit-il. Barndesteeg. »

Dans la lueur ocre d'un lampadaire, je déplie un

plan touristique et je parcours la liste des noms de rues, jusqu'à ce que je déniche les références sur la grille. C6. Ils sont là, tout près.

Dans les films et les feuilletons, ça paraît tout simple, de suivre quelqu'un sans se trahir. Mais il en va autrement dans la vraie vie. S'il s'agissait d'une véritable filature, exécutée dans les règles de l'art, nous disposerions de deux voitures, d'une moto, et de deux flics à pied, sinon trois. Chaque fois que notre client se retournerait, il apercevrait un visage différent. Mais là, nous devons faire avec les moyens du bord.

Je presse le pas en traversant Sint Jansbrug, puis je file le long du canal. Ruiz est à deux rues de là, vers l'est, sur Stoofsteeg. Il se dirige vers moi. Le jeune garçon va me croiser d'une minute à l'autre.

Les trottoirs sont noirs de monde. Je dois slalomer dans la foule. Ça sent le shit et le graillon.

Je ne le vois qu'au dernier moment – il est déjà presque passé. Un gamin maigre, aux joues hâves, les cheveux en bataille et enduits de gel. Il descend du trottoir pour éviter les passants d'en face. Il porte en bandoulière un sac en toile kaki, dont dépasse une bouteille de Coca. Il jette un coup d'œil par-dessus son épaule. Il se sait suivi, mais ça n'a pas l'air de l'effrayer.

Ruiz se laisser distancer. Je prends le relais. Nous arrivons au canal. Nous traversons un pont, ce qui nous fait presque revenir sur nos pas, puis il part le long du canal, en marchant du côté de l'eau, plutôt que de celui des bâtiments. Mais s'il cherche à semer son poursuivant, pourquoi choisit-il de rester à découvert ?

Et puis je comprends... Il fait marcher Ruiz! Il l'éloigne. À Central Station, il devait y avoir quelqu'un, voire plusieurs personnes, qui connaissaient Samira. Le gamin cherche à empêcher Ruiz de leur parler.

Il s'arrête, semble attendre quelque chose. Je le dépasse. Ruiz reste invisible. Le gamin rebrousse chemin, pour plus de sûreté. Il croit l'avoir semé. Puis, rassuré, il se remet en marche sans un regard en arrière. Je lui file le train dans les étroites ruelles – jusqu'à Warmoesstraat, puis à Dam Square. Il attend quelques minutes au pied d'une statue, et je vois arriver une fille – mince, presque frêle, vêtue d'un jean et d'une veste en velours côtelé rose, les cheveux raides, coupés courts, couleur thé sombre.

Le gamin discute avec elle, âprement, gestes à l'appui. J'appelle le portable de Ruiz. « Où êtes-vous, chef?

— Juste derrière vous.

— Vous auriez vu une fille, à la gare – jean, veste en velours rose, cheveux brun foncé – dix-huit ou dix-neuf ans? Et plutôt jolie, pour autant que je puisse en juger...

— Samira?

— Non. Ça n'est pas elle. Je crois que le garçon vous a éloigné de la gare. Il ne voulait pas que vous la rencontriez. »

Leur discussion continue. Elle secoue la tête. Il la tire par la manche. Elle se dégage d'un geste brusque et s'éloigne. Il lui crie quelque chose. Elle part sans se retourner.

« Ils se séparent, murmuré-je dans mon portable. Je vais suivre la fille. »

Elle a une allure bizarre, avec un buste relativement long et de toutes petites jambes arquées. Elle marche en canard, les pieds écartés. Sans ralentir l'allure, elle sort de sa poche un foulard bleu dont elle s'enveloppe la tête, en le nouant sous le menton. Un « hajib », le foulard islamique.

Je reste dans ses pas, en gardant un œil sur le trafic et les mouvements de la foule. Les trams passent sur les rails, au milieu de la rue principale. Les voitures et les vélos se faufilent entre eux. Elle est si fluette et si preste que je la perds régulièrement de vue.

Un moment, elle est juste devant moi et la seconde d'après... où est-elle passée ? Je pars au pas de course en explorant du regard les entrées des immeubles et les vitrines des boutiques. Je cherche dans les rues adjacentes, dans l'espoir d'apercevoir sa veste rose et la tache bleue de son foulard.

Je m'arrête sur un terre-plein central, au milieu d'une avenue, pour balayer les environs du regard, à trois cent soixante degrés, puis je redescends sur la chaussée. Une cloche sonne. Je tourne la tête, tandis qu'une main invisible me tire en arrière. Et le tram passe, dans un tourbillon d'air et de bruit.

La fille à la veste rose me regarde bien en face, encore plus effrayée que moi. Ses yeux, soulignés de grands cernes sombres, trahissent une trop grande précocité, ou l'habitude du malheur. Elle savait que j'étais sur ses traces. Elle vient de me sauver la vie.

« Qui êtes-vous ? »

Ses lèvres n'ont pas frémi. Elle tourne les talons. Je dois sprinter sur plusieurs mètres pour la rattraper et passer devant elle.

« Attendez... ne partez pas ! Est-ce que je peux vous parler ? »

Elle garde le silence. Peut-être ne me comprend-elle pas.

« Vous parlez anglais ? Je m'appelle Alisha – Alisha – moi... », lui dis-je, l'index pointé sur ma poitrine.

Elle me contourne.

« Attendez, je vous en prie... »

Elle me contourne à nouveau. Je dois éviter les passants, tout en marchant à reculons pour tenter de lui parler. Je la supplie, les mains jointes comme dans une prière : « Je cherche Samira... »

Mais elle ne s'arrête pas. Comment puis-je l'obliger à me parler ?

Tout à coup, elle entre dans un immeuble en poussant une lourde porte. Je ne l'ai vue utiliser ni clé ni interphone. Le hall de l'immeuble sent la soupe et le chauffage électrique. Franchissant une seconde porte, j'arrive dans une grande salle claire et austère, pleine de tables et de bruits de chaises. Des gens sont attablés. C'est une cantine. Un barbu, genre ex-motard, donne les couverts. Un autre distribue le pain.

Près de moi, à une table, un vieillard trempe un morceau de pain dans sa soupe fumante, le bras replié autour de son assiette comme pour la défendre. Près de lui, un grand maigre coiffé d'un bonnet de laine s'est endormi, la tête sur la table. Il doit y avoir une trentaine de personnes, dans la salle. Des pauvres hères, pour la plupart. Des vagabonds dépenaillés, affligés d'infirmités et de tics divers – et surtout, affamés.

« *Wou je iets om te eten ?* »

Je me retourne vers cette voix qui répète, cette fois en anglais : « Voulez-vous prendre une assiette ? »

C'est une vieille religieuse, qui a posé sur moi un regard clair, presque enfantin. Sous son grand tablier, sa tunique noire est bordée de vert. Ses cheveux blancs, tirés en arrière, disparaissent sous une coiffe immaculée.

« Non, merci.

— Il y en a assez pour tout le monde, vous savez ! Et c'est de la bonne soupe, faite maison ! »

Elle réunit les assiettes au bout des tables et les empile sous son bras. Pendant ce temps, la fille à la veste rose a aligné deux grandes boîtes de métal devant la marmite de soupe.

« Qui tient ce réfectoire ?

— Nous sommes des sœurs augustiniennes. Je suis sœur Vogel. » Elle doit avoir quatre-vingts ans, au bas mot, et les autres religieuses sont du même âge – quoique peut-être pas aussi chenues. Sœur Vogel est minuscule. Elle ne doit pas dépasser le mètre cinquante. Elle a une voix à la fois sonore et rocailleuse, comme une bétonnière remplie de graviers.

« Vous n'en voulez pas... c'est bien sûr ?

— Non, merci. » Mes yeux restent rivés à la fille en rose.

La sœur vient se placer juste devant moi. « Qu'est-ce que vous lui voulez ?

— J'ai besoin de lui parler.

— Ce n'est pas possible.

— Pourquoi ?

282

— Elle ne peut vous entendre... »

J'ouvre la bouche pour protester, mais je me ravise. J'ai compris. Ce n'est pas un problème de langue ou de refus de communiquer. Elle est sourde.

Les gamelles sont pleines. La fille revisse leur couvercle et les enfourne dans une grande besace qu'elle charge sur son épaule, en bandoulière. Puis elle enveloppe deux morceaux de pain dans une serviette et en prend un troisième pour elle. Elle a commencé à en grignoter les extrémités.

« Vous savez qui c'est ?

— Non. Elle vient trois fois par semaine et emporte juste de quoi manger.

— Où habite-t-elle ? »

Sœur Vogel n'a nullement l'intention de me renseigner. Elle n'obéit qu'à une autorité, la plus haute.

« Elle n'a rien fait de mal..., dis-je, d'un ton qui se veut rassurant.

— Pourquoi tenez-vous tant à lui parler ?

— J'essaie de retrouver quelqu'un. C'est très important. »

Sœur Vogel pose sa pile d'assiettes, s'essuie les mains sur son tablier, puis traverse la salle, avec autant d'aisance que si elle flottait au-dessus du sol, dans sa longue tunique. Près d'elle, j'ai l'impression d'avoir des semelles de plomb.

Elle va se planter bien en face de la jeune fille en rose et lui tapote la main, avant de placer ses propres doigts selon certaines figures.

« Vous connaissez la langue des signes ! m'étonné-je.

283

— Certaines lettres, oui. Que voulez-vous savoir ?
— Son nom. » Elles communiquent par signes.
« Zala.
— D'où vient-elle ?
— D'Afghanistan. »

Je sors la photo de ma poche, et sœur Vogel me la prend des mains. La réaction est instantanée. Zala secoue désespérément la tête. Elle a peur. Elle refuse de regarder à nouveau la photo.

La sœur tente de la calmer. Sa voix se fait plus douce, tout comme ses mouvements. Zala secoue toujours la tête, presque sans lever les yeux.

« Demandez-lui si elle connaît Samira. »

La sœur tente de traduire la question, mais Zala bat en retraite.

« Il faut absolument que je sache où est Samira ! »

La sœur me lorgne d'un œil réprobateur. « Et nous, nous évitons de tourmenter les gens qui viennent chercher refuge chez nous. »

Zala est déjà près de la porte. Elle ne peut pas prendre ses jambes à son cou à cause de sa besace, qui la ralentit. Comme je m'élance à sa poursuite, sœur Vogel me rattrape par la manche. « Fichez-lui donc la paix ! »

Je lui lance un regard implorant. « Impossible, ma sœur ! »

Zala est dans la rue. Elle regarde par-dessus son épaule. À la lueur du lampadaire suivant, je vois quelque chose luire sur ses joues. Elle est en larmes. Quelques mèches s'échappent de son foulard. Encombrée par son sac, elle ne peut libérer sa main pour les écarter.

284

Le mobile de Ruiz ne répond plus. Sa batterie a dû rendre l'âme. J'emboîte le pas à Zala. Nous nous éloignons du couvent. Je ne reconnais plus les rues, ni les canaux. Ils sont à présent bordés de bâtiments vétustes et lépreux, divisés en appartements ou en pavillons. Les sonnettes des interphones s'alignent en rangs bien nets.

Nous dépassons une enfilade de boutiques fermées, avec les volets clos. Une rue plus loin, elle traverse la chaussée et franchit une grille, celle d'un grand immeuble délabré qui s'élève au milieu d'un carrefour en T. Les buissons de la cour composent des masses vert sombre sur le fond noir des briques. Les fenêtres du bas sont équipées de barreaux et celles des étages supérieurs de volets qui laissent filtrer quelques rais de lumière.

Je passe la grille à mon tour, en tentant de voir s'il y a d'autres entrées. Si seulement Ruiz était là... Mais qu'est-ce qu'il ferait de plus ? Frapper à une porte, au hasard ? Expliquer les raisons de sa présence ? Non. Il se mettrait dans un coin, l'œil aux aguets. Pour observer qui entre et qui sort. Étudier le contexte et le rythme de l'endroit.

Je consulte ma montre – huit heures, passées de quelques minutes. Où peut-il bien être ? Je lui envoie un SMS, avec l'adresse. Avec un peu de chance, il le recevra...

Le vent s'est levé. Il soulève des feuilles qui viennent tourbillonner jusqu'à mes pieds, mêlées de vieux papiers. Je me rencogne dans une porte d'entrée, pour m'abriter du froid et des regards indiscrets.

À ce genre d'exercice, Ruiz est sans égal. Moi, je

manque de patience. Il peut faire le vide dans son esprit et rester parfaitement concentré, sans la moindre faute d'attention. Moi, quand je contemple trop longtemps la même scène, elle finit par s'imprimer dans mon subconscient et s'y rejoue en boucle. Au bout d'un certain nombre d'heures, je ne remarque même plus les changements... C'est ce qui explique qu'il vaut mieux faire tourner les équipes de surveillance toutes les deux ou trois heures. Pour garder l'œil frais.

Une voiture s'arrête, en double file. Un type entre dans l'immeuble et en ressort cinq minutes plus tard, en compagnie de trois jeunes femmes. Pomponnées. Fin prêtes pour la chasse à l'homme. Si Ruiz était là, il dirait qu'il y a du sexe dans l'air...

Deux autres petits malfrats ont mis pied à terre pour allumer une cigarette et viennent s'asseoir sur les marches de l'entrée, les jambes étendues. Relax. Un gamin arrive derrière l'un d'eux, sur la pointe des pieds, et lui plaque les mains sur les yeux, pour rire. Le père et le fils jouent un instant à se bagarrer, puis l'enfant disparaît à l'intérieur. Ils ont bien l'allure d'immigrés, et c'est exactement le genre d'endroit où Samira aurait pu chercher refuge, pour se fondre dans le nombre.

Je ne vais pas rester là toute la nuit... Mais d'un autre côté, pas question de partir, au risque de perdre ce fil ténu qui me relie à elle. Où peut bien être Ruiz... !

Les types assis sur les marches lèvent la tête à mon approche.

« Samira Khan, vous connaissez ? »

D'un coup de menton, l'un d'eux m'indique la

direction de l'escalier. Je les contourne. La porte est ouverte. L'entrée sent le tabac froid et les épices rissolant dans l'huile.

Trois enfants jouent au pied de l'escalier.

L'un d'eux m'attrape la jambe et tente de se cacher derrière moi, avant de partir en courant. J'arrive au premier. Des bouteilles de gaz s'alignent le long des murs, avec des sacs poubelle. Un bébé pleure. D'autres gosses se disputent. Des rires préenregistrés fusent à travers les cloisons, qui doivent être à peine plus épaisses que du papier à cigarette.

Deux filles de treize ans sont assises devant la porte d'un appartement, occupées à se glisser des secrets à l'oreille.

« Je cherche Samira. »

L'une d'elles me fait signe de continuer à monter.

Je grimpe donc les étages, de palier en palier. Du linge sèche sur les rampes. Quelque part, des WC ont débordé.

J'arrive au dernier. La porte des toilettes s'est ouverte, tout au bout du couloir, et Zala apparaît, chargée d'un seau d'eau. Dans la pénombre du couloir, je distingue une autre porte, ouverte, qu'elle ne peut atteindre avant moi. Le seau tombe. L'eau se répand dans le couloir.

Au mépris de tout ce que j'ai pu apprendre en stage d'entraînement, je m'élance, faisant irruption dans une pièce inconnue. Une jeune femme, très brune, est assise sur un canapé à haut dossier. Elle est vraiment toute jeune. Mais son visage m'est familier. Même dans ce grand pull et cette longue jupe sans forme, sa grossesse saute aux yeux. Elle se tient les épaules voûtées en avant, comme pour protéger sa poitrine de future mère.

Zala m'a coiffée au poteau. Elle vient s'interposer entre son amie et moi. Samira se lève. Sa main se pose sur l'épaule de la jeune sourde, tandis que son regard me parcourt de la tête aux pieds, comme pour me replacer dans mon contexte.

« Samira. Je ne vous veux aucun mal...

— Sortez immédiatement d'ici, me répond-elle dans un anglais d'une perfection toute scolaire. Pour votre propre bien !

— Je suis Alisha. Alisha Barba. »

Son regard s'éclaire. Elle connaît mon nom.

« Ne restez pas là, je vous en prie. Partez !

— Dites-moi d'abord comment vous me connaissez. »

Elle garde le silence. Sa main vient se poser sur son ventre rebondi qu'elle caresse doucement, comme pour bercer son petit passager. Ce geste d'apaisement semble l'avoir elle-même calmée et lui avoir ôté toute combativité.

Elle fait signe à Zala d'aller tourner le verrou de la porte et la pousse en direction de la cuisine, dont j'aperçois le lino moucheté, usé par endroits jusqu'au plancher. Sur une étagère s'alignent des bocaux d'épices et un sac de riz. Une des gamelles qui ont contenu la soupe est déjà rincée et sèche sur l'égouttoir, près de l'évier.

Je jette un coup d'œil au reste de l'appartement. La chambre est une grande pièce carrée. De multiples fissures sillonnent le plafond dont le plâtre cloque – il doit y avoir quelques fuites là-haut, dans le toit. Les matelas sont poussés contre le mur et les couvertures soigneusement pliées à la tête des lits. Un cintre métallique maintient fermées les portes de l'armoire.

Sur une malle en bois, trône un cadre avec une photo – un portrait de famille. Derrière la mère, assise avec un bébé dans les bras, se tient le père, la main sur l'épaule de sa femme. Près d'eux pose une fillette, sans doute Samira, l'ourlet de sa robe à la main.

Je me tourne vers elle. « J'ai eu du mal à vous retrouver...

— Ne restez pas ici... s'il vous plaît ! »

Je jette un coup d'œil à son ventre. « C'est pour quand ? Pour bientôt ? Qu'est-ce que vous allez faire de votre enfant ? »

Elle lève deux doigts. L'espace d'une seconde, j'interprète son geste comme un signe adressé à Zala. Mais non. Rien à voir avec la langue des signes. C'est à moi que s'adresse le message : deux. Ils sont deux ! Des jumeaux.

« Un garçon et une fille, précise-t-elle, les mains jointes dans un geste de prière. Je vous en prie. Allez-vous-en. Vous n'avez rien à faire ici. »

Je sens un frisson me parcourir la nuque. De quoi a-t-elle si peur ?

« Parlez-moi un peu de ces enfants, Samira. Avez-vous l'intention de les élever ? »

Elle secoue la tête.

« Qui est le père ?

— Allah le Miséricordieux.

— Je ne comprends pas.

— Si. Je suis toujours vierge.

289

— Mais vous êtes enceinte, Samira. Vous n'ignorez pas comment ça vous est arrivé... »

Elle affronte mon scepticisme d'un air de défi : « Je vous dis que je n'ai jamais couché avec un homme. Je suis vierge. »

Qu'est-ce que c'est que cette histoire... ? Elle me soutient l'incroyable avec l'inébranlable certitude des prosélytes.

« Qui a mis ces bébés dans votre ventre, Samira ?

— Allah.

— L'avez-vous vu ?

— Non.

— Comment a-t-il fait ?

— Avec l'aide des docteurs. C'est eux qui ont planté les œufs en moi... »

Elle parle de fécondation in vitro, évidemment. On lui a implanté deux embryons, ce qui explique qu'elle ait des jumeaux.

« À qui étaient-ils, ces œufs ? »

La question lui fait lever les yeux. Mais je connais déjà la réponse. Banerjee avait prélevé douze embryons valides – dont deux n'avaient pas été implantés sur Cate. Elle les a emmenés à Amsterdam et a loué les services d'une mère porteuse. Voilà pourquoi elle devait feindre d'être enceinte. Pour pouvoir donner à Felix son propre enfant – un rejeton biologique, génétiquement identifiable, dont personne n'aurait pu prouver qu'il n'était pas d'eux.

« Allez-vous-en, je vous en supplie, répète Samira, au bord des larmes.

— De quoi avez-vous si peur ?

— Vous ne pouvez pas comprendre.

— Dites-moi juste pourquoi vous faites tout ça. »

290

Du pouce et de l'index, elle relève ses cheveux sur son front. Puis elle soutient mon regard jusqu'à la limite de l'inconfortable. Je sens là-dessous une volonté de fer. Elle me défie.

« Est-ce qu'on vous a payée ? Combien ? C'est Cate qui a donné l'argent ? »

Elle s'enferme à nouveau dans son silence, détournant le visage en direction de la fenêtre, dont les contours sombres encadrent un carré de mur noir.

« Est-ce que c'est par Cate que vous avez eu mon nom ? Elle vous l'avait donné, en vous disant de m'appeler en cas de problème – c'est bien ça ? »

Elle hoche la tête.

« Je dois savoir pourquoi vous faites tout ça. Qu'est-ce qu'ils vous ont promis, en échange ?

— La liberté. Ils vont nous libérer.

— De quoi ? »

Elle me contemple, avec dans les yeux l'ombre d'un doute – comme si j'étais incapable de comprendre. « De l'esclavage. »

Je m'agenouille près d'elle et je prends sa main, qui est d'une surprenante fraîcheur. Le sommeil a laissé une petite miette au coin de son œil. « Dites-moi exactement ce qui s'est passé. Qu'est-ce qu'on vous a dit ? Est-ce qu'on vous a promis quelque chose ? »

Un bruit nous parvient du couloir. Samira sursaute, tandis que Zala franchit la porte de la cuisine, les traits tordus en un masque de terreur. Sa tête pivote vivement de côté et d'autre, comme si elle cherchait un endroit où se cacher.

D'un signe, Samira lui enjoint de retourner dans

la cuisine et fait face à la porte. Elle attend. Un imperceptible raclement. Puis une clé tourne dans la serrure de la porte d'entrée. J'ai des picotements sous la peau.

La porte s'ouvre sur un poids plume. Un type avec des yeux rouges et des dents gâtées. Il semble pris d'un spasme en découvrant ma présence. Sa main droite plonge aussitôt vers la poche intérieure de son blouson de nylon.

« *Wie bent u ?* » aboie-t-il.

Il doit demander qui je suis.

« Je suis infirmière », répliqué-je en anglais.

Du regard, il consulte Samira qui confirme d'un signe de tête.

« Le Dr Beyer m'a demandé de passer voir Samira en rentrant chez moi. J'habite dans le quartier. »

Il n'en croit pas un mot, mais il hésite. Il émet un claquement de langue, suivi d'un bruit de succion, tandis que son regard fait le tour de la pièce, comme pour accuser les murs de faire partie du complot.

Samira se tourne vers moi : « J'ai eu des contractions, cette nuit. Ça m'a empêchée de dormir.

— Vous n'êtes pas plus infirmière que moi ! me lance-t-il. Vous ne parlez même pas hollandais !

— J'ai bien peur que vous ne fassiez erreur, riposté-je avec un aplomb digne de Mary Poppins. L'anglais est la langue officielle de l'Union européenne. » Je l'ai affirmé d'un ton administratif et pincé, comme si c'était l'évidence même – mais j'ignore jusqu'où je peux le rouler.

« C'est quoi, votre adresse ?

— Je vous l'ai dit. J'habite dans le quartier.

— Dans quelle rue ? »

Par chance, le nom d'une des rues que j'ai traversées me revient. « Corningstraat ! Et maintenant, si vous voulez bien m'excuser, je dois pratiquer les examens. »

Sa bouche se tord en un rictus menaçant. Quelque chose dans sa méfiance même me laisse entrevoir un fond de brutalité qu'il voudrait dissimuler. Quels que soient les liens qui l'unissent à Samira et à Zala, il les terrifie. Elle a parlé d'esclavage. Je n'ai pas oublié le papillon tatoué sur le poignet de Hasan. Une marque de propriété. Je suis loin d'avoir réuni tous les éléments du puzzle, mais je suis sûre d'une chose : il faut les emmener loin d'ici, toutes les deux.

Il crache une question en néerlandais à laquelle Samira répond d'un hochement de tête.

« Lieg niet tegen me, kutwijf. Ik vermoord je. »

Sa main droite est toujours dans sa poche intérieure. Agile et délié comme un coureur de marathon, il ne doit pas peser plus de soixante-dix ou soixante-quinze kilos. En misant sur l'élément de surprise, je pourrais peut-être avoir le dessus face à lui...

« Veuillez quitter la pièce, lui dis-je.

— Non. Je reste là. »

Zala nous observe depuis la cuisine. Je lui fais signe d'approcher puis, dépliant une couverture, je la lui fais tenir comme un rideau, pour préserver ma patiente des regards indiscrets.

Samira s'allonge sur le canapé et soulève son gros pull jusque sous ses seins. J'ai les mains moites. Un petit triangle de coton blanc s'évase au-dessus de la peau veloutée de ses cuisses. Celle de son ventre a pris la consistance d'un papier calque tendu à craquer, si fin qu'on voit en transparence le tracé bleuâtre des vaisseaux sanguins.

Les bébés se mettent à bouger, provoquant des ondulations sous sa peau. Un genou ou une épaule soulève une petite butte qui s'estompe presque aussitôt. Je distingue vaguement la silhouette des petits corps – les têtes, les membres minuscules.

Elle plie les genoux et soulève les hanches, en me faisant signe d'enlever sa culotte. Elle sait mieux que moi ce que je dois faire. Son cerbère reste posté près de la porte. Elle le défie du regard comme pour lui dire : « Tu tiens vraiment à y assister ? »

Il baisse les yeux et, se détournant, va s'allumer une cigarette à la cuisine.

« Vous mentez bien..., murmure Samira.

— Presque aussi bien que vous. Qui c'est ?

— Yanus. Il nous surveille. Il s'occupe de nous.

— On fait mieux, comme nounou... » Mon regard fait le tour de la pièce.

« Parfois, il nous apporte à manger... »

Yanus revient sur le seuil de la cuisine.

« Eh bien, tout a l'air d'aller pour le mieux, dis-je à haute voix. Les bébés sont correctement placés. Ils ont bien descendu. Les contractions ne sont probablement que de simples signes avant-coureurs. Vous me paraissez en meilleure forme que la dernière fois. »

Je m'étonne moi-même. Mon esprit puise spontanément dans mes souvenirs. J'ai tant de fois entendu ma mère décrire la venue au monde de mes nièces et neveux, que j'en sais bien plus long que je ne voudrais, sur les bouchons muqueux, les degrés de dilatation du col et les techniques de cerclage. D'ailleurs, vu ma propre expérience, je fais autorité pour tout ce qui concerne la lutte contre la douleur – péridurales, analgésiques, Entonox, stimulateurs électriques transcutanés – et toute la kyrielle d'antalgiques, de produits homéopathiques, de techniques mentales et de remèdes de bonnes femmes qui peuvent exister de par le monde.

Yanus se détourne à nouveau et je l'entends composer un numéro sur son portable. Il appelle quelqu'un pour se renseigner. Je suis prise de court par le temps.

«Vous connaissez une de mes amies. Cate Beaumont. Vous vous souvenez ?»

Elle hoche la tête.

«Les bébés sont bien à elle ?»

Elle confirme à nouveau.

«Cate est morte dimanche dernier. Ils ont été renversés par une voiture, elle et son mari.»

Samira se recroqueville sur elle-même, comme si les fœtus avaient compris la nouvelle et se tordaient de douleur. Je lis dans son regard un mélange de fatalisme et d'incrédulité.

«Mais je peux vous aider, l'assuré-je.

— Personne au monde ne peut m'aider.»

Yanus est revenu sur le pas de la porte. Sa main se glisse à nouveau sous son blouson. Son ombre s'allonge sur le sol. Je me tourne pour lui faire face. Il tient à la main une boîte de haricots qu'il me balance à la tête, de toutes ses forces, avec un mouvement de la hanche. Je vois le coup arriver, mais juste trop tard pour pouvoir l'esquiver. Le choc m'envoie valdinguer à l'autre bout de la pièce. Ma tête s'embrase sur tout un côté.

Samira pousse un cri qui tient moins du hurlement que du sanglot étouffé.

Yanus revient à la charge. Ma bouche s'est emplie de sang et la moitié gauche de mon visage commence déjà à enfler. Il continue à me frapper en utilisant la boîte comme un marteau. Une lame scintille dans son autre main.

Ses yeux plongent dans les miens, avec une sorte de jouissance extatique. Pour lui, c'est une vocation : infliger de la douleur. Je vois la lame décrire des boucles devant mon visage. Et moi qui espérais le prendre par surprise ! Je l'ai gravement sous-estimé. J'encaisse encore un coup. Puis un autre. Le métal contre l'os. Toute la pièce tangue et s'estompe.

Certaines choses, des événements pourtant véridiques, semblent se produire pour moitié dans notre tête et pour moitié dans le monde réel – comme s'ils restaient piégés dans un entre-deux incertain. L'esprit les intercepte avant le corps comme à présent, cette botte qui s'apprête à retomber sur moi. Tandis qu'à l'autre bout de la pièce, Zala bat en retraite en s'efforçant de détourner le regard, mais ses yeux restent vissés sur moi. Et voilà – la botte m'arrive enfin, dans une explosion colorée.

Yanus me fait les poches, sans ménagement. Il en sort mon portable, mon passeport, quelques billets de vingt euros.

« Qui êtes-vous ?

— Je suis... infirmière.

— *Leugenaar !* »

296

Il appuie son couteau contre mon cou. Je sens la lame mordre dans ma peau. Une goutte écarlate s'écoule jusqu'à sa pointe.

Zala s'approche de lui – je lui hurle de s'en aller, mais elle ne peut m'entendre. Yanus la chasse d'un coup de boîte de conserve, et elle tombe à terre, le visage dans les mains. Il pousse un juron. J'espère qu'il s'est cassé les doigts...

Mon œil gauche est presque fermé par l'enflure. Je sens ruisseler un filet tiède, dans mon cou. Du sang s'écoule de mon oreille. Il me redresse de force, en tirant mes bras en arrière, et me lie les poignets avec un bracelet en plastique gris, un genre de lanière crantée, qu'il tend au maximum, en me pinçant violemment la peau.

Il prend mon passeport. Lit mon nom.

« Un flic ! Comment t'as pu remonter jusqu'ici ! » Il crache en direction de Zala. « C'est elle qui t'a amenée.

— Si vous nous fichez la paix, je ne dirai rien. Vous n'aurez qu'à prendre le large. »

L'idée paraît l'amuser une seconde. La pointe de son couteau m'entame le sourcil.

« Mon coéquipier sait où je suis. Il arrive avec des renforts. En partant tout de suite, vous avez une chance de leur échapper.

— Qu'est-ce que vous êtes venue faire ?

— Chercher Samira. »

Il lui parle en néerlandais. Elle commence à rassembler ses affaires. Quelques vêtements, la photo de sa famille.

« Va m'attendre dehors, lui dit-il.

— Et Zala ?

— Dehors !

— Pas sans Zala », répète-t-elle avec une détermination d'airain.

Il agite son couteau sous son nez. Elle le fixe d'un regard qui ne cille pas. Un regard de statue. Inébranlable. Elle ne partira pas sans son amie.

Tout à coup, la porte semble exploser, comme si on l'avait arrachée de ses charnières. La silhouette de Ruiz vient s'y encadrer. J'oublie parfois ce don qu'il a de remplir l'espace...

Yanus ne sursaute qu'à peine et fait volte-face, le couteau pointé, prêt à répondre à ce nouveau défi. Pour lui, chaque nuit doit être fertile en surprises de ce genre. D'un coup d'œil, Ruiz a fait le point de la situation. Il marche sur Yanus, rivalisant de férocité.

Mais je ne donne pas cher de ses chances. Yanus va le réduire en miettes. Le tuer à petit feu. Sa lame est comme une extension de sa main, la baguette d'un chef dirigeant un orchestre invisible, à l'écoute d'une voix intérieure.

Ruiz aussi tient quelque chose à la main. Une brique. Ça risque de ne pas suffire... Yanus s'est campé devant lui, bien planté sur ses jambes, les pieds écartés. Sa main s'élève. De l'index, il lui fait signe d'approcher.

Ruiz lui envoie son poing. La trajectoire crée des turbulences dans l'air de la pièce. Yanus esquive sur la gauche. La brique s'abat sur lui, mais ne l'effleure qu'à peine. Yanus affiche un rictus de triomphe. « Trop lent, le vieux ! »

La lame semble prendre vie. On la voit à peine bouger. Une tache sombre s'élargit, sous la manche de Ruiz, mais il continue d'avancer, acculant Yanus dans un coin de la pièce.

« Vous pouvez marcher, Alisha ?

— Oui, chef.

— Levez-vous et filez.

— Pas sans vous, chef !

— Écoutez-moi, une fois dans votre vie !

— Je vais pouvoir vous buter tous les deux », crache Yanus.

J'ai les mains immobilisées dans le dos, réduites à l'impuissance. Une remontée acide me brûle l'arrière-gorge. Samira sort devant moi et disparaît dans le couloir. Zala la suit, la main toujours plaquée sur sa joue. Yanus lui glisse quelque chose en néerlandais – une menace. Il feinte et se fend en direction de Ruiz, qui esquive la lame. Je franchis la porte puis le couloir et me rue dans l'escalier, m'attendant à chaque pas à entendre un corps s'affaler.

À chaque palier, je me cogne la tête dans les portes. J'appelle au secours, en donnant des coups d'épaule dans les cloisons. Je supplie qu'on vienne détacher mes liens, qu'on appelle la police, qu'on me donne une arme. Pas de réponse. Personne ne veut rien savoir.

Nous arrivons au rez-de-chaussée puis dans la rue. Nous prenons à droite, en direction du canal. Samira et Zala courent devant moi. Nous formons un étrange trio, dans ces rues sombres.

Nous avons passé le coin de la rue. J'appelle Samira. « Je dois retourner l'aider... » Elle comprend. « Et je veux que vous alliez directement à la police.

— Non ! Ils me renverraient chez moi... »

Je n'ai pas le temps d'argumenter. « Allez chez les sœurs, en ce cas... Vite ! Zala connaît le chemin ! »

Mes veines charrient toujours ce flux d'adrénaline. Je reviens sur mes pas, cette fois à toutes jambes. Un attroupement s'est formé devant l'immeuble, autour d'un blessé qui gît, écroulé sur les marches de l'entrée. Ruiz. Quelqu'un lui a allumé une cigarette qu'il tète goulûment, en creusant les joues.

Je sens le soulagement se répandre sous ma peau, comme un liquide. J'hésite entre éclater de rire et fondre en larmes. En fait, je ferais bien les deux à la fois ! Sa chemise est trempée de sang. Son poing repose contre sa poitrine.

« Je crois qu'il faudrait m'emmener aux urgences », dit-il d'une voix entrecoupée. Il a peine à respirer.

Je me mets à hurler à la cantonade, en demandant une ambulance. Un gamin trouve le courage de me dire qu'il y en a une qui arrive.

« Fallait bien... », murmure Ruiz d'une voix rauque. Son front s'est couvert de sueur. « Fallait bien le laisser approcher, pour que je puisse le descendre...

— Taisez-vous. Économisez vos forces.

— J'espère que je l'ai eu, ce salaud. »

D'autres voisins arrivent par l'escalier. Tout le monde veut voir le blessé. L'étranger qui pisse le sang. Entre-temps, quelqu'un a dû couper le bracelet plastique qui me liait les poignets, car il est tombé à mes pieds, enroulé sur lui-même, comme une vieille pelure d'orange grise.

Les yeux de Ruiz scrutent le ciel sombre, au-dessus des toits.

« Ça fait un sacré bail que mes ex croisaient les doigts pour que ça m'arrive ! dit-il.

— Soyez pas ridicule. Miranda est toujours folle de vous.

— Comment vous savez ça, vous ?

— Ça saute aux yeux, elle n'arrête pas de vous draguer, dès qu'elle vous voit.

— Elle fait du gringue à tout le monde. Juste pour le plaisir. C'est plus fort qu'elle... »

Son souffle devient laborieux. J'entends du sang glouglouter quelque part dans ses poumons.

« Vous voulez que je vous raconte une blague ?

— Ne parlez pas. Reposez-vous.

— Un grand classique. Vous savez comme j'aime les classiques... C'est celle de l'ours. Je les aime bien, les ours. Y sont marrants. »

L'inspecteur chef part d'un éclat de rire qui s'achève en grognement. Tandis que je l'enveloppe de mes bras pour tâcher de lui tenir chaud, un mantra silencieux se met à me tourner dans la tête de plus en plus vite : « Tiens bon – tiens bon – tiens bon... ! »

Tout ça est de ma faute. Il ne devrait même pas être là. Et tout ce sang, partout...

5

C'est bizarre, les regrets. Ça vient toujours une seconde trop tard, lorsqu'il n'y a plus que l'imagination qui puisse réécrire le cours des choses. Les miens sont comme des fleurs séchées, oubliées entre les pages d'un journal. De fragiles pense-bêtes qui me rappellent les étés perdus. Comme celui de mon diplôme, qui est passé plus vite qu'un rêve, sans même avoir le temps d'inscrire sa propre histoire...

Ça aurait dû être une sorte de bouquet final, avant mon entrée dans le monde adulte. J'avais reçu ma lettre d'admission dans la police métropolitaine. J'allais faire partie de la prochaine promo de Hendon. La promo 1998.

Du temps où j'étais à l'école primaire, je ne m'imaginais pas en collégienne, et une fois à Oaklands, je n'aurais même pas osé me représenter la liberté et les possibilités qui s'offriraient à moi quand je serais étudiante. Et j'étais là, à deux doigts de décrocher mon diplôme, de devenir une adulte à part entière, avec un numéro de compte fiscal et des traites à payer pour rembourser mes frais d'études

– « Mais, Dieu merci, on n'aura jamais quarante ans ! » ironisait Cate.

J'avais pris deux petits boulots. Je répondais au téléphone dans le garage de mes frères et le week-end, je tenais un stand au marché. Les Elliot m'avaient à nouveau invitée en Cornouaille. La mère de Cate avait eu son attaque et ne quittait déjà plus son fauteuil roulant.

Barnaby Elliot nourrissait toujours de grandes ambitions politiques, mais il n'y avait toujours pas de siège disponible pour lui. Il faut dire qu'il n'avait guère l'étoffe du rôle : il n'était pas assez vieille-école pour rassurer les conservateurs purs et durs – et n'étant ni femme, ni célèbre, ni représentatif d'une minorité, il n'avait rien pour enthousiasmer ou séduire les modernes du parti.

Mais à mes yeux, il était toujours le plus beau. Il n'était jamais à court de prétextes pour me serrer de près, me tripoter le bras ou m'appeler sa « star de Bollywood », ou sa « petite princesse indienne ».

Tous les dimanches matin, la famille Elliot au grand complet se rendait à pied à l'église du village, qui était à dix minutes de la maison – et moi, je restais me prélasser au lit jusqu'à ce qu'ils soient partis.

Je ne saurai jamais pourquoi Barnaby est revenu ce jour-là, ni quelle excuse il avait trouvée pour les autres. J'étais sous la douche, avec la musique à fond. L'eau chantonnait dans la bouilloire élec-trique et l'horloge continuait à faire osciller son balancier, comme si de rien n'était.

Je ne l'ai pas entendu monter l'escalier. Il a fait irruption, comme ça. J'avais plaqué ma serviette contre moi et aucun cri n'a franchi mes lèvres. Il m'a lentement effleuré les épaules et les bras du bout de ses ongles manucurés. En baissant les yeux, j'apercevais le revers de son pantalon gris dont dépassait le bout de ses Oxford noires cirées.

Il m'a d'abord embrassée dans le cou. J'ai dû rejeter la tête en arrière pour lui faire de la place et, comme mes yeux se promenaient au plafond, sa bouche est descendue plus bas, entre mes seins. J'ai saisi sa tête et je me suis plaquée contre lui.

J'avais les cheveux très longs, à l'époque. J'en faisais une grande tresse, qui m'arrivait plus bas que la taille. Il l'a prise dans son poing et l'a enroulée autour de sa main comme une corde, le tout sans cesser de me chuchoter à l'oreille des banalités sucrées qui m'en disaient infiniment plus... Puis il m'a appuyé sur les épaules, pour me faire mettre à genoux. Et pendant ce temps, en bas, la musique vociférait, l'horloge cliquetait, l'eau refroidissait dans la bouilloire...

Je n'ai entendu ni la porte d'entrée ni les pas dans l'escalier. Peu importe pourquoi, mais Cate était revenue. Elle avait dû entendre des éclats de voix ou autre chose, et avait dû comprendre bien avant d'arriver à la porte, mais elle s'est approchée, attirée par le bruit.

Dans l'immobilier, on dit que la situation, c'est tout. Celle de Barnaby ne laissait aucune équivoque : il était agenouillé, nu comme un ver, et j'étais devant lui, à quatre pattes, les cuisses écartées. Cate n'a pas soufflé mot. Elle en avait pourtant assez vu, mais elle ne bougeait pas, comme si elle avait voulu en voir davantage. Elle n'a pu me voir lutter pour me dégager ou me défendre, car je n'ai pas fait un geste.

Voilà le souvenir que j'en ai. La manière dont c'est arrivé. Cate n'avait plus qu'à me dire qu'elle ne voulait plus me revoir, jamais. Il ne lui restait plus qu'à se jeter sur son lit, à éclater en sanglots, à me hurler de vider les lieux. Moi, sur le lit d'à côté, j'ai fait mon sac tout en m'imprégnant de son chagrin, comme si j'avais pu inhaler sa souffrance, ce brouillard qui resterait désormais enfoui au plus profond de moi, impossible à dissiper.

Toujours sans un mot, Barnaby m'a conduite à la gare. Là-haut, les cris déchirants des oiseaux marins semblaient m'accuser de trahison. La pluie s'est mise à tomber, noyant la plage.

Le retour vers Londres a été interminable. J'ai trouvé ma mère à sa machine, occupée à coudre une robe pour le mariage de mon cousin. Pour la première fois depuis des années, j'ai été prise d'une furieuse envie de me jeter à ses genoux. Mais je me suis contentée de venir m'asseoir tout près d'elle, la tête sur son épaule, en pleurant.

Plus tard, en pleine nuit, devant la glace de la salle de bains, munie de ses grands ciseaux de coupe, j'ai sacrifié mes cheveux. Les lames ont mordu ma tresse et je l'ai envoyée balader sur le carrelage. J'ai coupé mes cheveux aussi court que j'ai pu, au risque de m'entailler le cuir chevelu. Les ciseaux étaient rouges de sang. Des épis anarchiques se hérissaient sur mon crâne, comme des touffes de blé en herbe.

Je serais bien incapable d'expliquer le pourquoi de la chose. L'acte avait un côté palliatif. Ma mère a été frappée d'horreur. Me serais-je tailladé les poignets, que ça n'aurait pas été pire.

J'ai laissé des messages pour Cate. Je lui ai maintes fois écrit. Je ne pouvais plus passer la voir chez elle, de peur de tomber sur son père – ou pis, sur sa mère. Et si elle avait su... ? Nous prenions toujours les mêmes bus et les mêmes trains, Cate et moi. J'orchestrais des rencontres fortuites avec elle. Il m'est même arrivé de la suivre dans la rue, mais rien n'y faisait. Mes regrets ne suffisaient pas. Elle ne voulait plus me voir.

J'ai fini par ne plus essayer. Je m'enfermais des heures dans ma chambre, dont je ne sortais que pour grignoter ou aller courir. Un mois plus tard, j'ai battu mon record personnel. Mais je n'essayais plus de rattraper l'avenir – c'était désormais le passé qui me courait après et que je tentais de fuir. Je me suis jetée à corps perdu dans mes stages d'entraînement. J'ai bossé avec la rage au ventre. J'ai rempli des cahiers et des cahiers. J'ai eu tous mes examens.

Mes cheveux ont fini par repousser et ma mère par se calmer. J'ai longtemps rêvé d'une réconciliation entre Cate et moi, mais comment tourner la page ? J'étais hantée par l'image de mon amie, sans voix, sur le seuil de cette salle de bains...

Pendant plusieurs mois, il ne s'est pas écoulé un jour sans que j'y repense. J'aurais tout donné, pour pouvoir changer ce qui s'était passé. Cate ne m'a jamais pardonnée. Sa haine était bien plus virulente que le simple mépris, parce que c'était un amour qui avait tourné à l'aigre.

Au bout d'un certain nombre d'années, j'ai cessé d'y penser toutes les heures, puis tous les jours. Je lui envoyais des cartes pour son anniversaire et au Nouvel An. J'ai eu vent de ses fiançailles. J'ai vu les photos de son mariage chez un photographe de Bethnal Green Road. La mariée avait l'air heureuse, son père débordait de fierté. Ses demoiselles d'honneur, que je connaissais toutes par leur nom, portaient la robe qu'elle avait toujours rêvé de leur offrir pour l'occasion. Je ne connaissais pas l'heureux élu. Je ne savais rien de lui, ni de la façon dont ils s'étaient rencontrés, et j'ignorais ce qu'elle pouvait lui trouver. L'aimait-elle seulement ? Je ne pouvais même pas lui poser la question.

Le temps, que l'on dit aussi bon thérapeute que mauvais esthéticien, n'a jamais réussi à guérir cette blessure. Il s'est borné à la recouvrir de couches successives de honte et de regret, comme un fond de teint un peu trop plâtreux. C'est le genre de cicatrice qu'on garde toute sa vie : ça gonfle et se boursoufle dans la mémoire, sans jamais se refermer vraiment.

Les rideaux ondulent doucement dans le courant d'air, comme animés d'une respiration propre. La lumière s'infiltre par la moindre brèche. Un autre jour.

J'ai dû finir par m'assoupir. Il est exceptionnel que j'arrive à m'endormir du sommeil du juste, comme dans l'enfance, quand le monde est encore un mystère où l'on se laisse sombrer à poings fermés. Maintenant, le moindre bruit me réveille. Les cicatrices de mon dos m'élancent douloureusement, m'obligeant à me lever pour m'étirer.

Ruiz est étendu dans la pénombre, prisonnier

d'un réseau de fils, de tubes et de machines. Un masque lui insuffle de l'oxygène. Il y a trois heures, les chirurgiens lui ont posé un tube dans la poitrine pour regonfler son poumon droit. Puis ils ont recousu les multiples blessures de ses bras, en comptant les entailles.

J'ai l'oreille collée par un gros sparadrap. On m'a appliqué sur la joue une poche à glace qui a réduit l'enflure. L'ecchymose promet d'être spectaculaire, mais il me suffira de laisser retomber mes cheveux sur mon visage pour en dissimuler les trois quarts.

Les infirmières et les médecins m'ont fait une faveur spéciale. Hier soir, il n'était pas question que je passe la nuit près de Ruiz. Mais j'ai argumenté pied à pied – je crois même que j'ai fini par m'affaler sur le lino, en les mettant au défi de me faire sortir, et ils y ont renoncé.

Je suis encore sous le choc. Hébétée. K-O. Tout est de ma faute. Je referme les yeux dans la pénombre, en écoutant le va-et-vient de son souffle. Quelqu'un est venu m'apporter un plateau avec un verre de jus d'orange protégé par un couvercle en papier, et quelques biscuits. Mais je n'ai pas faim.

Toute cette histoire gravite donc autour de ce fameux bébé – de *ces* fameux bébés. Cate a plusieurs fois tenté de devenir mère grâce à la fécondation in vitro, avant de tomber sur un individu qui l'a convaincue que, moyennant quatre-vingt mille livres, une autre femme pourrait porter un bébé à sa place. Et pas n'importe quel bébé : le sien. Son propre rejeton.

Elle est donc partie pour Amsterdam avec ses deux derniers embryons, qui ont été implantés dans l'utérus d'une adolescente afghane, une jeune réfugiée qui se sentait une dette envers une bande de négriers modernes. Et les deux embryons se sont développés.

Pendant ce temps, à Londres, Cate a annoncé partout qu'elle était enceinte, à la grande joie de ses proches, parents et amis. Et de monter toute une mise en scène, qu'elle devait soutenir jusqu'à la naissance. Mais que s'est-il passé ? Les fausses photos d'échographie ne montraient qu'un fœtus. Cate ne devait pas s'attendre à des jumeaux.

Quelqu'un a bien dû se charger de les implanter, ces embryons. Il a bien fallu des médecins. Des spécialistes, des infirmières. Des sages-femmes...

Une infirmière est apparue à la porte, tel un ange blanc sur fond de chambre d'hôpital. Contournant le lit, elle vient m'annoncer à l'oreille qu'un policier veut m'interroger.

« Il ne se réveillera pas de sitôt, ajoute-t-elle avec un coup d'œil en direction de Ruiz. Je reste le surveiller... »

Un jeune flic en uniforme a monté la garde toute la nuit devant la porte de la chambre, et il est encore très élégant, avec son pantalon bleu marine, son impeccable chemise bleu ciel, son blouson et sa cravate.

Il est en grande conversation avec un policier en civil qui a l'air d'être d'un grade nettement plus élevé. J'attends patiemment qu'ils aient fini.

Le flic en civil me donne son nom (Spijker, ce qui sonne vaguement comme une punition) sans préciser son prénom. Il n'en a peut-être pas... C'est un grand maigre, légèrement déplumé du caillou, avec

les paupières rouges et un visage en lame de couteau. Il a posé sur moi des yeux larmoyants comme si mes paroles, avant même que je ne les aie prononcées, avaient déclenché chez lui une violente réaction allergique. Sur sa lèvre, un petit grain de beauté en relief oscille au rythme de son élocution :
« Je crois que votre ami est hors de danger...

— Oui, monsieur l'inspecteur.

— Je vais devoir l'interroger à son réveil. »

J'acquiesce d'un signe de tête.

Nous allons nous installer dans le salon des patients – une petite pièce nettement plus coquette que tout ce que j'ai pu voir du même genre dans les hôpitaux anglais. Sur une table, on a posé un plateau avec de la viande froide, du fromage en tranches et une corbeille de pain. Spijker attend que je sois installée pour sortir son stylo et son bloc-notes. Le moindre de ses gestes semble mesuré et mûrement délibéré.

Il commence par m'expliquer qu'il fait partie de la brigade des mœurs et des mineurs. Dans d'autres circonstances, je m'étonnerais du rapprochement de deux termes aussi contradictoires, mais vu l'âge de Samira et les épreuves qu'elle a dû traverser...

Je lui résume mon histoire et, tout en lui décrivant l'enchaînement des événements, je prends la pleine mesure du problème : tout ça n'a ni queue ni tête ! Une Anglaise de bonne famille arrive à Amsterdam avec deux embryons congelés qui sont ensuite implantés dans l'utérus d'une jeune fille non consentante et, qui plus est, vierge...

Spijker se penche en avant, et se soulève, les

310

mains arc-boutées sur les accoudoirs de son fauteuil, comme s'il souffrait d'une soudaine poussée d'hémorroïdes et qu'il tentait de se soulager un peu.

« Qu'est-ce qui vous permet d'affirmer que cette jeune femme a été inséminée de force ?

— C'est elle qui me l'a dit.

— Et vous la croyez sur parole ?

— Oui, monsieur l'inspecteur.

— Mais ce genre de trafic est un délit. Accepter de l'argent pour porter un enfant est une infraction grave, punie par la loi. »

Je lui raconte alors ma conversation avec la fille de Molensteeg, qui m'a parlé d'une deuxième adolescente enceinte. Une jeune Serbe, a-t-elle précisé. Or, selon Lena Caspar, Samira avait bien une amie serbe sur le campus.

Il pourrait y en avoir bien d'autres. Des bébés produits et commercialisés en cachette, mis au monde grâce à tout un système de menaces et de chantage. Je n'ai pas la moindre idée de l'ampleur du trafic, ni du nombre de personnes impliquées.

Spijker reste de marbre. Ses traits ne trahissent aucune émotion. Il parle lentement, alignant les mots comme s'il s'exerçait pour améliorer son anglais.

« C'était donc le vrai but de votre voyage à Amsterdam ? »

Celle-là, je l'attendais : comment expliquer la présence sur le sol néerlandais d'un officier de police anglais enquêtant sur un crime hypothétique ? La question des juridictions pourrait s'avérer inextricable : il y a toute une étiquette, un protocole à suivre, un système de préséances, des rituels à appliquer...

« Mon investigation n'a rien d'officiel. J'enquête de façon strictement privée. »

Spijker semble s'en satisfaire. Il a mis les choses au clair : sur son territoire, je n'ai pas autorité.

« Où se trouve cette jeune femme, celle qui est enceinte ?

— En lieu sûr. »

Comme il attend l'adresse, je lui explique qu'elle est demandeuse d'asile, que sa demande a été rejetée et qu'elle a fait appel de cette décision. Elle craint par-dessus tout d'être rapatriée de force en Afghanistan.

« Si elle dit la vérité et qu'elle est prête à nous apporter son concours, la loi la protège.

— Elle pourrait rester ici ?

— Tout à fait. En tout cas jusqu'au procès. »

Je voudrais pouvoir lui faire confiance – et surtout pour Zala et Samira. Il faudrait qu'elles puissent se fier à lui, mais quelque chose dans l'attitude de l'inspecteur m'incite à la prudence. Le bloc-notes et le stylo n'ont pas bougé. Ce sont de simples accessoires de scène, des éléments du décor.

« Eh bien, voilà une histoire des plus intéressantes, inspecteur Barba. Des plus intéressantes ! » La petite verrue sur sa lèvre a imperceptiblement tremblé. « Mais il se trouve que nous en avons recueilli une tout autre version. L'homme que nous avons trouvé sans connaissance dans l'appartement a déclaré qu'il vous avait surprise chez lui à son retour, et que vous aviez tenté de vous faire passer pour infirmière. Vous auriez même prétendu examiner sa jeune fiancée...

— Sa fiancée !

— Sa fiancée, oui. Il vous a alors demandé une preuve d'identité et vous avez refusé. Avez-vous, oui ou non, pratiqué un examen médical sur la personne de Miss Khan ?

— Elle savait parfaitement que je n'étais pas infirmière. J'essayais simplement de l'aider.

— Mr Yanus affirme d'autre part que votre collègue l'a attaqué tandis qu'il tentait de protéger sa fiancée.

— Yanus était armé ! Regardez ce qu'il m'a fait...

— En état de légitime défense, dit-il.

— C'est faux ! »

Spijker hoche la tête, mais son geste n'a rien d'approbateur. « Vous comprendrez mon embarras, inspecteur Barba. Je me retrouve avec deux versions d'un même fait. C'est votre parole contre celle de Mr Yanus, qui vous accuse de l'avoir agressé et d'avoir enlevé sa fiancée. Sachez qu'il a un bon avocat. Excellent, même !

— C'est ridicule. Vous ne pouvez pas croire un mot de son histoire ! »

D'une main impérieuse, le policier m'impose silence : « Nous sommes renommés pour notre ouverture d'esprit, en Hollande, mais je vous déconseille de prendre notre souplesse pour de l'ignorance ou de la naïveté. Il me faut des preuves. Où se trouve la jeune femme enceinte ?

— Je vais vous conduire à elle, mais je veux d'abord lui parler.

— Pour accorder vos dépositions, peut-être ?

— Pas du tout ! Son frère est mort il y a trois jours, et elle ne le sait pas. »

Spijker me ramène à mon hôtel sans desserrer les dents de tout le trajet. Il me laisse le temps de prendre une douche et de me changer. Il m'attend dans le hall.

M'extirpant de mes vêtements, j'enfile l'un des peignoirs de l'hôtel et je m'assieds en tailleur sur le lit pour parcourir les messages qui m'attendaient à la réception. J'ai eu quatre appels de Dave et deux de ma mère – quant au superintendant North, il ne m'en a laissé qu'un, mais admirable de concision, pour me demander des explications. Je le froisse dans mon poing, avant de le balancer dans les toilettes. C'était peut-être à ce genre de décision qu'il faisait allusion, quand il parlait de « gérer les priorités et les compétences » !

Il faudrait prévenir la famille de Ruiz – mais qui appeler, au juste ? Je n'ai pas le numéro de ses enfants ni de ses ex – pas même celui de Miranda, la dernière en date.

Je compose le numéro de Dave. Il est à son poste. J'entends d'autres voix en arrière-plan.

« Salut, trésor ! Où tu étais ?

— On m'a volé mon portable.

— Comment ça ?

— J'ai eu un genre d'accident, et puis... »

Il ne rigole plus du tout. « Un accident ?

— Eh bien... pas vraiment vraiment, mais... » Je ne m'en sors décidément pas très bien...

« Une seconde. Ne bouge pas. » Je l'entends

314

s'excuser auprès de quelqu'un. Il emmène son télé-phone dans une autre pièce où il peut me parler.

« Qu'est-ce qui se passe ? Tu es sûre que ça va ?

— Ruiz est à l'hôpital. Il s'est pris un coup de couteau.

— Merde !

— J'ai besoin de toi, Dave. Est-ce que tu peux trouver le numéro de son ex-femme ?

— Laquelle ?

— Miranda. Dis-lui qu'il a été admis à l'Aca-demish Medish Centrum, le plus grand hôpital d'Amsterdam.

— Il va s'en tirer ?

— Je crois, oui. Il est déjà passé sur le billard. Il est hors de danger. »

Dave voudrait plus de détails, mais j'élague au maximum, en tâchant de tout descendre d'un cran, de lui présenter ça comme un malencontreux concours de circonstances... Mauvais calcul. Il n'en croit pas un mot. Et maintenant, je sais ce qui m'attend : il va piquer sa crise, grimper aux rideaux avec des trémolos dans la voix, en exigeant mon retour immédiat ce qui va me rappeler les bonnes raisons que j'ai de refuser d'unir mon destin à celui de quiconque...

Sauf que non. Justement pas ! Il s'en tient aux faits, reste positif et direct, prend les coordonnées de Spijker, ainsi que le téléphone de l'hôpital, et promet de se renseigner pour savoir ce que mijotent nos collègues hollandais.

« J'ai retrouvé Samira, Dave... Enceinte de huit mois et demi ! »

Je crois entendre s'ébranler les rouages de son

esprit. Il jauge et soupèse les conséquences, méthodique et précis comme un charpentier qui préfère s'y prendre à deux fois pour mesurer, mais coupe d'un coup.

« Cate s'était bien acheté un bébé. Elle a loué les services d'une mère porteuse.

— La vache...

— Et ce n'est pas tout. Comme elle avait donné deux embryons, Samira attend des jumeaux.

— À qui sont-ils au juste ?

— Aucune idée. »

Il voudrait le reste de l'histoire, mais le temps presse. Je m'apprête à raccrocher quand quelque chose lui revient :

« Je sais que le moment est mal choisi, dit-il, mais ta mère m'a appelé...

— Quand ça ?

— Hier. Pour m'inviter à déjeuner, dimanche prochain. »

Elle a mis sa menace à exécution !

Dave attend une réponse.

« Je ne suis pas sûre d'être de retour dimanche, répliqué-je enfin.

— Mais tu étais au courant, pour l'invitation ?

— Bien sûr, dis-je (ce qui relève du pur mensonge). C'est moi qui lui ai demandé de t'inviter. »

Il se détend un peu. « Ouf. Je craignais qu'elle ait manigancé ça dans ton dos. Un peu gênant, pas vrai... ? Si les mères de mes amies commencent à comploter à l'insu de leurs filles pour me filer rancart... Mais que veux-tu, c'est le drame de ma vie : toutes les mères m'adorent, mais les filles prennent leurs jambes à leur cou ! »

Et de se lamenter de plus belle...

« T'inquiète, Dave. Tout va bien.

— Formidable ! »

Il a du mal à raccrocher. Je dois le faire à sa place. La douche coule toujours. Je vais me mettre dessous. Le contact de l'eau brûlante sur le bleu de ma joue et la coupure de mon oreille me fait sursauter. Enfin propre et sèche, je tire de mon sac un pantalon et un chemisier sombre. Le miroir me renvoie une image plutôt fluette. Quand je courais, mon poids idéal était soixante-six kilos. J'en ai pris quelques-uns en entrant dans la police de Londres – service de nuit et régime de cantine... Mais ces derniers jours, je crois que j'ai retrouvé mon poids de compétition.

Je n'ai jamais été très féminine. Je ne mets jamais les pieds chez la manucure et je ne me vernis les ongles qu'en de très rares occasions – pour pouvoir jouer à les écailler, au cas où je risquerais de m'ennuyer.

Le jour où je me suis coupé les cheveux, c'était une sorte de rite de passage. Quand ils ont repoussé, je me suis retrouvée avec une coupe à étages. Ma mère a versé des torrents de larmes – elle n'a jamais été du genre à lésiner en la matière.

Depuis mon adolescence, j'ai vécu dans la terreur des jupes, des robes et surtout des saris. J'ai attendu d'avoir quatorze ans pour mettre un soutien-gorge et j'ai eu mes règles bien après tout le monde. J'imaginais qu'elles étaient retenues derrière une sorte de digue et que le jour où elles s'ouvriraient, ces fichues écluses, ça allait salement saigner, pire que

317

dans un film de Tarantino – et sans Harvey Keitel pour passer la serpillière !

À cette époque, je n'imaginais même pas avoir un jour le sentiment d'être une femme – mais ça a fini par pousser, petit à petit. À bientôt trente ans, je suis devenue assez coquette pour porter un brin de rouge à lèvres et de mascara, et pour m'épiler les jambes et les sourcils. Dans mes placards, je n'ai toujours rien qui ressemble à une jupe et toute ma garde-robe, à part mes jeans et mes saris, n'est qu'une déclinaison de la couleur noire sous toutes ses formes. Mais ça me va : un pied après l'autre...

Je passe un dernier coup de fil. La ligne semble hésiter successivement entre plusieurs numéros, mais Lena Caspar finit par décrocher. Un système d'annonce publique ou de haut-parleurs résonne en arrière-plan. Elle est sur un quai de gare. Elle se rend à une audience au tribunal de Rotterdam, m'explique-t-elle. Un demandeur d'asile qui a été inculpé de vol à l'étalage...

« J'ai retrouvé Samira.

— Comment va-t-elle ?

— Elle a besoin de vous. »

Les détails peuvent attendre. Je lui donne le numéro de Spijker. Samira va avoir besoin de protection et de garanties quant à son statut, s'ils veulent la faire témoigner.

« Elle ne sait toujours rien, pour Hasan.

— Il va falloir le lui dire.

— Je sais. »

L'avocate se met à réfléchir à voix haute. Elle va essayer de se faire remplacer, à Rotterdam. Cela peut lui prendre quelques heures.

« Sinon, j'avais une question... »

Mes paroles sont couvertes par un haut-parleur. Elle attend quelques secondes : « Pardon. Vous disiez ?

— J'aurais une question théorique à vous poser.

— Oui ?

— Si un couple marié fournit un embryon à une mère porteuse, qui mène sa grossesse jusqu'à son terme, à qui est le bébé ?

— À la mère porteuse.

— Même si, génétiquement, l'ADN de l'enfant correspond à celui du couple ?

— Ça n'entre pas en ligne de compte. La loi est la même en Hollande et en Angleterre. La mère qui porte l'enfant est la seule mère légale. Personne d'autre ne peut y prétendre.

— Et le père ?

— Il peut demander un droit de visite, mais le tribunal favorise la mère. Pourquoi vouliez-vous savoir ça ?

— Spijker vous expliquera... »

Je raccroche et je jette un autre coup d'œil au miroir. Mes cheveux dégoulinent. Je vais les laisser retomber sur ma joue, pour cacher mon ecchymose, mais je devrai lutter contre mon inclination naturelle à me les glisser derrière l'oreille...

En bas, l'inspecteur Spijker est en grande conversation avec la réceptionniste. Un calepin est ouvert sur le comptoir. Ils s'interrompent en me voyant descendre. Spijker vérifie mon emploi du temps – normal, j'en ferais de même à sa place.

Le couvent des Augustiniennes n'est qu'à trois rues

de là. Nous tournons au bout de Warmoesstraat, avant de nous garer dans un parking à plusieurs étages. Le gardien du parking, un grand Noir, arrive en courant. Spijker lui montre son badge et déchire le ticket de parking.

Après plusieurs minutes de négociations serrées, il finit par accepter de me laisser un quart d'heure en tête à tête avec Samira. Je dévale les marches de béton, j'ouvre les lourdes portes coupe-feu. Le couvent se trouve de l'autre côté de la rue. Je vois une silhouette familière émerger de la porte d'entrée. Vêtue de son blouson rose et d'une jupe qui lui bat le mollet, Zala rentre la tête dans les épaules et part au petit trot le long du trottoir. Son foulard bleu cache un peu les ecchymoses qu'elle a sur la figure. Elle ne devrait pas s'exposer ainsi en sortant seule en ville. Je résiste à l'envie de lui emboîter le pas...

Une grosse bonne sœur rougeaude vient m'ouvrir. Comme les autres religieuses, elle a le visage plus ridé qu'une vieille pomme et semble crouler sous le poids des ans, comme si elles avaient toutes fermement décidé de survivre au bâtiment qui les abrite. Elle me pilote dans un dédale de couloirs jusqu'au bureau de sœur Vogel où se trouve réuni un curieux cocktail d'objets modernes et anciens. Un meuble vitré plein de livres côtoie un grand bureau d'acajou et, un peu plus loin, une photocopieuse et un fax. Sur la cheminée s'alignent des photos d'enfants qui pourraient être ses nièces ou ses neveux, près d'une boîte à bonbons en forme de cœur. L'idée m'effleure que sœur Vogel pourrait avoir quelques regrets. Ça ne doit pas être tous les jours bien gai, d'être l'épouse du Seigneur...

Elle s'est matérialisée près de moi. « Vous êtes officier de police – vous avez oublié de me signaler ce petit détail.

— Qu'est-ce que ça change ? »

Elle ne répond pas à ma question. « Et voilà que vous m'envoyez deux autres bouches à nourrir !

— Oh... Pour ce qu'elles mangent ! »

Elle croise les bras. « Est-ce que cette pauvre jeune fille serait en danger ?

— Oui.

— A-t-elle été abandonnée ?

— Victime de sévices sexuels. »

Chaque trait de son visage fripé semble se charger de chagrin et d'inquiétude. Puis elle remarque le gros bleu qui me prend tout un côté du visage : « Bon Dieu ! Qui vous a fait ça ? dit-elle, en avançant la main d'un geste plein de sympathie.

— Peu importe. Je dois parler à Samira. »

Elle me conduit au premier étage et frappe à la porte d'une chambre, avant de l'ouvrir. La pièce est tapissée du même lambris sombre que le reste du bâtiment. Samira est à la fenêtre, vêtue d'une longue robe boutonnée sur le devant, avec un col à la Peter Pan. Sa silhouette menue se dessine en contre-jour. Sans me quitter des yeux, elle va s'asseoir sur le canapé, posant délicatement son ventre de femme enceinte sur ses cuisses.

Sœur Vogel s'éclipse et, tandis que la porte se referme, je jette un regard circulaire autour de moi. L'image accrochée au mur dans un petit cadre représente la Vierge, l'enfant Jésus et saint Jean-Baptiste, au bord d'un ruisseau. Les arbres d'alentour sont chargés de fruits. Des chérubins dodus dansent au-dessus des eaux...

Samira remarque que mon attention s'y attarde. « Êtes-vous chrétienne ?

— Je suis sikh. »

Elle hoche la tête, plutôt rassurée.

« Pourquoi ? Vous auriez quelque chose contre les chrétiens ?

— Non. Mon père disait qu'ils étaient simplement moins croyants que nous, mais je ne sais pas au juste ce qu'il en est. Personnellement, je n'ai pas la prétention d'être une musulmane irréprochable. Il m'arrive souvent d'oublier mes prières.

— Combien de fois par jour devez-vous prier ?

— Cinq. Mais selon mon père, trois fois suffisent.

— Il doit vous manquer...

— À chaque souffle. »

L'incertitude assombrit ses yeux de cuivre. J'ai peine à imaginer ce qu'elle a pu vivre, dans sa courte existence. Pour moi, l'Afghanistan, ce sont ces femmes empaquetées dans leurs grands sacs noirs à judas, comme des statues dans leurs housses ; et puis de hautes montagnes, des sommets enneigés, des déserts torrides, des maisons de terre cuite, des antiquités monumentales et des barbus fanatiques, le tout saupoudré de quelques mines antipersonnel qui n'attendent que d'exploser.

Cette fois, je prends le temps de me présenter. Je lui raconte comment j'ai pu remonter jusqu'à elle. Elle détourne pudiquement le regard quand je lui parle de ma visite à la fille de Molensteeg.

322

Presque au même instant, elle porte la main à sa poitrine et son front se plisse de douleur.

« Vous êtes souffrante ?

— J'ai des brûlures d'œsophage. Zala est allée m'acheter des médicaments. » Elle jette un coup d'œil inquiet vers la porte. La présence de son amie lui manque déjà.

« Où vous êtes-vous rencontrées ?

— À l'orphelinat.

— Mais vous n'êtes pas sorties ensemble d'Afghanistan ?

— Non. Nous avions dû laisser Zala.

— Comment est-elle arrivée jusqu'ici ?

— Elle a voyagé à l'arrière d'un camion. Puis elle a pris le train.

— Toute seule ? »

Son visage se détend et s'adoucit. « Zala arrive toujours à se faire comprendre.

— Est-elle sourde de naissance ?

— Non. Son père avait combattu avec les Moudjahiddines contre les Talibans. En arrivant au pouvoir, les Talibans ont exterminé leurs adversaires. Zala et sa mère ont été jetées en prison et torturées à l'acide et au plastique fondu. Sa mère a agonisé pendant huit jours. Mais Zala ne pouvait même plus entendre ses cris. »

Ce récit a fait chuter d'un coup le taux d'oxygène dans la pièce. J'ai peine à reprendre souffle. Le regard de Samira retourne vers la porte. Elle attend Zala. Ses mains restent posées sur son ventre, les doigts écartés, comme pour mieux déchiffrer les mouvements des petites bosses et des coups de pied. Quel effet cela fait-il – cette chose qui grandit à l'intérieur de vous ? Cette vie qui puise en vous ce dont elle a besoin sans vous demander votre avis, qui trouble votre sommeil, bouleverse vos hormones, déforme vos os, comprime vos organes... J'ai souvent entendu les plaintes de mes amies ou de mes belles-sœurs – vergetures, ongles mous, cheveux ternes, seins douloureux. La plupart des hommes seraient incapables d'un tel sacrifice.

Samira m'observe. Une question lui brûle les lèvres.

« Vous disiez que Mrs Beaumont était morte ?

— Oui.

— Que vont devenir ses bébés, en ce cas ?

— Ce sera à vous d'en décider. Vous êtes leur mère.

— Comment ça ?

— Ce sont vos enfants. »

Elle secoue aussitôt la tête, sans l'ombre d'une hésitation.

Puis elle se hisse sur ses pieds en prenant appui des deux mains sur le sofa et retourne se poster à la fenêtre, pour guetter l'arrivée de Zala.

Je médite sur ce refus. Quels peuvent être ses sentiments pour les jumeaux qu'elle porte ? Les aime-t-elle ? Se sent-elle responsable de leur avenir, ou se contente-t-elle de leur prêter son ventre en comptant les jours ?

« Quand avez-vous rencontré Mrs Beaumont ?

— Elle est venue à Amsterdam. Elle m'a acheté des vêtements. On m'avait forcée à faire semblant de ne pas parler anglais, mais elle a tout de même réussi à me dire certaines choses. Elle m'a donné un papier avec votre nom, en me disant de m'adresser à vous en cas de problème.

— C'était à quelle date ?

— Je l'ai vue pour la première fois en mars dernier, et elle est revenue me voir en septembre.

— Savait-elle que vous attendiez des jumeaux ? »

Elle hausse les épaules.

« Savait-elle pourquoi vous le faisiez ?

— Comment ça, pourquoi ?

— Était-elle au courant de votre dette ? Savait-elle qu'on vous forçait à porter ses enfants ?

— Elle m'a remerciée. Elle a dit que c'était une bonne action.

— Mais ce qu'elle faisait, elle, c'était de la folie ! C'est un crime de forcer une femme à avoir un enfant ! »

Samira n'a qu'un haussement d'épaules indulgent.

« Ça peut arriver, que de bonnes personnes commettent des folies, dit-elle. Mon père disait que nos vrais amis sont comme des pièces d'or. Quand un bateau fait naufrage et pourrit au fond de la mer, le fer est rongé par la rouille, le bois tombe en poussière. L'argent lui-même noircit, mais l'or, ni le sel ni le temps ne peuvent l'altérer. Il remonte intact, tout comme il est descendu. L'amitié, c'est pareil. Ça résiste au temps et aux naufrages... »

Quelque chose se serre et palpite dans ma poitrine. Comment cette gamine peut-elle faire preuve d'une telle clairvoyance ?

« Vous allez devoir raconter tout ça à la police.

— Pas question ! Ils me renverraient d'où je viens.

— Ces gens ont fait des choses abominables. Vous n'avez aucune dette envers eux.

— Où que j'aille, Yanus saura me retrouver. Il ne me laissera jamais en paix.

— La police peut vous protéger.

— Vous croyez que je leur fais confiance ?

— Vous pouvez avoir confiance en moi. »

Elle secoue la tête. Pourquoi ? Pourquoi me croirait-elle ? Ce ne sont pas les promesses qui lui rempliront l'estomac et elles ne lui rendront certainement pas son frère. Elle ne sait toujours rien, pour Hasan, et je n'ai pas le cœur de le lui dire.

« Pourquoi avez-vous quitté Kaboul ?

— À cause de ce frère...

— *Votre* frère ?

— Non. C'était un Anglais, mais on l'appelait "le frère".

— Qui c'était ?

— Un saint homme. »

Du pouce, elle trace une petite croix à la naissance de son cou. L'image du tatouage de Donavon me revient à l'esprit. Serait-ce possible ?

« Est-ce qu'il était soldat, cet Anglais ?

— Il disait qu'il avait une mission à accomplir, qu'il se battait pour Dieu. »

Il venait régulièrement à l'orphelinat, m'explique-t-elle. Il leur apportait des provisions ou des couvertures. Ils étaient soixante enfants de deux à seize ans, parqués dans des dortoirs glacés. En hiver, ils devaient se serrer les uns contre les autres pour ne pas mourir de froid. Ils vivaient de miettes et de charité...

À leur arrivée, les Talibans avaient emmené les

garçons pour recharger leurs fusils et les filles comme épouses. Les enfants avaient été soulagés de voir arriver les Américains et les alliés du Nord, quand ils avaient libéré Kaboul, mais les nouveaux maîtres n'avaient pas fait beaucoup mieux que les anciens. Les soldats venaient chercher des filles à l'orphelinat. La première fois, Samira s'était cachée sous un tas de couvertures. Une autre fois, elle avait rampé dans la fosse des latrines. Une de ses camarades s'était jetée du haut d'un toit pour échapper aux soldats.

Je suis frappée par la neutralité de son récit. Elle raconte cette abominable histoire comme elle déclinerait une liste de courses. Je serais incapable de dire si c'est parce qu'elle est encore sous le choc ou totalement immunisée.

Ce fameux « frère » a payé les soldats avec de l'argent et des médicaments. Il a dit à Samira que, pour sa propre sécurité, il valait mieux qu'elle quitte l'Afghanistan. Il lui a promis de lui trouver un travail à Londres.

« Et Hasan ?

— Le frère a d'abord dit qu'il devrait rester en Afghanistan, mais j'ai refusé. J'ai dit que je ne partirais pas sans lui. »

Ils avaient été présentés à un passeur du nom de Mahmoud, qui leur avait fait franchir la frontière et avait organisé leur voyage. Ils avaient dû laisser Zala parce qu'aucun pays, leur avait-on expliqué, n'acceptait les sourds.

Hasan et Samira étaient allés en bus au Pakistan, puis ils avaient continué clandestinement vers le sud, jusqu'à Quetta, puis vers l'ouest, jusqu'à

Tabriz, en Iran, près de la frontière turque. Une semaine avant le printemps, ils avaient franchi à pied la chaîne du mont Ararat, où ils avaient failli succomber au froid et aux loups.

Sur le versant turc de la montagne, des éleveurs de moutons les avaient fait passer de village en village et leur avaient trouvé un camion qui les avait emmenés à Istanbul. Là, pendant deux mois, les deux adolescents avaient travaillé en semi-esclavage. Ils fabriquaient des blousons en peau de mouton dans un atelier clandestin de Zeytinburno, le quartier de la confection.

Mais la filière des passeurs exigeait désormais beaucoup plus d'argent, pour les emmener en Angleterre. Les prix avaient grimpé à dix mille dollars américains – une somme astronomique. Samira avait écrit une lettre au Frère, mais elle ne savait pas où la lui envoyer. Finalement, ils étaient partis. Un bateau de pêche leur avait fait traverser la mer Égée jusqu'en Italie où ils avaient pris le train pour Rome, avec quatre autres clandestins. Des gens étaient venus les chercher à la gare et les avaient emmenés dans une maison.

Deux jours plus tard, ils avaient rencontré Yanus, qui les avait conduits dans un dépôt de bus. Là, il les avait installés dans le compartiment à bagages d'un car de touristes qui devait traverser l'Allemagne à destination des Pays-Bas. « Ne bougez pas et ne faites pas de bruit, sinon vous serez découverts », leur avait-il dit. Quand le bus aurait franchi la frontière néerlandaise, ils devaient demander l'asile politique. Yanus devait les retrouver là-bas.

328

« Mais c'est en Angleterre que nous voulons aller !
avait objecté Samira.

— L'Angleterre, c'est pour plus tard », avait-il
répondu.

Le reste de l'histoire correspond à ce que m'en
avait dit Lena Caspar.

Sœur Vogel frappe discrètement à la porte. Elle
nous apporte des biscuits et du thé, dans de jolies
petites tasses aux anses ébréchées. Je verse le thé
dans un passe-thé bancal. Samira prend un biscuit
et le met de côté pour son amie, emballé dans une
serviette de papier.

« Auriez-vous entendu parler d'un certain Paul
Donavon ? »

Elle fait « non » de la tête.

« Qui vous a parlé de la clinique ?

— Yanus. Il a dit qu'on devait payer pour notre
passage depuis Kaboul. Il a menacé de me violer.
Hasan a bien essayé de me protéger, mais Yanus a
sorti son couteau et l'a blessé sur tout le corps. Cent
fois, au moins. » D'un geste, elle indique toute la
surface de ses bras et de sa poitrine ; et je reconnais
l'emplacement des entailles que le médecin légiste
avait constatées sur le corps du jeune mort.

« Que demandait Yanus, en échange de cette
dette ?

— Il voulait me faire travailler comme prostituée.
Un jour, il m'a même montré comment ça se
passait... Et puis il m'a laissé le choix. Il a dit qu'un
bébé pourrait faire l'affaire et qu'ainsi, je pourrais
rester vierge. »

Elle l'a dit d'un ton où perce une pointe de défi.
Pour elle, c'est un dogme, une vérité absolue qui la

329

soutient – et ça explique du même coup qu'ils aient jeté leur dévolu sur une jeune musulmane, prête à tout pour conserver sa précieuse virginité.

Je ne sais toujours pas comment Cate est intervenue, dans tout ça. De qui venait l'idée ? D'elle ou de Donavon ?

Dehors, Spijker attend toujours. Mais je ne peux pas remettre indéfiniment ma corvée. Je sors de mon sac le dessin au fusain, dont je lisse les coins.

Je vois une étincelle de joie s'allumer dans son regard : « Hasan ! Vous l'avez vu ! »

Elle attend. Je secoue la tête. « Désolée, Samira. Votre frère est mort. »

Sa tête se relève comme si on l'avait tirée à l'aide d'un fil. Dans ses yeux la joie a fait place à de la colère, mêlée de suspicion. Je lui résume les faits le plus rapidement possible, dans l'espoir de l'épargner, mais ça ne peut être que douloureux. Le voyage. La traversée. La manière dont il a dû lutter pour rester en vie.

Elle porte ses mains à ses oreilles.

« Je suis navrée, Samira. Mais il n'a pas survécu.

— Vous mentez ! Hasan est à Londres !

— C'est la vérité, hélas. Je regrette... »

Elle se balance de côté et d'autre, les yeux clos. Sa bouche s'ouvre et se referme sans émettre un son, comme pour dire non, non, non...

« Vous deviez vous demander pourquoi vous n'aviez plus de nouvelles. Depuis tout ce temps, il aurait dû vous écrire ou vous téléphoner. Vous aviez cousu une étiquette avec mon nom dans la doublure de ses vêtements. C'est comme ça que j'ai pu remonter jusqu'à vous. » Je m'approche d'un pas.

330

« Réfléchissez, Samira... Je n'ai aucune raison de vous mentir. »

Elle se raidit et s'éloigne de moi en me transperçant d'un regard d'une effrayante fixité.

En bas, Spijker s'impatiente.

« Venez. Allons dire tout cela à la police. »

Elle ne répond pas. A-t-elle seulement compris ?

Elle se tourne vers la fenêtre et murmure le nom de son amie. Zala.

« Ne vous inquiétez pas pour elle. Sœur Vogel va s'en occuper. »

Elle secoue obstinément la tête, les yeux débordant d'un espoir buté.

« D'accord, je vais la retrouver. Et je veillerai sur elle. »

L'espace d'une minute, elle semble en proie à quelque chose qui lutte au fond d'elle-même. Puis son esprit fait le vide et capitule. Comment se battre contre le destin ? C'est au-dessus de ses forces. Elle doit se ménager, pour pouvoir affronter ce que lui réserve l'avenir.

Il y a une pharmacie à deux pas de là, dans le Walletje, nous explique la sœur. Le pharmacien est un ami. C'est chez lui qu'elle a envoyé Zala, avec un mot.

À chaque coin de rue, je m'attends à apercevoir la tache rose de son blouson ou son foulard bleu. Je passe devant l'étalage d'une épicerie. L'odeur des oranges m'évoque des images d'Hasan. Que va devenir Samira, à présent ? Qui va s'occuper d'elle ?

Je fonce au pas de course dans Oudekerksteeg. Pas trace de Zala. J'explore les environs du regard, lorsqu'une main se pose sur mon bras. Je me retourne. C'est Hokke. Je mets deux secondes à le reconnaître. Avec son bonnet de laine et sa barbichette, on pourrait le prendre pour un pêcheur de la mer du Nord.

« Bonjour ! me lance-t-il, avant de me regarder de plus près. Fichtre ! Qu'est-ce qui vous est arrivé... ?

— Rien. Une bagarre.

— Vous avez eu le dessus ?

— Non. »

Je lorgne par-dessus son épaule, en tâchant d'apercevoir Zala. Mon insistance et ma mine inquiète lui font tourner la tête dans la même direction.

« Toujours à la recherche de votre jeune Afghane ?

— Non... Cette fois, c'en est une autre. »

Il va finir par me prendre pour une vraie tête de linotte. On n'a pas idée de passer son temps à perdre les gens comme ça...

Hokke était installé à une terrasse de café. Il aurait dû la voir passer – mais non, son signalement ne lui dit rien.

« Vous voulez que je vous aide à la chercher ? »

Je lui emboîte le pas, et nous passons la foule au peigne fin, jusqu'à la pharmacie. La petite boutique est impeccablement tenue, avec d'étroites allées qui courent entre de jolis rayonnages bien nets. Un pharmacien en blouse blanche reçoit les clients au comptoir. En apercevant Hokke, il sort de derrière son comptoir pour le serrer dans ses bras. Deux vieux amis.

« Une jeune sourde ? Je m'en souviendrais, dit-il, passant à l'anglais.

332

— Elle avait un papier de sœur Vogel... »

Il appelle son assistant. Une tête surgit d'un présentoir de cartes postales. Quelques répliques en néerlandais, un haussement d'épaules. Non, personne ne l'a vue.

Hokke me suit dans la rue. Je parcours quelques mètres avant de m'arrêter, appuyée à un mur. Une imperceptible vibration s'est éveillée en moi. Un signal d'alarme interne. Une idée tournoie dans mon esprit, incontrôlable : Zala n'a pu fuguer. Elle n'aurait jamais quitté Samira de son plein gré. Jamais.

Le commissariat central est situé au bord d'un des canaux extérieurs, à l'ouest de la ville. Sorti de l'imagination de quelque architecte futuriste, le bâtiment est d'une propreté méticuleuse. Son ombre s'étire sur le canal. Les portes de verre s'écartent sur notre passage. Des caméras de surveillance balayent le hall.

On envoie un message à Spijker, au premier. Sa réponse ne tarde pas : il me prie d'attendre à la réception. Mon insistance reste sans effet sur la réceptionniste qui a la tête d'une fille de ferme sortie tout droit d'une toile de Grant Wood.

Je suis hors de ma juridiction. Ici, je n'ai aucune autorité pour exiger quoi que ce soit de quiconque.

Hokke me propose de me tenir compagnie. Il ne m'a même pas demandé comment j'ai retrouvé Samira, ni ce qui est arrivé à Ruiz. Il se contente des informations que je lui donne, sans chercher à en savoir davantage.

En dépit de la cascade d'événements qui se sont

précipités, cette dernière semaine, j'ai l'impression de n'avoir pas progressé d'un pas – tout comme l'horloge du hall, dont les grosses aiguilles noires s'obstinent à faire du sur place.

Samira doit être ici, quelque part dans les étages. Il ne doit pas y avoir des foules de sous-sols, à Amsterdam... La ville flotte sur un réseau de pilotis réunis par des ponts qui, à l'instar de ceux de Venise, sa cousine du Sud, doivent s'enfoncer lentement mais sûrement.

Je ne tiens pas en place. Je devrais être à l'hôpital, au chevet de Ruiz. Ou à mon nouveau poste, sous les ordres de mon nouveau chef. Ou en train de lui donner ma démission.

De l'autre côté du hall, les doubles portes de l'ascenseur s'ouvrent dans un chuintement moelleux. Des voix s'élèvent, masculines, sonores, entrecoupées d'éclats de rire. L'une d'elles est celle de Yanus. Autour de son œil gauche, en partie fermé par l'enflure, s'épanouit un splendide coquard violet – je ne sais pas pourquoi, mais les coups à la tête prennent tout de suite l'allure d'un défilé de mode... Il n'est pas menotté, et on dirait que les policiers n'ont même pas jugé bon de l'escorter !

L'homme qui l'accompagne doit être son avocat. Un gros costard-cravate avec l'air affairé et le front large (mais nettement moins que son postérieur...). Les plis de son costume croisé semblent affûtés au rasoir.

Levant les yeux vers moi, Yanus me glisse un fin sourire.

« Je suis vraiment désolé pour ce malentendu, dit-il. Et je ne vous en veux absolument pas. »

334

Il me tend une main que je lorgne d'un regard absent. Spijker nous rejoint et reste derrière l'épaule gauche de Yanus, qui le masque partiellement.

« J'espère que Mr Ruiz va s'en remettre rapidement, poursuit Yanus. Je regrette beaucoup de l'avoir blessé. »

Mes yeux restent fixés sur Spijker. « Mais qu'est-ce qui se passe, ici ?

— Je vais devoir relâcher Mr Yanus. Peut-être aurons-nous besoin de l'interroger à nouveau, dans les prochaines semaines... »

L'avocat bat la semelle sur le carrelage, ce qui a pour effet d'ébranler son visage gélatineux et ses multiples mentons. « Samira Khan a confirmé qu'elle était bien la fiancée de Mr Yanus et que l'enfant qu'elle porte était bien de lui. » Il parle un anglais sirupeux, nuancé d'une pointe de condescendance. « Sa déposition concorde parfaitement avec la version qu'a donnée Mr Yanus des événements d'hier soir.

— Non !

— Heureusement pour vous, mon client a décidé de ne pas porter plainte contre vous et votre collègue, pour voies de fait, coups et blessures et tentative d'enlèvement sur la personne de sa fiancée. En contrepartie, la police accepte de ne retenir aucune charge contre lui.

— Mais notre enquête reste ouverte, ajoute Spijker.

— Mon client a collaboré de son plein gré ! » objecte le pachyderme.

Entre-temps, Lena Caspar aussi nous a rejoints. Je sens mon regard voleter d'un visage à l'autre, comme celui d'un enfant qui ne comprend rien et attend vainement une explication. Yanus a fini par récupérer sa main et, d'un geste presque réflexe, l'a glissée dans la poche intérieure de sa veste, à l'emplacement où aurait dû se trouver son couteau.

Je crains d'avoir l'air totalement effarée, mais de l'extérieur, c'est l'inverse. La femme dont les innombrables panneaux de verre du hall me renvoient le reflet n'a rien perdu de son aplomb – même si dans sa tête, c'est le chaos. De toutes les hypothèses concevables, voilà bien la dernière que j'aurais imaginée !

« Je veux parler à Samira.

— Impossible. »

La main de Lena vient se poser sur mon bras. « Elle ne veut parler à personne.

— Mais où est-elle ?

— Sous la protection du service de l'Immigration.

— Est-ce qu'ils vont l'expulser ? »

Le pachyderme répond à sa place : « Mon client a demandé un visa qui leur permettra, à lui et à sa fiancée, de s'installer aux Pays-Bas.

— Elle n'a jamais été sa fiancée ! » riposté-je.

L'avocat se dresse sur ses ergots et semble se dilater encore d'un iota (ce que j'aurais refusé de croire possible) : « Estimez-vous heureuse que Mr Yanus soit si bien disposé envers vous, Miss Barba. Sinon, vous auriez à répondre de charges très graves. Il exige à présent que vous les laissiez en paix, lui et sa fiancée. Toute tentative de votre part de les aborder à nouveau se soldera par un sévère rappel à l'ordre. »

Yanus n'en revient pas, de sa propre bonté d'âme.

336

Toute son attitude a changé. On chercherait vainement le masque de haine froide et d'inflexibilité qu'il affichait hier soir. C'est comme de voir l'océan retrouver soudain sa placidité, un instant après le passage d'un cyclone dévastateur. Sa main se tend à nouveau, mais cette fois pour me remettre quelque chose – mon passeport et mon portable, qu'il me rend, avant de tourner les talons et de s'éloigner, escorté de son monumental avocat.

Je me tourne vers Spijker : « Il ment, et vous le savez.

— Où est la différence ? » riposte-t-il.

Lena Caspar me fait asseoir.

« Mais il doit bien y avoir quelque chose à faire..., la supplié-je.

— Essayez de comprendre, Alisha. Sans le témoignage de Samira, nous n'avons rien. Pas de dossier, pas la moindre preuve matérielle, ni pour la grossesse forcée, ni pour le marché noir d'embryons et de mères porteuses.

— Où est Zala ? Elle, elle peut confirmer ma version... »

Là-bas, la porte d'entrée s'est ouverte sur le passage de Yanus et de son avocat, qui sort le premier. Du coin de l'œil, je vois Yanus prendre quelque chose dans sa poche – un fin mouchoir bleu avec lequel il s'éponge le front. Je connais ce bleu. Je l'ai déjà vu, tout comme ce tissu. Il le roule en boule entre ses doigts, avant de le faire à nouveau disparaître dans sa poche. Ce n'est pas un mouchoir. C'est un foulard. Celui de Zala.

Spijker anticipe mon mouvement et me retient par le bras. Je tente de lui échapper en hurlant un

337

chapelet d'accusations en direction de la porte qui se referme. Au dernier moment, Yanus se retourne et me décoche un sourire de requin, dévoilant une rangée de dents anarchiques et pointues.

« Regardez ce qu'il tient à la main ! m'écrié-je. C'est le foulard de son amie ! Voilà pourquoi elle a menti ! »

Lena Caspar parvient à s'interposer entre moi et la porte. « C'est trop tard, Alisha. »

Spijker me relâche doucement et j'échappe enfin à sa prise. Il semble embarrassé de son propre geste, mais je perçois tout autre chose dans son attitude : de la compréhension. Il sait que j'ai raison. Il me croit. Mais il n'avait pas le choix. Il a dû relâcher Yanus.

J'en pleurerais de rage et de déception. Ils détiennent Zala. Samira en est réduite à confirmer leurs dires et à obéir. Les entailles et les coquards n'ont rien changé. Nous ne les avons pas ralentis d'une minute. Je me sens dans la peau du misérable Vil Coyote aplati sous son rocher, tandis qu'au sommet de la falaise, l'insolent Bip-Bip lance son cri de triomphe.

6

Le teint de Ruiz a viré au grisâtre et il a les yeux injectés de sang, des yeux de morphinomane. Les années ont dû le rattraper dans son sommeil, car il fait tout à coup ses soixante printemps bien tassés.

«Je n'avais pas l'ombre d'une inquiétude pour vous, chef. Vous avez la couenne plus dure qu'un rhinocéros...

— Qu'est-ce que vous essayez de me dire, là ? Que cette saleté de pyjama me fait un gros cul ?

— Il a bon dos, votre pyjama... ! »

Les rideaux sont ouverts et les dernières traces du jour s'attardent à l'horizon.

Sous l'effet de la morphine ou de son ridicule orgueil de macho, il se sent tenu de jouer les durs, en me montrant les points de suture qu'il a fallu lui faire, sur sa poitrine et sur ses bras. Je sens que dans cinq minutes, nous allons comparer nos cicatrices ! Mais sur ce point, il peut s'aligner... Les miennes sont de loin les plus belles.

Pourquoi cette sempiternelle guerre de position,

avec les hommes ? Fragilité de leur ego, ou excès de leurs poussées hormonales... ? Toujours est-il qu'ils ont sans cesse besoin de faire leurs preuves, ces pauvres chéris.

Je lui colle un gros baiser mouillé sur la joue, ce qui a pour effet de lui clouer temporairement le bec.

« Je vous ai apporté un cadeau, chef », lui annoncé-je.

Il me lance un regard en coin, histoire de s'assurer de quoi il retourne, tandis que je sors une bouteille de scotch d'un sac de papier. C'est une petite blague rituelle, entre nous. Du temps où j'étais sur mon lit d'hôpital, la colonne vertébrale en miettes, c'est tout ce qu'il avait trouvé à m'apporter : une bouteille. Ce fut la seule et unique fois où j'ai bu de l'alcool – encore avais-je dû m'aider d'une paille multicolore. Le scotch vous brûle la gorge et vous fait monter les larmes aux yeux. Je ne comprendrai jamais quel plaisir les gens y trouvent...

Je dévisse le bouchon, avant de lui en verser un verre, généreusement étendu d'eau.

« Vous ne trinquez pas ?

— Pas cette fois. Je vous laisse ma part.

— Hmmm... Votre bon cœur vous perdra ! »

Une infirmière entre sans crier gare. Il cache son verre, et moi la bouteille, tandis qu'elle lui tend une petite boîte de plastique avec deux pilules. Notre mine coupable et notre silence soudain la font se retourner sur le seuil. Elle nous lance quelque chose en néerlandais – peut-être l'équivalent hollandais de « tchin-tchin ! », mais ça m'étonnerait.

340

« Finalement, je crois que je vais venir m'installer dans le coin, ironise-t-il. La bouffe est nettement plus soignée que dans les hôpitaux britanniques et les infirmières ne manquent pas d'un certain charme. Elles me rappellent mes surveillantes, du temps où j'étais en pension.

— Voilà qui me semble relever du pur fantasme. »

Il me décoche un sourire en coin. « Pas totalement... »

Puis il s'offre une nouvelle lampée de scotch, avant d'enchaîner. « Vous avez réfléchi à la façon dont vous voudriez que ça se passe, après votre mort ? Vos dernières volontés...

— Mon testament est fait.

— Oui, mais est-ce que vous avez précisé ce que vous vouliez, pour vos funérailles ? Vous êtes pour l'enterrement ou l'incinération ? Et, dans ce dernier cas, que voudriez-vous qu'on fasse de vos cendres ?

— Bof, rien de spécial... » Cette petite causerie commence à virer au macabre.

« Eh bien moi, j'aimerais qu'on mette mes cendres dans une fusée...

— Pas de problème. Je passe un coup de fil à la NASA...

— Une fusée de feu d'artifice, j'entends. Mon rêve serait de finir en une gerbe d'étincelles. Ça se fait beaucoup, ces temps-ci. On mêle les cendres à la poudre de la fusée. J'ai lu un article là-dessus.

— C'est ce qui s'appelle briller par son absence...

— Oui. Partir sur une dernière pluie d'étoiles filantes... » Il me sourit et lève à nouveau son verre :

« Mais ça n'est pas pour ce soir, pas vrai ! Rien ne presse... »

En fait, j'ai eu tout loisir d'y penser, à la mort. Au cours de l'automne et de l'hiver qui ont suivi mon accident, ces six mois de chirurgie et de rééducation pendant lesquels j'étais incapable de me nourrir, de me déplacer et de me laver seule, une part secrète de moi-même, sans doute la plus enfantine, craignait d'être à jamais réduite à l'état de légume pensant. Et une autre partie, plus adulte et plus accessible à la culpabilité, avait décidé qu'à l'impotence, je préférerais la mort.

On me croit indestructible. Tout le monde compte sur moi pour encaisser les automnes et les hivers de souffrance, comme si je pouvais leur clouer le bec comme ça, d'une bonne claque. Mais en fait, je ne suis pas si forte. C'est juste un air que je me donne.

« J'ai eu un coup de fil de Miranda, m'annonce-t-il. Je ne sais toujours pas comment elle a su que j'étais ici, ni comment elle a eu le numéro de l'hôpital. À ma connaissance, depuis hier, je n'ai qu'à peine émergé du potage. » Ses yeux se sont réduits à deux fentes. « Inutile de prendre cet air penaud, ma grande libellule.

— Ah ! Je vous l'avais bien dit : elle tient encore à vous.

— Tenir à quelqu'un, c'est une chose. Vivre avec, c'en est une autre.

— Supporter son sale caractère, vous voulez dire.

— Et vous vous y connaissez, je suppose...

— Eh bien, figurez-vous que notre cher petit Dave vient de me demander officiellement ma

342

main. » J'ai lâché le scoop comme ça, sans crier gare et sans la moindre préméditation.

Ruiz médite un instant là-dessus. « Ça, c'est du culot. J'aurais jamais cru qu'il se déciderait à franchir le pas.

— Parce que je lui fais peur, vous croyez ?

— Vous feriez peur à n'importe quel homme d'à peu près sensé !

— Tiens. Pourquoi ?

— N'allez surtout pas le prendre mal... Au contraire...

— Mais, il y a seulement quelques mois, vous le trouviez un peu lent pour moi.

— Et vous m'aviez répondu qu'un homme qui pouvait enfiler vos pantalons n'avait aucune chance auprès de leur propriétaire...

— Il dit qu'il m'aime.

— C'est un bon début. Et vous ? »

Que répondre ? Je n'en sais fichtre rien.

Ça fait tout drôle de parler d'amour avec Ruiz. Encore tout récemment, j'avais pris le mot en grippe. Je ne supportais plus de l'entendre mis à toutes les sauces dans les chansons, ou dans les films. Le fardeau me semblait trop lourd pour l'imposer à autrui. Aimer quelqu'un d'autre. Lui confier quelque chose de si inconcevablement fragile et précieux, en lui demandant de ne pas le casser, le perdre, ni l'oublier dans le bus...

Je me disais que j'avais le choix : tomber amoureuse, ou pas. Il m'aime... ou pas. Vous voyez, je n'ai rien de bien subtil !

Pour Samira, je suis à court d'idées. Jusqu'à présent, j'étais portée par la certitude de parvenir à retrouver les bébés, et puis... et puis quoi ? Qu'est-ce que j'imaginais ? Cate s'est mise hors la loi, en louant les services d'une mère porteuse. Sans doute ignorait-elle que Samira serait contrainte à coopérer. Sur ce point, je crois qu'on peut lui accorder le bénéfice du doute.

Elle a toujours aimé flirter avec les limites. Les frôler toujours au plus près, celles de la vie comme celles de la mort. Elle a toujours eu ce petit côté excessif et allumé – pas de façon chronique, non... mais çà et là, à l'occasion. Un peu comme lorsque le temps tourne à l'orage et que les enfants se mettent à sauter dans tous les sens en virevoltant comme des feuilles dans le courant d'air. C'était le genre de lueur enfantine que je voyais briller dans son regard, juste avant qu'elle ne parte dans un de ses délires.

Et à présent, voilà qu'elle est passée du côté des souvenirs. Elle appartient à l'époque de mes premiers coups de foudre et de mes premiers baisers, au temps des salles de cours bondées, et des pubs enfumés. Serait-elle toujours de ce monde que nous n'aurions peut-être plus grand-chose à nous dire. Nous n'aurions plus en commun que notre passé...

Je ferais mieux de tourner la page. Ruiz est sorti d'affaire. Je n'ai plus qu'à le ramener à Londres, et à accepter le job qu'on me propose, en remballant mon amour-propre – ou alors, dire « oui » à Dave et aller vivre avec lui à Milford-on-Sea. Qu'est-ce que je fiche ici, à Amsterdam ? Comment ai-je pu croire une seule seconde que je parviendrais à changer le cours des choses, à ramener Cate à la vie ? Et pourtant, je ne parviens toujours pas à tordre le cou à cette insidieuse petite question, pourtant essentielle : que deviendront les bébés ?

Yanus et ses complices vont les vendre au plus offrant. Ou alors, étant nés aux Pays-Bas, ils seront déclarés adoptables. Mais s'ils étaient renvoyés à Kaboul avec Samira, qui sera traitée en proscrite... Les Afghans ne sont pas tendres avec les filles mères. Il leur arrive même d'en lapider quelques-unes, par-ci par-là.

Cate a menti, trompé son monde, enfreint la loi. J'ignore toujours pourquoi Brendan Pearl l'a tuée, mais il y a de fortes chances pour qu'il ait préféré la faire taire définitivement. Elle m'avait contactée. Elle s'apprêtait à m'en parler, ce qui me rend, en partie du moins, responsable.

Responsable, peut-être − mais en quoi suis-je coupable ? Y a-t-il quelque chose que j'aurais pu ou dû faire différemment ? Je devrais peut-être prévenir la famille de Felix, qu'ils sachent que leur fils va être père dans quelques jours... Quant aux Elliot, ils sont les pseudo-grands-parents de ces jumeaux à naître.

Je n'aurais pas cru pouvoir éprouver de la compassion pour Barnaby − et d'autant moins après ce qui s'est passé. Je pensais avoir découvert sa vraie nature, le jour où il m'a larguée sans un mot dans cette petite garc de Cornouaille. Il était incapable de me regarder en face. Il n'a même pas été fichu de me dire au revoir.

Je ne saurai jamais s'il s'en est expliqué auprès de sa femme. Sans doute pas. Son genre, c'est de tout nier en bloc, mordicus − jusqu'à ce qu'on lui mette le nez sur une preuve. Auquel cas il hausse les épaules, joue les incompris, les héros romantiques, et se justifie en s'accusant d'aimer trop, plutôt que le contraire.

La première fois que je l'ai croisé à l'hôpital, quand Cate était dans le coma, j'ai été frappée par son attitude. Toujours en campagne. Toujours à l'affût de nouvelles voix. Surveillant son image dans les reflets des portes vitrées, pour s'assurer qu'il avait la tête de l'emploi, qu'il était bien dans son rôle de père éploré – mais là, je sens que je me laisse emporter. Ne nous acharnons pas sur un homme à terre...

Ruiz s'est endormi. Je lui prends son verre des mains, je vais le rincer dans le lavabo et je glisse la bouteille dans mon sac.

Je ne sais toujours pas ce qu'il faut faire. J'ai l'impression de disputer une course où j'ignorerais tout des autres concurrents, victorieux ou distancés, et du nombre de tours qu'il me reste à parcourir. À quoi saurai-je que j'aborde le dernier virage, et que je dois lancer le sprint de la dernière ligne droite – pour regagner mes pénates, par exemple ?

Le chauffeur du taxi qui me ramène à l'hôtel suit un match de foot à la radio. La voix de stentor du commentateur enfle et décroît avec le suspense, au fil des actions. Je n'ai pas la moindre idée des équipes qui s'affrontent, mais j'aime la rumeur de la foule. C'est souverain, contre la mélancolie.

Je repère immédiatement l'enveloppe blanche qui m'attend dans mon casier, à la réception, et que j'ouvre immédiatement.

Deux mots : « Salut, trésor ! »

La réceptionniste lève les yeux. Je me retourne. Ce cher petit Dave ! Il était juste derrière moi.

Il m'enveloppe de ses bras, et je m'agrippe à lui, le visage enfoui dans sa chemise. Pas question de lui laisser voir les larmes qui me montent aux yeux.

7

J'émerge instantanément du sommeil. Le réveil affiche 4 heures du matin. Dave dort sur le côté, la joue sur le drap, les lèvres agitées d'une délicate vibration.

Nous avons à peine eu le temps de nous dire deux mots, hier soir. La fatigue, la douche chaude et le contact apaisant de ses mains ont eu raison de moi. Mais je compte bien me rattraper dès son réveil. Ça ne doit pas être un cadeau pour l'ego masculin, une femme qui vous tombe dans les bras en roupillant à poings fermés.

Je le regarde dormir, appuyée sur le coude. Il a les cheveux ébouriffés, soyeux et roux, avec quelques mèches blondes, çà et là, comme le pelage d'un matou tigré. Il a une grosse tête. Dois-je en conclure qu'il ferait de gros bébés avec une grosse tête... Instinctivement, je resserre les cuisses.

Il se gratte l'oreille. Jolies, ses oreilles. Celle que je vois porte une petite marque, un point à peine perceptible, qui pourrait indiquer qu'elle a été percée, au temps de sa jeunesse folle. Sa main repose sur le drap, allongée vers moi. Il a les ongles larges et plats, coupés droits. Je lui effleure le bout des doigts, tout embarrassée de mon propre bonheur.

La journée d'hier a été l'une des pires de ma vie. Hier soir, quand je l'ai serré dans mes bras, j'ai eu le sentiment de me cramponner à une planche de salut. Il a l'art de me rassurer. D'effacer toutes mes peines. Il lui suffit de me prendre dans ses bras...

Et voilà peut-être pourquoi je reste là, immobile, attentive à ne rien faire qui puisse écourter ce moment.

Je n'ai aucune expérience de l'amour. Depuis mon adolescence, je l'évite, je l'esquive, je m'évertue à faire sans – tout en l'attendant éperdument (ambivalence qui est justement l'un des symptômes)... J'ai servi de confidente à toutes mes amies qui m'ont fait partager leurs histoires de mariages arrangés, de maris volages, d'amants indélicats ou indécis, de retards de règles, de problèmes sexuels, de projets de mariage, de dépressions postpartum et d'échecs de régime. J'en connais un rayon, sur les problèmes des autres, mais pour ce qui est des miens, je suis totalement novice. Cela pourrait bien expliquer la peur panique qui me saisit, à l'idée de tout gâcher.

Je réprime une grimace de douleur, tandis que Dave effleure l'ecchymose de ma joue. « Qui t'a fait ça ?

— Un certain Yanus. »

Je verrais presque les rouages de son esprit se mettre en branle et stocker l'information, en vue d'une utilisation ultérieure. Ils fonctionnent à peu près sur le même mode, Ruiz et lui. Ils n'ont jamais été du genre à s'emballer ni à se cogner la tête contre les murs. Pour eux, la vengeance est un plat qui peut se manger aussi bien froid que tiède. Ils savent attendre leur heure.

« Encore une chance qu'il ne t'ait pas cassé la pommette.

— Il aurait pu faire bien pire... »

Je m'avance vers lui pour l'embrasser sur la bouche. Un petit baiser bref et léger, sur l'impulsion du moment, juste avant de battre en retraite vers la salle de bains. Et comme je me retourne pour lui dire quelque chose, je le surprends en train de boxer l'air d'un geste de triomphe.

Il rougit jusqu'aux oreilles.

« Ce n'était tout de même pas un sommet du genre, ce baiser !

— Pour moi, si. »

Quelques minutes plus tard, il s'assied sur le lit et me regarde m'habiller. Intimidée, je lui présente mon dos. Il s'approche à pas de loup et arrondit ses mains sous mes seins, sans me laisser le temps d'enfiler mon soutien-gorge.

« Je me porte volontaire pour ce job, à plein temps et même à titre bénévole ! dit-il.

— J'en suis infiniment touchée, mais je te vois mal passer toutes tes journées dans cette position... » Et, repoussant ses mains, je continue.

« Finalement, je crois que tu m'aimes bien un peu quand même, non ? » dit-il. Et la glace de l'armoire me renvoie son grand sourire niais.

« Ah ! Pousse pas le bouchon..., riposté-je, sur le ton de la mise en garde.

350

— Allez... Ne dis pas le contraire. Tu m'aimes bien.

— Pfff ! Mais ça, ça peut encore changer ! »

Il part d'un grand éclat de rire qui ne me convainc qu'à moitié.

Nous prenons notre petit déjeuner dans un café sur Paleisstraat, près de Dam Square. Des trams bleu et blanc traversent la vitrine en ferraillant, sous leurs fils qui bourdonnent. Un petit soleil pâlot s'évertue à transpercer les nuages. Le vent glacé fait voler les vêtements des piétons et des cyclistes.

Le comptoir de zinc du café court sur toute la longueur d'un mur. Au-dessus est accroché le menu, sur un tableau noir. Des tonnelets de vin ou de porto s'alignent sur les étagères. Il flotte dans l'air des parfums de café et de fromage gratiné. Je sens l'appétit me revenir. Nous nous commandons des tranches de viande froide, du pain, du fromage et deux cappuccinos débordants d'écume blanche.

Je lui fais un résumé détaillé de toute l'affaire. Il m'interrompt de temps à autre, pour poser une question – mais se contente généralement d'écouter en mastiquant. Cette histoire est entrelardée de semi-vérités et de gros mensonges, soigneusement ficelés. L'ambiguïté des apparences semble l'emporter sur le poids des faits, et j'ai comme l'impression qu'elles me narguent, ce qui a le don de me taper sur les nerfs.

M'emparant de son calepin, j'y inscris une liste de noms.

Brendan Pearl – Yanus

Paul Donavon – Julian Shawcroft

Et en face, sur la même page, une autre liste, celle des victimes :

Cate et Felix Beaumont

Hasan et Samira Khan

Mais peut-être ces listes ne sont-elles pas exhaustives ? Où mettre les gens qui n'entrent dans aucune des deux catégories, tel Barnaby Elliot ? Je suis toujours convaincue qu'il m'a menti, pour l'ordinateur de Cate. Et que penser du Dr Banerjee, son spécialiste de la stérilité, dont l'apparition à l'anniversaire de mon père ne pouvait être le fruit du hasard...

Je ne sais pas au juste ce que j'espère, en dressant cette liste. Trouver un nouvel angle d'attaque, découvrir de nouveaux liens ? Jusqu'à présent, je me suis efforcée de repérer un point pivot, une figure centrale sous les entrelacs des événements – mais c'est peut-être un peu trop simpliste. Ces gens pourraient être tous reliés entre eux sans même le savoir, tels les rayons d'une même roue, ne se rejoignant qu'au centre.

Et reste un problème : à quel moment doit avoir lieu la remise des bébés ? Cate devait avoir prévu une période de vacances ou un week-end prolongé aux Pays-Bas. Elle aurait fait semblant d'aller accoucher, ici ou là, puis aurait annoncé à tout le monde l'heureux événement et serait revenue avec l'enfant, ni vu ni connu, avant de couler des jours heureux dans sa nouvelle petite famille.

Mais les nourrissons aussi ont besoin de papiers pour voyager. Il lui aurait fallu un passeport, et donc un extrait d'acte de naissance, des certificats de l'état civil, des photos officielles. Je pourrais appeler le consulat britannique à La Haye, en leur demandant comment les ressortissants britanniques doivent s'y prendre pour déclarer une naissance hors des frontières nationales.

En fait, tout serait bien plus facile si le bébé naissait dans le même pays que ses futurs parents. N'importe quelle femme peut accoucher chez elle ou dans un domicile privé, sans faire appel à l'hôpital, ni même à une sage-femme.

Une fois que les parents génétiques auraient réceptionné les enfants, personne au monde n'aurait pu prouver qu'ils n'étaient pas d'eux. Échantillons sanguins, analyses d'ADN, tests de paternité – tout aurait confirmé le lien de parenté.

Samira a dit que Hasan devait aller en Grande-Bretagne quelque temps avant elle, et qu'elle comptait l'y rejoindre. Était-ce là-bas qu'ils avaient prévu de remettre le ou les bébés à Cate ? Cela expliquerait du même coup que Cate ait donné mon nom à Samira, au cas où les choses auraient tourné au vinaigre en Angleterre...

« Hier soir, tu disais que tu en avais jusque-là et que tu allais rentrer, me fait remarquer Dave.

— Je sais, oui. Mais je me dis que...

— Tu as toi-même admis que les bébés étaient à Samira, qu'ils l'ont toujours été.

— Mon amie s'est fait descendre.

— Tu ne peux pas lui rendre la vie.

— Ils ont incendié sa maison.

— Tu n'es même pas chargée du dossier ! »

La colère me serre la gorge. Il croit vraiment que je vais m'en remettre à Softell et à cette bande de crétins, pour que justice soit faite ? Quant à Spijker, il ne m'inspire décidément pas confiance. D'autant moins depuis qu'il a laissé filer Yanus sans même lever le petit doigt !

« Hier soir, tu pleurais à chaudes larmes... tu as dit que tu laissais tomber tout ça.

— Hier soir, c'était hier soir ! » Je n'ai pu m'empêcher de laisser une note de colère filtrer dans ma voix.

« Qu'est-ce qui a changé, depuis ?

— Mon avis ! Changer d'avis, c'est l'un des droits inaliénables de la femme, non ? » Et je me retiens d'ajouter : « Arrête de faire le con, mon petit Dave... Et cesse de me rappeler ce que j'ai dit hier soir ! »

C'est quoi, le problème avec les hommes ? À peine commence-t-on à les juger capables de figurer parmi les membres rationnels de l'espèce humaine, qu'ils se transforment en pithécanthropes ! Dans une minute, il va me demander combien d'amants j'ai eu avant lui et dans quelle tranche je classerais sa prestation de cette nuit !

Quelques regards se tournent vers nous. « Je crois qu'on ferait mieux d'aller discuter de ça ailleurs.

— Inutile d'y revenir... Le sujet est clos. » Je me lève pour partir.

« Mais où tu vas, comme ça ? »

Réprimant une furieuse envie de le prier de se mêler de ce qui le regarde, je l'informe que j'ai rendez-vous avec l'avocate de Samira – ce qui n'est qu'à moitié faux – ou à moitié vrai, c'est selon.

« OK. Je t'accompagne.

— Non. Toi, tu vas voir Ruiz. Ça lui fera plaisir. » Je me radoucis. « Et on se retrouve après, d'accord ? »

Il fait grise mine, mais ne discute pas. Ça, c'est

une qualité qu'il faut lui reconnaître : il apprend vite.

Dans la salle d'attente de Lena Caspar, on passe l'aspirateur. Les magazines forment une pile bien nette sur la table basse et les jouets sont remisés dans un coffre de bois verni. Le bureau est tout aussi impeccablement rangé. Elle n'a devant elle qu'une boîte de mouchoirs et un plateau, avec un verre et un pichet d'eau. La corbeille à papier a été soigneusement vidée de son contenu.

Me Caspar porte un tailleur dont la jupe lui arrive au genou. Et, comme la plupart des femmes d'un certain âge, elle se maquille peu mais bien.

« Je ne peux vous dire où elle se trouve actuellement, m'annonce-t-elle d'entrée de jeu.

— Je sais. Mais vous pourrez peut-être m'expliquer ce qui s'est passé hier... »

Elle m'indique une chaise. « Que voulez-vous savoir ?

— Tout. »

Elle pose les deux mains à plat sur son bureau. « Dès que j'ai vu entrer l'interprète, j'ai compris qu'il y avait quelque chose. Samira parle parfaitement l'anglais, comme vous savez. Mais elle a fait semblant de ne pas comprendre. Toutes nos paroles ont dû être traduites. Samira ne disait que ce qu'on lui faisait dire.

— Est-ce que Yanus a pu lui parler en tête-à-tête ?

— Bien sûr que non.

— L'a-t-elle vu ?

— Il lui a été présenté avec d'autres suspects au

355

cours d'une présentation d'identification, derrière une vitre sans tain. Elle l'a immédiatement reconnu, naturellement.

— Mais lui, il ne pouvait pas la voir.

— Non.

— Avait-il quelque chose dans les mains ? »

Elle pousse un petit soupir excédé, agacée par mon insistance.

« Tenait-il quelque chose dans les mains », insisté-je.

Elle ouvre la bouche pour dire non, mais se ravise. Un détail lui revient. « Oui..., dit-elle. Il avait une sorte de mouchoir bleu qu'il tenait dans son poing, roulé en boule, comme un magicien. »

Comment a-t-il retrouvé Zala ? Les sœurs étaient les seules à savoir qu'elles étaient au couvent, et je vois mal sœur Vogel les trahir. Mais le quartier de Walletje est petit. Comme le disait Me Caspar, quelques jours plus tôt, ici, les murs ont des oreilles...

L'avocate écoute patiemment mes explications concernant Zala, mais elle a d'autres chats à fouetter : plus de quatre cents demandeurs d'asile qui comptent sur elle, eux aussi...

« Que va devenir Samira ? lui demandé-je.

— Elle va être rapatriée en Afghanistan, ce qui est sans doute une meilleure option que de devoir épouser Yanus.

— Il n'a aucune intention de l'épouser.

— Non.

— Ce qu'il veut, c'est la retrouver et prendre les bébés. »

Elle hausse les épaules. Comment peut-elle accepter ça d'un front serein ? Elle va s'accouder au

356

rebord de la fenêtre et laisse son regard descendre vers la cour où des pigeons picorent le sol, au pied d'un arbre solitaire.

« Certains êtres semblent nés pour souffrir, dit-elle d'une voix pensive. Les catastrophes leur tombent dessus, sans discontinuer, sans même leur laisser le temps de relever la tête. Pensez à ce qui se passe en Palestine, en Afghanistan, au Soudan, en Éthiopie – guerres, famines, sécheresses, inondations. Lutter contre les coups du destin qui s'acharne est devenu pour eux un véritable mode de vie. Leur unique raison d'être.

» Nous autres Occidentaux, nous pensons pouvoir infléchir le cours des choses. Faire évoluer ces peuples et ces pays. Parce que ça nous soulage un peu la conscience lorsque, le soir venu, nous bordons nos enfants dans de bons lits avec le ventre plein, avant d'aller déguster un verre d'un bon cru, dans notre fauteuil préféré, en regardant les tragédies des autres retransmises en différé sur CNN. » Elle contemple ses mains, l'air vaguement dégoûtée. « N'ayant pas la moindre idée de ce que c'est, que de subir de telles épreuves, année après année, nous devons nous interdire de juger sommairement ceux qui, comme Samira, tentent de sauver ce qui peut encore l'être... »

J'ai entendu quelque chose d'autre vibrer dans sa voix. De la résignation. Pourquoi ? Pourquoi baisse-t-elle si facilement les bras ? En une fraction de seconde, je comprends qu'elle ne me dit pas tout – soit qu'elle ne parvienne pas à s'y résoudre, soit que Spijker l'ait mise en garde. Mais je pense pouvoir me fier à son honnêteté naturelle. Si je lui pose la bonne question, en la regardant dans le blanc de l'œil, elle me dira la vérité.

« Qu'est-il arrivé à Samira ?

— Elle a disparu. Hier soir, elle s'est enfuie du centre d'accueil de l'Immigration, à l'aéroport de Schiphol. »

8

En physique quantique, il existe un principe dit d'incertitude, selon lequel on ne peut observer le comportement d'une particule dans l'espace et dans le temps, sans l'altérer. Moi, je ne me suis pas bornée à observer les événements. En remontant la piste de Samira, j'ai brutalement infléchi leur cours.

Dans le taxi qui m'amène au poste de police, je serre les poings pour ne pas hurler. J'avais prévenu Spijker. Je savais ce qui se préparait. Je savais que Samira prendrait la fuite, et que, d'une façon ou d'une autre, Yanus lui remettrait la main dessus.

J'ai peu d'espoir d'être reçue par l'inspecteur. Il va invoquer les prétextes habituels, surcroît de travail ou manque de temps. Je ronge mon frein dans le hall. Mais cette fois, on m'appelle. Peut-être Spijker a-t-il une conscience, après tout ?

Les couloirs sont tapissés d'une moquette gris perle, avec un motif de feuilles de palmier. L'endroit tient décidément plus de la banque d'affaires que du poste de police...

L'inspecteur me reçoit en bras de chemise – il a le poil du même roux pâle que ses taches de rousseur. La porte se referme. J'aperçois sa veste, pendue derrière à un portemanteau.

« Combien de temps avez-vous l'intention de rester à Amsterdam ? s'enquiert-il.

— Pourquoi, Mr Spijker ?

— Vous avez déjà dépassé la durée moyenne d'une visite touristique. La plupart de nos visiteurs ne restent guère plus de deux ou trois jours.

— Vous me conseilleriez donc de m'en aller ?

— Je n'ai pas autorité pour vous donner ce genre de conseil... » Il fait pivoter son fauteuil et laisse son regard s'échapper par la fenêtre, qui donne sur les flèches et les clochetons néogothiques du Rijksmuseum. Sur le rebord s'aligne une collection de cactées, dans des petits pots multicolores. C'est son jardin secret... des boules hérissées de piquants, velues et anguleuses à souhait – elles ont dû déteindre sur son caractère.

J'ai répété mon intervention dans le taxi, sous l'œil inquiet de mon chauffeur qui me surveillait dans le rétroviseur. Mais à présent, mes répliques les plus imparables me paraissent bien vaines et bien creuses. Désarmée, je laisse à Spijker l'initiative de l'attaque.

« Je sais ce que vous pensez, Miss Barba. Vous vous dites que j'ai jeté l'éponge, dans cette affaire, que j'ai choisi de botter en touche – selon l'expression consacrée, dans le rugby britannique.

— Vous auriez dû assurer sa protection.

— C'est elle qui a choisi de nous fausser compagnie.

— Une gamine de dix-huit ans, enceinte de huit

360

mois et demi – vous ne pouviez vraiment pas la garder vingt-quatre heures de plus ?

— Vous auriez peut-être voulu que je lui passe les menottes ?

— Vous auriez pu la retenir, d'une façon ou d'une autre.

— J'essaie surtout de ne pas faire de vagues. Je ne tiens pas à rameuter la presse. Des bébés vendus au marché noir – imaginez les gros titres !

— C'était donc une décision de stratégie politique ?

— Ici, les milieux politiques n'ont aucune influence sur la police.

— Ah non ?

— Pas sur moi en tout cas. À ce jour, personne n'a encore essayé de m'entraîner sur ce terrain. »

Spijker aurait donc foi en la nature humaine... Mais la tristesse de son regard et le pli amer de sa bouche viennent démentir cet optimisme si résolument affiché.

« En vingt ans de service, j'ai eu tout le temps d'apprendre à monter mes dossiers, Miss Barba. Je suis le troisième petit cochon – vous savez, l'amateur de murs en briques. Vous, vous construisez votre maison en paille et je n'ai pas besoin de vous rappeler la fin de l'histoire... » Il gonfle les joues et souffle, faisant s'envoler une particule de cendre de cigarette qui achève sa course sur mon genou.

Après les métaphores sportives, les Trois Petits Cochons – qu'est-ce qu'il va me servir, à présent... ? Il ouvre l'un des tiroirs de son bureau et en sort un dossier.

« Il y a une clinique, à Amersfoot. Un établissement spécialisé dans le traitement de la stérilité. Excellente réputation, à tous points de vue. Grâce à eux, des milliers de couples ont pu fonder leur famille. En cas d'échec répété de la fécondation in vitro, ils acceptent à titre exceptionnel d'implanter des embryons sur une mère porteuse – ça s'appelle des mères de substitution. En 2002, sur un total de plus de mille cinq cents fécondations in vitro, il n'y a eu que quatre procédures de ce genre. En 2003 et 2004, il n'y en a eu que deux. » Il jette un coup d'œil à son document. « Mais cette année, ils en ont fait vingt-deux. »

Vingt-deux ! Une augmentation de plus de mille pour cent.

« Chez nous, le recours à des mères de substitution est une procédure légale. Mais pas le trafic de mères porteuses. Pas plus que le chantage, ou la servitude involontaire.

» Les directeurs et le personnel de cette clinique ont formellement déclaré n'avoir rien remarqué d'anormal. Ils nous ont assuré que les mères porteuses étaient dûment sélectionnées et qu'elles bénéficiaient du suivi médical, psychologique et financier prévu par nos lois.

» Le 26 janvier dernier, Samira Khan est venue subir des examens. On l'a interrogée sur son cycle menstruel, on lui a prescrit des œstrogènes et de la progestérone par voie orale et intraveineuse, pour préparer son utérus à l'implantation.

» Le 10 mars, elle est revenue à la clinique. L'opération a pris moins d'un quart d'heure. On lui a posé un petit cathéter, et les embryons lui ont été injectés directement dans l'utérus. Elle est restée allongée trente minutes, puis elle a pu repartir. On l'a emmenée en fauteuil roulant jusqu'au parking, où l'attendait Yanus. Quinze jours plus tard, sa grossesse a été confirmée. Elle attendait des jumeaux. »

Il lève enfin les yeux vers moi. « Mais tout ça, vous le saviez déjà... »

Son dossier contient d'autres documents.

« Avez-vous les noms des futurs parents ?

— Une telle opération exige l'établissement d'un contrat entre les couples et les mères porteuses. La clinique ne peut évidemment pas se charger de rédiger ces contrats, mais elle exige une attestation d'un avocat confirmant son existence.

— Et vous les avez vus, ces contrats ?

— Oui. »

L'espace d'une seconde, je m'attends à devoir lui poser la question, mais Spijker n'est pas totalement sadique. « Celui de Samira Khan porte bien la signature de Cate Beaumont. C'est ce que vous vouliez savoir ?

— Oui. »

Il fait disparaître le dossier dans son tiroir, puis quitte son fauteuil, survolant la pièce d'un regard où se lit un mélange d'orgueil, de satisfaction du devoir accompli et de volonté de défendre son territoire.

« Sur les vingt-deux procédures, dix-huit ont débouché sur des grossesses. L'un des quatre échecs concernait une certaine Zala Haseeb. Les gynécologues ont constaté qu'elle ne pouvait plus porter d'enfant à cause d'un dommage irréversible résultant d'une agression extérieure.

— Elle a été torturée par les Talibans. »

Il n'a pas levé le nez de son dossier, mais je sais qu'il a entendu.

« Douze des mères porteuses ont actuellement dépassé leur terme, mais nous n'avons eu aucune confirmation des naissances. D'ordinaire, la clinique surveille chaque stade de la grossesse, et en assure le suivi, à des fins de statistiques. Mais dans ce cas, le service concerné a perdu toute trace de ces femmes.

— Ils en ont perdu toute trace !

— Nous enquêtons actuellement pour remonter leur piste. La clinique nous a donné les noms, mais toutes les adresses sont fictives.

— Vous ne retrouverez aucune trace de ces naissances aux Pays-Bas, lui dis-je. Ils ont dû faire passer la frontière aux mères porteuses et les emmener en Grande-Bretagne, ou dans d'autres pays européens, où vivent les futurs parents, de manière à ce que les bébés puissent leur être remis immédiatement après leur naissance et être normalement déclarés et enregistrés, en évitant tout problème administratif. »

Spijker hoche la tête. Ça lui paraît couler de source. « Nous tentons de remonter jusqu'aux parents commanditaires, via les transactions financières. Il existe des reçus, des papiers officiels.

— Qui a établi ces contrats ?

— Un cabinet juridique d'Amsterdam.

— Et bien sûr, vous avez enquêté sur ces avocats... »

Spijker marque une brève pause. « Vous connaissez déjà le directeur de ce cabinet. Vous l'avez rencontré pas plus tard qu'hier : c'est l'avocat de Yanus. »

Son regard s'est figé. Pour la première fois, je prends la mesure de son fardeau. Ma propre enquête gravite autour d'une seule de ces transactions. Mais en fait, le dossier s'étend à des dizaines, sinon des centaines de personnes.

Spijker va à la fenêtre puis, après un long moment de silence, il s'en détourne et reprend la parole : « Vous avez des enfants ?

— Non, inspecteur.

— Moi, j'en ai quatre.

— Quatre !

— C'est soit trop, soit trop peu... je n'arrive pas à me décider. » Ses lèvres esquissent un bref sourire. « Mais je peux comprendre ce que ça représente, pour les gens concernés. Certains seraient prêts à tout, pour avoir un enfant, ajoute-t-il, en se penchant légèrement, la tête inclinée de côté. La boîte de Pandore, ça vous dit quelque chose, inspecteur Barba ?

— De nom, oui.

— En fait, elle n'a jamais été à Pandore, cette boîte. C'était l'œuvre de Zeus, le roi des dieux dans la mythologie grecque, qui y avait enfermé tous les maux susceptibles de s'abattre sur l'humanité – maladies, souffrances, crimes et vices. Un cocktail détonant, qu'on n'imagine même pas ! Et d'autre part, Zeus avait créé Pandore – une femme charmante mais, par définition, curieuse. Il savait qu'elle ne pourrait résister à l'envie de glisser un œil dans cette fameuse boîte dont elle entendait sortir des gémissements et des supplications. Elle a donc soulevé le couvercle, mais juste d'un cheveu... et c'est ainsi que tous les maux se sont répandus dans le paradis terrestre qu'était le monde, frappant indistinctement les hommes jusque-là insouciants, transformant leur joie en deuil et en désespoir. »

Sa main s'ouvre, me révélant sa paume. Vide. Voilà ce qu'il craint. Un excès de curiosité qui risquerait de plonger des familles entières dans le malheur. Pour l'instant, la plupart de ces enfants vivent entourés d'affection, dans des familles équilibrées – une chance rare, vu le nombre d'enfants non désirés ou maltraités, aux quatre coins du monde. L'argument m'a un petit air de déjà-vu. Julian Shawcroft n'aurait pas mieux dit !

On ne peut nier le problème – mais il y a eu plusieurs morts dont celle de ma meilleure amie ! Rien de tout ce qu'on pourrait m'objecter ne suffirait à justifier ça, et les mises en garde de Spijker sonnent un peu creux, en regard du souvenir de Cate baignant dans son sang, brisée, au milieu de la rue.

Le briefing est terminé. Spijker se lève avec une solennité quelque peu raide, et me reconduit à la réception.

« Hier soir, j'ai eu au bout du fil le superintendant North, de Scotland Yard. Il m'a dit que vous aviez déserté votre poste de la police métropolitaine de Londres, sans aucune autorisation. Vous encourez des mesures disciplinaires graves. »

Que lui répondre ?

« J'ai eu d'autre part une conversation avec l'inspecteur Forbes, qui enquête sur la mort de cinq clandestins sur un ferry à Harwich, et que vous avez aidé dans ses investigations. Sans oublier le sergent

Softell, qui aimerait pouvoir vous dire deux mots, concernant un incendie un tantinet... douteux. Tous ces messieurs m'ont prié de vous mettre dans le premier avion à destination de Londres, mais, comme je leur ai expliqué, je n'ai pas autorité pour prendre ce genre de décision. » Il se pince l'arête du nez entre le pouce et l'index. « D'ailleurs, je présume que vous ne souhaitez pas quitter Amsterdam sans notre ami Mr Ruiz, à qui j'ai parlé ce matin même et qui semble se rétablir à vue d'œil.

— Oui, inspecteur.

— Il semble avoir énormément d'affection pour vous.

— On se connaît depuis des années.

— Il a la plus grande estime pour votre travail, et m'a longuement vanté vos talents d'enquêtrice. Il a même employé une expression que je ne connaissais pas : il a dit que vous étiez bien plus fine que du gros sel... »

Effectivement, je croirais entendre Ruiz !

« Je comprends les raisons de votre présence à Amsterdam, tout comme celles qui vous poussent à prolonger votre séjour parmi nous. Néanmoins, il est grand temps que vous me laissiez mener mon enquête comme je l'entends.

— Et Samira ?

— Je vais la retrouver. »

9

D'habitude, quand je cours, je ne remarque même pas la présence des gens. Je flotte au-dessus du sol, hors de portée du monde. Mais aujourd'hui, j'entends tout. Les voix, les rires, les conversations, les disputes. Les bruits de pas. Les claquements de portière. La rumeur du trafic...

Dave est à l'hôpital, au chevet de Ruiz. Et c'est là que je vais le rejoindre – si je parviens à me repérer dans le dédale de ces rues inconnues. Devant moi se dressent deux clochers jumeaux. Je prends à droite, dépassant une rangée de boutiques dont les fenêtres s'abritent derrière des barreaux et les vitrines derrière des volets de fer. Certaines des ruelles sont trop étroites pour livrer passage à autre chose qu'à des piétons ou des vélos.

La nuit est presque tombée, quand j'arrive enfin à l'hôpital. Les couloirs sont silencieux. La pluie ruisselle sur les vitres. Dave m'enfile sa veste sur les épaules, pour me tenir chaud. Ruiz dort.

« Comment va-t-il ?

— Il souffre surtout de l'ennui. Aujourd'hui, il a tenté de mettre sur pied un plan d'évasion en masse, à destination du pub le plus proche. Il avait même réussi à convaincre deux autres patients de l'accompagner – deux amputés. Il leur a expliqué qu'ils ne risquaient plus rien, maintenant, que l'alcool ne pouvait plus leur couper les pattes !

— Jusqu'où sont-ils allés ?

— Jusqu'à la boutique de souvenirs, à l'entrée. L'une des infirmières a découvert le complot juste à temps pour alerter les vigiles de service...

— Qu'est-ce qu'il leur a dit ?

— Qu'il avait des copains dans la Résistance et qu'ils viendraient scier les barreaux de sa prison. »

Dave a parlé aux toubibs. Ruiz devrait pouvoir quitter l'hôpital dans quelques jours, mais avec interdiction de voyager en avion avant un mois, minimum.

« On prendra le ferry », suggéré-je.

Il s'est emparé de ma main et joue avec mes doigts en me caressant la paume de son pouce. « Eh bien... j'espérais que t'accepterais de rentrer en avion avec moi, dès demain. J'ai un procès lundi, à l'Old Bailey.

— Pas question de laisser l'inspecteur chef échoué ici, alors que c'est moi qui l'ai entraîné dans cette histoire ! »

Il comprend. « Qu'est-ce que tu comptes faire, pour ton poste ?

— Je n'ai encore rien décidé.

— Tu devrais y être depuis deux jours...

— Je sais. »

Il a autre chose à me demander, mais il hésite. L'appréhension le fait grimacer.

« Et pour le reste... t'as réfléchi ? » Il veut dire : l'école de voile et la maison sur la côte... Notre mariage. Notre avenir. Il est aux prises avec ce mélange de crainte et d'espoir qui lui noue la gorge. J'ai d'ailleurs toujours un peu de mal à me convaincre qu'il a bien trouvé le courage de me faire sa proposition. Dans la vie, c'est parfois comme au cinéma, avec le public qui piaffe d'impatience en criant : « Allez, vas-y ! Demande-lui... »

« Je croyais que tu avais toujours rêvé d'être flic, lui dis-je.

— Tu sais, à six ans, je voulais être pompier... Eh bien, ça m'a passé.

— Et moi, j'étais amoureuse de mon prof de piano, et je m'étais juré de devenir concertiste.

— Je ne savais même pas que tu jouais du piano.

— Bof, sur ce point, le débat reste ouvert... »

Mais il attend toujours ma réponse.

« Qu'est-ce qui s'est passé, Dave... Qu'est-ce qui t'a décidé à laisser tomber la Maison ? »

Il hausse les épaules.

« Quelque chose a dû servir de détonateur... ?

— Ouais. Tu te souviens de Jack Lonsdale ?

— Il paraît qu'il a été blessé. »

Il impose le silence à ses mains en les faisant disparaître dans ses poches. « On avait eu un tuyau, concernant un suspect qui était en conditionnelle. Un dealer, dans le secteur de White City. En période calme, l'endroit est déjà mal famé, mais là, c'était un samedi soir, en plein mois de juillet – t'imagines. Le baril de poudre. On s'est amenés à l'adresse indiquée. On a cogné sur la porte. Normalement, tout aurait dû se dérouler sans accroc.

J'étais en train de passer les menottes au dealer, quand on a vu sortir de la cuisine un ado d'une quinzaine d'années qui a sauté sur Jack et lui a planté un couteau en pleine poitrine. Juste là..., précise-t-il, l'index pointé sur son plexus solaire. Et il tirait de toutes ses forces sur la lame, pour faire un maximum de dégâts, mais j'ai fini par lui faire lâcher prise. Le môme planait plus haut qu'un 747. Il ouvrait des yeux comme des soucoupes. Raide défoncé, tu penses. J'ai tâché de ramener Jack à la voiture, mais y avait des gens, des Jamaïcains pour la plupart, qui déboulaient dans l'escalier par toutes les portes, en nous balançant tout ce qui leur tombait sous la main et en hurlant leur haine des flics. J'ai vu le moment où on n'arriverait pas jusqu'à la voiture.

— Tu ne m'as jamais raconté ça ?

— Tu avais tes propres soucis.

— Et Jack ?

— Il est parti en retraite anticipée, avec quelques centimètres d'intestin en moins. Le dealer a atterri à Brixton et son fils dans un foyer d'accueil pour jeunes délinquants. Je crois que la mère était morte... »

Il baisse les yeux pour ne pas croiser mon regard. « Je sais que ça peut ressembler à de la lâcheté, mais pour moi, c'est devenu une idée fixe. Ç'aurait très bien pu être moi, là, en train de me tordre sur ce plancher dégueulasse, en me vidant de mon sang. Mais pire, ç'aurait pu être toi...

— Rien à voir avec de la lâcheté. C'est un sentiment humain.

371

— Ouais, possible. Mais du coup, je me suis mis à gamberger. J'ai pensé que je pouvais changer de branche.

— T'as juste besoin d'aller prendre l'air du large...

— Peut-être.

— Et tu n'es peut-être pas vraiment certain de vouloir m'épouser...

— Si. Sûr et certain.

— Même si nous ne pouvions pas avoir d'enfants ? Tu serais toujours partant ?

— Qu'est-ce que ça veut dire, ça ?

— Réponds.

— Mais attends... t'as toujours voulu des enfants !

— Et si je ne *pouvais pas* en avoir ? »

Il se redresse. Il ne comprend pas.

Je m'efforce de lui expliquer. « Quelquefois, ça n'est tout simplement pas possible. Regarde, pour Cate. Elle était prête à tout pour avoir un enfant, y compris à recourir aux manœuvres les plus douteuses. Tu ne crois pas que c'est déjà bien, quand deux personnes s'aiment – qu'il ne faut pas en demander davantage ?

— Si. Sans doute. »

Il ne voit toujours pas où je veux en venir. Et je ne peux plus lui dire que la vérité... Je lui résume la situation, estomaquée de l'aisance avec laquelle les phrases s'organisent dans ma tête. Cela frôle la perfection.

« Le bassin d'une femme doit pouvoir s'élargir et basculer en avant, lorsqu'elle porte un enfant. Le

372

mien est à présent incapable d'une telle souplesse. J'ai la colonne vertébrale maintenue par des baguettes et des plaques métalliques qui m'immobilisent la ceinture pelvienne. Une grossesse serait une épreuve insurmontable pour les tissus et les cartilages de ma colonne lombaire. Je courrais le risque de finir définitivement paralysée, et de pouponner en fauteuil roulant. »

Il semble atterré. Frappé de stupeur. Tout ce qu'il pourrait dire n'y changerait pas grand-chose, car j'ai entrevu le fond de son cœur. Lui, il tient à l'idée d'élever un enfant. Il s'y cramponne. Et pour la première fois de ma vie, je sens que moi aussi, je voudrais devenir mère.

Au cours des quelques heures qui suivent, nous retournons et ressassons mentalement toutes les solutions imaginables. Dans le taxi qui nous ramène à l'hôtel, d'abord, puis pendant le dîner, et ensuite au lit. Il parle de consulter d'autres spécialistes, d'étudier d'autres possibilités, d'entreprendre de nouvelles opérations. Nous consumons tellement d'oxygène, dans cette chambre, que je me sens à deux doigts de manquer d'air. Mais il n'a toujours pas répondu à ma première question, la plus essentielle : il n'a pas dit s'il serait toujours partant...

Et puisqu'on en est aux grandes révélations, je lui raconte mes démêlés avec Barnaby Elliot et avec sa fille. Par moments, je le vois faire la grimace, mais il fallait qu'il entende ça. Qu'il sache que la femme qu'il aime n'est pas tout à fait celle qu'il croit...

Ma mère se plaît à répéter qu'en matière d'amour, la vérité ne fait rien à l'affaire. Par définition, un mariage arrangé ne tient que par les histoires plus ou moins fictives que les familles se racontent. Peut-être est-elle dans le vrai. Peut-être qu'aimer, c'est se convaincre de croire à une histoire qu'on a inventée de toutes pièces.

10

Je me réveille au petit matin, avec son bras autour de la taille et la pulsation de son cœur dans mon dos. Une partie de moi voudrait rester comme ça, indéfiniment, immobile, ne respirant qu'à peine. Mais une autre n'aspire qu'à prendre ses jambes à son cou : descendre le couloir au pas de course puis l'escalier, le hall, la rue, et ainsi de suite, jusqu'aux faubourgs de la ville, et au-delà.

Me glissant hors du lit, je passe à la salle de bains, et j'enfile un jean, un chemisier et un blouson dont je remplis les poches d'argent, sans oublier mon portable. Quand je me baisse pour lacer mes bottes, mes vertèbres lombaires se rappellent à mon bon souvenir – un petit pincement douloureux que j'accepte à présent comme faisant partie intégrante de mon paysage interne...

Les premières lueurs du jour éclairent la ligne des toits. Les rues commencent à s'animer. Une machine de la voirie, équipée de brosses rotatives, semble avoir entrepris de lustrer les pavés, qui scintillent encore d'une petite averse nocturne. Dans le Walletje, la plupart des vitrines restent éteintes et les rideaux tirés. C'est l'heure où l'on ne croise dans les rues que les vrais solitaires ou les désespérés.

Est-ce que ça fait le même genre d'effet, d'être un réfugié – un étranger à la fois plein d'espoir et de projets, et en proie à la plus profonde détresse... Vivre dans l'attente perpétuelle du prochain cataclysme que vous réserve l'avenir. On n'a même pas idée de ce que ça peut être.

Hokke m'attend dans notre café habituel. Il est déjà au courant, pour Samira. « Oui... c'est un petit oiseau qui me l'a dit », m'explique-t-il en levant les yeux. Et comme à point nommé, un pigeon vient se poser sur une branche, juste au-dessus de nous.

À l'intérieur du café règne un joyeux tintamarre, dominé par le sifflement des jets de vapeur et le cliquetis des pichets et des ustensiles qui s'entrechoquent. En reconnaissant Hokke, serveurs et barmen le saluent d'une exclamation amicale ou d'un signe de la main. Quelques-uns viennent lui dire bonjour à notre table. Il me quitte une minute pour faire un saut aux cuisines, dont la porte est restée ouverte. Devant un grand évier, j'aperçois trois jeunes garçons occupés à récurer des casseroles. Ils accueillent Hokke avec une cordialité qui n'exclut pas le respect. Il leur ébouriffe les cheveux, échange quelques blagues avec eux.

Je jette un œil autour de moi : la salle est encore pratiquement déserte, à l'exception d'une tablée de hippies qui semblent communiquer grâce au cliquetis crypté des perles de leurs dreadlocks. Seule à une table voisine, une adolescente se réchauffe les mains autour de sa tasse. L'air paumé, les yeux

cernés, elle a tout d'une proie facile, que les proxénètes du quartier pourraient recruter moyennant de
belles promesses et un repas chaud.

Hokke est de retour. Lui aussi, il a remarqué la
fille. Il fait signe à un serveur à qui il commande
un petit déjeuner – toasts, confiture, fromage et
jambon – pour la jeune fugueuse. Elle lorgne le
plateau d'un air à la fois alléché et méfiant, comme
si elle craignait de le voir disparaître d'une seconde
à l'autre, avant de dévorer le tout de grand appétit.

Hokke me rend son attention.

« Je dois retrouver Samira.

— Une fois de plus...

— Il doit bien y avoir un moyen ! Les réfugiés
doivent avoir des réseaux. C'est vous-même qui
m'en avez parlé. Vous m'aviez même cité un nom.
De Souza. Ne pourrait-il pas m'aider ? »

Hokke pose l'index sur ses lèvres et se penche vers
moi en parlant du coin de la bouche, comme un
taulard sous l'œil de son gardien. « Faites gaffe,
quand vous prononcez ce genre de nom.

— Qui c'est ? »

Hokke prend tout son temps pour répondre, et
commence par refaire le plein de café dans sa tasse.
« En dépit de tout ce que vous avez pu entendre
dire, aux Pays-Bas, nous nous définissons moins par
notre tolérance que par nos interdits. Ici, vous ne
trouverez quasiment pas de taudis, et les graffitis
sont effacés dans des délais record. Les véhicules
abandonnés sont rapidement repérés et enlevés.
Nos trains et nos trams arrivent à l'heure, et nous
ne craignons pas de faire la queue. Cela ne change

pas vraiment le caractère des gens, bien sûr, mais leur cadre de vie, si. Énormément. »

D'un geste discret et d'un signe de tête, il m'indique la cuisine du café. « Il y a chez nous un demi-million de travailleurs clandestins. Iraniens, Soudanais, Afghans, Bosniaques, Irakiens... C'est eux qui font tourner les restaurants, les hôtels, les laveries, les usines. Sans eux, nos journaux ne seraient pas livrés, les draps de nos hôtels ne seraient pas lavés, le ménage ne serait pas fait. Une partie de la population s'en plaint, mais ils sont indispensables. »

Sa pipe se matérialise entre ses doigts. Il la bourre sans hâte, tassant le tabac du bout du pouce. La flamme d'une allumette vacille, aspirée par son souffle, tandis qu'il l'allume à petites bouffées.

« Imaginez maintenant qu'il existe un individu qui aurait la mainmise sur une telle force de travail. Ce type aurait plus de pouvoir que n'importe quel leader politique ou syndical.

— Alors... Il existe, oui ou non ? »

Il se rapproche et baisse encore la voix.

« Il s'appelle Eduardo de Souza. Personne n'a plus de pouvoir que lui, dans cette ville. Il règne sur une armée de coursiers, d'éboueurs, de chauffeurs et de mouchards. Il peut vous fournir à peu près n'importe quoi – depuis les armes à feu jusqu'aux faux papiers, en passant par l'héroïne afghane la plus pure. Mais la drogue et la prostitution ne sont que des branches auxiliaires de ses activités. Il sait quelle personnalité politique a recours aux services de quelle fille. Chez qui travaille quelle nounou, quelle femme de ménage ou quel jardinier. Et c'est

378

ce qui lui permet de tirer les ficelles. D'influer sur le cours du destin. »

Il se redresse. Ses yeux pâles papillotent, derrière un nuage de fumée.

« Un peu plus vous l'admireriez, ma parole !

— Disons que je m'y intéresse. »

Cette réponse me fait dresser l'oreille. Me dit-il vraiment tout ?

« Depuis combien de temps le connaissez-vous ?

— Depuis de longues années.

— Et vous êtes amis ? »

Ses yeux papillotent de plus belle. « Ah ! L'amitié, vous savez... Plus je vieillis et plus j'ai du mal à cerner ce que c'est !

— Vous pensez qu'il m'aiderait à retrouver Samira ?

— Je n'exclus pas qu'il soit derrière tout ça.

— Qu'est-ce qui vous pousse à le croire ?

— Yanus travaillait pour lui, il y a encore quelques mois. »

Il prend appui des deux mains sur la table pour se relever.

« Je vais lui faire parvenir un message. »

Il fourre sa pipe dans sa poche et ne me laisse pas régler la note du petit déjeuner. « C'est payé », dit-il avec un signe de tête en direction du patron.

Dehors, le crachin est de retour. Les flaques d'eau noires brillent comme du bitume frais. Hokke me prête son parapluie. « Je vous téléphone dans la matinée. Mes amitiés à l'inspecteur Ruiz. Dites-lui bien de ma part qu'un vieux flic, ça ne meurt jamais. Un beau matin, on s'aperçoit juste qu'il manque à l'appel... »

Barnaby décroche dès la seconde sonnerie, comme s'il attendait mon coup de fil. À Londres aussi, le temps doit être à la pluie. J'entends en arrière-plan le chuintement des pneus sur une chaussée mouillée et le bruit des gouttes sur son parapluie. Je lui demande quand aura lieu l'enterrement. Long silence. Je prends mon téléphone de l'autre main.

« Vendredi, au crématorium de Londres Ouest. Ils ne nous rendront pas le corps avant mercredi. »

Silence. Le souvenir de Samira et des jumeaux se dilate dans ma poitrine. Les spécialistes du droit et de l'éthique médicale peuvent bien dire ce qu'ils veulent, cela ne change rien à ce simple fait, irréductible : les embryons provenaient de Cate, et son père a le droit de le savoir.

« J'ai une importante information à vous communiquer... » Il marmonne quelque chose qui me demeure inintelligible, en guise de réponse.

« À présent, je sais pourquoi Cate a dû feindre d'être enceinte. Elle avait loué les services d'une mère porteuse. Elle a fourni des embryons qui ont été implantés dans l'utérus d'une autre femme. »

J'entends quelque chose racler, très loin dans sa poitrine. Une sorte de grognement. « Je vous ai déjà dit de cesser de fouiner dans les affaires de ma famille ! »

Sa réaction me prend de court. La nouvelle aurait dû, au minimum, piquer sa curiosité. N'a-t-il pas envie, tout comme moi, de connaître ses petits-enfants et de savoir le fin mot de l'histoire ? Et puis je comprends... Pour lui, ça n'a rien d'un scoop. Il est déjà au courant, et de longue date.

S'il a menti pour l'ordinateur de Cate, c'était parce qu'il avait déjà lu ses e-mails. Mais en ce cas, pourquoi n'a-t-il pas prévenu la police ?

« Qu'est-ce que vous comptez faire, Barnaby ?

— Récupérer mes petits-enfants ! »

Il n'a pas la moindre idée de ce qui l'attend. « Écoutez-moi, Barnaby. Les choses ne se présentent pas du tout comme vous le pensez. Cate a agi en toute illégalité...

— Ce qui est fait est fait !

— Mais ces types sont des assassins. Vous ne pourrez pas négocier avec eux. Pensez à ce qu'ils ont fait à votre fille ! »

Mais il n'écoute plus. Il continue sur sa lancée et me parle de logique, de solution équitable.

« Arrêtez, Barnaby ! Vous nagez en plein délire.

— C'est ce que Cate aurait voulu.

— Non ! Vous allez finir par vous faire tuer, vous aussi. Où êtes-vous, en ce moment ? Retrouvons-nous quelque part, dans quelques jours, pour en discuter à tête reposée.

— Occupez-vous de ce qui vous regarde, et restez en dehors de tout ça. »

Il me raccroche au nez, et ne décrochera pas de sitôt.

Avant même d'avoir eu le temps de composer le numéro de Spijker, je reçois un autre appel. L'inspecteur Forbes a la voix rauque. Son tic lui-même semble enroué, comme étouffé par la laryngite. Je vois d'ici la mini-épidémie domestique... un vilain microbe, sans doute ramené de l'école par l'un de ses mouflets qui s'est empressé de contaminer toute la maisonnée.

« Alors, ces vacances ? me demande-t-il.

— Rien à voir avec des vacances !

— Vous savez ce que c'est, la différence entre vous et moi ? Eh bien, moi, je ne disparais pas dès que je sens les choses tourner au vinaigre. Je suis un vrai pro. Je n'abandonne pas mon poste et j'assume mes responsabilités. J'ai femme et enfants... »

Et une paire de mains baladeuses...

Il éternue et se mouche en fanfare.

« Je l'attends toujours, votre putain de déposition.

— Je rentre.

— Quand ça ?

— Vendredi.

— Eh bien, attendez-vous à être accueillie avec les honneurs ! J'ai reçu un appel d'un certain chef superintendant North. Il paraît qu'il vous attendait lundi matin, et que vous ne vous êtes pas présentée au boulot. Il n'a pas eu l'air d'apprécier des masses.

— Aucune importance ! » rétorqué-je. Puis, dans l'espoir d'éluder le sujet, je lui demande s'il a pu avoir des éclaircissements concernant les deux camions dont on a perdu la trace, sur le ferry qui avait emmené Hasan et les autres clandestins en Angleterre.

Le premier avait été volé sur le parking d'un entrepôt de chargement en Allemagne, il y a trois mois, avant d'être maquillé et ré-immatriculé en Hollande, m'explique-t-il. Selon sa fiche de route, il transportait du matériel de plomberie provenant d'un entrepôt d'Amsterdam, mais l'adresse de livraison était bidon. Le second a été loué à un transporteur il y a cinq semaines, et Forbes pensait qu'il devait faire la liaison entre l'Espagne et les Pays-Bas. Les certificats de location et les coordonnées bancaires ont été établis sous de faux noms. Décidément, toute cette affaire semble reposer sur des ombres, des fantômes insaisissables qui passent leur temps à traverser les frontières avec de faux papiers. Des Brendan Pearl.

« J'aurais une faveur à vous demander... »

Ce détail semble l'amuser. « Vous rigolez ! Je ne devrais même pas vous parler de tout ça.

— Allez ! Nous sommes du même bord, vous et moi.

— Qu'est-ce que vous voulez ?

— Que vous épluchiez les fichiers des douanes et de l'immigration, pour ces deux dernières années. Y avait-il des femmes enceintes, parmi les personnes refoulées et les clandestins ?

— À vue de nez, je me souviens de deux femmes enceintes, durant ces trois derniers mois. Elles étaient cachées à l'arrière d'un conteneur.

— Que sont-elles devenues ?

— Je n'en sais rien.

— Vous pourriez me retrouver ça ?

— Ben tiens... comme si je n'avais que ça à faire ! »

Je sens le rouge me monter aux joues.

« Il y a autre chose. Hasan Khan avait une sœur, Samira. Enceinte de huit mois et demi. J'ai de bonnes raisons de penser qu'elle est aux mains de trafiquants qui vont essayer de la faire passer en Angleterre.

— Quand ça ?

— Mystère. Il faudrait commencer par en aviser la douane.

— Vous croyez peut-être qu'ils m'obéissent au doigt et à l'œil !

— Allez ! C'est l'affaire d'un simple coup de fil. Dites-le tout de suite, si vous ne voulez pas m'aider !

— Ah... soyez pas si susceptible ! Comment vont-ils la faire passer ?

— En appliquant des méthodes déjà éprouvées, je suppose.

— On ne peut quand même pas fouiller tous les camions et containers en provenance des Pays-Bas... »

Je l'entends noter quelque chose sur un bloc-notes. il me demande des nouvelles de Spijker et je lui fais un bref topo sur le trafic des mères porteuses.

« Vous, on dirait que vous avez un don spécial pour attirer les emmerdements.

— Je croirais entendre ma mère.

— Et vous l'écoutez, elle, de temps en temps ?

— Rarement. »

Notre conversation téléphonique prend fin. Je ferme les yeux un long moment. Quand je les rouvre, je vois passer une classe d'écolières, escortées de leur institutrice. Elles portent des impers bleu marine avec des bérets jaunes. Elles vont deux par deux, main dans la main, s'arrêtant sagement aux feux rouges. Je sens une grosse boule me nouer la gorge. Je dois en faire mon deuil. Jamais je n'aurai ma petite écolière, comme ça, bien à moi.

Une voiture de police s'est garée devant l'hôtel. Un policier en uniforme attend à la réception, presque au garde-à-vous.

Dave fait les cent pas autour de lui, nerveux comme un amoureux transi, particulièrement jaloux. « Où tu étais ?

— J'avais quelqu'un à voir... » Il me prend la main et la serre dans les siennes.

Le policier se présente et me tend un émetteur-récepteur radio. Je reconnais la voix de Spijker, qui semble venir de très loin. J'entends un bruit d'eau. Des mouettes. « Nous avons retrouvé quelqu'un.

— Qui ?

— Eh bien, je comptais justement sur vous pour nous éclairer sur ce point. »

Quelque chose glouglute douloureusement, du côté de mon estomac.

Le policier reprend l'appareil, le temps de recevoir quelques autres directives de Spijker.

« Je t'accompagne, décrète Dave.

— Et ton vol ?

— J'ai largement le temps. »

Nous gardons le silence pendant la majeure partie du trajet. Dave a le front plissé de frustration et d'inquiétude. À plusieurs reprises, il tente de me dire quelque chose. Il a préparé quelques phrases, mûrement réfléchies, sur notre discussion de la veille, mais ce n'est vraiment pas le moment.

Je me sens curieusement ambivalente. Dois-je y voir l'inéluctable signal que je ne suis pas vraiment amoureuse, ni prête à m'engager ? L'impression d'ensemble, c'est que nous avons traversé un de ces moments d'exaltation qui ne survivent pas à la gueule de bois du lendemain, ni au test de la lumière du jour. Le flic hollandais, qui doit avoir un vocabulaire de cinquante mots en anglais, est incapable de nous dire où il nous emmène. Il semble naviguer à vue parmi les ponts et les ruelles, et nous fait traverser une vaste zone industrielle, semée de docks et d'entrepôts. J'ai l'impression de franchir plusieurs fois les mêmes carrés d'eau grise, avant de nous arrêter près d'un embarcadère, qui jouxte une grande jetée de bois blanchie par le sel et l'eau. Plusieurs voitures de police sont déjà là. Elles se sont garées à proximité, réunies par l'avant, comme un troupeau de moutons autour d'une mare.

Spijker dépasse tous ses collègues de la tête et des épaules. Il porte un élégant complet sombre et des chaussures impeccablement cirées, mais il a toujours cette allure d'erreur de casting, un peu empruntée, un peu contrainte – comme s'il avait dû piquer un costume à son père, pour se faire beau.

La rampe de bois descend en pente douce jusqu'aux vagues. Un gros zodiac y a accosté. Un autre attend sur l'eau, avec quatre hommes à bord.

Spijker nous tend une paire de bottes en caoutchouc et un gilet de sauvetage que j'enfile par-dessus mon pull. Dave et Spijker en font de même et le zodiac glisse vers l'eau, dans un mouvement fluide. Spijker m'aide à monter à bord. Le moteur tousse, démarre, et nous voilà partis. Au-dessus de nos têtes, le ciel est un couvercle uniformément gris. À trois cents mètres de là, j'aperçois un petit kayak qui longe la côte en dansant sur les vagues. Au large passe un gros ferry, empanaché de fumée noire. Je tâche de m'orienter du mieux que je peux. À un kilomètre ou deux, vers l'ouest, c'est la mer du Nord. Nous devons à présent longer un dock orienté plein ouest. La brise nous apporte des parfums de chocolat. Il doit y avoir une usine dans le coin... Dave me serre de près. Dès que le mouvement du bateau me déporte de son côté, je me retrouve plaquée contre lui.

Spijker a pris le gouvernail et dirige l'embarcation, comme s'il n'avait fait que ça toute sa vie. Peut-être que ça vient naturellement, quand on vit en dessous du niveau de la mer, sous la protection de tout un système de digues et de barrages...

« Vous connaissez un peu la mer, inspecteur Barba ? »

Qu'est-ce que j'en connais ? C'est salé, froid, et plutôt humide...

« Mon père était dans la marine marchande, poursuit-il sans attendre ma réponse. Mes parents ont divorcé quand j'avais sept ans, mais j'allais passer toutes mes vacances chez lui. Il ne naviguait pratiquement plus, mais dès qu'il approchait de la mer, c'était un autre homme. Il semblait beaucoup plus petit... »

Dave, qui n'a pas desserré les dents depuis que j'ai fait les présentations, semble émerger de sa torpeur et se met à lui parler de ses projets d'école de voile. Trente secondes plus tard, ils sont copains comme cochons, Spijker et lui — ils discutent bateaux, gréements, carénage, voilure, et autres finasseries techniques.

Je le vois très bien, mon cher petit Dave, dans un gros pull marin à torsades, baissant la tête au passage de la baume. Il semble taillé pour ça : l'air du large, les grands espaces pleins de vent, de ciel et d'eau.

À cinq cents mètres, droit devant nous, est mouillé un gros cargo. Le port d'Amsterdam a dépensé des millions, jusqu'ici en pure perte, dans l'espoir de rivaliser un jour avec Rotterdam pour le commerce international, nous explique Spijker. Dépassant le cargo, nous accostons à une digue de bois qui s'élève à six mètres au-dessus de la mer, appuyée sur de gros piliers et sur un amoncellement de poutres entrecroisées. Un ponton flottant est amarré à proximité.

Spijker met le moteur au point mort. Il stabilise le zodiac et fixe une amarre autour d'un taquet rouillé, fiché sur le ponton. Au même moment, un projecteur s'allume et balaie l'espace sombre entre les poutres, comme pour fouiller les entrailles de la jetée. Dessous, parmi les entretoises, on distingue une tache blanche, fugace. Une silhouette, suspendue au-dessus de l'eau, dont les yeux semblent fixés sur moi. Elle a un nœud coulant autour du cou et un autre autour de la taille. Le reste de la corde plonge dans l'eau, tendue par un poids.

Le corps oscille légèrement, comme sous l'effet d'une main invisible. Ses pieds, pointés vers le bas, semblent virevolter à la surface de l'eau.

«Reconnaissez-vous la jeune sourde?» me demande Spijker.

Les yeux de Zala sont restés ouverts. Deux billes écarlates. Les vaisseaux sanguins ont éclaté dans le blanc et les prunelles semblent avoir disparu. Elle porte sa veste rose et la longue jupe dans laquelle je l'ai vue pour la dernière fois. Le sel marin alourdit et roidit le tissu léger.

Le zodiac danse sur une houle légère. Spijker l'immobilise en tirant sur l'amarre, pour que je puisse prendre pied sur la digue. Une échelle en fer, fixée à un gros pilier, permet d'y accéder. Une petite troupe d'oiseaux marins nous observe depuis une bouée et un chaland, mouillés non loin de là. Le deuxième zodiac nous a rejoints. Il apporte des cordages et un brancard.

Spijker gravit l'échelle le premier, puis c'est mon tour et Dave ferme la marche. Les planches de la digue sont disjointes et profondément ravinées par le sel. Par les interstices, j'aperçois le sommet de la tête de Zala et ses épaules.

En haut, la corde qui lui enserre le cou a été attachée à l'un des gros bollards métalliques qui servent à amarrer les bateaux.

Un policier équipé pour l'escalade descend en rappel par-dessus le garde-fou. Suspendu à son harnais, il vient prendre pied près du corps, et nous assistons à la suite des opérations dans un silence de mort. On la sangle sur le brancard. La corde qu'elle a autour de la taille est lestée d'un gros parpaing. Elle a encore de la poussière de ciment sur les mains et sur le devant de sa veste.

Ils l'ont forcée à sauter. En une sorte de vision, je revis toute la scène. Elle tient le parpaing contre elle. Ils la poussent. Elle fait une chute de cinq mètres, avant d'être brutalement retenue par la corde. Le parpaing lui échappe alors des mains, continuant sa course vers l'eau, jusqu'à ce qu'il soit

389

lui-même arrêté par la deuxième corde. Mon estomac la suit dans sa chute.

« C'est un pêcheur qui l'a trouvée, vers les neuf heures et demie, dit Spijker. Il a immédiatement transmis l'information aux gardes-côtes. » Il se tourne vers l'un de ses subordonnés pour en avoir confirmation.

« Et comment avez-vous fait le lien avec... ? » Ma question reste en suspens.

« Le signalement. Ça correspondait.

— Comment sont-ils arrivés jusque-là ? »

Du doigt, Spijker m'indique l'autre bout du ponton. « En principe, c'est interdit aux piétons. Il y a une barrière avec des panneaux, mais ça ne dissuade personne... au contraire.

— Vous ne croyez pas à un suicide ?

— Je vois mal cette petite trimbaler ce parpaing toute seule jusqu'ici. »

Au large, là où l'eau est plus exposée au vent, on voit moutonner les vagues. Un bateau de pêche rentre au port, en faisant scintiller ses hublots dans les quelques rayons de soleil qui parviennent à percer les nuages.

Ravalant son cynisme de vieux routier, Spijker se fend d'un louable effort pour faire preuve d'un minimum de compassion et me présente ses condoléances, comme si j'étais le seul chaînon entre lui et la jeune morte.

« Elle venait de Kaboul. Elle n'avait plus aucune famille..., lui expliqué-je.

— Une de plus.

— Qu'est-ce que vous voulez dire ?

— Je pense à la liste des mères porteuses de la

390

clinique. Une bonne dizaine d'entre elles étaient orphelines. Ça rend leurs traces beaucoup plus difficiles à remonter. »

Des orphelines, immigrées clandestines. Le cocktail idéal de désespoir et d'exclusion.

« Samira m'a parlé d'un visiteur qui venait la voir à l'orphelinat. Un Occidental qui lui avait promis de lui trouver du travail. Il avait une croix tatouée sur le cou, et j'ai peut-être une idée... » Je lui donne le nom de Donavon et il me promet de lancer des recherches dans ses fichiers.

Au bout de la jetée, la barrière a été déverrouillée. Une équipe médico-légale arrive dans une fourgonnette. Spijker a appelé une autre voiture qui doit nous ramener à l'hôtel.

Tout en remontant à pied le long de la digue, j'ai l'inquiétant sentiment qu'Amsterdam n'est plus la même. Elle paraît bien plus sombre, à présent. Semée de périls bien plus insidieux. Et tout à coup, je me sens prise d'une grosse bouffée de mal du pays.

Dave m'emboîte le pas.

« Ça va ?

— Ça va, oui.

— Ce n'est pas ta faute... Tu n'y es pour rien.

— Qu'est-ce que tu en sais, hein ! » lui rétorqué-je, mais je m'en veux aussitôt. Lui en tout cas n'y est pour rien. Au bout de quelques minutes, je tente de me racheter : « Merci, Dave. C'est gentil d'être venu. Je suis vraiment navrée pour hier soir. Oublie tout ce que j'ai dit.

— Je crois qu'il faudra en reparler à tête reposée.

— Je ne vois rien de plus à en dire.

391

— Je t'aime.

— Mais les choses ont un peu changé, non... ? »

Il m'arrête en me posant la main sur l'avant-bras.
« Je m'en fiche. Ce que je veux, c'est vivre avec toi.

— Tu dis ça maintenant, mais dans cinq ans,
dans dix ans ? Je ne peux pas te faire ça. »

Une grue abandonnée achève de rouiller sur le
rivage. On dirait un vestige d'une guerre antique.
Dans mes pensées, le corps inerte de Zala tourne
encore au bout de sa corde, virevoltant sur la pointe
des pieds au-dessus des vagues.

Je suis vraiment trop bête. Moi et mes bonnes
intentions... ! J'ai déclenché une cascade d'événements, et voilà ce que ça a donné. Où cela
s'arrêtera-t-il ? Qui sera la prochaine victime ? Je
n'en ai aucune idée, mais s'il y a une chose de sûre,
c'est que je vais désormais passer toutes mes heures
de veille à traquer les fumiers qui m'ont pris Cate
et qui viennent d'exécuter Zala. Et pas pour leur
appliquer la loi du Talion... Non, ce sera bien pire :
je vais déchaîner sur eux des calamités encore plus
terribles et plus douloureuses que celles qu'ils ont
infligées. De toute ma vie, je ne me suis jamais
sentie aussi capable de tuer quelqu'un de mes
propres mains.

Ses cheveux sont peignés. Son sac est fait. Son
taxi va passer le prendre. La pendule n'a pas bougé
– pas d'une minute, j'en jurerais. Je déteste ce
moment. L'heure qui précède un départ. Tout est
prêt. Nous avons déjà fait le point. Les minutes se
traînent. Tout a été dit, redit, répété, ressassé, et les
billets vérifiés pour la énième fois...

« Il est grand temps de penser à autre chose, me dit-il en rinçant sa brosse à dents. Là, le sujet est clos.

— Parce que tu crois qu'on peut "clore" ça comme ça ?

— Tu dois penser que je dis ça à cause de nous... de toi et moi, je veux dire... » Il pèse soigneusement chaque mot. « Mais pas du tout. Je dirais exactement la même chose, même si je ne tenais pas spécialement à toi.

— Mais si tu tiens à moi, tu *devrais* comprendre... »

Il prend son sac, puis le repose.

« Viens. Rentrons ensemble.

— Je ne vais pas laisser tomber Ruiz. »

Il enfile sa veste.

« Mais toi, tu pourrais rester encore un peu...

— On m'attend au tribunal demain.

— J'ai besoin de toi.

— Arrête, Ali. Tu n'as jamais eu besoin de personne. »

Il ne l'a pas dit méchamment mais je fais la grimace, comme s'il m'avait giflée.

Il ouvre lentement la porte. J'espère encore. J'espère qu'il va se retourner, me prendre dans ses bras, me regarder droit dans les yeux en me jurant que pour lui, il n'y a que moi qui compte, qu'il m'aime, qu'il me comprend.

La porte se referme sur lui. Je sens comme un grand vide, du côté de mon cœur.

Normal, il est parti avec.

11

Je passe les vingt minutes qui suivent à contempler la porte, dans l'espoir qu'elle va se rouvrir...

Quand j'étais sur mon lit d'hôpital, malade d'angoisse à l'idée de ne plus jamais remarcher, j'étais devenue la reine des grincheuses. Je me plaignais de tout, de la nourriture, des infirmières. Je critiquais tout le monde. Je distribuais des surnoms peu charitables.

Dave venait me voir tous les jours. Je me rappelle l'avoir accueilli par des cris et des reproches, et l'avoir traité de tous les noms. Évidemment, il n'en avait pas mérité le centième. Je me vautrais dans la pitié que je m'inspirais. L'enfer de la délectation morose... Le seul avantage de ma mauvaise humeur était de me faire oublier un moment mes propres malheurs.

Après ce coup d'éclat, Dave n'a plus reparu. Je me promettais chaque jour de l'appeler pour lui demander pardon et lui dire de revenir. Mais je n'en ai rien fait. Je lui ai juste écrit une lettre. Quel manque de cran ! Je ne le mérite vraiment pas.

Sur la table, mon portable se réveille.

« Tu n'es pas venue déjeuner, aujourd'hui ?

— Parce que je suis toujours sur le continent, maman.

— Ta tante Meena avait fait du kulfi... ton dessert préféré ! »

Du temps où je jouais à la marelle, peut-être...

« ... Et tous les garçons étaient là, Hari en tête ! »

Ça, c'est Hari ! Il ne se pointe que lorsque ça peut me mettre dans l'embarras.

« Ton ami l'inspecteur King a téléphoné pour s'excuser...

— Je sais, maman !

— Mais il y avait un autre candidat, apparemment très sérieux, qui a été très déçu de ne pas te voir.

— Sur qui tu as réussi à mettre le grappin, cette fois ?

— Sur le Dr Banerjee. Il a l'air fou de toi ! »

Ça ne peut pas être un pur effet du hasard...

« Et qu'est-ce qu'il voulait ?

— Il a apporté des fleurs. Un bouquet magnifique. Il est vraiment aux petits soins pour toi... et il se tient si bien à table ! »

Super. Si je l'épouse, je pourrai changer la nappe moins souvent !

« Il a demandé où j'étais ?

— Ça, oui ! Je lui ai dit que tu étais à Amsterdam. Mais tu nous fais des cachotteries, ces derniers temps... Tu sais bien que j'ai horreur de ça ! »

Et patati et patata, elle enchaîne incontinent sur une description plus convaincante que nature du bon docteur, en me rapportant une anecdote comique qu'il lui a racontée, concernant l'un de ses jeunes neveux. Je n'entends même pas la chute. Je suis trop absorbée dans mes réflexions : quel rapport avec Samira ?

Banerjee a prélevé douze embryons viables sur Cate, mais n'a fait que cinq des six tentatives de fécondation in vitro possibles, ce qui explique qu'il soit resté deux embryons congelés dans l'azote liquide. Le docteur savait certainement ce que Cate allait en faire, quand il les lui a remis. Il était forcément au courant de son projet de mère porteuse. Et voilà pourquoi il s'est débrouillé pour s'inviter à l'anniversaire de mon père : pour me mettre en garde, tout en m'engageant à regarder ailleurs.

« Je dois y aller, m'man.

— Quand comptes-tu rentrer ?

— Bientôt. »

Là-dessus, je raccroche et je compose le numéro de Dave qui s'apprête à embarquer dans son avion.

« Dois-je y voir le signe que je te manque un peu ?

— Cela va sans dire. Tu peux me faire une faveur ?

— Plusieurs, si tu veux !

— Dès que tu seras dans ton bureau, peux-tu lancer une recherche sur le Dr Sohan Banerjee ?

— Celui qui était à l'anniversaire de ton père ?

— Lui-même.

— Qu'est-ce que tu veux savoir ?

— S'il travaille avec des cliniques étrangères spécialisées dans le traitement de la stérilité. Et regarde aussi s'il a des liens avec des agences d'adoption ou des organisations humanitaires d'aide à l'enfance.

— Je vais voir ce que je peux faire. »
L'hôtesse lui demande d'éteindre son portable.
« Fais bon voyage.
— Toi aussi. »

La laryngite de Forbes ne donne aucun signe d'amélioration. Il tousse comme un phoque et, avec ses habituels cliquètements de gorge, on croirait entendre une boîte à rythme un tantinet asthmatique.

« Vous auriez mieux fait de rester au lit, lui suggéré-je.

— Chez moi, tout le monde est malade.

— Vous avez donc décidé d'exporter vos microbes et d'en faire profiter l'ensemble de la population. » Ça, c'est tout moi – la générosité même ! « Avez-vous retrouvé la trace des demandeuses d'asile enceintes ?

— J'aurais mieux fait de vous faire coffrer pendant que j'en avais l'occasion ! » Il trompette un moment dans son mouchoir. « Elles sont arrivées dans les premiers jours de juillet, planquées dans un container de fret. Une Russe de dix-huit ans et une Albanaise de vingt et un. Toutes deux à terme et apparemment prêtes à accoucher d'un instant à l'autre. On a relevé leurs empreintes. On leur a donné des papiers d'identité et on les a emmenées dans un centre d'accueil dans l'Oxfordshire. Trois jours plus tard, elles ont été transférées dans une petite pension de famille à Liverpool. Elles avaient deux semaines pour se trouver un avocat et faire leur déposition, mais aucune des deux ne s'est manifestée. Elles se sont évaporées.

— Et les bébés ?

— Aucune trace de leur naissance dans aucun hôpital public, mais ça ne prouve rien. Il y a des tas de femmes qui préfèrent accoucher à domicile, de nos jours – y compris dans leur baignoire ! Dieu merci, la nôtre n'était pas assez grande... »

L'image de sa femme enceinte, flottant comme une baleine bleue dans la baignoire familiale, m'effleure un instant.

« Mais ça me fait un peu tiquer, poursuit-il. L'assistance médicale gratuite est l'un des avantages qui attirent chez nous les demandeurs d'asile. Ces femmes auraient pu accoucher gratis dans un hôpital public, en touchant l'allocation de trois cents livres versée à tout nouveau-né, les bons d'alimentation réglementaires et l'allocation de revenu minimum... sans oublier toute une ribambelle de primes pour le lait, les couches, etc. Elles n'avaient en Angleterre ni famille ni amis qui auraient pu les soutenir financièrement, et elles n'ont même pas profité des aides publiques qui étaient à leur disposition. On se demande comment elles ont fait pour survivre...

— En supposant qu'elles aient survécu. »

Mais il préfère éluder la question.

Ruiz m'attend au bas de l'escalier, dans le hall de l'Academisch Medisch Centrum. On dirait un gamin guettant ses parents à la fin d'un camp de vacances – coups de soleil, égratignures et piqûres d'orties en moins.

« Tout le personnel du service a défilé en me souhaitant une longue et heureuse retraite – et en priant pour que je ne retombe plus jamais malade aux Pays-Bas !

— Touchant.

— C'est bien ce que je me suis dit. Je suis un miraculé de la médecine moderne. » Il lève son index amputé de deux phalanges, et se met à compter sur ses autres doigts. « J'ai été blessé par balles, j'ai frôlé la noyade et voilà maintenant que je me prends des coups de couteau ! Que manque-t-il à mon palmarès ?

— Taisez-vous, chef ! Ils pourraient encore vous faire sauter.

— Ils ont essayé. Brendan Pearl et ses potes de l'IRA avaient attaqué mon poste de police au mortier, à Belfast. Ils ne m'ont loupé que d'un quart de poil ! » Et il se fend d'une parfaite parodie à la Max la Menace.

Il marque une pause près de la porte à tambour. « Est-ce que vous auriez pleuré récemment, ma petite crevette ?

— Non, chef.

— On dirait que vous avez des peines de cœur.

— Rien à voir, chef.

— Vous savez, c'est un privilège féminin, ça. Le droit de tortiller du cul, avec la tête à l'envers.

— À vous entendre, on croirait que je suis une poule décapitée !

— Oui, mais avec la dent très dure, alors ! »

Il est de bon poil. C'est sans doute l'effet de la morphine, mais ça risque d'être de courte durée. Je le mets au courant pour Zala et je vois la colère lui raidir les épaules, puis la nuque. Il ferme les yeux et retient son souffle.

« Ils vont faire passer Samira en Angleterre, dis-je.

— Rien ne nous permet de l'affirmer.

— C'est ce qu'ils ont fait pour les autres. Les bébés naissent dans le pays de la famille à laquelle ils sont destinés.

— Mais les Beaumont sont morts.

— Ils vont trouver d'autres acheteurs.

— Qui ça, "ils" ?

— Yanus, Pearl et les autres.

— Qu'est-ce qu'il en dit, Spijker ?

— Il dit que je ferais mieux de rentrer.

— C'est sagement parlé...

— Mais Hokke connaît peut-être quelqu'un qui pourrait m'aider à retrouver Samira.

— Qui ça ?

— Un certain Eduardo de Souza. L'ex employeur de Yanus.

— De mieux en mieux ! »

Mon portable sonne. Hokke est dans un endroit bruyant. Le quartier chaud, probablement. Il y passe plus de temps qu'à l'époque où il était payé pour faire ses rondes...

« Je viens vous chercher à l'hôtel. Rendez-vous à 19 heures.

— Où allons-nous ?

— Réponse à 19 heures. »

12

Une lune énorme, couleur de caniveau, s'est levée à l'est et semble suivre notre taxi. Même dans la pénombre, je reconnais certains tronçons de la route. L'aéroport de Schiphol ne doit pas être loin.

Ici, c'est une autre planète. Les façades de bonbonnières et les charmants petits ponts ont laissé place à des immeubles en béton et à des magasins protégés par des rideaux de fer. Une douzaine de jeunes Noirs se sont attroupés devant le seul d'entre eux qui soit encore ouvert.

De Souza n'a pas d'adresse fixe, m'explique Hokke. Il ne reste jamais plus de quelques nuits au même endroit. Il vit avec des gens qu'il emploie et qui le protègent.

« Faites très attention à ce que vous lui direz. Ne l'interrompez jamais. Gardez les yeux baissés et les bras le long du corps... »

Nous sommes arrivés devant un bloc d'immeubles. Hokke ouvre ma portière.

« Vous ne m'accompagnez pas ?

— Vous devez y aller seule. Nous vous attendons ici.

— Pas question ! proteste Ruiz. J'y vais avec elle. »

La riposte de Hokke est tout aussi énergique : « Elle y va seule, ou il n'y a pas de rendez-vous ! »

Ruiz râle et insiste encore un peu, mais je le repousse dans la voiture. Il atterrit sur la banquette arrière en faisant la grimace, le bras replié sur sa blessure.

« Rappelez-vous bien tout ce que je vous ai dit », insiste Hokke. De l'index, il me montre un immeuble en tout point identique à tous ses voisins. Un gamin est appuyé contre un mur. Un autre nous regarde derrière une fenêtre du premier étage. Des sentinelles. « Je vais vous laisser, maintenant. Téléphonez-moi, en cas de problème. »

Je m'éloigne du taxi. Le gamin d'en bas est parti. L'autre est toujours à son poste, derrière sa fenêtre. Je franchis un portique de béton et j'entre dans une cour intérieure. Des lumières se reflètent dans les flaques d'eau. Des lanternes chinoises sont suspendues entre les branches d'un arbre dénudé, entouré d'herbes folles.

Je pousse une porte coupe-feu et je commence à monter l'escalier en comptant les étages. Au quatrième, je sonne à la porte de gauche.

Un autre adolescent vient m'ouvrir. Ses yeux noirs me dévisagent, mais se détournent dès que nos regards établissent le contact. Plusieurs paires de chaussures et de sandales sont alignées dans l'étroit corridor. Il a pointé l'index sur mes bottes, que je m'empresse d'ôter.

Le plancher craque sous nos pas. Je suis mon guide jusqu'à un petit salon où cinq hommes entre quarante et cinquante ans sont installés sur des coussins, autour d'un tapis.

Je n'ai aucune peine à reconnaître de Souza, qui se trouve au centre. Avec son pantalon blanc et sa tunique sombre, il a le type turc, ou peut-être kurde : front haut, pommettes saillantes, sourire débonnaire. Dépliant ses jambes, il se lève pour me serrer brièvement la main.

« Bonjour, Miss Barba. Je suis Eduardo de Souza. »

Sa barbe poivre et sel, soigneusement taillée, est comme parsemée de paillettes de givre gris. Aucun des présents ne fait le moindre geste ni n'émet le moindre son, mais je sens dans l'air comme une vibration – celle de leur attention qui se focalise sur moi. Je garde les yeux résolument baissés.

Par la porte de la cuisine, j'aperçois une jeune Nigérienne dans un boubou bariolé. Ses trois enfants, une fille et deux garçons, se bousculent sur le seuil, et fixent sur moi des yeux fascinés.

De Souza reprend la parole. « Je vous présente quelques amis à moi, et voici Sunday, notre hôte pour la soirée. »

L'interpellé me contemple avec un sourire éblouissant. Il est nigérien et son voisin, qui parle avec l'accent suisse allemand, est iranien. Il s'appelle Farhad et a les yeux tellement enfoncés dans leurs orbites qu'on ne les aperçoit qu'à peine. Près de lui, on me présente Oscar, qui doit être marocain et parle avec un fort accent français.

Et enfin, c'est le tour de Dayel, un Indien aux joues rasées de près, qui porte une brûlure au cou.

« Un de vos compatriotes, bien qu'il ne soit pas sikh », précise de Souza. Dayel me sourit.

D'où sait-il que je suis sikh ?

Il y a près de lui un coussin de brocart vacant, sur lequel je suis censée m'asseoir. La femme de Sunday nous apporte un plateau chargé de verres dépareillés et commence à servir le thé. Ses cheveux forment un rideau de longues tresses fines ornées de perles. Elle me glisse un petit sourire. Elle aussi a une dentition parfaite et d'amples narines, qui frémissent au rythme de son souffle.

Les plats arrivent. C'est tout un repas. Souza m'observe. Il semble se demander s'il va m'aider ou pas. Il parle un anglais parfait, avec un accent britannique particulièrement marqué sur les voyelles longues.

« Ce secteur d'Amsterdam s'appelle Bijlmermeer, dit-il en laissant son regard s'échapper par la fenêtre. En octobre 1992, un avion cargo qui venait de décoller de Schiphol a perdu deux moteurs. Il est venu s'écraser sur un immeuble tel que celui-ci, un immeuble plein de familles immigrées, réunies pour le repas du soir. Cinquante appartements se sont volatilisés dans l'impact initial. Une centaine d'autres ont été réduits en cendres dans l'incendie. Le carburant s'échappait à flot des réservoirs et se répandait partout, comme une rivière de feu. Les gens se jetaient des toits et des balcons pour échapper aux flammes. On a d'abord parlé de deux cent cinquante victimes, puis les chiffres sont tombés à soixante-quinze et enfin, de source officielle, à quarante-trois. Mais la vérité, c'est que personne ne savait au juste combien ils étaient. Des immigrés clandestins. Ils n'avaient pas de papiers et se cachaient de la police. Des fantômes, autant dire. »

Il n'a pas touché à son assiette, mais semble satisfait de voir les autres manger.

« Pardonnez-moi, Miss Barba. Je sais que je parle trop, et mes amis ici présents ont trop de savoir-vivre pour me prier de me taire. La tradition veut que l'invité apporte sa contribution à la fête, en proposant un peu de distraction, par exemple. Savez-vous danser ou chanter ?

— Non.

— Mais peut-être avez-vous des talents de conteuse...

— Je ne comprends pas très bien.

— Racontez-nous donc une histoire. Mes préférées sont celles qui parlent de vie et de mort, de loyauté et de trahison, d'amour et de haine... » Il agite la main, comme pour faire tourbillonner l'air autour de lui. Le regard de ses yeux d'ambre reste rivé sur moi.

« Je n'ai jamais été très douée pour ça.

— Laissez-nous le soin d'en juger. »

Je leur raconte donc une histoire. Celle de deux adolescentes qui étaient devenues les meilleures amies du monde. Des amies de cœur. Jusqu'à ce que l'une d'elles devienne la maîtresse du père de l'autre. Il l'avait séduite – à moins qu'elle ne se soit laissé séduire. Et ce fut la fin de leur amitié.

Je ne précise pas les noms, bien sûr, mais pourquoi leur raconter une histoire si intime ?

Puis, sans transition, je me mets à leur décrire un deuxième tandem d'amies. Deux autres gamines, qui s'étaient rencontrées en Afghanistan, dans une ville peuplée de veuves et d'orphelins. Des trafiquants les avaient emmenées jusqu'ici, à Amsterdam. On leur avait demandé de payer leur voyage, en leur laissant le choix – soit le trottoir, soit servir de mères porteuses pour des couples stériles. Dans une sorte de viol high-tech aseptisé, l'une d'elles, qui était vierge, s'était fait implanter deux embryons. La couveuse parfaite. L'usine à bébés...

Mais tout en parlant, je sens monter en moi une angoisse qui me dessèche la gorge. Qu'est-ce que j'espère, en lui racontant tout ça ? Pour autant que je sache, il y a toutes les chances pour qu'il ait lui-même trempé dans la combine à moins qu'il en soit carrément l'instigateur et le chef d'orchestre. Mais je n'ai pas le temps de soupeser les conséquences de mes paroles, et d'ailleurs je crois que je m'en fiche. Je suis allée déjà trop loin pour faire demi-tour.

Un moment de silence suit mon dernier mot. De Souza se penche en avant pour prendre un chocolat sur un plateau, avant de le mastiquer lentement en le faisant rouler sur sa langue.

« C'est une bonne histoire, dit-il. Rien de plus délicat à définir que l'amitié, voyez-vous. Oscar, ici présent, est mon meilleur ami. Comment tu définirais l'amitié, Oscar ? »

L'interpellé lâche un petit grognement, comme si la réponse allait de soi. « Être amis, c'est une question de choix autant que d'atomes crochus. Ça ne se définit pas.

— Il doit tout de même y avoir autre chose...

— C'est la volonté de se montrer compréhensif, en cas de faute. D'un ami, j'accepterais qu'il me porte tort sans lui rendre la pareille, dit-il en souriant. Mais une fois – une seule. »

De Souza éclate de rire. « Bien dit, Oscar. On peut compter sur toi pour aller droit au cœur du problème. Et toi, Dayel – qu'est-ce que tu en penses ? »

L'Indien, visiblement flatté d'être invité à parler après Oscar, fait rouler sa tête de côté et d'autre.

« L'amitié, ça change d'une personne à l'autre et ça peut aussi changer au cours d'une vie. À six ans, ça consiste à se balader main dans la main avec son meilleur copain. À seize ans, il s'agit plutôt de vivre des aventures ensemble. Et à soixante, eh bien, on n'a plus qu'à revivre tout ça en souvenir... C'est impossible à définir d'un seul mot, conclut-il, l'index dressé. Mais s'il fallait vraiment en choisir un, je dirais sincérité.

Pas d'accord, l'interrompt Farhad. Au contraire, on est très souvent obligé de protéger nos amis de ce que nous pensons vraiment. C'est comme un accord tacite. Nous préférons fermer les yeux sur nos fautes et préserver la confiance. L'amitié, ce n'est pas toujours d'être honnête. La vérité est une arme trop dangereuse à manier, auprès de quelqu'un qu'on respecte et dont on veut garder la confiance. L'amitié, c'est la découverte de soi-même. C'est de se voir à travers les yeux de nos amis. Ils sont comme des miroirs qui nous permettent d'y voir plus clair et de nous orienter, au cours de notre propre voyage. »

De Souza s'éclaircit la gorge. Je me demande s'il est conscient de cette crainte respectueuse qu'il inspire autour de lui.

« L'amitié, ça ne se définit pas, dit-il, avec une certaine gravité. Dès lors qu'on commence à se chercher des raisons pour être ami avec quelqu'un, ça tue la magie de la relation. Qui a envie de savoir qu'il est aimé pour son argent, sa générosité, sa beauté ou son esprit ? Sitôt qu'on choisit telle ou telle raison, l'autre personne peut se demander si c'est vraiment la seule... »

Toute l'assemblée éclate de rire, et de Souza finit par se dérider à son tour. C'est un numéro bien rodé.

Il continue : « Tenter d'expliquer pourquoi on est ami avec untel ou untel, c'est comme d'essayer de justifier notre préférence pour telle musique, ou pour tel plat. On aime ça, voilà tout ! »

Son attention revient vers moi. « Votre amie s'appelait Cate Beaumont. »

Comment le sait-il ?

« Ça vous est arrivé, d'être jalouse d'elle ?

— C'est-à-dire ?

— On peut être amis, ça n'empêche pas d'être jaloux. Regardez Oscar, par exemple – il m'envie terriblement mon argent et ma position.

— Alors là, pas du tout ! » proteste l'intéressé.

Mais de Souza me décoche un petit sourire entendu. « Vous arrivait-il d'être jalouse de la beauté ou des succès de Cate Beaumont ?

— Parfois, oui.

— Vous auriez aimé qu'elle en ait un peu moins, et vous davantage ?

— Oui.

— C'est naturel. L'amitié n'exclut pas une pointe d'ambiguïté et parfois même, certains paradoxes.

— Elle est morte à présent », ajouté-je – bien que ça aussi, il doive le savoir.

« Elle avait payé pour avoir un enfant. Un délit aux yeux de la loi, laisse-t-il tomber, du ton de la vertu outragée.

— Oui.

— Et vous essayez tout de même de la protéger ?

— J'essaie surtout de venir en aide à la jeune mère porteuse et aux bébés.

— Parce que vous aimeriez en garder un pour vous, peut-être ? »

Mon déni est trop brusque, trop strident. Je ne fais qu'aggraver mon cas. « Ça, jamais ! Je ne... je n'aurais... »

Il attrape quelque chose dans une petite bourse fixée à la ceinture de sa tunique. « Me prendriez-vous pour un criminel, Miss Barba ?

— Je ne vous connais pas suffisamment pour...

— Dites-moi juste votre impression. »

Je marque une pause. Autour de moi, les visages reflètent une sorte de saisissement amusé.

« Ce n'est pas à moi de le dire », bafouillé-je.

Silence. Des gouttes froides ruissellent au creux de mon dos, glissent entre les crêtes de mes vertèbres.

De Souza attend. Il se penche vers moi, approchant son visage à quelques centimètres du mien. Il a les dents du bas ébréchées et mal alignées. Leur couleur rappelle celle des vieux journaux. De près, je repère une foule d'autres imperfections, sur son visage...

« Vous n'avez rien à m'offrir », dit-il avec dédain.

409

Je sens la situation m'échapper. Il ne fera rien pour m'aider.

Et soudain, la colère qui fermentait en moi trouve enfin une issue et déborde, attisée par les pensées hostiles et le souvenir de Zala. Les mots franchissent mes lèvres, pêle-mêle : « Je pense que vous êtes un hors-la-loi doublé d'un misogyne, mais pas un salaud. Vous n'exploiteriez pas des enfants. Vous ne vendriez pas des bébés au plus offrant ! » D'un geste, je montre la femme de Sunday, qui est venue prendre nos assiettes. « Vous ne demanderiez pas à cette femme, qui est l'épouse de votre ami, de renoncer à l'un de ses enfants ou de porter celui d'une autre femme. Vous aidez les demandeurs d'asile et les immigrés clandestins. Vous leur trouvez du travail et des logements. Vous êtes respecté, admiré. Ensemble, nous pouvons faire cesser ce commerce honteux. Moi, en tout cas, je veux le faire cesser ! Aidez-moi. »

L'épouse de Sunday semble embarrassée de se trouver ainsi propulsée sur le devant de la scène. Elle achève de ramasser les assiettes en toute hâte, impatiente de quitter le salon. Dans le groupe des convives, la tension semble décuplée par l'immobilité. Tous les regards restent fixés sur moi. Oscar émet une sorte de gargouillis étranglé. Un geste de trop, et il me trancherait la gorge, l'espace d'un battement de cœur.

Puis de Souza se lève sans un mot. L'entrevue est terminée. Oscar se lève à son tour et me précède en direction de la porte, mais de Souza lui fait signe de le laisser passer. Il tient à me raccompagner seul. Il me pilote jusqu'à l'entrée et là, me prend la main et glisse un petit morceau de papier entre mes doigts.

La porte se referme derrière moi. Je n'essaie pas de lire le message – dans la pénombre, ce serait peine perdue. Le taxi attend toujours. Je me faufile sur le siège arrière, m'appuyant contre Ruiz le temps de refermer la portière. Hokke fait signe au taxi de repartir.

Le message est étroitement enroulé, en un petit cylindre que je tiens entre le pouce et l'index. Je parviens à le dérouler, malgré le tremblement qui m'agite les mains, et je l'amène à la lumière du plafonnier.

Six mots, manuscrits : « Elle part ce soir de Rotterdam. »

13

Notre chauffeur s'engage sur un échangeur d'autoroute.

« Combien de kilomètres, jusqu'à Rotterdam ?

— Soixante-quinze.

— Et jusqu'au port ?

— Dix de plus. »

Je consulte ma montre. Il va être 20 heures. « Le port de Rotterdam s'étale sur quarante kilomètres, me dit Hokke. Comment comptez-vous la retrouver, parmi les milliers de containers et les centaines de bateaux qui y sont ancrés ?

— Il nous faudrait au moins le nom du cargo, dit Ruiz.

— Ou son heure de départ », ajoute Hokke.

Je m'abîme dans la contemplation du papier. Ça ne suffit pas. Nous ne pouvons même pas téléphoner à la douane ou à la police du port – pour leur dire quoi ?

« On peut déjà supposer qu'ils veulent la faire passer en Angleterre, dis-je. Et probablement par le port de Harwich, comme ils l'ont déjà fait pour les autres clandestins.

— Cette fois, ils pourraient changer de port d'arrivée...

— Ou au contraire, préférer s'en tenir à ce qu'ils connaissent. »

Hokke hoche la tête. Notre mission relève de l'impossible. Rotterdam est le plus grand port marchand d'Europe. Mais il a une idée. Un de ses copains, ancien inspecteur de police comme lui, travaille pour une société privée, qui assure la sécurité de quelques-uns des terminaux.

Hokke l'appelle. Ils bavardent quelque temps, et échangent quelques répliques lapidaires, bourrées de ces fameuses consonnes hollandaises, pendant que je suis des yeux les panneaux de l'autoroute brillamment éclairés, en comptant les kilomètres et les minutes. Dans le clair de lune, se profile l'ombre géante des éoliennes.

Sur la voie de droite, les poids lourds avancent pare-chocs contre pare-chocs. Samira est-elle là, quelque part, cachée dans l'une de ces remorques ? Ça doit être inconfortable. Obscur, assourdissant, angoissant.

Hokke raccroche et nous énumère les possibilités qui s'offrent à nous. Les mesures de sécurité sont draconiennes, autour des terminaux. Les docks sont équipés de caméras de contrôle et les clôtures font l'objet d'une surveillance régulière, avec des maîtres-chiens. Une fois à l'intérieur, tout est à nouveau contrôlé par les services des douanes et de l'immigration – vérifications, fouilles, scanners à infrarouges sensibles à la chaleur, et encore des chiens. Chaque année, c'est six millions et demi de containers qui transitent par le port, sous scellés officiels. Les conteneurs vides qui attendent leur transfert échappent à ce genre d'obligation, mais même au cas où quelqu'un parviendrait à y pénétrer en dépit de toutes les mesures de surveillance, il ne pourrait connaître ni la destination finale du container, ni le nom du cargo sur lequel il doit être chargé – à moins d'avoir accès à certaines informations internes, évidemment.

« Ce qui signifie qu'ils opteront plutôt pour un camion et qu'ils y mettront Samira *avant* d'arriver dans la zone portuaire, dit Ruiz. Un camion à destination de l'Angleterre...

— Qui embarquera donc sur un de ces grands ferries équipés pour le transport des véhicules, poursuit Hokke en hochant la tête. Il y a deux opérateurs principaux – Stena Line, dont le terminal est situé à Hoek van Holland, et P&O, qui a installé ses docks à quinze kilomètres d'ici, à l'est, en allant vers la ville. »

Nous sommes encore à trente kilomètres et il va être 20 h 30.

Hokke passe un autre coup de fil, pour demander les horaires de départ. Le ferry de P&O appareillera à 21 heures, à destination de Hull. Celui de Stena Line partira pour Harwich à 23 heures. Les deux bâtiments aborderont les côtes anglaises demain matin, aux premières heures.

« Vous avez votre passeport, ma grande libellule ?

— Oui, chef.

— Vous pariez pour le premier ferry ou pour le second ?

— Je vais prendre le second. »

Il hoche la tête. « Avons-nous une idée des conditions météo ? »

Hokke téléphone à P&O pour leur demander de laisser les barrières ouvertes. Normalement, les portes étant fermées quinze minutes avant le départ, nous serions déjà en retard.

Tout notre plan repose sur 2 % d'information et 98 % de suppositions et de vœux pieux car, même si Samira se trouve bien à bord d'un des deux ferries, elle sera cachée et ne se mêlera sûrement pas aux autres passagers. Comment la retrouver, dans ces immenses bottes de foin ?

Les remords m'assaillent dès que je repense à elle et à toutes les promesses que je lui avais faites. Je m'étais engagée à retrouver Zala et à la protéger. Comment lui expliquer... ?

De Souza a insinué que mes efforts pour récupérer les bébés n'étaient pas totalement désintéressés. Ridicule. D'où sortait-il cette idée ? Si je fais tout ça, c'est d'abord pour Cate et pour Samira – et pour les jumeaux, bien sûr.

Les docks s'étendent sur des kilomètres et des kilomètres, brillamment illuminés, hérissés de grues et d'échafaudages géants qui sont autant de tours lumineuses éclairant les poupes des bateaux et les rangées de containers. Au-delà des quais, l'eau ondule paresseusement – à peine quelques rides, sur une rivière de boue noire.

Le taxi arrive au terminal P&O. Ruiz a déjà sauté à terre. Ce n'est pas une semaine d'hôpital et de morphine qui va l'arrêter.

« Bonne chance ! me crie-t-il sans se retourner. C'est moi qui vais la retrouver !

415

— C'est ça, oui ! Vous allez surtout passer la nuit à dégobiller par-dessus le bastingage ! »

Son majeur dressé – le valide ! – se lève vers moi.

L'embarcadère de Stena Line est situé à l'extrémité ouest du port, là où la terre s'avance dans la mer du Nord. Le taxi me dépose et je prends congé de Hokke.

« Comment pourrai-je vous revaloir ça... ?

— Si vous commenciez par payer le taxi ? » s'esclaffe-t-il, l'index pointé sur le compteur.

Je lui laisse mes derniers euros, car il doit encore rentrer chez lui. Il m'embrasse sur les deux joues – trois fois : gauche, droite et retour.

« Tâchez d'ouvrir l'œil.

— Ça, comptez sur moi ! »

Il me reste une heure, avant le départ du *Stena Britannica*. La silhouette du grand bâtiment domine la ligne d'horizon. Plus haut qu'un immeuble de quinze étages, il surplombe toutes les structures environnantes. Il est long comme deux terrains de foot, avec deux cheminées jumelles qui s'inclinent en arrière, créant une illusion de vitesse.

Les oiseaux marins virevoltent dans les faisceaux des projecteurs. Une fois posés sur les quais, ces maîtres du ciel qui planent avec tant de majesté se dandinent et se chamaillent à qui mieux mieux, en poussant des cris de poissardes.

De nombreux poids lourds sont déjà embarqués. Je les aperçois, alignés sur les ponts ouverts, serrés à moins d'un mètre d'intervalle contre les garde-corps de la proue.

D'autres camions font la queue. Les voitures et

416

les fourgonnettes attendent dans une autre zone du parking. Au comptoir des billets, j'avise une jeune femme sanglée dans un tailleur bleu clair, qui doit être un genre d'hôtesse de l'air, version compagnie maritime, et je lui demande une place.

« Veuillez remplir cette fiche, pour votre véhicule, me dit-elle.

— Je suis à pied.

— Désolée, mais nous n'avons pas de passerelle pour les piétons, sur ce service. Nous ne prenons pas les simples passagers.

— Mais je dois à tout prix prendre ce ferry !

— Je crains que cela ne soit pas possible... » Elle jette un œil par-dessus son épaule. « À moins que... »

Un couple de retraités vient d'arriver, à bord d'une vieille Rover qui tracte une caravane des années 1960, trapue et rondouillarde comme la citrouille de Cendrillon. Le conducteur est chauve avec un petit bouc qui pourrait résulter d'un retard de rasage de quelques jours. Son épouse, boudinée dans un jean plus large qu'une toile de tente, fait deux fois sa taille. Ils sont du Pays de Galles.

« Qu'est-ce qui vous arrive, mon chaton ? me lance-t-elle, comme j'interromps leur cérémonie du thé autour du thermos.

— Ils ne peuvent pas m'embarquer sur le ferry en tant que piéton et j'ai vraiment besoin de rentrer en Angleterre. Me prendriez-vous dans votre voiture ? »

Ils échangent des regards hésitants.

« Vous n'êtes pas une terroriste ? demande-t-il.

— Non.

— Vous ne transportez pas de drogue ?

417

— Non plus.

— Vous votez Tory ?

— Non.

— Vous êtes catholique ?

— Non. »

Il fait un grand clin d'œil à sa femme. « Eh ben, ça m'a tout l'air d'aller !

— Bienvenue à bord, fait-elle en me tendant la main. Je suis Bridget Jones. Pas la grosse qui fait du cinéma, hein ! – celle de Cardiff, qu'est encore plus grosse ! Et voici Bryce, mon mari. »

La Range Rover est bourrée de valises, de paquets, de sacs duty free, de fromages hollandais, de saucisses françaises et de caisses de Stella Artois – auxquelles s'ajoutent quelques bouteilles de Bailey's et toutes sortes de souvenirs.

Ils sont vraiment croquignolets. Un adorable petit couple avec leurs bourrelets de graisse et leurs gobelets de voyages assortis. Monsieur porte des gants de conduite sans doigts, et Madame règne sur sa collection de cartes routières, soigneusement étiquetées à l'aide de gommettes de couleurs et rangées dans un compartiment du tableau de bord.

« Nous revenons de Pologne ! m'informe-t-elle.

— Vraiment ?

— Aucune de nos connaissances n'est jamais allée là-bas – pas même Hettie et Jack, qui se vantent toujours d'avoir tout fait.

— On a même visité l'Estonie ! ajoute son mari. On a dû parcourir pas loin de cinq mille kilomètres depuis notre départ de Cardiff, le 28 août dernier. » Il pétrit tendrement son volant. « Elle fait du dix litres aux cent, ce qui n'est pas mal du tout pour une si vieille dame – surtout quand on pense à ce qu'elle a dû s'envoyer comme diesel, du côté de Gdansk !

— À Gdansk, on a carrément cru qu'elle ne redémarrerait pas, confirme sa femme.

— Il devait faire froid, en caravane.

— Oh ça, je m'en fiche ! glousse-t-elle. Un mari vaut toutes les bouillottes du monde ! »

Mr Jones hoche la tête. « Ouais ! C'est qu'elle turbine encore sacrément bien, cette vieille guimbarde ! » Je ne saurais dire s'il s'agit d'une allusion grivoise, ou s'il parle toujours de sa voiture...

Devant nous, la file s'ébranle. Les véhicules gravissent la rampe d'accès, avant de s'enfoncer dans les flancs du navire où ils sont alignés en étroites rangées, à peine plus larges que leurs essieux. Les moteurs sont éteints. La caravane est arrimée. Des préposés en blousons fluorescents nous dirigent vers les sas qui mènent aux ascenseurs et aux escaliers.

« Traînez pas, cocotte, me dit Mrs Jones. Le buffet est compris dans le billet, et vaut mieux pas trop tarder, si vous ne voulez pas vous taper une demi-heure de queue... »

Le mari hoche la tête : « Et je peux vous dire que leur apple-crumble à la crème, c'est quelque chose ! » Une carte à clé magnétique est incluse dans mon ticket. Elle ouvre la porte d'une cabine, sur l'un des ponts passagers. Sur le pont 8, des pancartes recommandent aux usagers d'éviter tout bruit inutile pour ne pas déranger les chauffeurs de camions déjà endormis – certains ont dû embarquer il y a des heures. Comment retrouver Samira, dans ce dédale ?

Je ne prends même pas le temps d'aller voir ma cabine ; je n'ai rien à y déposer. Je préfère examiner un plan du bateau, fixé au mur près d'une issue de secours. Il y a quatre ponts pour les véhicules de tourisme ; pendant le voyage, leur accès est réservé au personnel autorisé. Le pont 10 est strictement interdit aux passagers – ce doit être le pont supérieur, ou la cabine de pilotage.

Les couloirs qui séparent les rangées de cabines sont à peine assez larges pour permettre à deux personnes de se croiser. Je les sillonne quelque temps, à l'affût de tout ce qui pourrait me sembler étrange, ou au contraire trop familier. C'était précisément ma mission, au GPD : ouvrir l'œil, tâcher de repérer d'imperceptibles changements, de percevoir la présence d'un individu louche dans une foule – ou son absence, une seconde plus tard. Il peut s'agir de quelqu'un qui détonne dans le paysage, ou au contraire s'efforce de s'y fondre. Ou d'un détail qui attire mon regard, pour une raison X...

Les moteurs du gros navire se sont mis à ronronner. Leurs vibrations se propagent dans mes pieds et mes chevilles, et de là, dans toutes mes terminaisons nerveuses.

Le buffet est servi au restaurant, pompeusement baptisé « Le Globe-trotter ». La plupart des passagers sont des chauffeurs de poids lourds, en jean et en T-shirt. La nourriture s'empile dans leurs assiettes – curry surgelé, tarte meringuée et lasagnes végétariennes. Les grosses cylindrées ont besoin de carburant !

Les chauffeurs hollandais jouent aux cartes, tandis que les Anglais, la cigarette au bec, lisent la presse à scandale. Le ferry a quitté le quai et commence à s'avancer dans l'estuaire. Les lumières du rivage glissent doucement derrière les hublots, comme si c'était la terre qui s'ébranlait... L'Angleterre est droit devant nous, à cinq heures de mer.

Hokke m'avait prévenue. Cette meule de foin est beaucoup trop grosse ! Je pourrais fouiller le *Stena Britannica* de fond en comble pendant des semaines, sans rien trouver. Samira peut être enfermée n'importe où, dans un camion aussi bien que dans une cabine – à supposer qu'elle soit à bord ! Car rien ne m'assure que de Souza ait eu l'intention de m'aider. Peut-être n'a-t-il cherché qu'à m'éloigner, en me renvoyant en Angleterre... ?

Les ponts où sont entreposés les véhicules sont sous mes pieds, dans les étages inférieurs, certains clos et d'autres ouverts à tous les vents. Je vais tenter de les explorer. Mais comment ? Me suffira-t-il de passer entre les camions en cognant sur les cloisons et en criant son nom ? Est-ce qu'elle répondra ?

S'il y a l'ombre d'une chance pour qu'elle soit à bord, je dois la retrouver. Je pars au hasard dans les couloirs et les escaliers, arrêtant tous les gens que je croise pour leur montrer sa photo. Je dois tourner en rond, dans ce labyrinthe. J'ai déjà dû parcourir plusieurs fois les mêmes couloirs. Ce type – est-ce celui que j'ai interrogé, il y a cinq minutes... ? À présent, la plupart des passagers se sont retirés dans leur cabine. Ils doivent tâcher de dormir un peu...

Comme je tourne au coin d'un couloir, tout à coup, je le sens – ce frémissement, ce changement dans l'air. Une sensation bizarre, frisant l'inexplicable, comme un pressentiment. Au bout d'un long couloir, une silhouette qui se présente de dos marque une pause, le temps d'ouvrir une cabine. J'entrevois son profil de trois quarts et je m'aplatis aussitôt contre la cloison. Mes vieux fantômes m'ont poursuivie jusqu'ici.

14

Le bateau tangue un peu et je dois me retenir à la cloison – la charpente de métal est glacée, contre ma paume. Mais c'est lui. J'en ai la quasi-certitude. Brendan Pearl. Et s'il est ici, elle aussi doit y être.

Ma première réaction est de battre en retraite. Je recule jusqu'à la cage d'escalier où je reprends mon souffle, en tâchant de trouver la stratégie la plus efficace. Je sors mon portable – pas de signal. Le bateau est sorti de la zone de réception. Il faut prévenir le capitaine. Lui, il pourra contacter Forbes par radio.

Un membre de l'équipage monte l'escalier. Il porte l'uniforme – pantalon sombre et chemisette blanche à épaulettes – mais me paraît presque trop jeune pour prendre la mer. Sur sa poche poitrine, une étiquette porte son nom : Raoul Jakobson.

« Avez-vous la clé de toutes les cabines ?

— Pourquoi ? Vous avez un problème ?

— Il y a à bord un individu recherché par la police britannique. Il est dans la cabine 8021. » D'un geste, je lui indique la direction, dans le couloir. Son regard suit ma main tendue. « Je suis officier de la police britannique. Détective constable Barba. Vous avez la liste des passagers ? lui demandé-je, en lui présentant mon insigne.

— Oui, bien sûr. »

Il ouvre une porte dont la plaque indique *réservé au personnel*, et attrape une écritoire. Il parcourt les pages en quête du numéro de la cabine.

« Elle est occupée par un Mr Patrick Norris, chauffeur poids lourd. Citoyen britannique. »

Une identité d'emprunt que Pearl s'est forgée pour la circonstance.

« Serait-il possible de retrouver son véhicule à bord ? » Il se replonge dans la liste. « Numéro V743 LFB – sur le pont 5.

— Je dois contrôler ce camion.

— Les piétons ne peuvent accéder à ce pont.

— Je suis à la recherche d'une passagère clandestine qui pourrait être enfermée dans ce camion.

— Vous devriez en parler au capitaine.

— Bien sûr, je le ferai. Mais là, je n'ai pas le temps. Ça va être à vous de lui expliquer. Il faut envoyer un message radio à cet officier de la police britannique – je griffonne le numéro de Forbes sur son écritoire. C'est l'inspecteur Forbes. Robert Forbes. Donnez-lui mon nom : inspecteur Alisha Barba. Et dites-lui que Brendan Pearl est à bord. Il comprendra. »

Raoul Jakobson contemple un instant le numéro de téléphone, puis jette un regard inquiet dans le couloir, vers la cabine de Pearl.

« Il est dangereux, ce type ?

— Oui. Mais surtout pas de panique. Pour

424

l'instant, laissons-le dormir. » Je consulte ma montre. « Dans trois heures, nous arrivons à Harwich. »

Je regarde du côté de l'escalier. La voie est libre. « Faites passer le message au capitaine. Moi, je dois y aller. »

Je monte l'escalier quatre à quatre, franchissant en trombe les paliers, jusqu'au pont 5. En appuyant sur le bouton rouge du sas, j'entends chuinter un souffle d'air. La porte métallique s'ouvre automatiquement. Amplifié par l'espace de l'entrepont, le grondement des moteurs se répercute par le sol en vibrations pulsatiles.

J'ai franchi le seuil. J'entreprends de longer une première rangée de véhicules. Les camions sont garés de front par rangées de sept, pare-chocs contre pare-chocs, tellement serrés que j'ai tout juste la place de me glisser entre eux. Si seulement j'avais pensé à prendre une lampe-torche... La lumière chiche des néons du plafond ne dissipe qu'à grand-peine la pénombre ambiante. Tout juste si j'arrive à déchiffrer les plaques des camions.

Je parcours le pont sur toute sa longueur, aller et retour, en suivant les rangées, en quête du numéro que m'a indiqué Jakobson. Quand le ferry tangue ou roule un peu plus fort, je m'agrippe à ce qui me tombe sous la main – pare-chocs, garde-boue ou remorque. Mentalement, je me représente leurs entrailles. J'imagine Hasan et ses malheureux compagnons de voyage, piégés, suffocants. Je voudrais pouvoir marteler de mes poings les cloisons d'acier, ouvrir les portes à la volée, pour leur donner de l'air...

J'en suis à la seconde travée, à tribord, quand je

tombe sur le V743 LFB : un semi-remorque avec une cabine Mercedes bordeaux et une remorque blanche. Je prends appui sur le marchepied et je me cramponne au rétroviseur latéral pour me hisser jusqu'à la vitre et risquer un œil dans la cabine – des gobelets en carton et des boîtes de hamburgers vides jonchent le tapis de sol.

Je remets pied à terre et je fais lentement le tour du camion, l'oreille plaquée à la paroi d'acier. J'écoute... J'attends un bruit : éternuement, ronflement, murmure... n'importe quoi. Mais rien. Les portes arrière sont bloquées par une barre de fer maintenue par un gros cadenas.

Quelqu'un vient à ma rencontre avec une torche dont le rayon oscille de côté et d'autre, m'aveuglant momentanément. Je m'écarte du camion. L'obscurité se referme sur moi.

« Vous n'avez rien à faire ici », fait une voix.

À la même seconde, une main m'enveloppe le visage et se plaque sur ma bouche, m'empêchant de crier ou de donner l'alerte.

Mes pieds ont quitté le sol. Le souffle me manque. Les doigts de mon agresseur me labourent les joues et me meurtrissent les gencives. De son autre bras, il me garrotte et tente de m'écraser la trachée-artère. M'agrippant des deux mains à son avant-bras, je rue en arrière, dans l'espoir d'atteindre son pied, sa cheville ou son genou. Mais mes coups ne font que l'effleurer.

Il me soulève un peu plus haut. Mes orteils effleurent à peine le sol. Je n'ai plus de point d'appui. Le sang me bat douloureusement aux oreilles. J'étouffe.

426

J'ai appris les points d'acupuncture, en karaté. Il y en a un, fulgurant, juste au creux de la pince que forment le pouce et l'index. Je trouve le sien, pour y enfoncer sauvagement mon ongle. Il mugit de douleur, relâchant sa prise sur ma bouche et mon nez. Mais l'air ne passe toujours pas – il me comprime toujours la trachée-artère. Je continue à enfoncer mon pouce dans sa main.

Un coup de genou m'arrive dans les reins. La douleur m'engloutit, comme une explosion de chaleur. Je n'ai pas lâché sa main droite, mais je n'ai pas vu son poing gauche se refermer. Le coup m'arrive, comme une marque de ponctuation. Le noir m'envahit, effaçant tout à la fois, douleur et souvenirs. Me voilà libre, de Cate comme de Samira. Libre des jumeaux à naître. Enfin. Délivrée du ferry et de l'incessante rumeur de ses machines.

Peu à peu, le monde retrouve ses dimensions. Et sa lumière. Je reste quelques instants suspendue au-dessus de mon corps, témoin d'une scène étrange. Mes mains sont liées dans mon dos, immobilisées par du gros adhésif. Je suis bâillonnée par un autre morceau qui fait le tour de ma tête, tirant sur la blessure de ma lèvre.

J'aperçois la lueur d'une torche électrique, posée par terre près de mes pieds. Ma tête repose sur les genoux de Samira. Elle se penche en avant pour me murmurer quelque chose à l'oreille. Elle me dit de rester tranquille, de ne pas bouger... Un rayon lumineux scintille dans ses prunelles. Elle a les doigts glacés.

Ma tête vient buter contre son ventre. Je sens les

bébés qui bougent, là-dessous. Les glouglous du liquide amniotique. Je sens même la pulsation de leurs cœurs. Le sang qui circule sous la peau, se faufilant dans des ramifications de plus en plus fines.

Est-ce que chaque jumeau est conscient de l'existence de son double ? Entend-il battre son cœur ? Communiquent-ils par les mains ? S'explorent-ils mutuellement ?

Peu à peu, la confusion et les ténèbres semblent s'ordonner, et en restant bien concentrée, je parviens à respirer presque normalement à travers l'adhésif.

Tout à coup, le corps de Samira se raidit dans un grand spasme. Elle se plie à partir de la taille, plaquant ma tête contre ses cuisses. Puis elle se reprend, retrouve un semblant de contrôle, se laisse aller en arrière en respirant profondément. Comme je tente de soulever la tête, elle me répète de ne pas bouger.

Impossible de prononcer un traître mot, avec ce bâillon ! Elle parvient à glisser les doigts sous la bande de plastique et à l'écarter suffisamment de mes lèvres pour me permettre de parler.

« Où sommes-nous ?

— Dans un camion.

— Et toi... ça va ? »

Elle fait « non » de la tête, et je vois des larmes briller dans ses yeux. Son corps se tétanise à nouveau. Elle est en plein travail !

« Qui m'a amenée ici ?

— Yanus. »

Yanus et Pearl. Joli tandem.

« Essaie de me détacher... »

Ses yeux papillotent en direction de la porte et elle secoue la tête, épouvantée.

« S'il te plaît.

— Ils vont te tuer ! »

Ils me tueront de toute façon.

« Aide-moi au moins à m'asseoir. »

Elle me soulève la tête et les épaules, jusqu'à ce que je puisse m'adosser à la paroi. Mon gyroscope interne est dans la confusion la plus totale, comme si je m'étais crevé un tympan.

Le contenu du camion semble se réduire à un tas de caisses vides, avec quelques palettes. À travers une petite ouverture carrée, j'aperçois un espace couchette, avec un matelas et trois bouteilles en plastique. On a posé une double cloison pour ménager un compartiment secret, au fond de la remorque. Les douaniers n'y verront que du feu, s'ils ne mesurent pas la différence entre les dimensions intérieures et extérieures du camion.

« Vers quelle heure ont commencé tes contractions ? »

Elle me regarde, impuissante. Comment pourrait-elle mesurer le passage du temps ?

« As-tu une idée de l'intervalle qui les sépare ?

— Une minute, peut-être. »

Combien de temps ai-je pu rester sans connaissance ? Pour maintenant, Raoul a dû alerter le capitaine. Ils ont appelé Forbes. Ils sont à ma recherche. Forbes a dû leur dire que c'était sérieux, que j'étais en danger.

« Vite, détache-moi les mains. »

À nouveau, elle secoue la tête.

Elle lâche l'adhésif et me passe une couverture autour des épaules. Elle semble plus inquiète pour moi que pour elle-même.

« Pourquoi tu es venue ? Tu n'aurais pas dû. »

Je n'ai pas le temps de répliquer, ne fût-ce que d'un grognement. La douleur d'une autre contraction lui tord le visage. Tout son corps se crispe, comme pétrifié.

La porte arrière s'est ouverte – je le sens à l'appel d'air, et j'entends ce petit hoquet dans le souffle de Samira.

« Je t'avais dit de ne pas la toucher ! » lui lance Yanus en montant dans le camion. Il l'empoigne et lui passe les mains sur la figure, comme pour la souiller, avant de lui cracher au visage. Elle suffoque, s'efforçant de lui échapper.

Puis il se tourne vers moi, m'arrache mon bâillon – et je sens la moitié de mon visage partir en lambeaux.

« Et vous... qui sait que vous êtes là, hein ? »

Je m'entends répondre d'une voix pâteuse : « Le capitaine. Tout l'équipage. Ils ont déjà dû envoyer un message radio en Angleterre.

— Menteuse ! »

Une autre silhouette est venue s'encadrer dans l'embrasure de la porte arrière. Pearl. Il ne doit être là que depuis quelques secondes, mais c'est comme s'il m'observait depuis déjà longtemps.

Je distingue à peine ses traits, dans la lumière chiche qui filtre en arrière-plan, mais je note qu'il a changé d'allure, depuis notre dernière rencontre.

Ses cheveux ont poussé. Il a des lunettes et une canne à la main – un détail subtil. Sauf qu'il la tient dans le mauvais sens, poignée en bas... Non, ça n'est pas une canne. Elle se termine par un crochet, comme un harpon pour la pêche à l'espadon. L'histoire de Ruiz me revient en mémoire. Et ce surnom : « Le pêcheur de Shankhill. » Yanus commence par me décocher un coup de pied qui m'envoie rouler à plat ventre. Puis il pose sa botte sur ma nuque et fait progressivement porter son poids sur le point où mes cervicales se raccordent à mon crâne. Ça va craquer...

Samira se met à hurler, aux prises avec une nouvelle contraction. Pearl aboie un ordre à Yanus, qui lève le pied. Je peux à nouveau respirer. Il fait le tour de la remorque vide puis revient vers moi et remet son talon sur ma nuque. Je voudrais me libérer un bras pour pouvoir pointer l'index sur Samira, qui fixe ses propres mains, les yeux écarquillés. Une flaque de liquide s'est répandue sous ses genoux. Sa jupe est trempée.

Pearl balaie Yanus de côté.

« Elle vient de perdre les eaux..., dis-je dans un souffle.

— Tu parles ! Elle se pisse dessus ! ricane Yanus.

— Elle va accoucher. Elle a besoin de soins, de toute urgence ! Appelez un docteur.

— Essaie de retarder l'accouchement, fait Pearl.

— Impossible ! »

Une autre contraction s'annonce, plus forte que les précédentes. Les hurlements de Samira se répercutent entre les parois d'acier. Pearl lui passe le crochet de son harpon autour du cou. « Si elle se remet à brailler comme ça, je l'égorge. »

Samira secoue la tête, les mains plaquées sur la bouche.

Pearl me redresse en position assise et coupe l'adhésif qui m'immobilise les mains. Puis il laisse s'écouler quelques secondes en se mâchonnant la joue de l'intérieur, comme un ruminant.

« Elle n'a pas l'air en grande forme, n'est-ce pas ? dit-il, avec un lourd accent irlandais.

— Elle a besoin d'un médecin, vite !

— Pas question.

— Mais elle va avoir des jumeaux !

— Elle peut bien en pondre toute une portée, on n'en a rien à battre. Vous allez devoir l'accoucher.

— Je n'ai jamais fait ça !

— Ben, j'espère que vous apprenez vite.

— Faites pas l'idiot ! Je... »

Le manche du harpon s'abat sur ma joue. J'attends que la douleur se soit dissipée pour compter mes dents, du bout de la langue. « Pourquoi je vous aiderais ?

— Parce que sinon, vous êtes morte.

— Vous allez me descendre, de toute façon.

— Tiens, z'aviez compris ça toute seule ! »

La main de Samira se projette en avant et m'attrape le poignet. La douleur lui blanchit les phalanges et lui tord les traits. Elle implore mon aide. Elle me demande d'éloigner la douleur.

Je regarde Pearl en hochant la tête.

« C'est un vrai palace, ici... qu'est-ce que vous voulez de plus ! » Il se redresse et s'étire en faisant tournoyer son harpon dans son poing.

« Elle ne peut pas rester là ! lui dis-je. Emmenez-la dans une cabine ! Il nous faut de la lumière, des draps propres, de l'eau !

— Non.

— Regardez où on est !

— Elle reste là.

— Alors, elle va y passer. Et les bébés aussi. Vous n'aurez rien à vendre à votre client ! »

Je m'attends à encaisser un autre coup de harpon mais il se contente de soupeser son arme des deux mains, avant de la pointer vers le sol pour s'y appuyer comme sur un vulgaire bâton. Ils se concertent à voix basse, Yanus et lui. Ils doivent trancher. C'est tout leur plan qui menace de capoter.

« Essaie de tenir le coup, dis-je à Samira, dans un murmure. Tu vas voir, ça va aller... »

Elle hoche la tête, plus calme que je ne le suis moi-même.

Mais pourquoi ne voit-on venir personne ? Ne se sont-ils pas mis à ma recherche ? Maintenant, ils ont pourtant dû contacter Forbes. Il a dû leur donner des instructions...

La décision de Pearl est prise.

« OK. On l'emmène dans la cabine. » Il soulève sa chemise pour me faire voir son arme, glissée dans sa ceinture. « Et pas d'entourloupe ! Si vous essayez de nous fausser compagnie, mon pote Yanus se fera un plaisir de récupérer les marmots à sa façon. Il a toujours rêvé de percer comme chirurgien ! »

L'Irlandais rassemble les affaires de Samira – un petit sac de toile et une couverture. Puis il l'aide à se lever. Elle entoure son ventre de ses deux mains, comme pour le soulever. Je lui mets la couverture sur les épaules. À chaque pas, sa jupe trempée se colle à ses genoux.

Yanus est parti devant, pour s'assurer que la voie est libre. Les hommes d'équipage doivent l'attendre au détour d'un couloir ou dans l'escalier. Il va crouler sous le nombre. Pearl va devoir se rendre...

Il soulève Samira pour la faire descendre de la remorque. Je suis le mouvement, atterrissant lourdement sur le sol du parking. Pearl me pousse sans ménagement et ferme la porte du camion en remettant le cadenas. Mais quelque chose a changé... La couleur du camion... Ce n'est pas le même !

J'en ai l'estomac retourné. Ils ont deux camions. Ils ont embarqué séparément, chacun au volant de son camion. Comme je regarde du côté de l'escalier le plus proche, j'aperçois sous la veilleuse une pancarte qui indique la sortie. Nous ne sommes plus sur le pont 5 ! Les hommes d'équipage ne sauront pas où me chercher.

Samira passe la première, le menton rentré, comme si elle marmonnait une prière. Une contraction la cloue sur place. Elle flageole sur ses genoux. Pearl lui passe un bras autour de la taille pour l'empêcher de s'affaler. Malgré sa cinquantaine bien mûre, il a les biceps et les épaules d'un habitué des salles de musculation. Il a dû soulever pas mal de fonte, en prison.

Nous gravissons rapidement les escaliers, nous filons le long des coursives désertes. Yanus a trouvé une cabine au niveau 8, où il n'y a presque pas d'autres passagers. Il empoigne Samira, l'arrache des mains de Pearl et l'entraîne. Je les observe à la dérobée. Comment peuvent-ils espérer s'en sortir en toute impunité ?

La cabine comporte deux couchettes. Tout y est d'une oppressante propreté. La première couchette est située à une quarantaine de centimètres du sol, et l'autre, à présent repliée et encastrée dans le mur, se trouve juste au-dessus. Le seul hublot, un carré arrondi aux quatre coins, donne sur un noir d'encre. La terre est loin, à présent. Je ne peux plus qu'imaginer l'immensité déserte qui nous entoure. Minuit et demi, indique ma montre. Harwich est encore à trois heures. Si Samira parvient à garder son calme et que les contractions ne se précipitent pas, nous arriverons peut-être à temps – mais à temps pour quoi faire ?

Elle a les yeux écarquillés et le front ruisselant, mais elle frissonne, transie. Je m'assieds sur le lit, adossée à la paroi et je l'entoure de mes bras, en tâchant de lui tenir chaud. Son ventre ballonne entre ses genoux. À chaque contraction, elle se cabre de plus belle.

Je m'en remets à mon intuition. Garder la tête froide. Surtout ne pas montrer ma peur. Pour entrer dans la police, j'ai suivi des cours de secourisme assez poussés, mais je n'ai que de très vagues notions d'obstétrique. Je me souviens d'avoir entendu ma mère dire quelque chose à mes belles-sœurs : « Ce n'est pas l'accoucheur qui met l'enfant au monde, c'est la mère elle-même ! »

Yanus et Pearl se relaient, pour surveiller la porte et le couloir. De toute façon, on ne tiendrait pas à quatre, dans cette cabine.

Appuyé au petit comptoir, Yanus monte la garde avec une curiosité maussade. Il sort de sa poche une orange qu'il pèle prestement, avant d'en détacher les quartiers. Puis il les aligne sur l'étroite tablette et mastique lentement chaque morceau, en recrachant les pépins par terre.

Je ne crois pas que l'on puisse être pourri à cent pour cent. La psychopathie n'est pas un caractère inné, mais acquis. Quoique... si ce Yanus faisait justement exception à la règle ? Je m'efforce de l'imaginer enfant, en me cramponnant à la moindre lueur d'espoir. Peut-être y a-t-il tout de même en lui un vague fond d'humanité ou de compassion ? Il a bien dû aimer quelque chose ou quelqu'un, dans sa vie. Un animal, un parent, un ami... Le moins qu'on puisse dire, c'est que ça ne saute pas aux yeux.

De temps à autre, Samira laisse échapper un bref cri. Il me lance un rouleau d'adhésif. « Fais-la taire, ou je lui claque la gueule !

— Surtout pas. Elle doit me prévenir, quand elle sent venir les contractions.

— Alors, arrange-toi pour qu'elle la boucle ! »

Où a-t-il mis son couteau ? Fixé à sa poitrine, du côté gauche... Mais on dirait qu'il lit dans mes pensées. Il tapote son blouson au niveau du cœur.

« T'inquiète... au besoin, je peux très bien les récupérer moi-même ! Je l'ai déjà fait pour des animaux. Y a qu'à couper par ici... » Du pouce, il indique un point, à gauche, plus bas que sa ceinture et remonte en oblique, au-dessus de son nombril. « Après, y a plus qu'à écarter la peau... »

Samira frissonne.

« Alors à ta place, je la bouclerais, d'accord ? »

436

Il me décoche son plus beau sourire de requin.

De l'autre côté du hublot, il n'y a que la nuit. Le ferry doit transporter cinq ou six cents passagers mais pour l'heure, c'est comme si la lampe de notre petite cabine était la seule à briller, dans cette immensité obscure, hostile et glacée.

Samira rejette la tête en arrière, pour voir mon visage.

« Et Zala ? »

J'aimerais pouvoir lui mentir, mais la vérité doit se lire sur mon visage. Je pourrais presque voir les ténèbres l'engloutir. Elle me lance un regard qui me glace jusqu'à la moelle. Le regard de quelqu'un qui se sait trahi par la vie elle-même. Un désespoir si profond que rien ni personne ne pourrait le dissiper.

« Je n'aurais jamais dû la laisser sortir seule, murmure-t-elle.

— Ce n'est pas ta faute. »

Sa poitrine se soulève puis s'affaisse en un long soupir. Elle détourne les yeux, avec une résignation qui en dit long. J'avais promis de retrouver Zala et d'assurer sa sécurité. Moi aussi, je lui ai fait défaut.

Les contractions semblent se calmer. Son souffle devient plus régulier. Elle s'assoupit.

Pearl vient relever Yanus.

« Comment va-t-elle ?

— Elle est à bout de forces. »

Il s'adosse au mur et se laisse glisser jusqu'à s'accroupir, les bras passés autour des genoux. Dans cet espace exigu, il semble encore plus large et plus râblé, avec ses énormes mains – deux battoirs, massifs et grossiers, alors que celles de Yanus sont

437

féminines, délicates et prestes – des mains de virtuose.

« Réfléchissez, Pearl ! Vous savez bien que vous n'allez pas vous en tirer comme ça... »

Il sourit. « Je sais pas mal de choses, mais j'en ignore bien plus.

— Écoutez... N'aggravez pas votre cas. S'ils meurent, elle ou les bébés, vous aurez à répondre de plusieurs homicides.

— Ils ne mourront pas.

— Il faut appeler un médecin.

— Bon, ça suffit ! Bouclez-la.

— La police sait que je suis à bord. Je vous avais repéré avant de venir voir le camion. J'ai demandé au capitaine d'envoyer un message radio. Il y aura tout un bataillon de flics qui vous attendront à Harwich. Vous êtes coincés. Laissez-moi emmener Samira. Il y a forcément une infirmerie, sur ce bateau. Je vais lui trouver un toubib ou une sage-femme. Ils doivent avoir du matériel médical... »

Mais ça semble être le dernier de ses soucis.

J'ai des picotements dans le cuir chevelu. « Pourquoi avez-vous tué mon amie Cate et son mari ?

— Qui ça ?

— Les Beaumont. »

Ses yeux ne sont pas tout à fait alignés dans son visage. Il me jette un coup d'œil en coin qui les fait paraître curieusement de guingois, jusqu'à ce qu'il prenne la parole et que ses traits retrouvent leur alignement : « Elle en demandait trop.

— Comment ça, trop ?

— Elle ne pouvait s'offrir qu'un bébé, mais elle les voulait tous les deux.

— Vous l'avez obligée à choisir ?

— Moi, non.

— Mais quelqu'un s'en est chargé... »

Je n'ai pas besoin d'entendre sa réponse.

« C'est ignoble ! »

Il hausse les épaules. « Tic ou Tac, mais pas les deux... c'était tout de même pas compliqué ! Faut bien faire des choix, dans la vie. »

Voilà donc ce qu'elle voulait me dire, ce fameux soir où elle m'a confié qu'on voulait lui prendre son enfant. Ils exigeaient qu'elle double la mise et elle avait déjà vidé son compte en banque. Elle était donc confrontée à cet impossible choix – le garçon ou la fille ? Comment une mère pourrait-elle prendre une telle décision et continuer à vivre, en apercevant dans les yeux de son enfant l'image de l'autre, de celui qu'elle ne connaîtra jamais ?

Mais Pearl poursuit : « Elle menaçait d'appeler les flics. On l'a prévenue, mais elle n'a rien voulu savoir. C'est le problème, de nos jours, avec les gens. Personne n'assume la responsabilité de ses actes. Quand on fait une erreur, on paie les pots cassés. C'est la vie.

— Et vous, vous estimez avoir payé pour vos erreurs ?

— J'ai payé. Toute ma vie. » Il a fermé les yeux. Il tente d'oublier ma présence.

On frappe à la porte. Pearl se relève, sort son arme de sa ceinture et la tient pointée sur moi, en me faisant signe de me taire. Puis il entrouvre la porte. Notre visiteur me demeure invisible. Une voix demande si nous n'avons pas vu un passager qui manque à l'appel. Ils me cherchent...

Pearl bâille avec ostentation. « Et c'est pour ça que vous me réveillez en pleine nuit ? »

Une autre voix. « Toutes nos excuses, monsieur.

— Quel est son signalement ? »

Je n'entends pas la réponse.

« Eh bien non, je ne l'ai pas vue. Elle a peut-être décidé de traverser à la nage !

— J'espère bien que non, monsieur. Désolé de vous avoir dérangé. »

La porte se referme. Pearl laisse s'écouler une minute, l'oreille contre la porte. Puis, rassuré, il range son pistolet dans sa ceinture.

On frappe à nouveau – Yanus, cette fois.

« Putain, où t'étais ? crache Pearl.

— Je faisais le guet.

— Tu devais pas me prévenir, en cas d'alerte ?

— Ça n'aurait servi à rien. Ils font toutes les portes. Mais c'est bon – ils ne reviendront pas. »

Samira se redresse en étouffant un cri. Une nouvelle contraction, encore plus violente. Je la maintiens de mes jambes, placées en ciseaux. Elle semble secouée par une force invisible, qui lui brise le corps dans un grand spasme, et je me sens comme happée, emportée par sa souffrance. Mon souffle se règle sur le sien.

Une deuxième contraction suit, presque immédiatement. Son dos se creuse. Ses genoux remontent.

« Je vais devoir pousser.

— Non !

— Si, il le faut. »

Et c'est parti... Je ne peux pas la retenir. Je me glisse en bas du lit, je l'allonge, je lui écarte les jambes.

Pearl hésite quant à la conduite à tenir. « Respire, dit-il. Respire bien à fond. C'est bien. Parfait. Respire calmement. T'as soif ? Je t'apporte un verre d'eau... »

Il va remplir un verre dans le petit cabinet de toilette et revient.

« Vous ne devriez pas vérifier l'état de son col ? me demande-t-il.

— Et vous, vous devez en connaître un rayon, en la matière !

— J'ai vu faire ça dans les films.

— Mais je vous en prie ! Je vous cède la place... »

Il se radoucit. « Qu'est-ce que je peux faire ?

— Faites couler de l'eau bien chaude dans le lavabo. Je vais me laver les mains. »

La mâchoire de Samira se décrispe. La contraction est passée. Son souffle retrouve un rythme normal. Elle donne ses instructions à Pearl : il lui faut des ciseaux, de la ficelle, une pince, des serviettes propres. L'espace d'une seconde, je me demande si elle cède à une bouffée de délire, mais non : en fait, c'est elle qui s'y connaît le mieux en obstétrique, dans cette cabine.

Il ouvre la porte et transmet les instructions à Yanus. S'ensuit une brève altercation. Pearl en vient aux menaces...

Samira a une autre exigence : pas question qu'un homme assiste à l'accouchement. Je m'attends à voir Pearl regimber, mais il hésite, soupèse le pour et le contre.

« Regardez cette cabine ! Nous n'irons pas bien loin. Il n'y a qu'une porte, et le hublot donne quinze mètres au-dessus du niveau de la mer... »

Il semble en convenir. Il consulte sa montre – 2 heures passées. « OK – Mais dans une heure, je veux qu'elle soit de retour dans le camion. » Sa main se pose sur la poignée de la porte. Il se tourne vers moi.

« Ma mère est une fervente catholique, genre "Laissez-les vivre", vous comprenez ? Pour elle, il y a déjà cinq personnes dans cette pièce, avec les bébés. Alors débrouillez-vous, mais je veux trouver tout le monde en vie, à mon retour ! »

Il referme la porte et Samira se détend un peu. Elle me demande d'aller lui chercher un gant de toilette au lavabo. Elle le replie plusieurs fois et le serre entre ses dents, en sentant venir la prochaine contraction.

« Où as-tu appris tout ça ?

— J'ai assisté à pas mal d'accouchements, à l'orphelinat. Il y avait souvent des femmes qui venaient accoucher chez nous, et elles nous laissaient leurs bébés parce qu'elles ne pouvaient pas les élever. »

À présent, les contractions se succèdent à quarante secondes d'intervalle. Chaque fois, Samira mord le gant de toilette jusqu'à ce que la douleur soit passée.

« Maintenant, il va falloir que tu vérifies si je suis prête, dit-elle.

— Comment ça ?

— Tu mets deux doigts jusqu'au col pour mesurer.

« — Comment je peux savoir ?

— Écarte les doigts, et regarde l'espacement que ça fait... Tu vois, tu mesures, comme ça. »

Je m'exécute. Jamais je n'ai touché de si près le corps d'une femme... et jamais je n'ai eu aussi peur.

« Ça m'a l'air d'aller. »

Elle hoche la tête, les dents serrées sur le gant de toilette pendant la première moitié de la contraction, puis elle se met à haleter par brèves bouffées, pour atténuer la douleur. Ses larmes se mêlent à la sueur qui ruisselle sur ses joues. Rien qu'à l'odeur qu'elle dégage, je sens son épuisement.

« Maintenant je vais me mettre par terre.

— Pour prier ? !

— Non, pour accoucher. »

Elle s'accroupit, genoux écartés, accrochée des deux mains au lit et au pied de la tablette. Ainsi, la gravité devrait jouer en sa faveur.

« Tu dois encore voir si tu sens la tête... »

Ma main s'insinue en elle, et sonde ses profondeurs. Elle est bien là, oui... Je sens le sommet d'une toute petite tête. Ne devrait-il pas y avoir plus de sang ?

« Ils vont te tuer dès que les bébés seront nés, murmure-t-elle. Tu ferais bien de filer d'ici.

— Plus tard.

— Non, maintenant. Vas-y !

— Ne t'en fais pas pour moi. »

On frappe à la porte. Je tourne le verrou et Pearl me tend des ciseaux, des serviettes, une pelote de ficelle et une pince rouillée. « Fais-lui fermer sa gueule, à cette sale garce ! éructe Yanus, derrière lui.

443

— Va te faire voir ! Elle est en train d'accoucher. »

Le bras tendu, il tente de m'atteindre, mais Pearl le repousse et referme la porte.

Samira pousse, à présent – trois fois à chaque contraction. Elle a de longs pieds fins, avec des cals sur le bord externe. Elle garde le menton rentré dans son cou. Des mèches trempées lui tombent dans les yeux.

« Si je venais à perdre connaissance, faudrait que tu les sortes quand même, hein... Ne les laisse surtout pas dedans ! » Ses dents s'incrustent dans sa lèvre. « N'hésite pas à faire ce qu'il faudra – tout ce qu'il faudra !

— Chhttt !

— Promets-moi que tu le feras.

— C'est promis.

— Est-ce que ça saigne beaucoup ?

— Ça saigne, mais je ne sais pas si c'est trop ou pas assez. Je vois la tête.

— Ça fait mal.

— Je sais... »

Et pendant les minutes qui suivent, notre existence se réduit à ça – respirer, souffrir, respirer, pousser. Je relève les mèches qui lui tombent dans les yeux. Je me poste entre ses jambes. Son visage se tord, elle hurle dans son gant de toilette. La tête sort. Je la reçois dans ma paume arrondie, je sens les creux et les bosses du crâne. Les épaules ont un peu de mal à passer. Je glisse délicatement l'index sous le menton, pour faire pivoter le petit corps. La contraction suivante fait apparaître l'épaule – la droite, puis la gauche, et le bébé glisse dans mes mains.

« C'est un garçon !

— Masse-lui le nez avec ton doigt », dit Samira.

Le bout de mon index suffit. J'entends un petit hoquet, puis un gargouillis, suivis d'un bruit de souffle.

Samira me donne ses instructions. Avec la ficelle, je dois nouer le cordon en deux points, côté mère et côté bébé, avant de couper entre les deux. J'ai les mains qui tremblent.

Elle pleure d'épuisement. Je l'aide à remonter sur la couchette et elle s'appuie à la cloison, à la tête du lit. J'ai enveloppé le nouveau-né dans une serviette et je le tiens contre moi pour respirer l'odeur suave de son souffle. Son nez m'effleure la joue. T'es qui, toi ? – Tic ou Tac ?

Jetant un coup d'œil à ma montre, je m'efforce de mémoriser l'heure. 2 h 45. Quel jour sommes-nous ? Le 30 octobre. Où est-il né au juste... Quelque part entre l'Angleterre et les Pays-Bas. Mais qui est sa vraie mère... ? Ce jeune homme a pris un départ bien ambigu, dans la vie.

Les contractions ont repris. Samira se pétrit le ventre, pour tenter de localiser le deuxième jumeau.

« Un problème ?

— Elle se présente par le siège. Essaie de la retourner.

— Je ne saurai pas... »

Chaque nouvelle contraction lui tire un grognement résigné. Elle est à bout de forces. Presque trop épuisée pour crier et pour pousser. Cette fois, je dois la soutenir pour l'empêcher de s'effondrer.

Elle s'accroupit à nouveau. De la main, je tente de repousser l'enfant, de le faire tourner. Je dois lutter à la fois contre la contraction et la gravité. Mes mains dégoulinent. J'ai peur de blesser la mère. Mais ça a l'air de fonctionner.

« Ça vient, souffle Samira.

— Vas-y. Maintenant. Pousse ! »

La tête sort, avec un flot de sang. J'aperçois quelque chose, un cordon blanc marbré de bleu autour du cou du bébé. « Stop ! Ne pousse plus ! »

Ma main parcourt le pourtour du petit visage, jusqu'à ce que mes doigts trouvent son menton et le délivrent du cordon ombilical.

« Samira, tu vas vraiment devoir pousser, cette fois. C'est important ! »

La contraction arrive enfin. Elle pousse une fois, deux fois – sans résultat.

« Encore.

— Je n'en peux plus.

— Si ! Encore une fois ! La dernière. C'est promis. »

La tête basculée en arrière, elle lance un cri étouffé. Son corps se raidit et se cabre. Je vois émerger une petite fille, toute bleue, toute ridée et toute dégoulinante, qui atterrit dans la coupe de mes deux mains réunies.

Je lui masse le nez. Rien. Je la mets sur le côté en promenant délicatement le bout de mon doigt dans sa bouche et sa gorge, que je tâche de dégager. Je la prends sur mon bras, les membres ballants dans le vide et je lui envoie une bonne claque sur les fesses. Mais, nom d'un chien ! pourquoi ne veut-elle pas respirer !

446

Je l'allonge sur une serviette et j'entreprends de lui comprimer rythmiquement le thorax du bout de l'index et du majeur, tout en lui envoyant de l'air dans la bouche et les narines.

La réanimation, ça me connaît. J'ai été formée pour, je l'ai fait et j'ai vu les secouristes le faire des dizaines de fois. Et à présent, je tente d'insuffler la vie dans ce petit corps qui ne parvient pas à prendre sa première respiration. Allez. Allez, bout de chou ! Vas-y... vas-y !

Samira s'est écroulée sur la couchette, les jambes traînant encore à terre, son premier-né niché contre elle, calé au creux de son bras.

J'insiste. Pressions. Bouche à bouche. C'est comme un mantra, une prière du corps. Et presque à mon insu, le minuscule thorax parvient à se soulever. Les paupières clignent. La peau bleuâtre retrouve son joli rose. Elle vit. C'est un miracle. Magnifique.

15

Tic et Tac ! Un garçon et une fille. Avec chacun son compte de petits doigts roses, aux pieds et aux mains, sa paire d'oreilles minuscules, son petit nez épaté. Je me balance sur mes talons, à deux doigts d'éclater de rire, de bonheur, de soulagement... jusqu'à ce que je surprenne mon reflet dans le miroir : un visage de clown émerveillé, barbouillé de larmes et de sang.

Samira pousse un petit gémissement.

« Tu saignes ?

— Ça s'arrêtera dès que je leur donnerai le sein. »

Comment sait-elle tout ça ? Elle pétrit doucement son ventre, dont la peau désormais flasque, ballotte de côté et d'autre. J'emmaillote la petite fille et je la place contre elle.

« Pars, maintenant !

— Je ne vais pas t'abandonner là, toute seule.

— Je t'en prie ! »

Je suis sous l'emprise d'une sorte de calme quasi surnaturel. Je n'ai que deux options – lutter ou me coucher. J'empoigne les ciseaux et je les soupèse. Peut-être me reste-t-il tout de même une chance...

J'ouvre la porte. Pearl me barre la route.

« Vite ! Allez me chercher une paille, pour la petite. Elle a les poumons pleins de mucus.

— Vous croyez que j'ai ça dans ma poche ! ?

— N'importe quoi fera l'affaire. Quelque chose de creux, un tube, un stylo-bille. Grouillez-vous ! »

Je referme la porte. Il n'y aura plus que Yanus pour surveiller le couloir.

Je reprends les bébés à Samira et je les couche par terre dans le cabinet de toilette, côte à côte, entre le lavabo et les WC. Puis je me passe de l'eau sur les mains et la figure pour me débarrasser de tout ce sang.

J'ai suivi une formation intensive au tir à la cible. Avec une arme à feu, je fais mouche à trente mètres – mais en l'occurrence, ça ne m'avancerait pas à grand-chose. En matière de corps à corps, mes compétences sont centrées sur l'autodéfense, mais je sais où frapper. Je connais les organes vitaux. Je jette un coup d'œil aux ciseaux.

Je n'ai pas le droit à l'erreur. Je m'allonge par terre dans le cabinet de toilette, orientée face à la couchette. Je tiens les ciseaux comme un pic à glace, avec la poignée à l'envers, le pouce passé dedans. En regardant vers mes pieds, je peux surveiller les bébés.

Prenant mon souffle, je me mets à hurler à gorge déployée. Combien de temps mettra-t-il à réagir ?

Yanus enfonce la porte d'un coup d'épaule qui fait sauter le verrou, et charge dans la pièce, la lame tendue à bout de bras. Avant que son pied n'ait eu le temps de se poser, son regard s'est porté devant lui, par terre... là où s'étale la masse visqueuse et

449

violacée du placenta. Je ne saurai jamais ce qui lui passe par la tête, mais c'est trop pour lui. Il ne peut comprendre. Comme il tente de rebrousser chemin, je plonge mes ciseaux dans le creux poplité, cette zone tendre, située à l'arrière du genou, en visant l'artère et les tendons qui font fonctionner l'articulation. Tandis que son genou se dérobe sous lui, il projette son bras droit en un arc de cercle descendant, pour tâcher de m'atteindre, mais me manque de peu. Je suis trop bas, trop près du sol. La lame passe à quelques centimètres de mon oreille.

Je lui ai attrapé le bras. Je l'immobilise en le verrouillant, tout en le frappant de mes ciseaux à la saignée du coude, sectionnant une autre artère. Son couteau lui échappe des mains.

Il tente alors de pivoter pour m'empoigner, mais je suis déjà hors de sa portée. Bondissant sur mes pieds, je lui tombe sur le dos et je l'envoie au tapis. Il me suffirait de plonger la lame dans ses reins pour l'achever.

Au lieu de quoi, je fouille dans sa poche où il a un rouleau d'adhésif. Sa jambe blessée s'agite comme celle d'une marionnette. Je tire son bras valide derrière son dos et je le fixe en lui passant l'adhésif autour du cou, comme s'il avait le bras en écharpe, mais contre l'omoplate. Puis je le bâillonne à l'adhésif.

Il grimace de douleur. Je l'attrape pour le forcer à me regarder en face : « Écoute-moi bien. Je t'ai sectionné l'artère poplitée et l'artère brachiale. Pas besoin de te faire un dessin – tu connais ça par cœur, toi, l'as du couteau ! Et tu sais aussi que tu

450

vas te vider de ton sang, si tu cesses d'appuyer sur tes deux blessures. Tu vas donc devoir rester accroupi, avec le bras droit plié. Je vais t'envoyer du secours. Si tu fais ce que j'ai dit, tu as une chance d'être encore en vie quand ils arriveront. »

Samira a assisté à toute la scène dans une étrange indifférence. Elle se lève et fait quelques pas laborieux pour venir lui cracher dessus.

« Filons vite, maintenant.

— Toi, tu pars. Emmène les bébés.

— Pas sans toi ! »

Je prends la fille, la plus petite, dont les yeux me contemplent, grands ouverts. Samira prend le garçon. Je jette un regard dans le couloir. Pearl ne va pas tarder à revenir.

Samira serre entre ses genoux une serviette pleine de sang. Aussi vite que ses forces le lui permettent, nous filons vers l'escalier. La coursive est tellement étroite que je rebondis en me cognant contre les cloisons, tout en tâchant de soutenir Samira que je tiens par le bras. Les passagers doivent dormir. Je ne sais pas quelles cabines sont occupées.

Il y a un ascenseur de service, mais impossible d'ouvrir la porte. Les jambes de Samira se dérobent sous elle. Je la retiens de justesse. Nous sommes au pont 8. La cabine de pilotage se trouve au pont 10. Jamais elle n'aura la force de monter deux étages de plus. Je dois l'éloigner de la cabine et lui trouver une cachette.

Il y a une lingerie, avec de chaque côté des rayonnages pleins de draps et de serviettes empilées. Je pourrais la laisser là, et aller chercher de l'aide... Non, elle ne doit pas rester seule.

J'entends du bruit dans une cabine. Quelqu'un s'est réveillé. Je tambourine sur la porte, qui s'ouvre presque aussitôt. Un homme d'âge mûr, en pyjama, l'air furibard. La touffe de poils roux qui s'échappe de son col me fait penser à un gros nounours qui perdrait la paille de son rembourrage.

Je pousse Samira dans la cabine. « Occupez-vous d'elle ! Je vais chercher un médecin. »

Il me répond quelque chose en allemand, puis ses yeux tombent sur la serviette ensanglantée que Samira presse contre ses cuisses. Je lui tends la petite fille.

« Qui êtes-vous ?

— Police. Je n'ai pas le temps de vous en dire plus. Occupez-vous d'elle du mieux que vous pourrez. »

Samira va se blottir sur la couchette, enveloppant de ses bras l'autre jumeau.

« N'ouvrez surtout pas. Ne dites à personne qu'elle est là ! »

Sans lui laisser le temps de protester, j'ai rebroussé chemin d'abord vers le couloir, puis en direction de l'escalier. Le salon des passagers est à présent désert, à l'exception de deux types qui traînent au bar, en tête à tête avec leur bière. La serveuse se lime les ongles près de la caisse. Je hurle en demandant le capitaine. Ce qui les ébranle le plus, ce n'est pas tant le désespoir et l'urgence qui ont résonné dans ma voix, que ma tête et mes vêtements ensanglantés. C'est comme si je débarquais d'une autre dimension...

Ça se met à courir dans tous les sens. Des membres de l'équipage déboulent en hurlant des

452

ordres. On m'entraîne dans les étages supérieurs. Je m'entends balbutier des phrases sans suite, entre-coupées de sanglots. Mais ils ne m'écoutent pas... Que font-ils... Ils devraient commencer par aller récupérer Samira et les petits !

Le capitaine est un type imposant, avec des sourcils broussailleux. et une couronne de cheveux poivre et sel, posée juste au-dessus de ses oreilles et de sa nuque. Il porte un uniforme bleu et blanc, assorti à ses yeux.

Il me reçoit dans la cabine de pilotage et m'écoute, la tête projetée en avant, sans la moindre trace de scepticisme (l'état de mes vêtements en dit plus qu'un long discours). On appelle un médecin. Pendant ce temps, le capitaine utilise les fréquences radio d'urgence pour alerter les gardes-côtes, les douanes et la police de sa Très Gracieuse Majesté. Une vedette part de Felixstowe pour venir à notre rencontre. Un hélicoptère de la Royal Navy décolle d'urgence depuis Prestwick, en Écosse.

Pearl est quelque part à bord. Yanus est toujours en bas, dans la cabine, pissant le sang. Tout cela prend trop de temps...

« Il faut immédiatement aller chercher la jeune mère ! Tout de suite ! » m'entends-je dire, et l'effroi qui me fait vibrer la voix me surprend moi-même. « Il lui faut un docteur ! »

Mais le capitaine, lui, ne s'emballe pas. Il applique la procédure prévue en cas de piraterie ou d'incident en haute mer. Il veut tout savoir. Combien sont-ils ? Sont-ils armés ? Risquent-ils de prendre des otages ?

Les informations sont fidèlement retransmises à

la police et aux garde-côtes. Nous ne sommes plus qu'à vingt minutes de Harwich. Les immenses pare-brise nous donnent une vue imprenable, à trois cent soixante degrés, sur la mer et la côte qui se rapproche, émergeant à peine de la pénombre. La cabine de pilotage surplombe la proue. On y chercherait vainement une barre, ou quoi que ce soit d'approchant. Tout y est contrôlé par moniteurs, claviers et boutons interposés.

Le médecin demande à m'examiner. Je me dégage d'un haussement d'épaules, pour venir me planter devant le capitaine, en exigeant qu'il m'écoute.

« Je crois comprendre que vous êtes un officier de la police britannique, riposte-t-il d'un ton abrupt. Mais vous êtes ici sur un navire hollandais, où vous n'avez aucune espèce d'autorité. Je suis avant tout responsable de mes passagers et de mon équipage, et je ne ferai rien qui puisse porter atteinte à leur sécurité.

— Une jeune femme vient d'accoucher. Elle perd du sang. Elle a besoin de soins.

— Nous accostons dans vingt minutes.

— Et entre-temps, vous ne ferez rien ?

— J'attends des instructions.

— Et les passagers en bas ? Ils se réveillent...

— Je ne crois pas qu'ils aient des raisons de se sentir en danger. Nous avons des plans d'évacuation d'urgence, pour réunir les passagers dans le restaurant – où ils sont déjà en train de prendre leur petit déjeuner, pour la plupart... »

Le médecin de bord est un type impeccablement propre sur lui, avec une coupe de cheveux qui serait plus à sa place sur un collégien.

« Et vous ? Vous acceptez de m'accompagner ? » lui demandé-je.

Il hésite. J'attrape une trousse de premiers secours que j'ai repérée sur une tablette, et je tourne les talons. Le toubib lance un regard interrogateur vers le capitaine. Je n'ai pas le temps de voir ce qui passe entre eux, mais j'entends qu'il m'emboîte le pas.

« Avez-vous des armes, à bord ?

— Non. »

Bon Dieu, ça ne nous simplifie pas la tâche... Cette fois, nous empruntons un ascenseur de service pour atteindre le pont 8. Les portes s'ouvrent. La voie est libre. Les camions embarqués sur le pont du dessus débarqueront les premiers.

À chaque pas, je m'attends à voir surgir Pearl. Il doit être dans son élément. Il n'a pas sourcillé, en découvrant ma présence sur le ferry. Il s'est contenté de changer son fusil d'épaule et de réajuster ses plans. Des deux, Yanus est peut-être le plus imprévisible, mais Pearl est de loin le plus dangereux. C'est un maître de l'improvisation. Je le vois d'ici, légèrement pris de court par la disparition de Samira et des petits, mais pas désarçonné pour autant et bien résolu à exploiter au mieux les chances qui lui restent.

Avant même d'arriver à la cabine, je sens que quelque chose cloche. Le couloir est envahi par une grappe de passagers qui se dévissent le cou pour mieux voir à l'intérieur. Je reconnais parmi eux mon couple de retraités gallois. Mrs Jones s'est coulée dans un ensemble de jogging gris souris, qui a toutes

455

les peines du monde à contenir son ample postérieur.

« Ça, on n'y échappe pas ! dit-elle aux autres, en
secouant la tête. Les voyous, les délinquants ! Et
que fait la police ? Ils sont bien trop occupés à nous
coller des PV pour excès de vitesse. D'ailleurs,
même quand ils arrivent à en coffrer quelques-uns,
il y a toujours un juge qui les relâche, soit parce
qu'ils sont toxicomanes, soit rapport à leur enfance
malheureuse. Et les victimes dans tout ça, hein ?
Tout le monde s'en fout ! »

La porte de la cabine est ouverte. Le verrou a
sauté. Assis sur la couchette, le chauffeur allemand
garde la tête en arrière pour ralentir son saignement
de nez. Je ne vois plus trace de Samira et des bébés.

« Où sont-ils ? » Je lui secoue l'épaule. « Où ça ? »

Le pire, ce n'est pas la colère en elle-même, c'est
le désir de meurtre qu'elle recouvre...

Mon portable se met à sonner. Le bateau doit
être entré dans une zone de réception du signal.
Mais le numéro qui s'affiche ne me dit rien.

« Allô ?

— Ouais, salut ! répond Pearl. Vous savez à qui
vous me faites penser, vous ? Au lapin rose de la
pub pour les piles... Quand est-ce que vous allez
jeter l'éponge ? »

J'entends une sorte d'écho, en arrière-plan. Il est
sur le pont des camions. « Où est-elle ?

— Je l'ai retrouvée, Bunny ! Vous savez
comment... à cause du sang. Y en avait partout. Je
n'ai eu qu'à vous suivre à la trace... » Un bébé
pleure en arrière-plan. « Et j'ai retrouvé Yanus, par

456

la même occasion. Vous l'aviez proprement saigné, mais j'ai réussi à le rafistoler.

— Il va se vider de son sang.

— T'occupe, mon gros lapin ! J'ai jamais laissé tomber un pote blessé. »

Je suis déjà repartie au pas de course le long du couloir, en direction de la première cabine. Le médecin a un peu de mal à suivre. Yanus n'est plus là, effectivement. Le sol de la cabine semble avoir été repeint en rouge sombre et le couloir est plein d'empreintes sanglantes. Il y en a des dizaines, partout. Les gens sont vraiment incroyables ! Ils passent devant une cabine couverte de sang et font comme s'ils n'avaient rien vu, parce que ça dépasse les bornes de leur petite compréhension ordinaire...

Pearl est toujours en ligne. « Vous n'arriverez pas à vous en sortir ! lui crié-je. Rendez-les-moi. Je vous en prie !

— Je veux parler au capitaine.

— Il refusera de négocier.

— Putain, il n'est pas question de négocier ! Nous avons un objectif commun !

— Qui est ?

— Que nous voulons tous les deux me voir loin de ce ferry. »

J'ai les idées plus claires, à présent. Je laisse les autres prendre les décisions qui s'imposent. L'aube se lèvera dans trois heures et les côtes d'Essex sont quelque part devant nous, dans la nuit. Depuis la cabine de pilotage, on n'entend pas le bruit des moteurs. Sans point de repère, c'est comme si le

457

ferry faisait du sur place. Deux vedettes des gardes-côtes sont venues à la rencontre du *Stena Britannica* et nous escortent jusqu'au port. Le capitaine communique directement avec ses supérieurs, à Rotterdam.

On me tient soigneusement à l'écart, comme si j'étais le maillon faible de la chaîne de transmission – ou, pis, une dangereuse hystérique. Où me suis-je fourvoyée ? Qu'aurais-je pu faire différemment ? L'esprit de l'escalier est un maître cruel : jamais je n'aurais dû laisser Samira seule avec les jumeaux. J'aurais dû attendre près d'eux. Peut-être serais-je venue à bout de Pearl...

Mes souvenirs battent la campagne : en remontant plus loin dans le temps, je n'aurais jamais dû aller la chercher à Amsterdam. Mon intervention n'a rien arrangé, au contraire. C'est le leitmotiv de ma vie. Un enfer pavé de bonnes intentions. Et comme toujours, je suis arrivée une fraction de seconde trop tard – juste assez près de la victoire pour la frôler, dans une course où une demi-foulée suffit à faire la différence entre le premier et le dernier...

Comment pourraient-ils négocier avec Pearl... Lui faire confiance ? C'est exclu d'avance. Le médecin me tend une boisson chaude.

« Nous arrivons », me dit-il en me montrant le pare-brise. Les lumières de Harwich apparaissent et disparaissent au gré des vagues et des mouvements du bateau. De lourdes grues montées sur quatre pieds semblent monter la garde aux portes de la ville. Je me poste près d'une vitre pour les voir approcher.

Le capitaine et les pilotes gardent les yeux rivés à leurs écrans. Ils utilisent des caméras extérieures pour manœuvrer le ferry et l'amener à quai. La cabine est placée si haut que vus d'ici, les dockers ont l'air de minuscules Lilliputiens qui auraient entrepris de ligoter un géant.

Forbes est le premier à monter à bord. Il s'arrête devant moi juste le temps de me lancer un bref coup d'œil, à la fois craintif et excédé. Puis il va prendre le téléphone que lui tend le capitaine.

« Ne lui faites surtout pas confiance ! » lui lancé-je à travers la cabine. Je n'ai pas le temps de lui en dire plus. La conversation téléphonique s'engage. Je n'en saisis qu'un versant, mais comme Forbes répète toutes les demandes que lui fait Pearl...

« Il veut que l'on ouvre les grandes portes d'embarquement et que l'on déplace les véhicules qui bloquent le passage à son camion. Personne ne doit approcher. S'il voit un policier sur le pont, s'il entend une sirène d'alarme, ou s'il y a quoi que ce soit de bizarre ou de louche, il supprime la mère et les enfants...

» J'ai besoin de plus de temps ! riposte Forbes dans le combiné. Il me faut une heure, minimum... C'est trop court ! Impossible de tout faire en quinze minutes ! Passez-moi Samira... Oui. Et c'est bien pourquoi je tiens à lui parler... Non, c'est pas ce que je veux. Personne ne sera tué ni blessé. »

En arrière-plan, j'entends pleurer l'un des jumeaux, et peut-être les deux.

Est-ce que des bébés jumeaux ont la même voix ? Est-ce qu'ils s'écoutent et se répondent, quand ils pleurent ?

Le pont des camions est équipé de caméras, dont une est orientée vers le camion. On distingue nettement Yanus derrière le volant, et Samira sur le siège passager.

Les autres voyageurs sont évacués par des passerelles en direction du bâtiment principal du terminal. Toute la zone portuaire a été encerclée par des équipes d'intervention en tenues pare-balles noires. Des tireurs d'élite sont postés sur tous les toits environnants.

L'angoisse que j'ai emmagasinée ces quelques dernières heures se réveille et me submerge. J'ai de plus en plus de mal à respirer. Je sens comme quelque chose qui sombre, au fond de moi...

Forbes a accepté de faire sortir les véhicules qui bloquent le passage au camion, pour lui dégager la voie. Je descends avec lui par la passerelle jusqu'au quai, tandis qu'il supervise l'évacuation. Des hommes vêtus de gilets jaune fluo font signe aux premiers camions d'avancer sur la rampe.

Forbes a fait mettre la voix de Pearl sur haut-parleur. Il semble calme et assuré – mais ce n'est peut-être qu'une façade. Il parle par-dessus le bruit du moteur, enjoint à Forbes de presser le mouvement. Le passage se libère peu à peu, dans l'entrepont. J'aperçois le camion Mercedes, tout au fond. Ses phares brillent. Son moteur ronfle.

Je ne comprends toujours pas comment ils espèrent s'échapper. Une armada de voitures de police banalisées les attend à terre et des hélicoptères les guettent depuis le ciel. Comment comptent-ils les semer ?

Yanus doit être en sang. Même s'ils ont posé des garrots pour ralentir l'hémorragie, sa pression sanguine va finir par chuter. Combien de temps peut-il tenir, avant de perdre totalement connaissance ?

« Vous avez bien vu son pistolet ? me demande Forbes, s'adressant directement à moi pour la première fois.

— Oui.

— Pourrait-il en avoir d'autres ?

— Oui.

— Que transporte-t-il, ce camion ?

— Celui-ci est vide, mais il y en a un autre sur le pont 3. Je n'ai pas regardé à l'intérieur. » Je lui communique le numéro du véhicule.

« Il pourrait donc s'agir d'un convoyage de clandestins. Vous pensez qu'il pourrait y en avoir, dans ce camion ?

— On ne peut pas l'exclure. »

Le dernier des camions a été évacué. La voie est libre, devant Yanus. Pearl continue d'édicter ses instructions. On n'entend plus les jumeaux.

Dans ce silence soudain, je sens que quelque chose ne colle pas. Pearl est trop sûr de lui. Son plan n'a ni queue ni tête... À peine l'idée m'effleure-t-elle que je m'élance en avant, précédant Forbes sur la rampe d'accès. Le cent mètres n'est pas ma distance préférée, mais je le cours en moins de temps qu'il n'en faudrait à n'importe qui pour lacer ses chaussures.

Dans mon dos, Forbes me crie de revenir. Trop tard. Il choisit de s'adapter à cette nouvelle donne, et envoie un détachement de l'équipe d'intervention

461

sur mes traces. J'entends derrière moi le grondement de leurs bottes qui martèlent le sol entre les premières rangées de camions.

Yanus est toujours au volant, les yeux toujours fixés sur le pare-brise, droit devant lui. Son regard semble me suivre, tandis que je tire la poignée de la porte, qui s'ouvre. Ses mains sont fixées au volant par des bandes adhésives. Une flaque de sang s'est formée sur le sol, à ses pieds. Je cherche sa jugulaire. Rien. Il est mort.

Samira aussi, a les mains immobilisées à l'adhésif. Je me penche sur Yanus pour la secouer par l'épaule. Elle ouvre les yeux.

« Où sont-ils ? » lui demandé-je.

Elle secoue la tête.

Je saute à terre et file vers l'arrière du camion. Les hommes de l'équipe d'intervention ont déjà ouvert les portes et balaient l'espace de leurs armes. Personne. La remorque est vide.

Forbes nous a rattrapés en soufflant comme une forge, la voix plus enrouée que jamais. Je lui prends le téléphone des mains. Il n'y a plus personne en ligne. Prise dans le tourbillon d'effervescence qui se déchaîne pendant les quelques minutes qui suivent, j'observe tout cela comme au ralenti, la bouche sèche. Forbes rugit ses ordres en shootant rageusement dans les pneus du camion. S'il ne retrouve pas un minimum de calme, il va falloir lui tirer une fléchette de tranquillisant.

La police encercle le ferry. Personne ne peut y monter ni en descendre. Les passagers sont minutieusement filtrés et interrogés dans le terminal qui, sous les projecteurs du port, prend l'allure d'une scène géante ou d'un immense plateau de cinéma qui n'attendrait plus que les caméras.

Yanus a toujours les yeux fixés droit devant lui, comme s'il attendait un signal convenu. Mon cœur se serre et trébuche sur ce fait têtu : je l'ai tué. Je sais bien qu'il ne l'a pas volé... Mais voilà... maintenant, il est mort. Et c'est moi qui l'ai tué. J'ai mis fin à sa vie. Mes vêtements sont pleins de son sang et de celui de Samira.

Les ambulanciers s'occupent d'elle, l'allongent sur un brancard. Elle se cramponne toujours à cette serviette, qu'elle serre entre ses jambes. Les infirmiers m'entraînent de côté, tandis que j'essaie d'approcher. Elle ne peut pas me parler pour l'instant. Je voudrais pourtant lui dire que tout est de ma faute, que je suis désolée. Jamais je n'aurais dû la laisser seule avec les bébés. J'aurais dû affronter Pearl. Et, qui sait – j'aurais peut-être pu l'arrêter...

Quelques minutes plus tard, Forbes vient me chercher.

« Allons faire quelques pas », me dit-il.

Craignant que mes jambes se dérobent, je m'accroche instinctivement à son bras.

« Quelle heure est-il ? lui demandé-je.

— Cinq heures et demie.

— À ma montre, il n'est que le quart...

— Elle retarde.

— Qu'est-ce qui vous dit que ça n'est pas la vôtre qui avance ?

— Toutes ces putains d'horloges de la compagnie de ferries qui m'assurent qu'il est la demie, dans quatre tranches horaires différentes... »

Nous franchissons la passerelle et nous partons à pied le long des docks, en nous éloignant du ferry. Les silhouettes des réservoirs, des raffineries et des containers de fret se dessinent en ombres chinoises sur un fond de ciel matinal illuminé. Au-dessus de nos têtes passent des rafales de vent et de fumée, des nuages balayés par l'air du large.

« Vous êtes persuadée qu'il n'est plus sur le ferry... Je me trompe ?

— Non. »

Nous observons une autre longue minute de silence. « Un gilet de sauvetage a disparu sur le bastingage de tribord. Il ne serait pas impossible qu'il ait sauté.

— Quelqu'un l'aurait vu.

— Nous étions très occupés.

— Mais quand même... »

Mes narines gardent l'empreinte de l'odeur des bébés, et mes mains celle de leur peau. La même idée me trotte en boucle dans la tête. Où sont-ils ? Qu'est-ce qu'il en a fait ?

« Jamais vous n'auriez dû monter sur ce ferry, me dit Forbes.

— Je devais m'assurer qu'elle était bien à bord. Je ne pouvais donner l'alarme, tant que je ne l'avais pas localisée. »

Il sort un paquet de cigarettes et entreprend d'en compter le contenu.

« Vous ne devriez pas fumer, avec votre rhume.

— Je ne devrais pas fumer du tout. Selon ma femme, les hommes sont toujours plus malades que les femmes, toutes choses égales par ailleurs – même microbe et mêmes symptômes.

— Bien sûr ! Ils détiennent le record de l'hypo-condrie...

— Mmh-hmm. Personnellement, j'ai une autre théorie. Une femme ne se laisse jamais totalement aller. Quel que soit son état de santé, il reste toujours une petite part d'elle-même qui s'inquiète pour sa coiffure ou ses chaussures.

— Vous lui avez expliqué votre théorie, à votre femme ?

— Je suis enrhumé, pas crétin. »

Je capte un changement radical dans son attitude. Ses sarcasmes et son cynisme ont fait place à une angoisse plus sourde et à une résolution qui va s'affermissant.

« Qui tire les ficelles, derrière tout ça ?

— Samira m'a parlé d'un Anglais qui se faisait appeler "Frère" et qui, selon elle, portait toujours une petite croix au cou. Il y a quelqu'un que vous devriez surveiller de plus près, un certain Paul Donavon. Il était à l'école avec moi et Cate Beaumont, et il se trouvait sur les lieux, le soir où elle s'est fait renverser.

— Vous pensez qu'il pourrait y être pour quelque chose ?

— Samira a rencontré ce fameux "frère" dans un orphelinat, à Kaboul. Donavon était justement en Afghanistan avec l'armée anglaise. Ils ont jeté leur dévolu sur des orphelines pour s'éviter des complications. Pas de famille, et donc personne qui risque de lancer des recherches ou de poser des questions. Certaines de ces filles ont été directement mises sur le trottoir. D'autres ont choisi de devenir mères porteuses.

— Les deux émigrées clandestines sans papiers dont je vous ai parlé – vous savez, celles qui étaient enceintes –, toutes deux se sont déclarées orphelines... »

Forbes en oublie d'allumer sa cigarette qui reste collée entre ses lèvres et s'agite au rythme de ses paroles. Il jette un coup d'œil vers le ferry, par-dessus son épaule.

« Et concernant l'autre nuit...

— Quelle autre nuit ?

— Celle où on a dîné ensemble.

— Oui ?

— Est-ce que je me suis bien conduit... envers vous, je veux dire ?

— Un vrai gentleman !

— Ah, tant mieux, marmonne-t-il. Enfin, oui... c'est bien ce que je pensais ! » Puis il ajoute après une pause : « Mais il me semble que vous en avez profité pour m'emprunter quelque chose qui ne vous appartenait pas.

— Je préfère voir cet "emprunt" comme une mise en commun de nos informations. »

Il hoche la tête. « Vous devriez peut-être revoir vos choix de carrière, inspecteur Barba. Je ne sais pas si vous êtes vraiment faite pour le travail d'équipe... » Mais il ne peut rester plus longtemps. Il doit assister à un débriefing qui s'annonce rude. Ses supérieurs vont lui demander des explications. Ils exigeront de savoir comment Pearl a réussi à lui glisser entre les doigts. Et dès que les médias auront vent de l'histoire, on n'a pas fini d'en entendre parler !

Forbes regarde mes vêtements tachés. « S'il n'est pas sur le ferry, comment a-t-il pu filer ?

— Il se pourrait qu'il soit toujours à bord.

— Mais ça, vous n'y croyez pas.

— Non.

— Et en se mêlant à l'équipage ?

— Vous pensez qu'il aurait pu prendre un uniforme ?

— Possible. »

Il fait demi-tour et rejoint à grands pas les voitures de police qui l'attendent. Les bandes des caméras de surveillance nous fourniront peut-être une réponse à cette question. Elles sont omniprésentes sur le quai, et sur chacun des bateaux. Il y en a forcément une qui a filmé Pearl...

« N'oubliez pas de manger des bananes ! lancé-je à Forbes, de loin.

— Pardon ?

— Le remède favori de ma mère, en cas de rhume.

— Je croyais que vous ne l'écoutiez jamais.

— J'ai dit *presque* jamais ! »

J'ai une overdose d'hôpital, ces temps-ci. Trop de nuits de veille dans des fauteuils inconfortables, trop de coupe-faims et de café en poudre achetés aux distributeurs. Ici, le couloir sent le chou bouilli et les déjections humaines. De place en place, le damier terne du carrelage est usé par les roues des chariots.

Ruiz a appelé depuis Hull, dès que son ferry a accosté. Il a insisté pour venir me chercher, mais je lui ai dit de rentrer chez lui et de s'offrir quelques jours de repos. Il en a fait plus que sa part.

« Est-ce qu'ils s'occupent bien de vous, au moins ?

— Oh, ça va.

— Et Samira ?

— Elle est hors de danger. »

C'est du moins ce que j'espère... Voilà dix heures qu'elle dort à poings fermés. Elle n'a même pas bronché quand ils l'ont sortie de l'ambulance pour l'installer dans cette petite chambre individuelle. Depuis, je l'ai veillée, somnolant dans mon fauteuil de plastique, la tête sur le lit, près de son épaule.

Il est presque 16 heures quand elle se réveille. Je sens le matelas tanguer sous ma joue et, en ouvrant les yeux, je me retrouve nez à nez avec elle.

« Il faut que j'aille aux toilettes », murmure-t-elle.

Je la soutiens par le coude et je la pilote vers la salle de bains.

« Où sommes-nous ?

— À l'hôpital.

— Dans quel pays ?

— En Angleterre. »

Elle hoche la tête. Un geste d'acceptation résignée, où l'on chercherait vainement la moindre trace de joie ou de soulagement d'avoir réussi, d'être enfin arrivée au terme de ce long voyage.

Elle se rince le visage, les oreilles, les mains et les pieds, en se parlant à voix basse. Puis je lui prends à nouveau le bras pour la ramener vers son lit.

De la main, elle m'indique la fenêtre. Elle veut regarder dehors. Au-dessus des toits et entre les bâtiments, on aperçoit un petit bout de mer du

Nord. Une surface d'un gris uniforme, couleur d'acier brossé.

« Dans mon enfance, je rêvais d'aller un jour voir la mer. Je me demandais comment c'était. J'avais vu quelques images dans des livres, ou à la télé. » Son regard s'attarde à l'horizon.

« Alors, qu'est-ce que tu en penses ?

— Eh bien... elle a l'air d'être plus haute que la terre. Comment se fait-il que les vagues ne se précipitent pas sur nous, en balayant tout sur leur passage ?

— Ça peut arriver, de temps en temps. »

Elle tient une serviette à la main. Elle voudrait s'agenouiller dessus pour la prière, mais ne sait pas trop dans quelle direction s'installer pour faire face à La Mecque. Elle tourne lentement sur elle-même comme une chatte dans son panier. Ses yeux se sont remplis de larmes et elle doit lutter contre le tremblement qui lui agite les lèvres pour parvenir à articuler :

« Ils doivent avoir faim et soif, maintenant. Qui va les nourrir ? »

LIVRE III

« Il n'en va pas de la douleur comme de l'amour.
Personne n'oserait remettre en cause la réalité de la
douleur, comme on le fait pour l'amour. Personne
ne vous dirait : "Ce n'était pas une vraie douleur ;
elle a passé trop vite..." »

William Boyd, *L'Après-midi bleu.*

1

Depuis la naissance des jumeaux, j'ai sombré en rêve toutes les nuits, un nombre incalculable de fois. Je me réveille, ruisselante de sueur et parcourue de frissons glacés. Je vois des petits corps échoués dans des flaques de varech ou roulés par les vagues. Mes poumons capitulent avant que je ne puisse les atteindre. Je suffoque, engourdie par d'obscures angoisses qui me laissent sur cette interrogation – est-ce qu'on peut avoir *le cœur gros*, comme d'autres ont *la grosse tête...* ?

Samira aussi s'est réveillée. Il est 3 heures du matin. Je l'entends marcher dans sa chambre à pas de loup, comme si ses pieds avaient passé une sorte de contrat avec le sol britannique : ne jamais s'y poser qu'avec délicatesse, en échange de l'assurance de ne plus rencontrer de chemin trop dangereux ou trop abrupt.

Cinq jours se sont écoulés, depuis la disparition des jumeaux. Pearl nous a glissé entre les mains et s'est volatilisé. Nous savons à présent comment il est sorti du ferry. Sur le pont 3, une caméra de surveillance a capté l'image d'un quidam équipé d'un

473

casque et d'un gilet phosphorescent, qui n'a pu être identifié comme un membre de l'équipage. Son visage restait indistinct, mais il avait à la main une niche de voyage pour petit animal de compagnie. La boîte de plastique gris était censée contenir deux chats siamois que l'on a retrouvés un peu plus tard, errant dans les couloirs.

Une autre caméra, cette fois dans la zone des douanes, a enregistré des images plus nettes de l'individu non identifié. Au premier plan, une équipe de douaniers sonde des camions avec des détecteurs infrarouges destinés à repérer la présence des clandestins. Mais derrière, à la limite de l'image, on aperçoit une caravane, une vieille guimbarde en forme de potiron, tractée par une Range Rover hors d'âge : celle des Jones de Cardiff, qui remballent leur stock de souvenirs et d'emplettes après avoir été contrôlés. Puis la caravane s'en va, laissant sur le bitume une niche de voyage grise, tout près de l'endroit où ils avaient stationné.

Mr et Mrs Jones ont été rattrapés sur la M4 le dimanche, aux alentours de midi, à l'est de Reading. Leur caravane était vide, mais on y a retrouvé des dizaines d'empreintes de Pearl sur la table et la porte d'aluminium. Les Jones s'étaient arrêtés pour faire le plein sur la M25, dans une station-service dont la caissière s'est souvenue d'avoir vu Pearl acheter des biberons et du lait premier âge. Peu après, à 10 h 42, une voiture a été volée sur le parking attenant. Elle n'a toujours pas été retrouvée.

Forbes est chargé de l'enquête. Il travaille en liaison avec Spijker, à Amsterdam. Ils échangent leurs informations et unissent leurs énergies pour élucider le mystère. Ils ont entrepris de confronter la liste de noms de la clinique hollandaise avec ceux des archives des services d'immigration britanniques.

La disparition des jumeaux a été soigneusement cachée à la presse. C'est Forbes qui a pris la décision. Les vols d'enfants déclenchent des avalanches de gros titres catastrophiques. Il veut à tout prix éviter de semer la panique. L'an dernier, un nourrisson avait été enlevé dans un hôpital à Harrogate, et, en l'espace de vingt-quatre heures, la police avait reçu quelque chose comme mille deux cents appels de témoins spontanés qui affirmaient l'avoir vu. Des mères de famille avaient été prises à partie dans la rue et traitées de voleuses d'enfants. Des maisons avaient été inutilement perquisitionnées. Une foule de gens innocents en avaient pâti.

La police a publié une seule déclaration officielle concernant Pearl, contre qui a été lancé un mandat d'arrêt. Un de plus... J'ai repris l'habitude de ne plus sortir sans mon arme. Tant qu'il sera dans la nature, je garde mon pistolet sur moi. Je ne veux pas risquer de laisser Samira disparaître à nouveau.

Depuis sa sortie d'hôpital, qui a eu lieu mercredi, elle habite chez moi. Hari lui a laissé la chambre d'ami et s'est installé en bas, sur le convertible du salon. Il a eu l'air totalement charmé par cette invitée imprévue. Il déploie des trésors de prévenances, et ne se promène même plus torse nu dans la maison ; ce genre de laisser-aller déplairait à Samira.

Je vais comparaître devant le conseil de discipline de la police pour négligence, manquement au service, fausses déclarations et abus de pouvoir

– entre autres chefs d'accusation. Ma défection à Hendon est le cadet de mes soucis. Barnaby Elliot m'a accusée de harcèlement et d'incendie volontaire. L'enquête est menée par le Service interne des plaintes contre la police, pour qui je suis coupable jusqu'à preuve du contraire.

J'entends un bruit de chasse d'eau dans le couloir, puis l'interrupteur électrique. Quelques minutes plus tard, une machine se met à ronronner puis c'est la pulsation d'une petite pompe. Samira a eu sa montée de lait. Elle doit l'extraire toutes les six heures. Le murmure de la pompe exerce sur moi un effet curieusement hypnotique. Mes yeux se referment.

Elle n'a toujours rien dit, pour les jumeaux, et je me demande quand elle va enfin craquer, ou crouler sous le chagrin. Jusqu'à présent, elle a tenu bon, y compris le jour où elle est allée identifier le corps de son frère à la morgue de Westminster.

« Ce n'est pas interdit de pleurer, lui ai-je dit. Ça peut faire du bien.

— Oui, c'est pour cela qu'Allah nous a donné des larmes, a-t-elle répondu.

— Tu crois vraiment que Dieu puisse y être pour quelque chose ?

— Il ne m'aurait pas envoyé toutes ces souffrances, si je n'étais pas capable de les encaisser. »

Où peut-elle trouver tant de sagesse et de patience ? Croit-elle vraiment que tout ça pourrait procéder de quelque vaste plan d'ensemble, et qu'Allah le Miséricordieux pourrait la mettre si cruellement à l'épreuve ?

En dépit de ces croyances qui semblent relever

d'un autre âge, elle fait preuve d'un féroce appétit de connaissances. Les choses les plus banales la fascinent – le chauffage central, les chasses d'eau à deux vitesses, les machines à laver qui sèchent le linge. À Kaboul, elle n'avait pas l'eau courante et l'électricité ne fonctionnait que quelques heures par jour. L'éclairage public illumine toutes les rues de Londres, du soir au matin. « Les Anglais auraient-ils peur du noir ? » m'a-t-elle demandé – et elle n'a pas compris pourquoi j'ai éclaté de rire.

Hier, je l'ai emmenée acheter des vêtements à Canary Wharf. « Dans tout l'Afghanistan, il n'y a pas autant de verre », a-t-elle déclaré en désignant du menton les grands immeubles de bureaux, qui étincelaient dans le soleil matinal. Et elle a lorgné d'un œil curieux les secrétaires qui faisaient la queue devant les stands de viennoiseries, le portable à l'oreille, sanglées dans leurs jupes droites et leurs petits tailleurs.

Les boutiques de vêtements l'ont laissée bouche bée. Toutes les vendeuses avaient l'air de veuves siciliennes, et on avait l'impression d'entrer dans des funérariums. Je lui ai dit que je connaissais des endroits plus gais pour s'habiller, et nous sommes allées dans le quartier de Commercial Road, où les vêtements s'entassent sur les présentoirs et débordent des rayonnages. Elle s'est trouvé deux jupes, un chemisier à manches longues et un cardigan – le tout pour moins de soixante livres.

Elle a longuement examiné les billets.

« C'est elle, la reine de ce pays ?

— Oui.

— On la croirait moulée dans le plâtre. »

477

J'ai éclaté de rire. « Voilà qui expliquerait pas mal de choses... ! »

Les guirlandes de Noël ont tout envahi, y compris les vitrines des marchands de bagels et les boucheries halal, qui arborent leur lot de lucioles multicolores et de fausse neige. Samira est restée en arrêt devant un aquarium plein de homards, dans la vitrine d'un restaurant.

« Je n'irai jamais nager dans la mer – j'aurais trop peur de me faire pincer par une de ces bestioles ! »

Elle doit s'imaginer que les crustacés grouillent sur les fonds marins, comme dans cet aquarium...

« Pour toi, tout ça doit être comme de la science-fiction.

— De la science-fiction ?

— Un monde imaginaire. Irréel.

— Exactement. C'est irréel. »

Redécouvrir Londres à ses côtés m'a fait radicalement changer de point de vue. À travers les yeux de Samira, la scène la plus ordinaire prend un relief inattendu. Quand je l'ai emmenée dans le métro, elle s'est accrochée à mon bras à l'approche du train qui rugissait dans son tunnel, « comme un monstre sortant de sa caverne », m'a-t-elle dit.

Cette profusion de biens matériels qui s'étalent sans vergogne a quelque chose de gênant. Il y a plus de vétérinaires dans le seul East End que de médecins dans tout Kaboul – et il va sans dire que les animaux domestiques londoniens sont mieux nourris que les orphelins de la capitale afghane !

Le murmure de la pompe s'est tu. Samira a allumé la télé de Hari et zappe d'une chaîne à l'autre. Si elle ne l'a pas éteinte dans un quart d'heure, j'irai nous préparer un bon chocolat chaud – le meilleur remède, contre l'insomnie.

L'inspecteur Forbes débarque le lendemain matin, dès la première heure, à son habitude. Il a visiblement soigné sa mise (costume anthracite et cravate jaune), pour affronter une nouvelle conférence de presse. Car le black-out est désormais levé. Il a besoin des médias pour retrouver les jumeaux.

Je le fais entrer dans la cuisine, pour lui servir une tasse de thé. « Votre rhume a l'air terminé.

— Une chance ! Mon estomac n'aurait pas supporté une banane de plus. »

Hari est dans le salon avec Samira à qui il explique le fonctionnement de sa vieille X-box.

« Ce bouton te permet de tirer sur les personnages, à l'écran...

— Pourquoi faire ?

— Ben, pour rigoler, tiens !

— Tirer sur des gens, pour rigoler ? »

Je peux presque entendre le soupir navré de mon malheureux frère. Ce genre de remarque doit lui briser le cœur... Ils ont au moins quelque chose en commun, tous les deux : Hari prépare un diplôme d'ingénieur chimiste et, selon lui, sur le chapitre de l'oxydoréduction et des réactions chimiques, Samira pourrait en remontrer à tous ses profs.

« Sacré petit bout de femme, murmure Forbes. Mais bizarre, par certains côtés.

— Pourquoi bizarre ?

— Pas très causante.

— À mes yeux, ça n'est pas un défaut. La plupart des gens n'arrêtent pas de parler pour ne rien dire.

— Vous savez ce qu'elle compte faire ? me demande-t-il.

— Aucune idée. »

Qu'est-ce que je ferais, moi, à sa place, privée de famille et d'amis, perdue dans un pays totalement étranger ? Je ne me suis jamais trouvée dans ce genre d'extrémité – à moins qu'on ne compte Wolverhampton, qui est fichtrement exotique, dans son genre...

Hari arrive dans la cuisine, un sourire émerveillé aux lèvres. « Samira a promis de m'apprendre à fabriquer des feux d'artifice, nous annonce-t-il en prélevant un biscuit dans l'assiette de Forbes.

— Pour que tu puisses tout faire sauter !

— Tu rigoles ! Je suis la prudence même.

— C'est ça, oui. Comme la fois où tu as bourré de poudre un tube de cuivre qui a fait un gros trou dans la cloison.

— J'avais quinze ans.

— Largement l'âge de raison !

— Dimanche, c'est la Nuit des Feux de Joie[1]. Nous allons fabriquer un feu de Bengale ! »

Il a déjà sa liste d'ingrédients – nitrate de

_____

1. *Guy Fawkes Night*, ou Nuit de la Conspiration – fête commémorant l'échec de la Conspiration des Poudres, menée par un groupe de catholiques, le 5 novembre 1605, pour faire sauter le parlement de Westminster en présence du roi protestant Jacques Ier. On promène dans les rues des effigies de Guy Fawkes, le leader le plus célèbre de la conjuration, on allume des feux de joie et les enfants mendient « a penny for the Guy ! ». *(N.d.T.)*

480

potassium, soufre, chlorate de baryum, poudre de cuivre... Je n'ai qu'une vague idée de l'effet produit par la réunion de ces produits, mais je vois déjà les premières étincelles briller dans son regard.

Forbes regarde la liste, sourcils froncés : « Vous êtes sûr que c'est en vente libre, tout ça ?

— Bof ! La taille de nos fusées ne dépassera pas les quinze centimètres. »

Ce qui ne répond pas à la question, mais l'inspecteur se garde bien de relever.

Samira ne dit pas un mot des jumeaux, mais je sais qu'elle y pense sans arrêt, tout comme moi. Il s'écoule rarement cinq minutes sans que mon esprit ne s'envole vers eux. Leur souvenir ne me quitte pas. Le contact de leur peau contre mes lèvres, leurs côtes miniatures palpitant au rythme de leur souffle. La petite avait des problèmes respiratoires. Peut-être ses poumons n'ont ils pas totalement achevé leur développement... Elle a besoin de soins, Il faut les retrouver de toute urgence !

Forbes ouvre la portière et la tient, tandis que Samira s'installe sur la banquette arrière. Elle est habillée de neuf – longue jupe de lainage, chemisier blanc. Elle a l'air si posée, si tranquille. C'est comme un paysage lointain, un lieu retiré auquel je n'ai pas accès.

« Vous n'aurez pas à répondre aux questions de la presse, lui explique-t-il. Je vais vous aider à préparer votre déclaration. »

Il conduit affalé sur son volant et la mine renfrognée, comme s'il avait horreur de ça – mais en même temps, il nous parle. En collaboration avec

481

Spijker, il a remonté la trace de cinq jeunes immigrées clandestines qui ont reçu des embryons à la clinique d'Amsterdam et sont ensuite venues en Angleterre.

« Toutes les cinq ont reconnu avoir accouché ici. Toutes ont dû renoncer à leur enfant. Elles ont reçu cinq cents livres et on leur a dit que leurs dettes étaient soldées.

— Où ont-elles accouché ?

— Dans des locaux privés dont aucune n'a pu donner l'adresse ni la localité. Elles y avaient été transportées à l'arrière d'une fourgonnette dont les fenêtres avaient été masquées. Deux d'entre elles sont arrivées en avion.

— Cet endroit se trouverait donc dans un couloir aérien ?

— C'est ce que j'en ai conclu.

— Les naissances ont forcément été enregistrées quelque part. On devrait pouvoir les retrouver, ces bébés !

— Ça n'est pas si simple. Normalement, c'est l'hôpital ou l'autorité médicale qui se charge de faire la déclaration auprès des services d'état civil concernés, mais pas dans le cas d'un accouchement à domicile, ou dans un établissement non conventionné.

— Comment ça se passe, en ce cas ?

— C'est aux parents de faire les formalités. Mais ils n'ont même pas à se déplacer personnellement, pour établir l'acte de naissance. Il leur suffit d'envoyer à leur place une personne qui déclare avoir été témoin de la naissance, ou simplement le propriétaire des locaux.

— C'est tout ? Pas de certificat, ni de dossier médical ?

— Non. Il est mille fois plus compliqué de faire immatriculer une voiture que de déclarer la naissance d'un enfant. »

Nous dépassons le Royal Chelsea Hospital et nous prenons à gauche, sur Albert Bridge, avant de contourner Battersea Park.

« Et du côté du Dr Banerjee ?

— Il a reconnu avoir remis à Cate Beaumont les embryons qui restaient en surnombre, mais a nié toute participation à un système de mères porteuses. Elle lui avait dit qu'elle allait s'adresser à une autre clinique, dont le taux de succès était plus élevé.

— Et vous le croyez ? »

Forbes hausse les épaules. « Ils étaient à elle, ces embryons. Comme aurait-il pu lui interdire de les récupérer ? »

Mais ça n'explique pas pourquoi Banerjee m'a menti, ni ce qu'il venait faire à l'anniversaire de mon père...

« Et Paul Donavon ?

— Il a fait deux campagnes en Afghanistan, plus six mois en Irak... ce qui lui a valu une médaille de la part de Sa Majesté, pour hauts faits de guerre. Putain, ce type est un véritable héros ! »

Samira n'a pas dit un mot. J'ai parfois l'impression qu'elle se déconnecte complètement, pour se réfugier dans un autre monde, où elle écoute d'autres voix...

« Nous tentons de contacter l'orphelinat à Kaboul et d'autres établissements du même genre en Albanie et en Russie, poursuit Forbes. Avec un peu de chance, ils pourront nous donner mieux qu'un simple surnom. »

La salle de conférence est une pièce austère sinon glauque, aveugle, équipée de chaises en plastique et de globes électriques pleins de cadavres de mites et de mouches. Ce qui était autrefois le siège du National Criminal Intelligence Service (le NCIS, pour les intimes) a été rénové et rebaptisé pour abriter les nouveaux services de lutte contre le grand banditisme – le tout étiqueté sous un acronyme flambant neuf : le SOCA. Mais en dépit du battage médiatique et de cette profusion d'équipement high-tech dont il s'entoure, ce fameux SOCA m'a toujours fait davantage penser au Loch Ness plutôt qu'à l'inspecteur du même nom (Eliott, de son prénom...) : un monstre des profondeurs pourchassant des ombres dans de ténébreux couloirs.

Les reporters de la radio monopolisent le premier plan avec leurs micros frappés du logo de leur radio. Les représentants de la presse écrite ont pris les rangs du milieu et enfin, tout au fond, viennent leurs collègues de la télé, mieux habillés et souriant plus blanc.

Pendant mes stages de formation à Bramshill, ils nous ont fait assister à une autopsie et j'ai vu un pathologiste travailler sur le corps d'une fille qui s'était fait assassiner une quinzaine de jours auparavant. En nous montrant un bocal plein de mouches, le légiste avait dit : « Ces charmants diptères sont des Sarcophagidae – plus communément connus sous le sobriquet de "chroniqueurs judiciaires". Notez l'œil injecté de sang, caractéristique du pilier de bar, et l'abdomen gris rayé, parfait pour camoufler les taches de sauce. Mais leur caractéristique principale est d'être toujours les premiers sur les lieux d'un crime... »

Forbes surveille sa montre. À 11 heures sonnantes, il ajuste sa cravate et tire sur les manches de sa veste anthracite.

« Prête ? »

Samira fait « oui » de la tête.

Les flashs crépitent et nous aveuglent, tandis que j'emboîte le pas à Samira vers la table de conférence. Les photographes se bousculent pour avoir le meilleur angle de prise de vue, brandissant leurs appareils à bout de bras, au-dessus de leurs têtes.

Forbes tire un siège pour Samira et attrape un pichet d'eau, avant de lui remplir un verre. Son visage, légèrement grêlé, a blanchi sous la lumière crue des projecteurs.

Il s'éclaircit la gorge et attaque : « Nous enquêtons sur la disparition de deux nouveau-nés, deux jumeaux, garçon et fille, qui ont été enlevés dimanche matin à bord d'un ferry entre Rotterdam et Harwich. Le *Stena Britannica* a accosté à 3 h 36, et les bébés ont été vus pour la dernière fois vers les 4 heures du matin, soit une demi-heure plus tard. »

Une nouvelle rafale de flashs flamboie dans ses yeux.

Se gardant bien de faire la moindre allusion au trafic de bébés ou de mères porteuses, Forbes se concentre sur les détails de la traversée et de l'enlèvement. Une photo de Brendan Pearl est projetée sur un écran, derrière nous, avec son signalement complet.

« L'inspecteur Barba, ici présente, revenait d'un

bref séjour à Amsterdam où elle avait découvert l'existence d'une filière de trafic d'immigrés clandestins. Elle a aidé à l'accouchement des jumeaux, mais n'a pu empêcher le ou les ravisseurs de s'emparer d'eux.

» Je tiens à souligner qu'il ne s'agit nullement d'une querelle domestique, et que Brendan Pearl n'a aucun lien familial avec les enfants. Il avait bénéficié d'une libération conditionnelle avec mise à l'épreuve, à la faveur de l'accord du Vendredi saint. Cet individu est considéré comme dangereux et nous déconseillons à quiconque de tenter d'établir le contact avec lui, quelles que soient les circonstances. Le mieux est d'alerter immédiatement la police, au cas où il serait reconnu ou localisé. Miss Khan aimerait faire une brève déclaration... », conclut-il, en faisant glisser le micro vers elle.

Elle lorgne l'appareil d'un œil méfiant, tout en dépliant son papier, et bute sur les premiers mots tandis que les flashs se déchaînent de plus belle, l'entourant d'une muraille de lumière. Quelqu'un lui crie de parler plus fort. Elle reprend son texte du début...

« Je tiens à remercier tous ceux qui me sont venus en aide, ces derniers jours, et tout d'abord Miss Barba qui m'a assistée pendant l'accouchement, sur le bateau. Un grand merci aux forces de l'ordre, pour leur excellent travail. Je voudrais m'adresser à ceux qui détiennent mes bébés, quels qu'ils soient. Je les supplie de me les rendre. Ils sont encore très fragiles et ont besoin de soins médicaux intensifs. S'il vous plaît, emmenez-les dans un hôpital ou dans un endroit où on pourra les soigner. »

Samira lève les yeux et hésite une seconde. Elle va improviser... « Cela, je vous le pardonne, mais je ne vous pardonnerai jamais ce que vous avez fait à Zala. Pour ça, j'espère que vous souffrirez l'agonie pendant chacune des heures qui vous restent à vivre ! »

Forbes a plaqué sa main sur le micro et tente d'arrêter Samira, qui se lève et s'apprête à partir. Les questions fusent dans l'assistance.

« Qui est Zala ? »

« Connaissiez-vous Brendan Pearl ? »

« Pourquoi a-t-il enlevé vos bébés ? »

Notre histoire a plus de trous qu'un bulletin de vote de Floride ! Les journalistes subodorent là-dessous une affaire d'une tout autre ampleur et bien plus croustillante. Le protocole vole en éclats...

« Y a-t-il eu une demande de rançon ? »

« Comment Pearl a-t-il pu débarquer avec les jumeaux ? »

« Pensez-vous qu'ils sont toujours en vie ? »

Samira grimace de douleur. Elle est presque arrivée à la porte.

« Leur avez-vous déjà trouvé des noms ? »

Elle se retourne, les yeux papillotant dans les flashs. « C'est à la mère de donner des noms à ses enfants, oui ? Mais une simple jeune fille peut s'en aller en laissant les choses en l'état... »

Un silence de plomb s'abat sur la salle. Les journalistes échangent des coups d'œil perplexes. La mère. Une simple jeune fille ? Qu'est-ce que ça peut bien vouloir dire – et quel rapport avec le reste de son histoire ?

Forbes a les épaules nouées par la rage.

« Le fiasco total ! grogne-t-il, tandis que je trottine sur ses talons dans le couloir.

— Mais ça s'est plutôt bien passé...

— Dieu sait ce qu'on va lire dans les journaux, demain !

— Ils vont parler des jumeaux. C'est bien ce que nous voulions, non ? Nous allons les retrouver... »

Il s'arrête sans crier gare et se retourne vers moi : « Oui, mais ça n'est que le début !

— Qu'est-ce que vous voulez dire ?

— J'aimerais vous présenter quelqu'un.

— Quand ça ?

— Maintenant.

— Mais je dois aller à l'enterrement...

— Nous en avons pour une demi-heure. » Il jette un coup d'œil à l'ascenseur, en face de nous. Samira nous y attend déjà. « Je vais donner des ordres pour qu'on la raccompagne chez vous. »

Vingt minutes plus tard, nous nous garons devant une grande villa victorienne à Battersea, à deux rues du parc. Les branches tourmentées d'une glycine, à présent grises et nues, serpentent autour des fenêtres du rez-de-chaussée. L'entrebâillement de la porte d'entrée laisse apercevoir une poussette vide, qui semble attendre l'heure de la promenade. La mère, une belle femme d'une quarantaine d'années, descend le grand escalier avec un enfant déjà trop grand pour être l'un des jumeaux, qu'elle porte calé sur la hanche.

« Excusez-nous... Mrs Piper ?

— Oui ?

488

— Je suis l'inspecteur Forbes, et voici l'inspecteur Barba. »

Son sourire a disparu. Son bras a imperceptiblement resserré sa prise autour de l'enfant. Un petit garçon.

« Quel âge a-t-il ?

— Huit mois.

— Que tu es mignon ! » Je me penche vers l'enfant. La mère s'écarte.

« Comment s'appelle-t-il ?

— Jack.

— Il vous ressemble.

— Il tient davantage de son père... »

Forbes nous interrompt. « Pourrions-nous vous parler quelques minutes ?

— C'est que... j'allais sortir. J'ai rendez-vous.

— Nous n'en avons pas pour longtemps. »

Son regard fait un bref aller-retour entre mon visage et celui de Forbes : « Je crois que je devrais prévenir mon mari... » Et elle ajoute d'un ton sec : « Il travaille au ministère de l'Intérieur.

— Où a eu lieu la naissance de votre fils, Mrs Piper ? s'enquiert Forbes, sans se démonter.

— J'ai accouché à domicile, répond-elle, troublée. Excusez-moi... je vais téléphoner à mon mari.

— Pourquoi ? demande Forbes. Nous ne vous avons même pas dit ce qui nous amène. On dirait que quelque chose vous tracasse... Pourquoi diable auriez-vous besoin de prendre l'avis de votre mari, avant de nous parler ? »

Quelques secondes s'écoulent, chargées d'inquiétude. Puis Forbes poursuit : « Seriez-vous allée

489

à Amsterdam, récemment, Mrs Piper ? Auriez-vous fait appel aux services d'une clinique hollandaise, spécialisée dans le traitement de la stérilité ? »

Elle recule en direction de l'escalier en secouant la tête, non pas tant pour démentir, que dans l'espoir qu'il cesse enfin de la harceler. Elle monte quelques marches. Forbes s'avance vers elle en lui tendant sa carte de visite, qu'elle refuse de prendre. Il se résigne à la poser sur la poussette.

« Si vous voulez bien demander à votre mari de me passer un coup de fil... »

Je m'entends lui présenter mes excuses pour le dérangement. Mais en même temps, j'aimerais avoir des réponses à mes questions. A-t-elle payé pour avoir son enfant, et qui a organisé la transaction ? Forbes me prend par le coude et m'entraîne vers la porte. Nous descendons les marches du perron. Je vois d'ici Mrs Piper au premier, le téléphone à la main. Ses larmes. Sa détresse...

« Leurs noms figuraient dans la liste que m'a envoyée Spijker, m'explique Forbes. Ils ont eu recours à une mère porteuse. Une jeune Bosniaque.

— En ce cas, l'enfant n'est pas à eux.

— Allez donc le prouver ! Vous avez vu le bébé. Tous les tests confirmeront que le petit Jack est bien le fils des Piper. D'ailleurs, nous ne trouverons pas un seul juge en Angleterre pour nous autoriser à faire des prélèvements.

— Nous pouvons prouver qu'ils sont passés par cette clinique, aux Pays-Bas, que leur embryon a été implanté sur une mère porteuse et qu'une naissance en a résulté. Ça ne vous suffit pas ?

— Nous n'aurons jamais la preuve que l'argent a

490

bien changé de main. Pour cela, il faudrait que l'un de ces cinq couples accepte de témoigner. »

Il me passe une liste de noms et d'adresses :

Robert et Helena Piper

Alan et Jessica Case

Trevor et Toni Jury

Anaan et Lola Singh

Nicholas et Karin Pederson

« J'ai interrogé les quatre autres couples, et ils ont tous appelé leur avocat, en persistant dans leur version des faits. Il n'y a aucune chance pour qu'ils acceptent de coopérer. Ils risqueraient de perdre leur enfant.

— Mais ils sont dans l'illégalité la plus totale !

— Peut-être, mais combien de jurés pourrions-nous persuader de les condamner ? Imaginez-vous à la place de Mrs Piper... ou imaginez à sa place votre amie, avec son bébé... Est-ce que vous vous sentiriez capable de le lui enlever ? »

2

L'enterrement doit avoir lieu à 14 heures. J'ai revêtu ma tenue de deuil – tailleur et chemisier noirs, chaussures assorties. Mon rouge à lèvres est la seule touche de couleur que je me sois permise.

Samira attend à la porte pour passer à la salle de bains. Personne n'imaginerait qu'elle vient d'accoucher. À part quelques vergetures, sa peau a retrouvé son élasticité et son éclat. De temps à autre, je surprends un tic ou une crispation de douleur sur son visage, quand elle fait un mouvement, mais sinon rien en elle ne trahit le moindre signe d'inconfort.

Elle déplie ses affaires sur le lit, en prenant soin de ne pas froisser son chemisier.

« Rien ne t'oblige à venir », lui fais-je remarquer. Mais elle est décidée. Elle n'a rencontré Cate que deux fois et elles n'ont échangé que quelques phrases stéréotypées – et qui plus est, sous la surveillance de Yanus. Ce n'était même pas une conversation, mais elles étaient unies par un lien sacré : ces deux enfants à naître.

Nous nous installons toutes les deux dans le taxi.

Samira est tendue et s'agite comme si elle s'apprêtait à déployer, d'une seconde à l'autre, une paire d'ailes jusque-là invisibles, pour prendre son vol. Au loin, une colonne de fumée blanche s'échappe d'une cheminée comme d'une locomotive à vapeur qui se serait échouée là, en pleine ville.

« La police va finir par les retrouver », déclaré-je, tout à trac.

Pas de réponse.

J'insiste un peu : « Tu es bien décidée à les récupérer ?

— J'ai payé ma dette, murmure-t-elle en se mordant la lèvre du bas.

— Mais tu ne leur dois rien, à ces gens. »

Elle garde le silence. Comment lui faire comprendre ? Et sans crier gare, elle me donne sa réponse, en choisissant chacun de ses mots.

« Je me suis efforcée de ne pas les aimer. Je savais qu'ainsi il me serait plus facile de les donner. J'ai même essayé de les rendre responsables de ce qui était arrivé à Hasan et à Zala... Ça n'est pas juste, non ? Mais qu'est-ce que je peux faire ? Mon lait coule pour eux. J'entends leurs cris toute la nuit, en rêve. Je voudrais qu'ils arrêtent de crier. »

Deux corbillards jumeaux sont garés devant la chapelle du crématorium. Un tapis de gazon artificiel mène à une rampe d'accès où un petit écriteau noir, portant des caractères blancs amovibles, indique le nom des défunts – Cate et Felix Beaumont.

Samira s'avance avec une aisance surprenante le

long de l'allée de gravier, ce qui n'est pas un petit exploit. Elle marque une pause, le temps de contempler les tombes de marbre ou de granit – les jardiniers relèvent la tête et s'appuient à leurs pelles pour la regarder passer. Elle a un petit côté extraterrestre. Surnaturel.

Barnaby Elliot accueille les gens et reçoit leurs condoléances. Ruth Elliot, en grand deuil, se tient près de lui dans son fauteuil roulant. Tout ce noir donne à son teint quelque chose d'exsangue et de friable.

C'est elle qui m'aperçoit la première. Je vois ses lèvres articuler mon nom dans une grimace. Barnaby se retourne, vient à ma rencontre et m'embrasse sur les deux joues. L'odeur alcoolisée de son after-shave m'envahit les narines.

« Qui avez-vous vu à Amsterdam ? me demande-t-il.

— Un inspecteur de police. Pourquoi m'avoir menti, pour l'ordinateur de Cate ? »

Il garde le silence, et se contente de lever les yeux vers la cime des arbres avoisinants, dont quelques-uns ont conservé quelques feuilles d'un ocre doré, en souvenir de l'automne.

« Il me semble que vous devriez savoir que j'ai pris un avocat. Pour obtenir la garde des enfants. Je les veux tous les deux. »

Je lui jette un regard incrédule. « Et Samira ?

— Ce sont nos petits-enfants. Leur place est chez nous.

— Pas selon la loi.

— Cette loi n'est qu'un ramassis de conneries ! »

Samira est restée en arrière, peut-être parce

494

qu'elle a senti venir les ennuis. Je lui lance un coup d'œil, mais Barnaby n'a pas le même souci de discrétion : « Est-ce qu'elle peut vraiment les élever ? En a-t-elle seulement les moyens ? » lance-t-il, un rien trop fort.

Je dois faire l'effort de me décrisper les mâchoires, avant de parler : « Laissez-la hors de tout ça !

— Écoutez-moi.

— Non ! C'est vous qui allez m'écouter ! Elle n'a que trop souffert. Elle a tout perdu. Tout ! »

Il me décoche soudain un regard animal, chargé d'une sorte de fureur froide, et balance un coup de poing dans une haie. La manche de son manteau s'est prise dans les branches. Comme il secoue le bras pour se dégager, il déchire un lambeau de tissu qui se met à claquer au vent. Puis, tout aussi brusquement, il retrouve son calme – j'ai l'impression d'assister à un exercice de gestion du stress. Il sort de sa poche une carte de visite.

« Le notaire de Felix et de Cate, qui est leur exécuteur testamentaire, tient une assemblée à Grey's Inn, demain après-midi à 3 heures. Il veut vous y voir.

— Moi ? Pourquoi ?

— Il ne m'a rien dit. Tenez, voilà l'adresse. »

J'empoche la carte, tandis que Barnaby rejoint son épouse. Elle lui prend la main et la tient appliquée contre sa joue. C'est la première fois que je les vois partager un instant de tendresse. Peut-être a-t-on besoin d'une tragédie pour guérir d'une autre ?

La chapelle est nimbée d'une lumière douce, avec

495

des voyants rouges qui clignotent derrière la grande vitre. Les deux cercueils sont couverts d'une profusion de gerbes et de couronnes. Les fleurs débordent dans l'allée centrale, presque jusqu'au fauteuil roulant de Mrs Elliot. Barnaby se tient près d'elle avec Jarrod, main dans la main, comme pour se soutenir mutuellement.

Je reconnais quelques visages dans l'assistance. Des amis, des parents. La seule qui manque à l'appel est Yvonne. Peut-être a-t-elle craint de ne pouvoir supporter ce genre de cérémonie ? Pour elle, ça doit être comme de perdre une fille...

La famille de Felix, qui semble nettement plus polonaise que lui, reste cantonnée de l'autre côté de l'allée. Les femmes sont petites et dodues. Elles ont des voiles de deuil, et des chapelets.

L'entrepreneur des pompes funèbres tient son haut-de-forme sous son bras replié. Derrière lui, son fils, habillé comme lui (mais avec une tablette de chewing-gum derrière l'oreille), imite chacun de ses gestes.

« *Tu es mon berger, ô Seigneur !* » Les haut-parleurs diffusent ce cantique, qui me paraît difficilement compatible avec les goûts musicaux de Cate – mais évidemment, ça ne devait pas être simple de trouver la musique de fond idoine, pour une ex-fan du Punk, qui vouait un culte secret à un portrait de Kurt Cobain.

Ouvrant sa Bible, le révérend Lunn vient nous parler de la résurrection de la chair, et du jour où nous nous relèverons tous d'entre les morts pour vivre notre destin d'enfants de Dieu, à Ses côtés. Et tout en pérorant, il promène le bout de l'index sur le cercueil de Cate, comme pour mieux en apprécier les finitions.

« Il en va bien différemment de l'amour et de la douleur, déclame-t-il. Même si l'on peut avoir le sentiment que c'est la même chose. À la différence de la douleur, l'amour est sans cesse remis en question par la vie quotidienne. Et pourtant, voyez comme ils sont indissociables : car l'amour véritable ne peut tolérer la séparation. »

Sa voix me semble venir de très loin. Il doit bien y avoir huit ans que je fais mon deuil de Cate. Les sons et les parfums les plus quotidiens me renvoyaient constamment à mes souvenirs – chaussures de danse jazz, bonbons au cola, disques de Simply Red, l'ombre violette d'un fard à paupières... Ça me faisait sourire ou ça me serrait douloureusement le cœur, selon les moments. Et voilà... c'est reparti ! Amour et douleur, le tandem infernal...

Je n'attends pas la sortie des cercueils. Profitant du dernier cantique, je m'éclipse discrètement. J'ai besoin d'air. À l'autre bout du parking, dissimulée dans la pénombre d'une arche, je reconnais une silhouette familière et tranquille qui semble attendre quelque chose. Il porte un pardessus et une écharpe rouge. Donavon.

Samira se promène dans la roseraie sur le côté de la chapelle... Dans cinq secondes, dès qu'elle aura tourné le coin, ils vont tomber nez à nez.

D'instinct, je me rue sur lui. Aux yeux de n'importe quel témoin, cela aurait tout d'une agression. Je lui empoigne le bras et le lui tords dans le dos, avant de le pousser contre un mur, la tête contre la brique.

497

« Où sont-ils ? Qu'est-ce que tu en as fait ?

— Je ne sais pas de quoi tu parles ! »

J'aimerais qu'il m'oppose un peu plus de résistance. Je ne détesterais pas lui faire mal. Samira s'est approchée et reste quelques pas derrière moi.

« Tu le reconnais ?

— Non.

— L'Anglais que tu as rencontré à l'orphelinat... Tu disais qu'il avait une croix au cou. »

J'écarte le cache-nez de Donavon, pour lui montrer le tatouage, mais elle secoue la tête : « Non. Lui, c'était une croix en or. Qu'il portait juste là... » Du doigt, elle m'indique le bord de son décolleté.

Donavon est plié de rire. « Encore un exploit de l'inspecteur Barba ! »

Je me retiens de le frapper.

« Je croyais que tu étais allé en Afghanistan...

— Servir l'Angleterre et la Couronne.

— Épargne-nous ton petit couplet patriotique ! Tu m'as menti. Tu avais rencontré Cate bien avant la soirée des anciens.

— Oui.

— Pourquoi ?

— Tu ne peux pas comprendre.

— Essaie de m'expliquer, pour voir ! »

Je relâche ma prise et il se retourne, en clignant lentement les yeux. Ses prunelles pâles sont nettement plus injectées de sang que dans mon souvenir. Les gens de l'enterrement commencent à quitter la chapelle. Donavon regarde la foule d'un regard où je sens se mêler de la gêne et de l'inquiétude. « Pas ici. Allons en discuter au chaud, quelque part. »

Je le laisse ouvrir le chemin. Nous sortons du cimetière, nous prenons vers l'est, longeant quelque temps Harrow Road, complètement embouteillée, avec une douzaine de bus qui font du sur place, pare-chocs contre pare-chocs. Je surveille Donavon du coin de l'œil, pour voir comment il regarde Samira. Ils n'ont effectivement pas l'air de se connaître. Il garde les yeux baissés, dans l'attitude du pénitent. Il doit se préparer à répondre à mes questions. Par d'autres mensonges...

Nous nous trouvons un café avec des tabourets en vitrine et des tables à l'intérieur. Donavon consulte le menu pour gagner du temps. Samira se lève et va s'agenouiller près du présentoir à magazines. Elle tourne les pages à toute vitesse, comme si elle craignait de se faire rappeler à l'ordre.

« Ils sont à la disposition des clients, lui expliqué-je. Tu peux en lire autant que tu voudras, en prenant tout ton temps. »

Donavon se pince le dos de la main, laissant une grosse marque blanche où le sang ne tarde pas à revenir.

« J'ai rencontré Cate il y a trois ans, commence-t-il. Juste avant ma première campagne en Afghanistan. J'ai mis un bout de temps à la retrouver. Je ne connaissais pas le nom de son mari.

— Tu la cherchais ? Pourquoi ?

— Je voulais la voir. »

J'attends une explication qui ne vient pas. Il change de sujet : « T'as déjà sauté en parachute ?

— Non.

— C'est quelque chose. Ça ne ressemble à rien. T'es là, devant la trappe d'un avion, à trois mille mètres, complètement sous pression. Tu fais ce dernier pas en avant et vlan ! T'es happé par le courant d'air et tu tombes. Sauf que c'est pas du tout l'impression que ça te fait. Au contraire : tu voles. L'air te creuse les joues et te siffle aux oreilles. Une fois, j'ai même sauté à grande altitude, à dix mille mètres, avec de l'oxygène. Il me suffisait d'ouvrir les bras pour embrasser la planète entière... »

Ses yeux étincellent. Je vois mal où il veut en venir, mais je le laisse continuer à son rythme.

« C'est la meilleure chose qui me soit arrivée – me faire virer d'Oaklands et m'engager dans les paras. Jusque-là, je m'étais contenté de me laisser dériver, la rage au ventre. Je n'avais envie de rien. Aucune ambition. Ça a tout changé dans ma vie.

» Maintenant, j'ai une petite fille. De trois ans. On est séparés, sa mère et moi. Elles vivent en Écosse, mais je leur envoie de l'argent tous les mois – plus quelques cadeaux pour l'anniversaire de la petite, et pour Noël. Ce que j'essaie de te dire, là, c'est que j'ai changé...

— Et pourquoi tu me racontes tout ça ?

— Pour que tu comprennes. Pour toi, je suis toujours un petit loubard paumé, qui joue les caïds. Mais j'ai changé. C'était impardonnable, ce que j'avais fait à Cate – sauf qu'elle, elle m'avait pardonné. C'est pour ça que je voulais la revoir. Je voulais savoir ce qu'elle était devenue. Je ne voulais pas rester sur l'idée que j'avais bousillé sa vie. »

Alors là, pas question ! Je refuse de le croire – je préfère continuer à le haïr, parce que dans ma tête, c'est ainsi. C'est ma version de l'histoire.

« Et elle, pourquoi aurait-elle accepté de te revoir ?

— Par curiosité, sans doute.

— Où vous étiez-vous donné rendez-vous ?

— Dans un café, à Soho.

— Et puis ?

— On a parlé. Je lui ai demandé pardon. Elle a dit qu'elle ne m'en voulait plus. Je lui ai écrit plusieurs fois d'Afghanistan. Chaque fois que je rentrais, on se téléphonait pour déjeuner ou prendre un café ensemble.

— Et pourquoi tu ne m'as rien dit avant ?

— Comme je te dis, t'aurais pas compris... »

Un peu léger, comme raison. Et comment Cate a-t-elle pu lui pardonner, à lui, avant de me pardonner, moi !

« Qu'est-ce que tu sais du centre d'adoption Renaissance ?

— C'est Cate qui m'y a emmené. À cause de ma sœur... Elle ne savait pas quoi faire, pour le bébé.

— Et comment Cate avait-elle appris l'existence de ce centre d'adoption ? »

Il hausse les épaules. « Par son gynéco – un type spécialisé dans le traitement de la stérilité. Il fait partie du conseil d'adoption du centre... »

Le Dr Banerjee. « T'en es sûr ?

— Certain. »

Julian Shawcroft et Banerjee. Ils se connaissent. Des mensonges, toujours plus de mensonges.

« Est-ce que Cate t'avait dit ce qu'elle allait faire à Amsterdam ?

— Oui. Une autre tentative de fécondation in vitro. »

Je jette un coup d'œil du côté de Samira. « Elle s'est offert les services d'une mère porteuse.

— Je ne pige pas.

— Et elle a eu des jumeaux. »

Il en reste sans voix. Abasourdi.

« Où ils sont ?

— Ils ont disparu. »

L'information infuse dans son esprit. Elle doit s'emboîter à d'autres détails. L'histoire des jumeaux fait déjà la une des premières éditions de la presse écrite. Toutes les radios en parlent. La nouvelle semble le troubler bien plus que je ne l'aurais cru possible.

« C'était un plan totalement illégal et elle s'apprêtait à aller voir la police. C'est pour ça qu'elle voulait m'en parler. »

Il a retrouvé un semblant de contenance. « Et c'est pour ça qu'ils l'ont descendue ?

— Oui. Cate n'a pas rencontré Samira par hasard. C'est quelqu'un qui s'est chargé de les mettre en contact. Je suis sur la piste d'un type qui se fait appeler "Frère" – un Anglais qui est passé dans l'orphelinat de Samira, à Kaboul.

— Julian Shawcroft est allé en Afghanistan.

— D'où tu tiens ça ?

— Il m'a dit ça par hasard, au cours d'une conversation. Il m'avait demandé où j'avais servi... »

J'ouvre mon portable et j'appuie sur un numéro préenregistré. Dave répond dès la seconde sonnerie. Je ne l'ai pas eu au bout du fil depuis Amsterdam. Il ne m'a pas appelée, et moi non plus, je n'ai pas essayé de le joindre. La force de l'inertie... ou alors la peur.

« Salut, ma puce ! »

Il me semble l'entendre hésiter, mais je n'ai pas le temps de m'appesantir sur les préambules : « Qu'est-ce que t'as trouvé, quand t'as enquêté sur les antécédents de Julian Shawcroft ?

— Il a été directeur général d'une clinique de procréation assistée, à Manchester.

— Et avant ça ?

— Il a étudié la théologie à Oxford, avant de s'engager dans les ordres.

— Dans les ordres ?

— Ouais. Chez les catholiques – un ordre de religieux catholiques. »

Et voilà mon chaînon manquant ! Cate, Banerjee, Shawcroft et Samira – tout se tient, à présent.

Dave n'est plus en ligne. Et je n'ai même pas souvenir de lui avoir dit au revoir.

Donavon continue à me poser des questions, que j'écoute à peine.

« Est-ce qu'ils lui ressemblent ? me demande-t-il.

— Qui ça, ressemble à qui... ?

— Les jumeaux, à Cate. »

Je ne sais que lui dire. Chercher des ressemblances, ça n'a jamais été mon truc. Pour moi, tous les nouveau-nés se ressemblent : ils ont tous plus ou moins la tête de Winston Churchill...

Mais qu'est-ce que ça peut lui faire ?

3

Une Lexus métallisée s'arrête dans l'allée d'une maison individuelle à Wimbledon, au sud de Londres. Elle est équipée d'une plaque minéralogique personnalisée – BABYDOC. Le Dr Sohan Banerjee récupère quelques affaires sur la banquette arrière, avant d'enclencher le verrouillage automatique. Les phares jettent un dernier flash. Si seulement on pouvait tout faire comme ça, en appuyant sur un bouton...

« La peine encourue pour le trafic des enfants et des personnes humaines est de quatorze ans de réclusion ! » lui lancé-je.

Il fait demi-tour, agrippé à son porte-documents qu'il tient contre son ventre, comme un bouclier. « Qu'est-ce que ça signifie ? Je ne sais pas de quoi vous parlez...

— Et moi, je ne sais pas au juste quel est le tarif pour la commercialisation des services d'une mère porteuse, mais si on ajoute ça au kidnapping et au viol médicalisé, je peux vous promettre que vous resterez à l'ombre suffisamment de temps pour vous faire des tas de nouveaux copains en taule.

— Je n'ai rien à me reprocher.

— Oh ! Mille excuses... j'allais oublier le meurtre. Réclusion à perpétuité garantie.

— Vous êtes ici chez moi. C'est une violation de domicile !

— Allez-y, vous gênez pas... Appelez donc la police... »

Son regard s'échappe vers sa maison puis vers les villas environnantes. Il doit se soucier de l'opinion de ses voisins...

« Vous saviez que Cate Beaumont allait à Amsterdam, quand vous lui avez remis ce container plein de nitrogène liquide, avec ses deux derniers embryons. Vous lui avez donné l'adresse de cette clinique hollandaise.

— Non. Non, c'est faux ! » Ses multiples mentons en tremblent d'indignation.

« Était-ce vous qui deviez accoucher les jumeaux ?

— Je ne sais même pas de quoi vous parlez.

— Connaissez-vous Julian Shawcroft ?

— Professionnellement, bien sûr.

— Vous étiez à Oxford ensemble – vous en médecine, et lui en théologie. Vous voyez que j'en connais un rayon sur vous, Dr Banerjee. Pas mal, pour une pauvre gourde qui n'arrive même pas à se dégoter un mari... »

Sa mallette est toujours calée sur l'étagère de sa bedaine. Quelque chose de plus physique que le mépris me démange les doigts.

« Vous faites partie de son conseil d'adoption.

— C'est un conseil indépendant !

— Vous avez parlé à Cate du centre d'adoption et vous l'avez présentée à Shawcroft. Qu'est-ce que vous vous figuriez ? Que vous participiez à une croisade humanitaire, pour venir en aide à la fois aux enfants déshérités et aux couples stériles ? En fait, vous vous êtes compromis avec une bande de marchands de sexe et d'assassins. Des jeunes femmes ont été violées et exploitées sous la menace. Des gens ont été tués de sang-froid.

— Vous faites erreur. Je n'ai rien à voir avec tout ça. Quel serait mon mobile ? »

Son mobile ? Ça, je ne le comprends toujours pas. Ça ne peut pas être l'argent. Mais il a pu se faire piéger en acceptant d'enfreindre la loi pour rendre service. Il suffit d'un seul faux pas, et l'hameçon est planté.

Il regarde à nouveau vers sa maison. Pas de femme qui l'attende, derrière cette porte. Pas d'enfants dans le jardin.

« C'était un problème personnel, n'est-ce pas ? »

Il garde le silence.

Dans la liste de Forbes, celle des couples qui ont fourni des embryons à la clinique d'Amsterdam, un nom me revient : Anaan et Lola Singh, de Birmingham.

« Auriez-vous de la famille à Birmingham, Dr Banerjee ? Votre sœur, par exemple... Et comment se porte votre adorable neveu ? »

Il tente de nier, mais la vérité s'inscrit sur ses traits comme une empreinte dans du mastic. C'est ma mère qui m'avait parlé de son neveu. Le bon docteur était si fier de lui qu'il en avait parlé au déjeuner dominical. Le reste de l'histoire coule de source : sa sœur n'arrivait pas à tomber enceinte et le docteur lui-même, pourtant si ferré sur le sujet,

506

ne pouvait rien pour elle ; Julian Shawcroft lui a alors suggéré une autre solution... Il leur a trouvé une mère porteuse aux Pays-Bas et Banerjee s'est occupé de l'accouchement. Pour Banerjee, c'était quelque chose d'exceptionnel, qui n'aurait jamais dû se reproduire – la seule solution qu'il ait trouvée en réponse à ce problème familial. Mais Shawcroft a exigé qu'il continue, qu'il mette au monde d'autres enfants. Et il n'a pu dire non.

« Qu'est-ce que vous me voulez ?

— Aidez-moi à arrêter Julian Shawcroft.

— Impossible.

— Qu'est-ce qui vous en empêche ? Votre carrière, votre réputation ? »

Il a un sourire amer et un geste de défaite. « J'ai passé les deux tiers de mon existence en Angleterre, Alisha. Je suis diplômé d'Oxford et de Harvard. J'ai publié d'innombrables articles, donné des foules de conférences. J'ai été invité en résidence à l'université de Toronto... » Son regard se pose à nouveau sur ses rideaux tirés et les pièces désertes qu'ils masquent. « Ma réputation, c'est tout ce que j'ai.

— Vous avez enfreint la loi.

— Était-ce si terrible ? Je pensais que nous aidions les couples, tout en offrant un nouveau départ dans la vie à ces immigrées clandestines.

— Que vous avez abominablement exploitées.

— Nous les avons tirées de leur orphelinat.

— Parlons-en ! Pour les jeter dans des bordels ! » Ses épais sourcils se rapprochent.

« Donnez-moi Shawcroft. Témoignez contre lui.

— Je dois protéger ma sœur et son bébé.

— En protégeant ce salaud de Shawcroft ?

507

— Nous nous protégeons mutuellement.

— Je peux vous faire arrêter.

— Je nierai tout en bloc.

— Dites-moi au moins où sont les jumeaux.

— Je n'ai aucun contact avec les familles. C'est Julian qui s'en occupe. » Sa voix change soudain. « Je vous en prie, cessez de remuer tout ça. Vous allez déclencher des catastrophes en chaîne.

— Pour qui ?

— Pour tout le monde ! Mon neveu est un bambin magnifique. Il va avoir un an.

— Et vous comptez lui raconter le viol médicalisé grâce auquel il a vu le jour, quand il sera grand ?

— Je suis désolé, Alisha. Désolé. »

Tout le monde est désolé, ces temps-ci. Ça doit être l'époque qui veut ça.

4

Forbes prend une liasse de photos et les dispose sur trois rangs devant lui sur son bureau, comme s'il faisait une réussite. La photo de Julian Shawcroft est sur la droite. Il a vraiment la tête de l'emploi : le sourire avenant d'un ponte de l'humanitaire – la douceur et la bonté mêmes...

« Si vous reconnaissez quelqu'un, montrez-moi sa photo. »

Samira hésite.

« Ne vous posez pas trop de questions. Dites-moi juste si vous avez déjà rencontré une de ces personnes. »

Son regard balaie les rangées de photos et s'arrête tout à coup sur celle de Shawcroft.

« C'est celui-là, dit-elle, l'index pointé.

— Qui c'est ?

— C'est le frère...

— Lui connaissez-vous un autre nom ? »

Elle secoue la tête.

« Où l'avez-vous connu ?

— Il venait à l'orphelinat.

— À Kaboul ? »

Elle hoche la tête.

« Qu'est-ce qu'il venait y faire ?

— Nous apporter des couvertures et des provisions.

— Lui avez-vous parlé ?

— Il ne parlait pas afghan. C'est moi qui lui servais d'interprète.

— Dans quelles circonstances ?

— Il avait des rendez-vous avec Mr Jamal, le directeur de l'orphelinat. Il disait qu'il pourrait trouver du travail pour certaines pensionnaires, mais seulement des filles. Je lui ai dit que je ne partirais pas sans Hasan, et il m'a prévenue que ça coûterait plus cher, mais que je pourrais rembourser ma dette en travaillant.

— Plus cher ? Combien au juste ?

— Dix mille dollars américains, pour nous deux.

— Et comment pensiez-vous rembourser cet argent ?

— Il a dit que Dieu m'enverrait un moyen pour le rembourser.

— A-t-il parlé de porter un enfant ?

— Non. »

Forbes sort une feuille d'un dossier. « Voici une liste de noms. Est-ce que vous reconnaissez certains d'entre eux ? »

Le doigt de Samira parcourt la liste et s'arrête sur un nom. « Celui-ci. C'est Allegra. Elle était avec moi, à l'orphelinat.

— Qu'est-elle devenue ?

— Elle est partie avant moi. Le frère avait un travail pour elle. »

L'inspecteur réprime un petit sourire crispé :
« Ça, j'imagine ! »

Le bureau de Forbes est au premier étage, en face d'une grande salle ouverte où sont rassemblés les bureaux de tous les inspecteurs du service. Sur son armoire à dossiers trône une photo de sa femme, une robuste fille de la campagne, plutôt bien en chair et l'air plutôt fine mouche.

Il demande à Samira d'aller attendre dehors et lui tend quelques pièces pour aller s'acheter à boire au distributeur automatique, près de l'ascenseur. Il la regarde s'éloigner – cette enfant qui a eu si peu de temps pour devenir une femme.

« Nous en savons assez pour demander un mandat, lui dis-je.

— Non.

— Elle a formellement identifié Shawcroft.

— Oui, mais nous ne pouvons toujours pas prouver qu'il existe un lien direct entre lui et le trafic de mères porteuses. Pour l'instant, c'est toujours sa parole contre celle de Samira.

— Et les autres orphelines ?

— Pour elles, Shawcroft est un homme de Dieu qui leur a offert son aide. Nous n'avons pas la preuve qu'il les a fait venir en Europe pour alimenter son trafic, ni qu'il ait fait pression sur elles pour les contraindre à porter des enfants. Il faudrait qu'un des couples accepte de témoigner – mais ça, ça reviendrait à s'accuser eux-mêmes.

— Nous pourrions leur garantir l'immunité...

— Mais pas les protéger des procès civils qui ne manqueraient pas de s'ensuivre. Dès lors qu'ils

511

auront admis avoir payé pour avoir leur bébé, la mère porteuse pourra exiger de reprendre l'enfant. »

La tâche est trop lourde, trop complexe. Une note de résignation a résonné dans sa voix. Il ne baisse pas totalement les bras, mais il refuse de faire un kilomètre de plus, de passer d'autres coups de fil, de frapper à d'autres portes. Il pense que je m'accroche à des brindilles, que je n'ai pas encore bien mesuré l'ampleur de la tâche. Or, c'est exactement le contraire : jamais je n'ai été plus sûre de mon fait.

« Samira pourrait le confondre.

— Comment ?

— Elle pourrait aller le voir avec un micro. »

Il aspire une goulée d'air entre ses dents. « Vous rigolez, là ! Shawcroft va se méfier. Il sait qu'elle marche avec nous.

— Oui, mais l'issue d'une enquête repose sur la pression qu'on parvient à exercer. Pour l'instant, il se croit invulnérable, hors de notre portée. Il faut le secouer un peu et le déstabiliser, pour l'amener à s'écarter de sa position d'équilibre. »

Les règles qui régissent les opérations de mise sur écoute pour les téléphones et les propriétés privées sont draconiennes. La commission de surveillance doit être saisie et donner son accord. Mais pour un simple micro, c'est nettement plus souple – à condition que tout se passe dans un lieu public.

« Et qu'est-ce qu'elle lui dirait ?

— Elle lui rappellerait qu'il lui a promis un emploi.

— Et c'est tout ?

— Elle n'a pas besoin de lui en dire davantage. Ce qui nous intéresse, c'est ce qu'il va lui répondre. »

Forbes écrase une pastille pour la gorge entre ses dents. Son haleine sent le citron.

« Et vous pensez qu'elle serait partante ?

— Je crois, oui. »

Je sais bien que tous les sports ont un petit air ridicule, dès lors qu'on les réduit à leurs caractéristiques les plus élémentaires – ballon, batte, balle, trou... – mais je n'ai jamais réussi à m'expliquer la fascination qu'exerce le golf. Les terrains ont l'élégance factice de ces jardins japonais où la place de chaque buisson et de chaque galet paraît le fruit d'un laborieux calcul.

Julian Shawcroft y joue tous les dimanches matin avec le même trio de coéquipiers – un membre du conseil municipal, un marchand de voitures et un ponte du business local. Ils s'y retrouvent chaque semaine, à 10 heures sonnantes.

Le club est situé à la limite du Sussex et du Surrey, à la fois dans la banlieue verte de Londres et la banlieue blanche des nababs de la finance. Ici, à moins de soulever une grosse motte dans le gazon, le brun est une couleur rare.

Samira est équipée d'une petite pile de la taille d'une boîte d'allumettes, fixée dans son dos au niveau de la taille, avec un mince fil rouge qui passe sous son aisselle droite pour la relier à un micro guère plus gros qu'un bouton de chemise, accroché sur son sternum.

Comme elle reboutonne son chemisier, nos regards se croisent. « Tu sais, rien ne t'oblige à le faire, lui dis-je avec un sourire qui se veut rassurant. Tu veux vraiment y aller ? »

Elle hoche la tête.

« Tu sais ce que tu dois dire ? »

Elle confirme d'un autre signe de tête.

« Si tu as peur, ou si tu te sens en danger, tu t'éloignes immédiatement. Tu prends la fuite au moindre signe suspect... C'est bien compris ?

— Oui. »

Les amateurs de golf vont et viennent par grappes devant les vestiaires et sur le green, en attendant d'être appelés par le starter. Shawcroft a le rire le plus explosif, mais pour la palme du pantalon le plus voyant, il repassera : elle revient de plein droit à l'un de ses coéquipiers. Il commence à travailler son *swing* à proximité du premier tee et, lorsqu'il relève le nez, il aperçoit Samira qui attend devant le club, au sommet du perron de pierre. Shawcroft doit lever la main pour se protéger les yeux du contre-jour.

Sans l'ombre d'une hésitation, elle file droit sur lui, le rejoint et s'arrête à deux mètres.

« On peut vous renseigner ? demande l'un des autres amateurs de golf.

— Je suis venue voir le Frère... »

Shawcroft hésite. Je vois son regard glisser par-dessus l'épaule de Samira. Il nous cherche...

« Il n'y a personne qui soit votre frère ici, ma

petite demoiselle », lui roucoule le marchand de voitures.

Du doigt, Samira indique Shawcroft. Les trois autres se retournent sur lui. « Je n'ai jamais vu cette fille », bafouille-t-il.

Forbes ajuste le volume du magnétophone numérique. Nous assistons à la scène à quatre-vingts mètres de là, garés sous les branches d'un gros saule pleureur, devant la boutique du club.

Samira leur arrive à peine à l'épaule. La brise fait claquer sa longue jupe.

« Elle veut peut-être vous servir de caddie, fait l'un des trois autres, goguenard.

— Tu te souviens sûrement de moi, Frère, dit Samira. C'est toi qui m'as dit de venir. Tu disais que tu aurais du travail pour moi. »

Shawcroft dévisage ses coéquipiers d'un air penaud. La suspicion fait place à de la colère. « Commençons à jouer. Faisons comme si elle n'était pas là ! »

Là-dessus, il lui présente résolument son dos et, exécutant un grand *swing* un tantinet précipité, expédie son premier drive sur la droite, où la balle disparaît dans des fourrés. Il balance son club par terre d'un geste de dépit. Tandis que les autres n'en sont qu'au premier tee, Shawcroft a déjà pris le volant d'une minimoke qui démarre dans une embardée et s'éloigne rapidement.

« Je vous avais dit qu'il ne se laisserait pas ferrer si facilement.

— Une seconde. Attendez. »

Samira s'est engagée sur le fairway dans leur sillage. La rosée assombrit le bas de sa jupe. Les

516

voiturettes électriques se sont séparées. Shawcroft est parti à la recherche de sa balle dans les fourrés. En levant la tête, il voit Samira qui vient dans sa direction. Je l'entends crier à ses coéquipiers : « Balle perdue ! Je vais en prendre une autre.

— Vous n'essayez même pas de la récupérer, celle-là ?

— Aucune importance ! »

Il pose une autre balle dans le tee et la frappe de nouveau, d'un geste qui rappelle davantage celui d'un bûcheron abattant sa hache que l'élégance d'un golfeur accompli. La minimoke redémarre. Samira n'a pas ralenti l'allure.

Un gros nœud me noue la gorge. Cette fille n'a décidément pas fini de m'étonner. Elle les suit d'un pas résolu jusqu'au green, longe les bunkers, puis passe sur un petit pont qui franchit un ruisseau. Shawcroft ne cesse de regarder par-dessus son épaule, frappe ses balles de toutes ses forces pour les envoyer le plus loin possible et mettre la plus grande distance possible entre elle et lui.

« Il va bientôt falloir qu'elle s'arrête, là... marmonne Forbes. Elle va sortir de la zone d'émission.

— Attendez encore. Une seconde... »

Les quatre larrons sont à trois cents mètres de nous, à présent, mais je les vois toujours, grâce à mes jumelles. Samira s'est postée à la limite du green et les observe, avec une infinie patience.

Shawcroft finit par craquer : « Fichez le camp de ce terrain, ou j'appelle la police ! »

Il marche sur elle en agitant son club dans sa direction. Mais elle fait front. Elle ne bouge pas d'un cheveu.

« Gardez votre calme, mon vieux ! suggère l'un des coéquipiers.

— Qui ça peut bien être, Julian ? demande l'autre.

— Personne !

— Elle n'est pas mal roulée. Vous êtes sûr que ça n'est pas une de vos "nettoyeuses de balles" ?

— Silence. Taisez-vous ! »

Samira n'a pas cillé. « J'ai payé ma dette, Frère.

— J'ignore totalement de quoi vous parlez.

— Tu disais que Dieu trouverait un moyen pour me faire rembourser ma dette. Et je l'ai payée – deux fois même ! Des jumeaux. J'ai payé, pour Hasan et pour moi, mais Hasan est mort. Et Zala, elle n'est jamais arrivée jusqu'ici. »

Shawcroft lui empoigne le bras et la secoue sans ménagement. « Je ne sais pas qui vous envoie, crache-t-il. Je ne sais pas ce que vous me voulez, mais je ne peux rien pour vous.

— Et ce travail que tu m'avais promis ? »

Il tente de l'entraîner à l'écart, tandis qu'un des autres joueurs lui lance : « Où allez-vous, Julian ?

— Je vais la faire virer du terrain !

— Et notre partie ?

— Continuez, je vous rattraperai.

— C'est ça, oui... Comme l'autre fois... », marmonne le marchand de voitures.

Une autre équipe de quatre arrive déjà, le long du fairway. Shawcroft les croise sans lâcher le bras de Samira, qu'il retient toujours d'une main ferme. Elle doit trottiner pour tenir la cadence.

« Tu me fais mal !

— Tu vas la boucler, sale traînée ? Je ne sais pas

à quoi tu joues, mais je peux te dire que ça ne marchera pas ! Qui t'envoie ici ?

— J'ai payé ma dette, Frère...

— J'en ai rien à cirer, de ta dette. Je n'ai pas de travail pour toi. C'est du harcèlement ! Si jamais tu reviens rôder dans le coin, je te fais coffrer ! »

Mais Samira ne baisse pas les bras. Dieu, qu'elle est convaincante...

« Pourquoi il est mort, Hasan ?

— Ça, ma petite, c'est la vie. Ça n'arrive pas qu'aux autres ! »

J'ai peine à en croire mes oreilles. Ce salaud se permet de citer Donald Rumsfeld ! Et pourquoi ça n'arrive jamais aux Shawcroft et à leurs semblables, ce genre de dommage collatéral ?

« J'ai mis du temps à te retrouver, Frère. Nous avons attendu des mois à Amsterdam. Moi et Hasan, on espérait que tu viendrais ou que tu nous enverrais un message. Et puis on ne pouvait plus attendre. Ils voulaient nous renvoyer à Kaboul. Hasan est parti tout seul. Je voulais venir avec lui, mais il a dit qu'il valait mieux que je reste l'attendre à Amsterdam. » Les sanglots lui font vibrer la voix. « Il voulait te retrouver. Il disait que tu avais dû oublier, mais moi, je lui disais que non, que tu étais quelqu'un de bien et que tu tiendrais parole. Parce que tu nous apportais des couvertures et des provisions, à l'orphelinat – et puis tu portais la croix... »

Shawcroft lui tord le poignet pour la faire taire.

« J'ai porté les bébés. J'ai payé ma dette !

— Tu vas la boucler, oui ?

— Et puis quelqu'un a tué Zala...

— Tu dis n'importe quoi ! »

519

Ils approchent du Clubhouse. Forbes est sorti de la voiture et part à leur rencontre. Je le suis, quelques pas en arrière. Shawcroft a poussé Samira dans un massif de rosiers. Elle se cogne le genou sur la bordure et lâche un petit cri de douleur.

« Agression caractérisée... avec voies de fait ! »

En levant la tête, Shawcroft aperçoit l'inspecteur. Puis son regard passe par-dessus son épaule. Il m'a reconnue.

« C'est un abus de pouvoir ! Je préviens immédiatement mon avocat. »

Forbes lui tend son mandat. « C'est votre droit. Espérons qu'il ne joue pas au golf, à cette heure-ci... »

6

Shawcroft joue au plus fin et fait étalage de ses connaissances juridiques – bien qu'il semble confondre allégrement le Code civil et la Convention de Genève. Il proteste en hurlant à pleins poumons, nous accusant de mauvais traitements depuis sa cellule de détention provisoire.

Les intellectuels ont toujours tendance à la ramener, et les vrais sages sont barbants comme la pluie – telle ma mère, qui n'a toujours pas renoncé à me recommander de mettre de l'argent de côté, de me coucher à dix heures et demie et de ne jamais prêter mes affaires. J'ai toujours préféré les vrais esprits libres, ceux qui cachent leurs talents, tout en évitant de trop se prendre au sérieux.

Une dizaine de flics passent au peigne fin les dossiers et les fichiers informatiques du Centre Renaissance. D'autres perquisitionnent au domicile de Shawcroft, à Hayward's Heath. Mais il serait surprenant qu'ils découvrent des traces écrites qui puissent les mener directement aux jumeaux. Shawcroft n'est pas si bête.

En revanche, il y a toutes les chances pour qu'au moins quelques-uns des acheteurs potentiels aient préalablement fait appel au centre, pour déposer une demande d'adoption légale...

Lors de notre premier rendez-vous, je lui avais parlé du dépliant que j'avais trouvé chez Cate, celui qui parlait d'un bébé mis au monde et abandonné par une prostituée. Shawcroft m'avait formellement assuré que tous les parents candidats à l'adoption faisaient l'objet d'une enquête et d'un filtrage minutieux – ce qui devait entraîner des entretiens, des bilans psychologiques, des recherches d'antécédents judiciaires... En supposant qu'il m'ait dit la vérité, les gens qui ont récupéré les jumeaux devraient logiquement figurer sur l'une ou l'autre des listes d'attente du centre.

Voilà quatre heures qu'il a été arrêté. Forbes s'est débrouillé pour le faire entrer par la grande porte et traverser le hall de réception bourré de monde, pour lui imposer un maximum d'embarras. L'inspecteur a du métier, même s'il n'est pas tout à fait de la classe de Ruiz, qui sait exactement où et quand appuyer, quand faire le forcing et quand laisser le sujet mariner une heure de plus dans sa cellule, en tête à tête avec ses propres démons...

Shawcroft attend l'arrivée de son avocat, Eddie Barrett. Inutile de demander pourquoi on le surnomme « le Bouledogue », ce vieux chasseur d'ambulance qui s'est taillé une solide réputation de courtisan des médias et de pourfendeur de la police. Lui et Ruiz sont deux ennemis jurés, toujours prêts à s'entr'égorger dans une haine mutuelle, nuancée d'une certaine rancune et d'un indéfectible respect.

Barrett a une silhouette bizarrement disproportionnée, avec ce long torse monté sur de toutes
petites pattes. Sa démarche évoque irrésistiblement
celle de George W. Bush : bras écartés du corps,
menton pointé un poil trop haut, dos un poil trop
droit. Ça doit être son côté cow-boy...

Quelques agents en uniforme l'escortent jusqu'à
la salle d'interrogatoire. On amène Shawcroft.
Forbes se met un petit accessoire à l'oreille – le
récepteur qui nous permettra de communiquer avec
lui pendant la confrontation. Il a préparé une pile
de dossiers et une liste de questions. Il s'agit d'avoir
l'air armé jusqu'aux dents, tout autant que de l'être.

Je ne saurais dire si Forbes a le trac, mais il règne
dans la salle une tension presque palpable. C'est le
sort des jumeaux que nous jouons. Si Shawcroft
refuse de coopérer et parvient à nous tenir tête, nous
risquons fort de ne jamais les retrouver.

Le magnat de l'action humanitaire est toujours en
tenue de golf. Barrett vient s'asseoir à ses côtés et
pose en face de lui son chapeau, qui a vaguement
l'allure d'un Stetson. Forbes attaque les formalités
– date, heure et lieu de l'interrogatoire, nom et
qualité de chaque participant. Puis il dispose sur la
table cinq photos que Shawcroft ne prend même
pas la peine de regarder.

« Voici cinq jeunes demandeuses d'asiles qui ont
formellement déclaré que vous les aviez poussées à
quitter leur pays d'origine et à entrer en Grande-
Bretagne par des voies illégales.

— C'est faux.

— Vous niez les avoir rencontrées ?

— Il se peut que je les aie croisées, mais je n'en ai aucun souvenir.

— Vous pourriez peut-être commencer par regarder leurs photos... »

Barrett s'interpose : « Mon client a répondu à votre question, il me semble.

— Où auriez-vous pu les croiser ?

— Les organisations humanitaires dont je m'occupe ont recueilli plus d'un demi-million de livres, l'an dernier. Je visite chaque année d'innombrables orphelinats en Afghanistan, en Irak, en Albanie ou au Kosovo.

— Comment saviez-vous que ces jeunes femmes étaient orphelines ? Je n'ai rien dit qui puisse vous le faire supposer. »

Shawcroft se raidit. Je pourrais presque le voir se maudire de n'avoir pas repéré le piège.

« Vous connaîtriez donc ces jeunes femmes ?

— C'est possible.

— Et Samira Khan, vous la connaissez ?

— Oui.

— Où avez-vous fait sa connaissance ?

— À Kaboul, dans un orphelinat.

— L'avez-vous persuadée de venir en Angleterre ?

— Non.

— Lui avez-vous fait miroiter un emploi, sur le sol britannique ?

— Non. » Il lui décoche son sourire le plus imparable.

« Vous l'avez mise en contact avec un passeur qui lui a fait franchir illégalement la frontière des Pays-Bas, puis la frontière britannique.

— C'est faux.

— Le prix de leur voyage, à elle et à son frère, était fixé à cinq mille dollars, mais en Turquie, ce prix s'est trouvé multiplié par deux. Vous lui aviez dit que Dieu lui-même lui enverrait un moyen de s'acquitter de cette dette.

— J'ai rencontré des foules d'orphelins, au cours de mes voyages, inspecteur, et il n'y avait pas un seul d'entre eux qui n'ait pas rêvé de venir un jour en Europe. C'était leur vœu le plus cher. Le soir, avant de s'endormir, ils se racontaient des histoires de voyage vers l'ouest, ce pays de cocagne où même les mendiants roulent en voiture et où l'abondance est telle qu'il faut mettre les chiens au régime... »

Forbes pose à présent sur la table une photo de Brendan Pearl. « Connaissez-vous cet homme ?

— Pas que je sache.

— C'est un tueur. Un dangereux récidiviste.

— Je me souviendrai de lui dans mes prières...

— N'oubliez pas ses victimes, par la même occasion... » Forbes lui tend une photo de Cate. « Connaissez-vous cette femme ?

— Peut-être est-elle venue au centre d'adoption. Je ne me souviens plus très bien.

— Elle voulait adopter. »

Shawcroft hausse les épaules.

« Vous devez répondre, pour nos archives, insiste Forbes.

— Je ne m'en souviens plus.

— Regardez la photo de plus près.

— Je n'ai aucun problème de vue, inspecteur.

— Peut-être, mais il semblerait que vous avez de sérieux problèmes de mémoire ! »

Barrett intervient. « Écoutez, Dr Phil[1]... j'ai nettement mieux à faire que de vous écouter enculer les mouches, surtout un dimanche après-midi ! Si vous commenciez par nous dire ce que vous reprochez à mon client ? »

Forbes lui oppose un flegme admirable. Il continue à abattre ses cartes. Cette fois, c'est un portrait de Yanus. Les questions tombent, les unes après les autres, invariablement suivies de la même réponse : « Aucun souvenir. Pas que je sache, non... »

Julian Shawcroft n'a rien d'un menteur compulsif – pourquoi prendre le risque de mentir, quand vous avez toutes les chances de mieux vous en tirer, en disant la vérité ? Mais c'est un manipulateur né. Il trompe son monde tout naturellement, comme il respire. Dès que Forbes lui met la pression, il se protège sous un patchwork de semi-vérités d'une finesse presque impalpable, mais soigneusement agencées, réparant dans la foulée tous les petits accrocs avant qu'ils ne deviennent de grosses brèches. Il ne sort jamais de ses gonds, ne trahit aucune nervosité, aucune inquiétude. Il a réponse à tout et tient tête à Forbes avec la même fureur calme, et ce curieux regard, presque trop fixe.

« Dans les dossiers du centre d'adoption, on a retrouvé les noms d'au moins douze couples qui figurent aussi dans les fichiers de la clinique spécialisée dans les FIV, à Amsterdam. » Je transmets

---

1. Phil McGraw, célèbre psychologue et animateur de talk-show américain que l'on surnomme amicalement « Dr Phil ». Il a débuté dans l'émission d'Oprah Winfrey, pour ensuite créer sa propre série télévisée. *(N.d.T.)*

l'information à Forbes via son récepteur. Il porte la main à son oreille. Message reçu.

« Vous est-il déjà arrivé d'aller à Amsterdam, Mr Shawcroft ? » lui demande-t-il – je pose ici une question qui ressort par là-bas. Magique !

« Plusieurs fois, oui.

— Seriez-vous passé par une clinique spécialisée dans le traitement de la stérilité, à Amersfoot ?

— Pas à ma connaissance.

— Mais vous vous en souviendriez certainement, de cette clinique – il lui rappelle le nom et l'adresse. Vous n'en visitez tout de même pas tant que ça, dans une année...

— Je suis un homme très occupé, inspecteur.

— Ce qui me porte à croire que vous avez certainement des agendas et des carnets de rendez-vous parfaitement à jour.

— En effet, oui.

— Pourquoi ne les avons-nous pas retrouvés ?

— Je ne garde pas mes agendas au-delà de quelques semaines. Je suis allergique aux paperasses qui s'entassent dans les bureaux.

— Comment expliquez-vous que des couples qui ont été filtrés par votre centre d'adoption apparaissent aussi dans les registres d'une clinique d'Amsterdam, spécialisée dans le traitement de la stérilité ?

— Parce que ces couples avaient été traités là-bas, j'imagine. Les gens qui décident d'adopter commencent généralement par tenter la fécondation in vitro. »

Barrett contemple le plafond, l'air de s'ennuyer prodigieusement.

« Ces couples n'ont subi aucun traitement, dans cette clinique. Ils sont arrivés avec des embryons qui ont été transplantés sur de jeunes demandeuses d'asile — lesquelles se sont vues contraintes de mener leur grossesse à terme, puis d'accoucher, avant qu'on ne leur enlève leur bébé... »

Forbes pointe du doigt les cinq photos, sur la table. « Ces jeunes femmes, Mr Shawcroft. Celles-là mêmes que vous aviez rencontrées dans divers orphelinats et que vous aviez encouragées à quitter leur pays. Toutes les cinq vous ont identifié et ont accepté de témoigner contre vous. Et à chacune, vous aviez dit la même chose. "Dieu t'enverra le moyen de t'acquitter de ta dette." Avouez que ça ne s'invente pas... ! »

La main de l'avocat s'est posée sur le bras de Shawcroft. « Mon client souhaite exercer son droit à garder le silence », dit-il.

Et Forbes de lui retourner la réplique consacrée : « En ce cas, j'espère que votre client a bien conscience des inférences négatives que pourrait en tirer la Cour, au cas où il omettrait de mentionner certains faits qu'il aurait ensuite besoin d'invoquer pour sa défense...

— Mon client en est parfaitement conscient.

— Je dois aussi l'informer qu'il est tenu de rester ici et d'écouter jusqu'au bout mes questions, qu'il accepte ou non d'y répondre. »

Les petits yeux noirs de Barrett lancent des éclairs. « Faites ce que vous estimez devoir faire, inspecteur. Mais jusqu'ici, nous n'avons entendu qu'un fatras d'hypothèses, toutes plus saugrenues les unes que les autres. Quant aux faits, nous les attendons toujours ! Peut-être que mon client leur a effectivement parlé, à ces filles... Et alors ? Qu'est-ce qui vous permet d'affirmer que c'est lui qui les a fait immigrer clandestinement dans ce pays ? Qu'est-ce qui vous permet de soutenir qu'il y est pour quelque chose, dans cette ténébreuse histoire de mères porteuses et de bébés volés ? Où elles sont, vos preuves ? »

Il est parfaitement immobile et sûr de lui. « J'ai bien peur, inspecteur, que votre dossier ne repose que sur la parole de cinq immigrées clandestines qui seraient prêtes à signer n'importe quoi pour éviter l'expulsion et le rapatriement forcé. Vous voulez vraiment inculper mon client sur de telles bases ? Eh bien, je vous en prie... allez-y ! »

Barrett se lève, lisse son pli de pantalon, rajuste la boucle son ceinturon et jette un coup d'œil à Shawcroft : « Je vous conseille de garder le silence. » Puis il se dirige vers la porte et sort de sa démarche chaloupée, son grand chapeau de cow-boy à la main.

7

« Une petite pièce pour le Guy... »

Une bande de gamins aux cheveux hérissés s'est attroupée au coin de la rue. Le plus petit est déguisé en clochard, avec des habits trop grands de cinq tailles – on le croirait victime d'un rayon rétrécissant... Un de ses camarades le pousse du coude : « Allez, Lachie, montre-leur tes dents ! »

L'interpellé ouvre la bouche d'un air grognon, exhibant deux dents noircies.

« Une petite pièce pour le Guy ! répètent-ils en chœur.

— Vous n'allez pas le faire monter sur le bûcher, j'espère !

— Non, m'dame.

— Bon... » Je leur donne une livre.

Samira n'en a pas perdu une miette. « Qu'est-ce qu'ils font ?

— Ils collectent des fonds pour leur feu d'artifice.

— En mendiant ?

— Pas exactement, non. »

Hari lui a déjà expliqué le principe de la fête des Feux de Joie – la nuit de Guy Fawkes. Voilà trois jours qu'ils s'enferment dans mon abri de jardin tous les deux, déguisés en savants fous, avec des blouses et des T-shirts pur coton, après s'être débarrassés de tout ce qui pourrait être source d'étincelles ou d'électricité statique.

« En fait, c'était un terroriste, ce Guy Fawkes ?

— Si on veut, oui. Il a tenté de faire sauter la chambre des Lords avec des barils de poudre.

— Pour tuer le roi ?

— Oui.

— Pourquoi ?

— Pour protester contre la façon dont il les traitait, lui et ses coreligionnaires catholiques.

— C'était donc un conflit religieux.

— Ça peut se dire comme ça... »

Elle regarde les gamins. « Et on continue à fêter ça ?

— À l'époque, la population a tiré des feux d'artifice et brûlé des effigies de Guy Fawkes, pour fêter l'échec du complot. Et la tradition s'est perpétuée. »

Que personne ne vienne me dire que les protestants ne sont pas revanchards...

Elle médite là-dessus en silence, tandis que nous nous mettons en route pour Bethnal Green. Il est presque 6 heures du soir. L'air sent le soufre et la fumée. Le gazon est semé de feux de joie autour desquels se rassemblent des familles emmitouflées pour résister au froid.

Toute ma tribu est venue assister aux feux d'artifice. Hari frétille comme un poisson dans l'eau. Tout à l'heure, je l'ai vu émerger de la cabane du jardin, chargé d'une vieille caisse de munitions qui contenait les fruits de ses efforts et de l'expertise de Samira. Je n'ai pas réussi à savoir où ils s'étaient procuré leurs ingrédients de base – les produits chimiques, les sels et les poudres de métaux. La poudre elle-même vient d'un magasin de modèles réduits de Notting Hill, et plus précisément des moteurs de fusées miniatures qu'ils ont patiemment démontés et vidés de leur contenu.

Des torches dansent sur le gazon et des petites fusées commencent à siffler : serpents volants, chandelles romaines, feux de Bengale, etc. Les enfants agitent dans l'air des chandelles magiques et tous les chiens de Londres se sont donné le mot pour aboyer en chœur, et réveiller tous les bébés. Est-ce que les jumeaux les entendent, eux aussi ? Mais ils doivent être trop petits pour avoir conscience du raffut.

Je glisse mon bras sous celui de mon père, tandis que Samira et Hari vont planter de gros tubes de plastique dans le sol. Samira a ramené sa jupe entre ses jambes, en la passant dans sa ceinture pour la maintenir. Son foulard est prudemment noué sous le col de son manteau.

« Quelle idée de lui apprendre toutes ces bêtises ! marmonne mon père. Ça va lui sauter entre les mains.

— Mais non, tu vas voir. Ils s'en sortent très bien ! »

En sa qualité de cadet, Hari a toujours bénéficié d'un statut privilégié. Il a eu mes parents pour lui tout seul, ces six dernières années. Parfois, je me dis même qu'il est le dernier chaînon qui les rattache à l'âge moyen...

La paume arrondie autour d'une bougie, Samira s'accroupit et amène la flamme tout près du sol. Une seconde s'écoule, puis une deuxième – et une fusée prend son envol en sifflant, disparaît... Encore quelques secondes, et elle explose tout là-haut, en une cascade d'étoiles qui se dissolvent dans la nuit, faisant du même coup pâlir tous les autres feux d'artifice. C'était plus haut, plus éclatant, plus brillant ! Aux alentours, les têtes se tournent, les gens s'arrêtent pour nous regarder.

Hari psalmodie leur nom – le Souffle du Dragon, le Phénix d'Or, la Palme d'Étincelles, les Pommes de Feu –, tandis que Samira slalome entre les tubes, aussi discrète qu'efficace. Des colonnes d'étincelles se déploient autour d'elle, les cascades lumineuses se reflètent dans ses yeux.

Le bouquet est l'œuvre de Hari. Samira lui laisse le soin d'allumer la mèche. La fusée monte, monte, monte... jusqu'à ce qu'un petit point lumineux explose en un grand cercle de lumière blanche, rayonnant comme une grosse fleur de pissenlit – et à la seconde même où il semble vouloir agoniser, une boule rouge explose à son tour, à l'intérieur de la première. Puis c'est le bouquet final : une explosion tonitruante qui fait vibrer les fenêtres du voisinage, déclenchant même quelques alarmes de voitures. L'assistance applaudit. Hari s'incline. Samira a déjà commencé à ramasser les tubes carbonisés et les débris de cartons qu'elle rassemble dans la caisse.

Hari ne se sent plus de joie. « Allons fêter ça ! dit-il à Samira. Viens, je t'emmène en ville !

— Où ça, en ville ?

— Je n'en sais rien ! On verra... On peut aller boire un verre, ou écouter de la musique.

— Je ne bois jamais.

— Tu pourras commander un jus de fruit ou un coca.

— Mais je ne peux pas sortir avec toi. Une jeune fille ne peut sortir seule avec un garçon.

— On ne sera sûrement pas seuls ! Il y a toujours foule au pub...

— Elle veut dire "sans chaperon", précisé-je.

— Ah. Je vois... »

Je me demande parfois pourquoi il passe pour le plus futé des garçons de la famille ! Il a l'air aussi ahuri que déçu.

« C'est une question de religion, Hari.

— Mais j'ai jamais été du genre pratiquant... » Je lui donne une tape sur l'oreille.

Je n'ai pas encore raconté à Samira la façon dont s'est terminé l'interrogatoire de Shawcroft. Le magnat de l'action humanitaire ne nous a pas lâché un pouce de terrain. Forbes a dû le laisser repartir.

Comment expliquer les règles qui régissent la présentation des preuves et la présomption d'innocence à quelqu'un qui a toujours été privé de la justice la plus élémentaire ?

Je laisse les autres prendre un peu d'avance et, glissant mon bras sous le sien, j'essaie de lui expliquer.

« Mais tout ça, il l'a fait ! dit-elle en se tournant pour me faire face. Sans lui, rien ne serait arrivé. Hasan et Zala seraient toujours en vie. Il y a tant de gens qui sont morts... » Elle baisse les yeux. « Mais c'est peut-être eux, qui ont le plus de chance.

— Ne dis jamais ce genre de chose.

— Pourquoi ?

— À cause des bébés. Ils vont avoir besoin de leur mère. »

Elle m'interrompt d'un geste du tranchant de la main. « Ça, jamais ! Jamais je ne serai leur mère ! »

Son visage a changé. C'est comme si je voyais un autre visage transparaître sous le premier. Un visage dangereux. La vision ne dure qu'une fraction de seconde – juste assez pour me faire froid dans le dos. Un battement de paupières et c'est fini. Samira est de retour.

Nous sommes presque arrivés à la maison. Une grosse voiture sombre a ralenti, cinquante mètres derrière nous. Elle se rapproche lentement, sans nous dépasser. Je réprime un frisson. Glissant la main derrière moi, je sors ma chemise de ma ceinture. Mon Glock est toujours là, au creux de mes reins.

Hari a déjà pris à droite, dans Humbury street. Mon père et ma mère ont regagné leurs propres pénates. Au niveau du lampadaire suivant, une petite allée se faufile entre deux maisons. Samira a remarqué la voiture, elle aussi. « Ne te retourne pas », lui soufflé-je.

Au moment où nous passons sous le lampadaire, je la pousse vivement dans la ruelle en lui criant de filer à toutes jambes. Elle obéit sans poser de question, et je pivote vers la voiture. Le visage du conducteur reste dans l'ombre. Je pointe mon arme vers sa tête et ses mains s'élèvent, paumes en avant, comme celles d'un mime devant un mur imaginaire.

L'une des vitres arrière s'abaisse, tandis que le

plafonnier s'allume. Le canon de mon arme s'insinue dans la brèche. Julian Shawcroft a posé une main sur la porte. Dans l'autre, il tient ce qui ressemble à un missel.

« Venez, dit-il. J'aimerais vous montrer quelque chose.

— Est-ce que je vais disparaître ? »

Il semble désespérer de moi. « Remettez-vous-en à Dieu, pour assurer votre protection.

— Est-ce que vous allez m'aider à retrouver les jumeaux ?

— Je vais vous aider à mieux comprendre. »

Une rafale glacée, quelques gouttes de pluie – la nuit s'annonce maussade et froide. Les feux de joie jettent leurs dernières flammes. Les badauds rentrent chez eux. Nous traversons la Tamise pour prendre plein sud, vers Bermondsey. Çà et là, entre les immeubles et au-dessus des arbres, on aperçoit le dôme de Saint-Paul.

Shawcroft garde le silence. Je distingue ses traits dans le rayon des phares que nous croisons. Je tiens mon arme serrée contre moi, comme lui son missel. Je devrais peut-être avoir peur, mais je ne ressens qu'un étrange calme. Je n'ai passé qu'un coup de fil – chez moi, pour m'assurer que Samira était rentrée saine et sauve.

La voiture s'engage dans une allée et s'arrête dans une arrière-cour. En mettant pied à terre, je découvre pour la première fois la tête du chauffeur, à travers le toit ruisselant. Ce n'est pas Brendan Pearl, mais le contraire m'aurait étonnée. Shawcroft ne serait pas assez bête pour s'afficher aux côtés d'un assassin notoire.

Une femme apparaît aux côtés de Shawcroft, vêtue d'une ample jupe imprimée et d'un grand pull. Ses cheveux sont tirés en arrière si serré que cela lui relève les sourcils.

« Voici Delia, annonce-t-il. Elle dirige l'un de mes établissements. »

Je serre une petite main souple et sèche.

Elle me pilote à travers une double porte, puis dans une étroite cage d'escalier. Aux murs sont accrochés des posters représentant les multiples visages de la misère et de la faim, dont un portrait d'enfant africain décharné — gros ventre, regard insoutenable...

En bas dans un coin, un logo représente un cadran d'horloge dont les chiffres ont été remplacés par des lettres : SOS ORPHELINS.

Passant la main dans mon dos, je rengaine mon Glock dans son holster.

Nous arrivons dans un bureau – placards à dossiers, écrans d'ordinateur éteints. Shawcroft se tourne vers Delia.

« Est-ce que c'est ouvert ? »

Elle fait « oui » de la tête.

Je le suis dans une seconde pièce qui est aménagée en salle de projection, avec un écran. Encore des posters sur les murs – et des dizaines de coupures de presse, certaines écornées ou déchiquetées sur les bords. Une petite fille dans une robe blanche crasseuse, qui regarde la caméra. Un garçonnet, les bras croisés, une lueur de défi dans le regard. Et bien d'autres images, des centaines. Les murs en sont tapissés, sous les projecteurs qui en font des œuvres d'art, un grand patchwork de la tragédie humaine.

« Ceux-ci, on a pu les sauver », dit-il. Ses mains blanches – des mains de prêtre – restent croisées devant lui. « Vous vous souvenez des orphelins après le tsunami, en 2003 ? Personne ne peut donner leur nombre exact, mais on a avancé le chiffre de vingt mille. Sans abri. Perdus. Traumatisés. Des milliers de familles se bousculaient pour les adopter. Les gouvernements croulaient sous les offres. Pratiquement toutes ont été déclinées. » Le panneau d'affichage était replié en accordéon. Il le déploie, révélant une nouvelle série de photos.

Son regard glisse sur moi. « Vous voulez savoir ce qu'ils sont devenus, les orphelins du tsunami ? Au Sri Lanka, ils ont été recrutés par les Tamil Tigers. Des garçonnets de sept ans – soldats. En Inde, certaines familles se sont arraché les enfants pour toucher les subventions du gouvernement, et les ont abandonnés dès qu'elles ont eu l'argent. En Indonésie, les autorités refusaient l'adoption à tous les couples non musulmans. L'armée a repris de force trois cents orphelins qui étaient pris en charge par une équipe de secours – parce que l'expédition était organisée par une association chrétienne. Les enfants ont été abandonnés à eux-mêmes, sans toit, sans but et sans rien à manger. Même les pays qui permettent d'ordinaire l'adoption par des parents étrangers, comme l'Inde ou la Thaïlande, ont tout à coup fermé leurs frontières, à cause de rumeurs non confirmées concernant des orphelins qui auraient été sortis clandestinement du pays par des gangs de pédophiles. Quelle mascarade ! Imaginez que le système bancaire international se mette en grève chaque fois qu'une banque se fait braquer ! On arrête les voleurs et on les traduit en justice... mais la vie économique continue. Malheureusement, chaque fois qu'un enfant tombe entre de mauvaises mains, ils menacent de geler tout le réseau mondial d'adoption, aggravant ainsi la détresse de millions d'orphelins...

» Le public ne soupçonne même pas l'ampleur du problème. Chaque année, c'est deux millions d'enfants qui sont contraints de se prostituer, pour la moitié en Asie. Et en Afrique, il y a chaque semaine plus de nouveaux orphelins qu'il y en a eu après le tsunami. Ils sont treize millions, rien qu'en Afrique subsaharienne.

» De prétendus experts ont décrété qu'un enfant ne devait pas être traité comme une marchandise. Mais de quel droit ? Cela ne vaut-il pas mieux que d'être traité comme un chien ? Exposé au froid, à la faim ? Vivant dans la crasse ? Vendu comme esclave, ou comme objet sexuel ? Ils disent que l'argent ne devrait pas être le critère. Mais en avons-nous un autre ? Et sinon, comment les sauver ?

— Pour vous, la fin justifie donc les moyens.

— Je pense qu'elle devrait au moins être prise en compte.

— On ne peut pas traiter les gens comme des matières premières !

— Bien sûr que si, tout comme le font les économistes. Je suis un pragmatique.

— Vous êtes un monstre !

— Au moins, je fais quelque chose. Le monde a

besoin de gens comme moi. Des hommes d'action. Qu'est-ce que vous faites, vous ? Vous parrainez un enfant au Burundi ? Vous envoyez de l'argent à l'Unicef ? Vous essayez d'en sauver un, en acceptant d'en laisser dix mille crever de faim.

— Qu'est-ce qu'on peut faire d'autre ?

— Prendre le risque d'en perdre un, pour en sauver dix mille.

— Et qui choisit ?

— Pardon ?

— Oui, qui choisit celui qui doit être sacrifié ?

— Moi, je ne crains pas de choisir. Je ne demande pas à quelqu'un d'autre de le faire à ma place. »

Et là, je sens que je le hais. Sous cette façade flatteuse de bienveillance et de dévouement, ça n'est qu'un maquereau en col blanc, un fanatique prêt à tout pour parvenir à ses fins. Je préfère encore les vrais assassins, les Brendan Pearl – au moins eux, ils n'essaient pas de couvrir leurs crimes d'un voile de charité.

« Mais que se passe-t-il, si les probabilités changent ? Seriez-vous prêt à sacrifier cinq vies pour en sauver cinq cents voire dix, pour en sauver onze ?

— Eh bien, posez donc la question aux principaux concernés, raille-t-il. J'ai onze voix, contre seulement dix pour vous ! »

De façon fugace, déroutante, j'entrevois une logique dans ce qu'il dit, mais je ne peux accepter un monde si brutalement noir ou blanc. Le meurtre, le viol et les tortures sont des armes de terroristes, inacceptables pour les sociétés civilisées. Si nous

adoptons leurs façons de faire, à quoi nous raccrocher ? Quel espoir nous reste-t-il ?

Shawcroft se croit charitable et généreux, mais
c'est faux. Il est totalement corrompu. La traite
des femmes et des bébés. L'exploitation des plus
faibles... Il est passé du côté du problème, et non
plus de la solution.

« Rien ne vous donne le droit de choisir.

— J'accepte d'assumer mon rôle.

— Vous vous prenez pour Dieu le Père !

— Oui – et vous savez pourquoi ? Parce qu'il faut
bien que quelqu'un s'en charge. Les bonnes âmes
telles que vous comptent sur des vœux pieux, pour
sauver les gens de la misère. Vous portez des bracelets multicolores et vous clamez sur tous les toits
que vous voulez faire reculer la faim – mais
comment ?

— Ce n'est pas moi, le problème.

— Mais si !

— Où sont les jumeaux ?

— En bonnes mains.

— Où ça ?

— Là où ils doivent être. »

Je sens mon arme contre mes reins, tiède comme
du sang. Mes doigts se referment sur la crosse. En
un seul geste courbe, fluide et vif, mon Glock se
propulse vers lui et vient s'appuyer contre son front.

Je me serais attendue à le voir paniquer. Mais
non. Il se borne à cligner les yeux vers moi d'un air
triste et déçu. « C'est une véritable guerre, Alisha.
Je sais bien que le terme est déjà plus que galvaudé,
mais dans ce cas, c'est justifié. Il existe des guerres
justes. La guerre contre la détresse humaine et

541

contre la faim, c'en est une. Les pacifistes eux-mêmes ne peuvent qu'en convenir ! Or, les grands conflits font toujours d'innocentes victimes. Votre amie n'était qu'un dommage collatéral...

— Vous l'avez délibérément sacrifiée.

— Pour en protéger d'autres.

— Pour assurer votre propre protection, oui ! »

Mon index appuie sur la détente – encore quelques grammes de pression et... Il me regarde le long du canon, toujours sans frayeur. L'espace d'un instant, je songe qu'il est prêt à mourir, ayant dit ce qu'il avait à dire et fait la paix avec lui-même.

Ses yeux n'ont pas cillé. Il sait que je n'appuierai pas. Il est le seul lien qui me relie aux jumeaux.

8

Au-dessus de la cheminée est accrochée une toile monumentale, figurant un aristocrate du siècle dernier en robe de magistrat, avec au creux de son bras une perruque de crin qui m'évoque irrésistiblement la silhouette ébouriffée d'un Shihtsu. Le regard austère de l'important personnage reste fixé sur la grande table cirée, entourée de chaises à hauts dossiers.

La mère de Felix a revêtu une veste de tweed sur un pantalon noir, et se cramponne à son sac à main comme si elle avait peur de se le faire piquer. Près d'elle, son autre fils pianote nerveusement sur la table, comme s'il s'ennuyait déjà.

Barnaby est allé se poster près de la fenêtre, d'où il regarde la petite cour, de l'autre côté des vitres. Je n'ai pas remarqué l'arrivée de Jarrod, qui a traversé la pièce et dont la main m'effleure l'épaule.

« Alors... paraîtrait que je suis tonton ? »

Ses cheveux, coiffés en arrière, commencent à s'éclaircir sur les côtés et sur le dessus.

« Techniquement, je serais bien incapable de dire ce que tu es au juste.

— Selon mon père, ça serait des jumeaux.

— Mais Cate n'est pas leur mère. C'est une jeune fille qui les a mis au monde, sous la contrainte. »

Il ne comprend pas. « Biologiquement, ce sont les enfants de Cate. Ce qui fait de moi leur oncle, non ?

— Peut-être. En fait, je n'en sais rien ! »

Le notaire fait son entrée dans la salle et s'installe à la table de conférence – costume trois pièces rayé, la cinquantaine bien mûre. Il se présente sous le nom de William Grove, en nous gratifiant d'un sourire pincé. Toute son attitude dénote une hâte contenue. Pour lui, le temps c'est de l'argent et chaque minute compte.

Les chaises raclent le plancher. Tout le monde s'assoit. Me Grove jette un coup d'œil à ses instructions.

« Mesdames et messieurs... commence-t-il. Il y a un mois et demi, à la demande expresse des défunts, j'ai adjoint au présent testament un avenant qui reposait apparemment sur l'hypothèse que les Beaumonts aient eu des enfants... »

Un frémissement ébranle l'air et il se produit une brusque chute de pression. Le notaire lève les yeux en tirant sur ses manchettes amidonnées. « Dois-je comprendre qu'entre-temps, le couple aurait donné naissance à un ou plusieurs enfants ? »

Silence.

Enfin, Barnaby s'éclaircit la gorge et prend la parole : « Cela paraît vraisemblable, oui.

— C'est-à-dire ? Veuillez vous expliquer...

— Eh bien, tout semble indiquer que Cate et

544

Felix ont fait appel à une mère porteuse. Des jumeaux sont nés il y a huit jours. »

Pendant la minute qui suit, des exclamations incrédules fusent. La mère de Felix a lâché un petit hoquet étranglé. Barnaby contemple ses mains en se frottant le bout des doigts. Les yeux de Jarrod restent fixés sur moi.

Hésitant sur la conduite à tenir, Me Grove s'accorde un moment de répit pour reprendre contenance, avant de poursuivre... Les biens de Cate et de Felix consistaient en une maison de famille, lourdement hypothéquée et sise à Willesden Green, au nord de Londres. La propriété a été récemment endommagée par un incendie, mais l'assurance couvrira les frais de reconstruction. Felix avait aussi une assurance-vie, contractée par son employeur.

« Si aucun d'entre vous n'y voit d'objection, je vais donner lecture des deux testaments, qui sont à première vue identiques. » Il prend une gorgée d'eau. « Ceci est le testament et les dernières volontés de Cate Elizabeth Beaumont, née Elliot, établies à Londres, le 14 septembre 2006. Cet acte annule et remplace tous les précédents. Je confie à Me William Grove, du cabinet Sadler, Grove & Buffett, la charge de curateur et d'exécuteur du présent testament. Je lègue la totalité de mes biens à mon mari Felix Beaumont (précédemment connu sous le nom de Felix Buczkowski), au cas où il me survivrait d'au moins trente jours ; et dans le cas contraire, je lègue la totalité de mes biens à mon enfant, ou à mes enfants, à parts égales.

» Je confie à Alisha Gaur Barba la tutelle et

l'autorité parentale sur mes enfants et lui recommande de leur prodiguer soins et amour, en puisant autant que nécessaire dans leurs biens patrimoniaux, pour subvenir aux frais de leur éducation et de leurs études. »

Barnaby a bondi sur ses pieds, la mâchoire tremblante d'indignation. Je crains une seconde de le voir s'effondrer sous mes yeux, terrassé par une crise cardiaque.

« C'est ridicule ! Jamais je ne tolérerai que mes petits-enfants soient élevés par cette espèce de... d'étrangère ! » Il a pointé l'index sur moi. « Vous étiez au courant !

— Non.

— Vous saviez tout, depuis le début !

— Non. »

Me Grove tente de le calmer : « Je vous garantis que tout a été dûment signé devant témoins, Mr Elliot.

— Vous me prenez pour qui – pour un imbécile ? C'est du vent, votre truc ! Je ne laisserai personne s'approprier mes propres petits-enfants ! »

Ce débordement verbal a imposé silence aux autres participants. On n'entend plus que le murmure du climatiseur, avec en arrière-plan quelques gargouillis de plomberie. L'espace d'un instant, je m'attends à voir Barnaby lever la main sur moi... Mais non, il se reprend, repousse brutalement sa chaise et quitte la pièce, suivi de près par son fils. Tous les regards restent fixés sur moi. Je sens une bouffée de chaleur remonter vers ma nuque.

Mr Grove a une lettre pour moi. Je dois réprimer l'incoercible tremblement qui m'agite la main, pour

546

pouvoir la prendre. Pourquoi ? Pourquoi moi ?
Pourquoi Cate aurait-elle fait une chose pareille ? Je
me sens déjà crouler sous le poids de ces nouvelles
responsabilités.

L'enveloppe en main, je quitte à mon tour la
salle, avant de traverser le hall et de franchir les
lourdes portes vitrées. Puis je vais droit devant moi,
sans savoir au juste où. C'est tout ? C'est cette saleté
de petite lettre qui est censée tout expliquer, et rattraper huit ans de silence ?

Une autre idée émerge soudain du brouillard qui
m'a envahi l'esprit. C'est peut-être une chance qui
m'est offerte... L'occasion de me racheter. De
contrebalancer mes négligences, mes failles, mes
erreurs – tout ce que je n'ai pas su dire, toutes ces
fautes que j'ai commises par omission, ou par personnes interposées. Elle me demande de veiller sur
ce qu'elle a de plus précieux, et de faire mieux
qu'avec notre amitié.

Je m'arrête sur le seuil d'un café, pour glisser le
doigt sous le rabat de l'enveloppe.

Chère Ali,

*Qu'il est étrange d'écrire une lettre qui ne sera déca-
chetée et lue qu'après sa propre mort ! Mais j'ai tout
de même un peu de mal à m'en attrister. Et, puisque
je suis morte, n'est-il pas un peu tard pour pleurer sur
le pot au lait !*

*Non, mon seul vrai souci et mon seul regret, c'est
toi. J'ai toujours voulu être ton amie, depuis que nous
nous sommes rencontrées, à Oaklands, depuis ce jour
où tu as défié Donavon pour défendre mon honneur*

perdu – ça t'a même coûté une dent ! J'ai tout de suite su que tu étais une personne vraie, Ali. Et que pour toi, la loyauté n'était pas un vain mot.

Je sais que tu regrettes ce qui s'est passé avec mon père. Je sais aussi que c'était sa faute, bien plus que la tienne. Ça fait bien longtemps que je t'ai pardonné tout ça. Lui aussi, je lui ai pardonné, parce que – eh bien, tu sais comment c'est, avec les pères ! Tu étais loin d'être la première de ses aventures, soit dit en passant. Mais ça, tu as dû avoir l'occasion de t'en rendre compte…

Seulement, voilà… Je n'ai rien pu te dire de tout ça à cause d'une promesse idiote que j'avais faite à ma mère. Elle savait, pour mon père et toi. Il lui avait tout déballé, préventivement, parce qu'il craignait que je ne la mette moi-même au courant.

Ma mère a exigé que je lui promette de ne plus jamais te revoir ni te parler, de ne plus jamais t'inviter chez nous et même de prononcer ton nom.

Bien sûr, j'aurais dû passer outre. J'aurais dû te téléphoner et j'ai souvent failli le faire. Mille fois, j'ai décroché mon téléphone et composé le numéro de tes parents… Mais les mots ne me venaient pas. Trop de temps avait passé. Comment briser ce silence qui était devenu plus lourd qu'une chape de béton ?

Je n'ai jamais cessé de penser à toi. Je suivais ta carrière, de loin en loin, du mieux que je pouvais. J'avais de tes nouvelles par des amis communs. Bien sûr, ce pauvre Félix en avait jusque-là, de m'entendre chanter tes louanges et tes innombrables exploits. Il a dû plus d'une fois avoir l'impression d'être marié à un sacré tandem !

Dans un mois et demi, et après six ans de tentatives

infructueuses, si Dieu le veut, je serai mère. S'il venait à nous arriver quelque chose, à moi et à Felix – si nous mourions dans un accident d'avion ou si nous étions victimes d'un terroriste fou qui aurait pris Willesden Green pour cible, nous voudrions faire de toi la tutrice de nos enfants.

Ma mère va grimper au lustre en apprenant la nouvelle, mais j'ai tenu la promesse que je lui avais faite, et qui, à ma connaissance, ne comportait aucune clause interdisant les communications posthumes entre nous...

Je ne mets à mon offre aucune condition, restriction, ou instruction particulières. Si tu veux le job, il est à toi. Je sais que tu aimeras mes enfants comme si c'était les tiens. Je sais aussi que tu leur apprendras à veiller l'un sur l'autre, et que tu leur expliqueras les choses comme je l'aurais fait moi-même. Parle-leur de moi et de Félix, de temps en temps. Et en bien, évidemment.

Que puis-je ajouter ? Que je pense souvent à ce qu'aurait été ma vie, si tu en avais fait partie. Un jour, peut-être...

Avec tout mon amour,
Cate

Il est 17 heures, passées de quelques minutes. La lumière des lampadaires est diffractée par mes larmes. Des visages me dépassent. Des têtes se détournent. De nos jours, plus personne ne s'arrête pour parler à une femme qui pleure dans la rue. Du moins pas à Londres. Ce n'est plus qu'une folle parmi tant d'autres. Une source d'ennuis à éviter.

Pendant le trajet dans le taxi qui m'emmène à

West Acton, je surprends mon reflet dans la vitre. Jeudi, j'aurai trente ans, et je serai désormais plus près de mes soixante ans que de ma naissance. Mon visage est toujours jeune, malgré la fatigue qui me bouffit les traits. J'ai la mine fiévreuse d'une gamine qui aurait veillé trop tard à une fête d'adultes.

J'ai repéré le panneau « À VENDRE », accroché à l'une des fenêtres de Dave. Sa décision est donc prise. Il va vraiment quitter la police, pour aller apprendre aux gamins à faire de la voile.

J'hésite à monter. Je m'arrête à la porte d'entrée, je contemple une minute la sonnette, avant de battre en retraite vers la rue. Je n'ai pas envie d'entrer dans les détails, ni dans les grandes explications. J'aimerais juste déboucher une bouteille, commander une pizza et me pelotonner sur son canapé, avec ses jambes entre les miennes, en glissant mes pieds – qui sont pour l'heure glacés – entre ses mains.

Je ne l'ai pas revu depuis Amsterdam. Avant, il me téléphonait tous les jours, voire deux fois par jour. Quand je l'ai appelé, après l'enterrement, il m'a semblé hésitant, au téléphone. Presque nerveux.

Ce fichu éléphant, au milieu de la pièce ! On ne peut ni l'ignorer, ni en parler. Moi et mon bassin rafistolé... Et tout à coup, tout le monde se bouscule pour me refiler ses gosses ! C'est ça, ce qu'on appelle l'ironie du sort ? S'agissant d'ironie, j'ai toujours un léger doute : le terme est tellement galvaudé, de nos jours...

Je fais demi-tour. Je reviens à la porte. Je sonne. J'attends. Longtemps. C'est une voix de femme qui répond. Elle s'excuse de m'avoir fait attendre. Elle était sous la douche.

« Dave n'est pas là, m'annonce-t-elle.

— Ah. C'est de ma faute. J'aurais dû téléphoner.

— Mais il va rentrer d'une minute à l'autre. Vous voulez monter l'attendre ?

— Non, merci. Ça ira ! »

Qui ça peut bien être ? Et qu'est-ce qu'elle fiche chez lui !

« Je lui dirai que vous êtes passée.

— Oui, merci. »

Silence.

« Mais pour ça, j'aurais besoin de savoir votre nom...

— Ah oui. Désolée, euh... Ne vous en faites pas pour ça. Je rappellerai. »

Et je m'éloigne, en me répétant que je m'en fiche. Merde, merde et re-merde !

Chez moi, règne un calme suspect. Dans le salon, la télé est éteinte, mais il y a de la lumière au premier. Je passe par l'allée latérale et j'entre par la porte de derrière. Hari est dans la cuisine.

« Vite ! Empêche-la de partir.

— Qui ça ?

— Samira. Elle fait ses bagages. Elle veut partir.

— Pourquoi ? Qu'est-ce que tu lui as fait ?

— Moi ? Rien.

— Tu l'as laissée seule ?

— Pas plus de vingt minutes. Juste le temps de ramener la voiture d'un copain. »

Samira est dans ma chambre. Ses vêtements sont

551

pliés sur mon lit. Quelques jupes et quelques chemises, un vieux pull usé et la boîte à biscuits de
Hasan, qui trône au-dessus de la pile.

« Où tu vas, comme ça ? »

Elle semble retenir son souffle. « Je pars. Tu ne
veux plus de moi, ici.

— Pourquoi tu dis ça ? Il s'est passé quelque
chose, avec Hari ? Il a dit quelque chose qu'il ne
fallait pas ? »

Elle évite mon regard, mais j'aperçois un bleu qui
se forme sous sa pommette, un grand cerne sombre,
juste sous son œil droit.

« Qui t'a fait ça ?

— Il y a un homme qui est venu, répond-elle
dans un souffle.

— Qui ça ?

— Celui avec qui tu as parlé, à l'église.

— Donavon ?

— Non, l'autre. »

Barnaby. Il est passé chez moi, pour en découdre.

« Il a cogné sur la porte, comme un furieux. Et il
a dit que tu nous avais menti, à moi comme à lui.

— Je ne t'ai jamais menti.

— Il a dit que tu voulais garder les enfants pour
toi, et que lui, il était prêt à se battre pour les avoir.
Qu'il t'attaquerait en justice, et moi aussi.

— Ne l'écoute pas.

— Il a dit que je n'étais pas la bienvenue dans ce
pays, et que je ferais mieux de retourner d'où je
venais, parmi les terroristes.

— Mais non... »

J'avance la main mais elle se dégage.

« Est-ce qu'il t'a frappée ?

552

— J'ai essayé de refermer la porte, mais je n'étais pas assez forte. » Sa main se pose sur sa joue.

« Il n'a pas le droit de te dire des choses pareilles.

— Est-ce que c'est la vérité – que tu veux avoir les enfants ?

— Cate a fait un testament. Un document officiel où elle me confie légalement la garde de ses enfants.

— Leur garde ? Ça veut dire que les jumeaux sont à toi, maintenant ?

— Non. C'est toi qui les as portés. Ils peuvent bien avoir les yeux de Cate et le menton de Felix, c'est toi qui les as mis au monde et quoi qu'en dise Barnaby, tu es leur mère.

— Mais si je n'en veux pas ? »

J'ouvre vainement la bouche. Les mots restent coincés dans mon gosier, avec un soupçon d'autre chose – du désir et du doute. Quoi qu'ait pu souhaiter Cate, les enfants ne sont pas à moi. Et mes motifs sont purs.

Je glisse le bras autour des épaules de Samira et je la serre contre moi. Son souffle me réchauffe le cou et son premier sanglot produit un son mat, celui d'une pelle s'enfonçant dans un sol humide. Quelque chose cède, en elle. Elle a enfin retrouvé ses larmes.

9

Les chiffres digitaux de mon réveil brillent dans le noir. Quatre heures, passées de quelques minutes. Je ne me rendormirai plus, maintenant. Samira respire doucement, pelotonnée près de moi.

Je collectionne les éléphants. Toutes sortes d'éléphants – en peluche ou en verre filé, en porcelaine, en cristal ou en jade. Mon préféré mesure une vingtaine de centimètres. Il est en cristal de plomb, incrusté de petits miroirs. D'habitude, je le mets sous ma lampe de chevet, pour qu'il projette sur mes murs une pluie de petites étoiles multicolores. Mais je ne le vois plus. Il a dû tomber...

Je me glisse sans bruit hors du lit, j'enfile ma tenue de jogging et je sors dans Hanbury Street, toujours plongée dans la pénombre. La brise a fraîchi. Changement de saison...

Autrefois, Cate venait m'aider après l'école, pour mon entraînement. Nous faisions un petit circuit, moi en courant et elle à vélo. Elle savait qu'elle devait accélérer avant les côtes, parce que sinon je la dépassais dans la montée. Quand j'ai été sélectionnée pour les championnats nationaux, à Cardiff, elle a tanné ses parents jusqu'à ce qu'ils la laissent y aller. Elle était la seule élève d'Oaklands à être témoin de ma victoire. Ce jour-là, j'ai couru plus vite que le vent. Assez vite pour que le paysage devienne flou, à la périphérie de mon champ visuel.

Je ne distinguais pas Cate, mais j'ai repéré ma mère de très loin dans les tribunes, avec son sari qui faisait une jolie tache vermillon au milieu des bancs bleus, et de la foule grise.

Mon père, lui, n'est jamais venu me voir courir. Il était contre.

« La course à pied, ça n'est pas un sport féminin, disait-il. Ça vous fait transpirer comme des vaches !

— Pas plus que maman, à ses fourneaux.

— C'est différent. Ça n'a même rien à voir. C'est pas le même genre de sueur !

— Parce que selon toi, il y a différentes sortes de sueur ?

— Exactement. C'est prouvé. Scientifiquement. La sueur provoquée par un travail modéré, comme la préparation des repas, a une odeur bien plus agréable que celle de l'effort violent ! »

Je n'ai pas éclaté de rire. Une bonne fille ne rit pas au nez de son père.

Plus tard, j'ai surpris des discussions entre mes parents.

« Comment veux-tu qu'un garçon parvienne à lui mettre la main dessus, si elle court si vite !

— Tu ne tiens pas vraiment à ce qu'un garçon "lui mette la main dessus" !

— Mais tu as vu sa chambre ? Elle fait de la musculation. Elle a même des haltères, sous son lit !

— Il faut bien qu'elle s'entraîne.

— Les haltères, c'est pas pour les femmes ! Et tu as vu cette tenue ? Ces shorts minuscules... C'est comme des sous-vêtements. Ma fille s'exhibe en sous-vêtements dans les rues ! »

Il fait toujours nuit. J'avale deux tours de Victoria Park en suivant les passages goudronnés. Je me repère à la lumière des lampadaires.

Ma mère m'avait raconté une histoire dont le héros était un âne, l'âne d'un village où tout le monde se moquait de sa sottise et de sa maladresse. Un jour, un vieux sage a eu pitié de l'animal. « Si tu savais rugir comme un tigre, ils rigoleraient moins », lui dit-il. Puis, prenant une peau de tigre, il l'a posée sur le dos de l'âne. Celui-ci s'en est retourné au village dans cet accoutrement, et là, tout a changé. Les femmes et les enfants prenaient la fuite en hurlant. Les hommes couraient se cacher. Finalement, l'âne s'est retrouvé seul sur la place du marché, devant les étalages de pommes et de carottes.

Terrorisés, les villageois tinrent chapitre pour décider de la meilleure manière de se débarrasser de ce « fauve ». Le mieux était de le faire détaler en direction de la forêt. À grands renforts de tambours, on a encerclé le marché. Le pauvre baudet, effaré, ne savait plus où fuir. Il a déguerpi en direction de la forêt, mais là, les chasseurs l'ont rattrapé.

« Ce n'est pas un tigre ! a crié l'un d'eux. Ça n'est que l'âne du marché ! »

Le vieux sage les a alors rejoints et, sans se départir de son calme, il a soulevé la peau du tigre. « Regardez cet animal, a-t-il dit aux villageois. Il a une peau de tigre, mais son âme est celle d'un âne ! »

Ça, c'est tout moi : une âme d'âne, sous une peau de tigre.

Je dépasse Smithfield Market, quand une idée me traverse l'esprit, d'abord vague et fugace. On se demande ce qui peut provoquer ce genre de chose. Un certain rythme de pas ? Un certain arrangement des lumières, un mouvement imperceptiblement décalé, qui enclenche un enchaînement d'idées ? Et tout à coup, je sais. Je sais où il faut chercher !

Jusqu'à présent, Forbes a concentré ses recherches sur les couples qui ont réussi à obtenir les services d'une mère porteuse, et qui ne peuvent témoigner contre Shawcroft sans s'accuser eux-mêmes – pourquoi le feraient-ils, puisqu'ils sont couverts par la science ? Personne ne peut prouver qu'ils ne sont pas les vrais parents.

Mais précisément, ceux qui détiennent actuellement les jumeaux ne peuvent se prévaloir de ce bouclier génétique. Non seulement les tests d'ADN ne les couvriraient pas, mais au contraire, ils établiraient leur culpabilité. Ils n'ont sûrement pas eu le temps de feindre une grossesse ni d'échafauder une couverture élaborée. En cet instant même, ils doivent trembler en rasant les murs...

À cette heure matinale, il n'est pas difficile de trouver une place de parking à Kennington, près du bureau de Forbes. La plupart de ses collègues n'arrivent qu'à 9 heures, et la réception doit être déserte. En effet, je n'y trouve que l'officier de garde, qui a tenu la permanence de nuit. Un jeune type d'à peu près mon âge, que j'ai dû réveiller en entrant, vu son air morose.

« Je suis convoquée par l'inspecteur Forbes », lui affirmé-je d'autorité.

Il me lance un regard dubitatif. « Ce matin, le boss a une réunion au ministère de l'Intérieur. Il n'arrivera que plus tard dans la matinée.

— Il m'a demandé d'assurer le suivi, sur une piste.

— Quel genre, votre piste ?

— Une idée comme ça, sans plus... »

Il n'en croit pas un mot. J'appelle Forbes pour avoir son feu vert.

« J'espère que c'est important..., grommelle-t-il.

— Bonjour chef !

— Qui c'est ?

— DC Barba.

— Vous pouvez vous le garder, votre bonjour !

— Ah. Mille excuses, monsieur l'inspecteur divisionnaire. »

En arrière-plan, j'entends sa femme, qui exige le silence. Négociations d'oreiller...

« J'aurais besoin de consulter les relevés téléphoniques de Shawcroft.

— Vous avez vu l'heure !

— Oui, chef... 6 heures du matin. »

Il meurt d'envie de m'envoyer sur les roses. Il ne me fait aucune confiance. Pour lui, je ne suis qu'un oiseau de mauvais augure. Tout ce que je touche part en eau de boudin. Mais je subodore autre chose. Un brin de nervosité. Depuis qu'il a relâché Shawcroft, Forbes a fait machine arrière. Il s'est fait sonner les cloches, il a dû présenter des excuses. Mais ça, ça fait partie des risques du métier...

« Je préférerais nettement que vous rentriez chez vous, inspecteur Barba.

— J'ai une piste.

— Eh bien, laissez un message à l'inspecteur de garde. Vous n'êtes pas chargée de cette enquête, que je sache... ! » Il se radoucit. « Et retournez vite veiller sur Samira. »

Pourquoi ce manque d'enthousiasme ? Et quid de cette réunion au ministère de l'Intérieur ? Aurait-elle un lointain rapport avec Shawcroft ?

« Comment va votre femme, monsieur l'inspecteur divisionnaire ? » lui lancé-je.

Je le sens hésiter. Elle est à côté de lui. Il est pieds et poings liés ?

Le silence semble bien parti pour s'éterniser. Je murmure : « Nous sommes du même côté, Forbes. Vous ne m'avez pas baisée, l'autre nuit... Alors, n'essayez pas de m'avoir maintenant... !

— Bien. Très bien. OK... pas de problème ! réplique-t-il. Passez-moi l'inspecteur de garde. » Je m'exécute et j'écoute le bref dialogue qui s'ensuit. Oui, chef... – Bien, chef... Finalement, le jeune inspecteur me repasse le téléphone. Forbes veut me dire un dernier mot.

« Si vous trouvez quoi que ce soit, je veux en être le premier informé ! vu ?

— Oui, chef. »

Je raccroche. Mon regard croise celui de son jeune collègue et nous échangeons un sourire entendu. Réveiller un supérieur à 6 heures du matin fait partie de ces petits plaisirs sur lesquels personne ne crache.

Il s'appelle Rod Beckley, mais on le surnomme

Becks « parce que j'ai toujours été nul en foot ! »
ironise-t-il.

Il me trouve un fauteuil et me dégage un bureau,
avant de me livrer une pile de douze gros classeurs
cartonnés. Tous les appels passés au centre
d'adoption – en entrée et en sortie – sont répertoriés
avec le numéro du correspondant, la date, l'heure
et la durée de l'appel. Il y a six lignes téléphoniques,
plus deux pour les fax et une ligne directe pour le
bureau de Shawcroft.

D'autres classeurs contiennent les données pour
son portable et le poste fixe de son domicile. Les
SMS et les e-mails ont été imprimés et agrafés dans
l'ordre chronologique.

Armée d'un marqueur, j'entreprends de filtrer les
appels. Et plutôt que de me concentrer sur les
numéros eux-mêmes, je m'intéresse aux heures.

Le ferry est arrivé à Harwick à 3 h 36, le
dimanche matin. Pearl a dû débarquer peu après
4 heures. À 10 h 25, il a acheté des couches et du
lait maternisé dans une station-service, sur l'autoroute M25, avant d'en repartir dans une voiture
volée.

Je consulte la liste des appels adressés au portable
de Shawcroft. À 10 h 8, il a reçu un coup de fil qui
a duré moins de trente secondes. Je cherche d'autres
occurrences du numéro... en vain. Il n'apparaît
qu'une fois. Un faux numéro, peut-être ?

À l'autre bout de la salle, Beck pianote sur un
clavier. Je viens m'asseoir au bord de son bureau
jusqu'à ce qu'il daigne lever un œil vers moi.

« Est-ce qu'on peut retrouver le propriétaire de
ce numéro ? »

Il se connecte sur le système informatique de la police nationale et entre le numéro. Une carte du Hertfordshire apparaît dans une fenêtre distincte, avec la liste des détails. Le numéro correspond à la cabine publique du Potter's Bar, le bar d'une station-service sur une aire de repos située près de la sortie 24, sur la M25. La station où Brendan Pearl a été vu pour la dernière fois. Il doit avoir appelé Shawcroft pour lui demander des instructions – l'adresse où il devait déposer les jumeaux, par exemple. Ce n'est pas une preuve définitive, évidemment. Mais jusqu'ici, c'est le lien le plus direct que j'aie pu établir entre les deux hommes.

Je me replonge dans les listes d'appel, mais pendant les trois heures suivantes, Shawcroft n'a pas utilisé son portable. Or, si son plan avait capoté, il aurait sûrement appelé quelqu'un...

Je m'efforce de reconstituer le film de ce dimanche matin... Shawcroft était à son club de golf. Leurs parties commencent à 10 h 05. L'un de ses coéquipiers n'avait-il pas dit quelque chose à ce sujet, quand Samira les avait interrompus et que Shawcroft tâchait de l'éloigner du terrain... « Ça ne va pas recommencer ! » avait-il protesté.

Parce que ça s'était déjà produit, une semaine plus tôt. Après le coup de fil de Brendan Pearl, Shawcroft avait dû abandonner la partie. Pour aller où ? Il devait annoncer l'arrivée des jumeaux aux acheteurs, organiser le rendez-vous... Ne voulant pas prendre le risque d'utiliser son propre portable, il s'est donc mis en quête d'un autre téléphone, un numéro dont il pensait qu'il ne pourrait pas être surveillé.

Je reviens vers Beck. « Vous pensez que vous pourriez retrouver le numéro d'une hypothétique cabine publique, dans un certain club de golf, situé dans le Surrey ?

— Pourquoi pas ? Vous avez un nom du club ?

— Oui. Le Country Club des Deux Ponts. La cabine doit être dans le vestiaire, ou dans le salon de thé. Dans un endroit tranquille. Je cherche un appel qui aurait été passé depuis cette cabine, entre 9 h 20 et 10 h 30, le dimanche 20 octobre.

— Et ce sera tout ? demande Beck avec un sourire en coin.

— Pas tout à fait, non. Ensuite, il faudrait faire une recherche de correspondance avec les numéros de la liste d'attente d'un certain centre d'adoption, le Centre Renaissance. »

Pour lui, c'est du chinois, mais il lance les opérations sans murmurer. « Et vous pensez que ça peut marcher ?

— Ça *va* marcher. »

10

Ce cher petit Dave a reconnu ma voix dans son interphone. Il marque une pause avant d'appuyer sur le bouton qui actionne la porte d'entrée.

Quand j'arrive sur son palier, sa porte est restée ouverte. Il est dans la cuisine, occupé à touiller des pots de peinture.

« Alors c'est décidé... Tu vends ?

— Ouaip.

— T'as déjà des acheteurs ?

— Pas encore, non. »

Je repère deux tasses sur l'égouttoir et deux sachets de thé qui sèchent dans l'évier, à côté des pinceaux et du rouleau à peinture. Il veut repeindre ses plafonds en blanc cassé. C'est moi qui lui avais suggéré la couleur. Les murs seront d'un vert d'eau très doux, avec les plinthes et le bord des fenêtres d'une nuance plus soutenue, ton sur ton.

Je le suis dans le living. Les quelques meubles qu'il possède sont regroupés au centre de la pièce, sous un vieux drap.

« Comment va Samira ? » demande-t-il.

Sa question me prend de court. Il ne l'a jamais

rencontrée, mais il a vu le journal télévisé et lu la presse.

« Je m'en fais pour elle et pour les jumeaux. »

Il plonge son rouleau dans la peinture.

« Tu veux bien m'aider ?

— Nous ne sommes pas chargés du dossier.

— Il faut les retrouver. J'ai besoin d'un coup de main. »

Il monte à l'échelle et fait courir le rouleau sur le plafond où il dessine de grands rubans blancs.

« Qu'est-ce qu'on risque, Dave ? Tu as démissionné. Tu t'en vas. Moi, ma carrière est derrière moi. On se fiche bien de savoir quelles plates-bandes on va piétiner et qui on risque de se mettre à dos ! Y a un vrai problème, sur ce dossier. Côté flics, tout le monde se fait des courbettes ou s'applique à regarder de l'autre côté, pendant que les vrais salauds font disparaître les preuves et assurent leurs arrières. »

Son rouleau court toujours. Mais je sais qu'il m'écoute.

« À t'entendre, on croirait qu'ils sont à toi, ces enfants ! »

Pour un peu, je m'en dévisserais le cou d'indignation, mais je me reprends à temps. Il me regarde du haut de son échelle. De Souza, Barnaby... et maintenant Dave. Ils se sont tous donné le mot, ma parole ! Est-ce moi qui refuse de voir la vérité en face ? Non, ils se trompent tous. Je veux retrouver les jumeaux, oui. Mais pas pour moi.

« Si je fais tout ça, c'est que ma meilleure amie m'a confié par testament ce qu'elle avait de plus précieux au monde. Je n'ai pas pu sauver Cate, ni

564

Zala – mais les jumeaux, je ne les laisserai pas tomber ! »

Le silence qui s'ensuit s'étire indéfiniment, ce qui ne gêne qu'un seul d'entre nous, toujours le même. Ce cher Dave s'est toujours défini davantage par ce qu'il n'aime pas, que par ce qu'il aime. Il a par exemple horreur des chats, ou des hypocrites. Il est allergique aux émissions de télé réalité, aux supporters de rugby et aux femmes tatouées qui hurlent sur leur marmaille au supermarché. À la réflexion, je pense que je pourrais m'habituer à lui – mais pas à ses silences, qui m'ont toujours empoisonné la vie. Lui, il semble dans son élément... Et je donnerais cher pour savoir ce qui lui trotte dans la tête. Est-il furieux parce que je l'ai laissé rentrer seul d'Amsterdam ? Est-ce qu'il m'en veut d'avoir laissé les choses en suspens ? Nous avons l'un et l'autre des tonnes de questions qui nous restent en travers de la gorge. Moi, par exemple... j'aimerais bien savoir qui a répondu à l'interphone, hier soir, au saut de sa douche !

Je me tourne vers sa chambre. La porte est ouverte. Je remarque immédiatement la valise rangée contre le mur et le chemisier qui pend sur un cintre, derrière la porte ouverte. Je ne me rends même pas compte que j'ai écarquillé les yeux. Dave descend de son échelle et emporte le rouleau dans la cuisine. Là, il l'emballe délicatement d'un film plastique, avant de le laisser dans l'évier, puis il ôte sa chemise et la balance dans un coin.

« Donne-moi cinq minutes, dit-il. Le temps de passer sous la douche... » Puis il gratte son menton

565

où bleuit une barbe de deux jours et se ravise :
« OK... Disons plutôt dix ! »

J'ai deux adresses : l'une se trouve juste sur l'autre
rive de la Tamise, à Barnes, et l'autre près de
Finsbury Park, au nord de Londres. La première est
celle d'un couple dont le nom apparaît aussi sur
l'une des listes d'attente du centre d'adoption.
Quant à celle de Finsbury Park, elle n'est sur
aucun fichier.

Il y a une semaine, juste après 10 heures, le
dimanche matin, les deux numéros ont été appelés
depuis le téléphone public du vestiaire du Country
Club des Deux Ponts, dans le Surrey – et à cette
heure-là, Shawcroft s'y trouvait.

Trop de choses s'emboîtent. La coïncidence
semble trop belle pour être le pur fruit du hasard.
Ça mérite au moins d'être vérifié.

Dave a passé un jeans en velours côtelé et un
blouson de cuir. « Qu'est-ce que tu veux, au juste ?

— Y jeter un œil, rien de plus. Pour vérifier.

— Et Forbes ?

— Jamais il ne se risquerait à faire ce genre de
grand écart. Il finira peut-être par arriver à la même
conclusion en procédant par élimination, arithméti-
quement, mécaniquement... mais je ne crois pas que
nous puissions nous payer le luxe de l'attendre... »

Je revois la petite, luttant pour déployer ses
poumons engorgés. Ma propre gorge se serre. Nous
devrions l'avoir déjà retrouvée. Elle devrait déjà être
dans un service spécialisé, à l'heure qu'il est.

« OK, dit Dave. Nous voilà donc avec ces deux

adresses... Mais je ne sais toujours pas ce que tu comptes faire.

— Moi non plus, j'en sais trop rien. Je pourrais peut-être me pointer et frapper à leur porte en disant : "Vous n'auriez pas vu passer deux bébés d'une semaine qui ne seraient pas à vous ?" Par contre, je sais très bien ce que je ne ferai pas : je ne vais sûrement pas rester ici à attendre qu'ils aient définitivement disparu ! »

Une volée de feuilles mortes tourbillonne jusqu'au trottoir, avant de s'en retourner voleter au-dessus du gazon du parc, comme si elles hésitaient à traverser la rue. La température ne doit guère dépasser les cinq ou six degrés, et le vent accentue encore la morsure du froid.

Nous nous sommes garés dans une rue typique du quartier : grandes bâtisses à colonnades, jardins verdoyants, platanes élagués par d'impitoyables sécateurs qui les ont laissés presque difformes.

Une banlieue de courtiers en bourse et de banquiers d'affaires – des familles fortunées, attirées dans le quartier par la proximité du parc, des écoles et de la City. En dépit du froid, une petite dizaine de mères de famille ou de bonnes d'enfants surveillent le bac à sable – les bambins sont tellement emmitouflés qu'ils se dandinent comme des bonshommes Michelin miniatures.

Dave garde un œil sur les accortes mères de famille, tandis que je surveille discrètement la maison, au n° 85. Robert et Noelene Gallagher roulent en Volvo Estate, paient leur redevance télé rubis sur l'ongle et votent libéral-démocrate – pure spéculation de ma part, bien sûr, mais c'est l'effet que ça fait, ce genre de maison dans ce genre de quartier.

Dave passe les doigts dans ses cheveux en bataille.

« Je peux te poser une question ? me lance-t-il, tout à trac.

— Bien sûr.

— Est-ce que tu m'as déjà aimé ? »

Celle-là, je ne m'y attendais pas. « Qu'est-ce qui te fait croire que je ne t'aime pas, là, maintenant ?

— Tu ne me l'as jamais dit.

— Comment ça, jamais dit ?

— T'as peut-être utilisé le mot, d'accord... mais jamais dans une vraie phrase avec mon nom, comme dans : "Je t'aime, Dave." »

J'essaie de remonter dans le temps, pour pouvoir le contrer, mais il a l'air sûr de lui. Toutes ces nuits que j'ai passées dans ses bras. J'étais si bien. Si heureuse. Et je ne le lui aurais même pas dit ? Pas une seule fois ? Je me souviens de mes débats philosophiques internes sur la nature, les dangers et les ravages de l'amour, sur la façon dont il nous affaiblit. Il n'en aurait donc rien capté ? En fait, j'essayais surtout de me dissuader de tomber amoureuse de lui, et j'ai échoué. Mais lui, comment pourrait-il le savoir ?

Il faudrait tout de même que je le lui dise, un jour... Mais comment ? Maintenant, ça va paraître contraint, parachuté. C'est trop tard. Je pourrais aussi essayer de m'excuser. Me retrancher derrière mon incapacité à avoir des enfants – mais la vérité, c'est qu'à présent, je préfère le tenir à distance. Et puis, il y a cette autre femme qui squatte son appartement.

Et voilà, il remet ça... le silence. Il attend.

Je finis par craquer : « Et toi ? Tu vois quelqu'un d'autre, en ce moment ? lui balancé-je dans les dents.

— Pourquoi tu dis ça ?

— Ne mens pas. Je lui ai parlé. »

Il pivote complètement sur le siège conducteur, pour me faire face, l'air plus sidéré que coupable.

« Je suis passée chez toi, hier. Tu n'étais pas là. Elle a répondu à l'interphone.

— Jackie ?

— Tu parles que je lui ai demandé son nom ! » Beurkk ! cette réplique schlingue la jalousie à cent mètres.

« Mais c'est ma sœur.

— Tu n'as jamais eu de sœur !

— Non, ma belle-sœur... la femme de mon frère. Jackie.

— Ils habitent San Diego.

— Non, ils habitent chez moi. On est associés, mon frère et moi. Souviens-toi... je te l'avais dit... »

Là, j'ai atteint le fond du fond... « Mince. Ah... ! tu dois me trouver bête ! Eh bien, je suis vraiment désolée – je veux dire, c'est pas du tout mon genre, tu vois... la jalousie, tout ça... Enfin, pas d'habitude. Mais là, après ce qu'on s'était dit à Amsterdam – comme tu n'avais pas appelé, et moi non plus, eh bien, tu vois... je me suis dit – je sais, c'est vraiment débile... eh bien, que tu t'étais trouvé quelqu'un d'autre, quelqu'un de moins, eumh... tordu, de

569

moins compliqué ou de moins pénible – et je t'interdis d'éclater de rire !

— Mais je ne ris pas.

— Qu'est-ce que tu fais, alors ?

— Je regarde la bagnole, là-bas. »

Je suis son regard. Une Volvo Estate est garée juste en face de la grille d'entrée du n° 85. Il y a un pare-soleil sur la vitre arrière et on aperçoit ce qui ressemble fort à un siège bébé.

C'est juste une perche qu'il me tend, tel un preux chevalier étendant son manteau à terre pour faire traverser une flaque de gadoue à sa dame.

« OK, je vais y jeter un œil, dis-je en ouvrant la portière. Ça m'a tout l'air d'un siège bébé. »

Je sens son regard s'attarder dans mon dos, tandis que je m'éloigne. Il sait. Il comprend. Il voit bien que je continue à esquiver le problème, une fois de plus. Et une fois de plus, je l'ai gravement sous-estimé. Il est beaucoup plus fin que moi. Et sûrement plus gentil.

Je traverse la rue et je continue le long du trottoir, jusqu'à la Volvo. Là, je me penche, comme pour refaire mes lacets. Les vitres sont teintées et je distingue des petites traces de doigts sur le verre. La lunette arrière s'orne d'un autocollant à la gloire de Garfield.

Je jette un coup d'œil vers Dave. L'index replié, je lui fais signe d'aller frapper à la porte du 85. Il secoue la tête. Tant pis, j'y vais seule. J'ouvre la grille d'entrée, je gravis les marches du perron.

La sonnette retentit. La porte s'entrouvre. Une gamine de quatre ou cinq ans me considère d'un œil grave. Elle a les mains pleines de peinture et une petite tache rose juste au milieu du front, tel un *bindi*, en plus fantasque.

« Bonjour. Comment tu t'appelles ?

— Molly.

— C'est un joli nom.

— Je sais.

— Est-ce que ta maman est là ?

— Elle est en haut. »

J'entends une voix, dans la direction qu'elle m'indique : « Si c'est le monsieur pour la chaudière, dis-lui qu'elle est dans la cuisine, au bout du couloir.

— Ça n'est pas le monsieur pour la chaudière, répliqué-je sur le même ton.

— C'est une dame indienne », précise Molly.

Mrs Gallagher apparaît au sommet de l'escalier. Elle a la quarantaine et porte une jupe de velours côtelé, avec une large ceinture en cuir, bas sur la hanche.

« Bonjour, madame. Excusez-moi de vous déranger, mais nous allons emménager dans le quartier, mon mari et moi, et je voulais vous demander quelques renseignements concernant les écoles, les cabinets médicaux... ce genre de choses. »

Je l'entendrais presque s'interroger mentalement sur la conduite à tenir. Et je sens dans son hésitation autre chose que de la prudence ordinaire...

« Quelles belles boucles ! m'extasié-je, en caressant les cheveux de Molly.

— Oui. Tout le monde le dit ! » réplique la petite.

Pourquoi les parents d'une jolie petite Molly iraient-ils s'acheter un bébé ?

« Je suis, euh... un peu occupée pour le moment,

dit Mrs Gallagher, en repoussant les mèches qui lui balaient le front.

— Je comprends, je comprends. Je suis vraiment désolée. » Et je m'apprête à faire demi-tour pour repartir.

« Quelle maison allez-vous acheter ? demande-t-elle, dans un effort pour rester polie.

— Oh, nous n'allons pas acheter. Pas encore. Nous allons louer le n° 68. » D'un geste, j'indique le bas de la rue, où nous avons croisé une pancarte *À LOUER*. « Nous arrivons du nord de Londres. Mon mari a un nouveau poste. Nous travaillons tous les deux. Mais nous avons bien l'intention d'avoir des enfants dès que possible. »

Mrs Gallagher est arrivée au pied des marches. Il fait trop froid pour laisser la porte ouverte. Elle va devoir choisir : me dire d'entrer, ou de ficher le camp.

« Là, ça tombe vraiment mal, dit-elle. Mais si vous me laissez votre téléphone, je vous rappellerai plus tard.

— Oh, merci beaucoup. » Je cherche un stylo dans mes poches. « Vous auriez un papier ? »

Elle regarde sur une étagère au-dessus du radiateur. « Je vais vous chercher ça... »

Molly est restée dans le couloir à me tenir la porte. « Tu veux que je te montre mes peintures ?

— Oh oui ! Ça serait formidable.

— Attends, je vais t'en chercher une. » Elle se précipite dans l'escalier. Sa mère revient de la cuisine, une enveloppe à la main. Du regard, elle cherche Molly.

« Elle est allée en haut me chercher une de ses

œuvres, expliqué-je. Vous avez là une jeune artiste en herbe...

— Si ce n'est qu'elle met plus de couleurs sur ses vêtements que sur le papier !

— Un peu comme mon petit ami...

— Je croyais que vous étiez mariés, lance-t-elle, en me regardant droit dans les yeux, d'un regard qui ne cille pas.

— En fait, nous sommes fiancés... mais depuis si longtemps que nous formons déjà un vieux couple ! »

Elle n'en croit pas un mot. À l'étage, Molly s'égosille « Maman ! J'entends Jasper qui pleure !

— Ah, vous en avez deux... »

Mrs Gallagher tend la main vers la porte, mais mon pied est plus rapide et mon épaule a eu le temps de s'interposer. Rien ne m'autorise à pénétrer ainsi chez elle de force, sans mandat et sans raison valable.

Je m'avance vers l'escalier. Mrs Gallagher m'attrape par le bras, en me sommant de sortir. Je me dégage d'un coup d'épaule. En dépit de tout ce raffut, j'ai entendu. Ce sont des pleurs de bébé.

Je grimpe l'escalier quatre à quatre, en tâchant de retrouver la source des cris. La première porte donne sur la chambre des parents. La deuxième est celle de Molly – elle a installé son chevalet sur un vieux drap. J'ouvre la troisième – un banc de poissons multicolores tourbillonnent au-dessus d'un petit lit blanc où j'aperçois, bien calé sur des oreillers, un bébé rouge d'indignation qui semble protester contre toute la création.

Mrs Gallagher me bouscule pour me dépasser et

573

prend le petit garçon. « Sortez de chez moi... immédiatement !

— C'est votre bébé, Mrs Gallagher ?

— Oui.

— Vous l'avez mis au monde... vraiment ?

— Dehors ! Fichez le camp ! Ou j'appelle la police.

— La police, c'est moi. »

Elle secoue lentement la tête, soufflée.

Le bébé ne pleure plus. Molly tire sur la jupe de sa mère.

Tout à coup, je vois ses épaules s'affaisser, et c'est comme si elle se dégonflait sous mes yeux. Ses genoux se dérobent sous elle, puis elle fléchit à partir de la taille. Elle s'effondre dans mes bras, sans lâcher l'enfant, et je la pilote doucement vers un fauteuil.

« Nous l'avons adopté, dit-elle dans un souffle. Il est à nous.

— Ce n'est pas un enfant abandonné. Personne ne peut l'adopter. Vous le saviez... ? »

Elle fait « non » de la tête, tandis que mon regard balaie la pièce. Où est sa sœur, la petite... ? Mon cœur saute plusieurs battements, avant d'accélérer à tout rompre.

« Il y avait un autre bébé. Une sœur jumelle. »

Elle regarde du côté du petit lit. « Non. Il n'y a que lui... »

Le pire me traverse à présent l'esprit. Elle était si menue, si frêle... Et elle avait peine à respirer. Seigneur... de grâce – faites qu'elle soit saine et sauve !

Mrs Gallagher a trouvé un mouchoir. Elle se

mouche bruyamment. « On nous a assurés qu'il était abandonné. Je vous jure que je ne savais rien de tout ça. La disparition des jumeaux... Jusqu'au moment où je l'ai appris au journal télévisé. Là, bien sûr, j'ai commencé à me poser des questions...

— Qui vous l'a apporté ?

— Un homme. Il est venu ici.

— À quoi ressemblait-il ?

— Cinquante-cinq ans, cheveux courts. Fort accent irlandais.

— Quand ?

— Dimanche – pas le dernier, celui d'avant. » Elle s'essuie les yeux. « Nous avons été pris de court. Nous ne l'attendions pas avant deux ou trois jours de plus...

— Qui a organisé l'adoption ?

— Mr Shawcroft nous a dit qu'une adolescente attendait des jumeaux, mais n'avait pas les moyens de garder les deux bébés et désirait en faire adopter un. Il nous a proposé de court-circuiter la liste d'attente, moyennant une prime de cinquante mille livres...

— C'était totalement illégal... Vous le saviez.

— Mr Shawcroft nous avait dit que la loi interdisait de séparer des jumeaux et qu'il faudrait que tout se fasse dans le plus grand secret.

— Vous avez feint une grossesse ?

— Nous n'avions pas le temps. »

Molly joue avec une petite boîte de coquillages qu'elle dispose artistiquement.

« Est-ce que Molly, elle aussi... ? » Je laisse ma question en suspens.

« Molly est ma fille, dit-elle d'un ton définitif.

575

Mais je ne pouvais plus avoir d'enfant. J'ai eu des complications. Des problèmes médicaux. Et on nous disait que nous étions trop vieux pour adopter – mon mari a cinquante-cinq ans, vous comprenez... » Elle s'essuie les yeux. « Je vais l'appeler pour le prévenir... »

Au rez-de-chaussée, quelqu'un crie mon nom. Dave a dû me voir pousser la porte, depuis notre planque, et a cru bon d'intervenir.

« Ici ! À l'étage !

— Tout va bien ?

— Oui. »

Il apparaît sur le seuil et survole la pièce du regard. Mrs Gallagher, Molly, le bébé...

« C'est l'un des jumeaux, lui annoncé-je.

— Seulement un ?

— Le garçon. »

Il s'approche du berceau. « T'en es sûre ? »

Mon regard a suivi le sien. Un nouveau-né a amplement le temps de changer, en dix jours – mais je l'ai reconnu. Sans la moindre hésitation.

« Et la petite fille ? s'enquiert-il.

— Elle n'est pas ici. »

Shawcroft avait passé deux coups de fil, depuis le Country club. Le second était adressé à une certaine Mrs Y. Moncrieffe, à Finsbury Park, dont le nom n'apparaît dans aucune des listes d'attente du centre d'adoption.

Mais je ne peux pas m'éloigner de cette maison. Je dois rester sur place pour expliquer tout ça à Forbes, qui va sans doute grimper au lustre, à son habitude.

« Dave... est-ce que tu pourrais aller à l'autre adresse ? »

Il soupèse un instant les implications et les répercussions possibles. Mais ce n'est pas pour lui qu'il s'en fait : c'est moi qui risque le conseil de discipline.

Il se penche et m'embrasse sur la joue. « Tu sais qu'il y a des fois où tu pousses un peu, toi ?

— Je sais, oui... »

11

Le DI Forbes traverse la maison en coup de vent, le visage crispé en un masque de colère et de haine froide. Il m'entraîne dans le jardin de derrière et se met à arpenter la pelouse, sans même un regard pour ses chaussures qui glougloutent dans la boue.

« De quel droit ! hurle-t-il. Vous êtes entrés dans cette maison de façon totalement illégale !

— J'avais de bonnes raisons de...

— Quelles raisons ?

— Vous savez bien... J'étais sur une piste.

— Vous auriez dû me consulter avant d'agir ! C'est moi, le responsable de cette putain d'enquête ! »

Les petits verres rectangulaires de ses lunettes tressautent sur son nez. Ça ne doit pas être très confortable, pour lui.

« D'un point de vue strictement professionnel, ce choix m'a été imposé par les circonstances, chef.

— Déjà, qu'est-ce qui vous dit que c'est le même bébé ? Il n'y a même pas eu d'acte de naissance, ni de certificat d'adoption !

— Mrs Gallagher a reconnu ne pas être la mère

biologique. L'enfant lui a été apporté par un type dont le signalement correspond à celui de Brendan Pearl.

— Mais vous auriez dû m'attendre !

— Avec tout le respect qui vous est dû, chef, vous avez perdu trop de temps. Shawcroft avait les mains libres. Il a dû faire le ménage dans ses fichiers, effacer toutes ses traces. En fait, vous n'avez aucune envie de l'inculper. »

Je m'attends à le voir imploser sous mes yeux d'un instant à l'autre. Ses vociférations doivent porter à l'autre bout du quartier. Et il a les pieds pleins de boue.

« J'aurais dû vous signaler à la police des polices, quand vous étiez à Amsterdam ! Vous avez harcelé des témoins, abusé de votre autorité et refusé d'appliquer les ordres d'un officier supérieur. Vous avez laissé passer à peu près toutes les occasions que vous avez eues de suivre le règlement ! »

Son pied se soulève, mais sa chaussure reste embourbée. Sa chaussette s'enfonce dans la boue jusqu'à la cheville, et nous faisons l'un et l'autre comme si nous n'avions rien vu.

« À partir de maintenant, vous êtes mise à pied, compris ? Considérez votre carrière comme finie. Ça, faites-moi confiance – je vais y veiller personnellement ! »

Les services sociaux, alertés, nous ont dépêché une assistante, une grosse avec une croupe si rebondie qu'on jurerait qu'elle porte une tournure. Les Gallagher sont en grande discussion avec elle, dans le salon. Ils ont l'air aussi soulagés l'un que l'autre, d'arriver au terme de leurs épreuves. Les derniers jours ont dû être rudes, pour eux : l'incertitude, l'attente anxieuse d'un coup de sonnette, et par-dessus tout, la crainte de s'attacher à cet enfant qui risquait à tout instant de leur être enlevé.

Molly est remontée dans sa chambre, en compagnie d'une collègue à qui elle montre ses œuvres, exposées au-dessus du radiateur. Le bébé dort. Ils l'ont appelé Jasper – il a donc un nom, à présent...

Forbes a enlevé sa chaussette et l'a balancée dans la poubelle la plus proche. Assis sur le perron, il tente d'enlever la boue de ses semelles à l'aide d'un tournevis.

« Comment avez-vous su ? » s'enquiert-il, à présent plus calme.

Je lui explique. Les coups de fil passés depuis le vestiaire. La correspondance établie entre l'un des numéros et les fichiers du centre d'adoption.

« C'est ce qui m'a permis de remonter jusqu'aux Gallagher.

— Et il en aurait passé d'autres ?

— Oui, un. »

Il attend. « Est-ce que je vais devoir vous arrêter, pour vous forcer à coopérer ? »

Toute trace de camaraderie a disparu entre nous. Nous ne jouons plus dans la même équipe. « Ce matin, j'ai eu une intéressante conversation avec un avocat. Celui de Barnaby Elliot. Selon lui, vous auriez un grave conflit d'intérêt, concernant cette affaire.

— Pas le moindre, chef.

— Mr Elliot conteste le testament de sa fille.

580

— Légalement, il n'a aucun droit sur les jumeaux.

— Mais vous non plus !

— Je sais, DI Forbes, répliqué-je dans un murmure.

— Si Samira Khan décide de ne pas élever ses enfants, ils seront placés dans des familles d'accueil.

— Je sais. Ce n'est pas pour moi que je le fais.

— En êtes-vous si sûre ? »

Sa question n'en est pas une. C'est une véritable accusation. À nouveau, mes mobiles se retrouvent sur la sellette. Est-ce que par hasard j'essayerais de m'aveugler moi-même sur mes motivations ? Mais non – je ne peux m'offrir ce luxe, et je ne le ferai pas.

Mon portable se met à vibrer dans ma poche. Je décroche. C'est Dave. « Je crois que je l'ai retrouvée, dit-il. Mais on a comme un problème... »

12

Au Queen's Charlotte Hospital, l'unité de soins intensifs pour prématurés est située au troisième étage, au-dessus des salles d'obstétrique et de la maternité. Je compte une quinzaine d'incubateurs, installés sous des lumières tamisées, avec le murmure des machines en fond sonore.

La surveillante du service me précède de deux pas et Dave ferme la marche. Nous nous sommes passé les mains au désinfectant. Nos portables sont éteints.

Au passage, je glisse un coup d'œil dans la première couveuse, à première vue vide. Je n'y vois qu'une couverture rose avec un ours en peluche dans un coin. Puis je remarque ce bras minuscule, à peine plus gros qu'un stylo à encre, qui émerge de la couverture. Des petits doigts s'ouvrent et se referment. Les yeux restent fermés. Des tubes, branchés dans un nez minuscule, amènent de toutes petites bouffées d'air dans des poumons inachevés.

La surveillante s'arrête et semble attendre. Ça doit être une habitude, dans le service. Les gens s'arrêtent pour contempler les berceaux en priant.

C'est alors que je remarque la présence d'un visage, distordu par la courbure du verre, de l'autre côté de l'incubateur.

Je survole la salle du regard. Il y a d'autres parents, assis dans la semi-pénombre. Ils attendent, échangeant parfois quelques mots murmurés. Qu'est-ce qu'ils peuvent bien se dire ? Est-ce qu'ils surveillent les autres bébés du coin de l'œil, en se demandant s'ils sont mieux en point, en meilleure santé et moins prématurés que le leur ? Sur le nombre, il y en a forcément qui ne s'en sortiront pas. Prient-ils secrètement : « Seigneur, sauvez d'abord le mien. Le mien ! »

Nous avons traversé tout le service. Près du berceau, deux chaises vides. Une infirmière perchée sur un grand tabouret, devant un écran, surveille les machines qui surveillent les petits prématurés.

La petite dort, couchée sur un drap blanc, et seulement vêtue d'une couche-culotte. Elle est plus frêle que dans mon souvenir mais, à côté de certains des prématurés du service, c'est une géante. Des plaques collées à sa poitrine enregistrent ses mouvements pulmonaires et ses pulsations cardiaques.

« Elle est arrivée hier soir, explique la surveillante. Elle souffre d'une grave pneumonie. Nous l'avons mise sous antibiotiques et nous l'alimentons par intraveineuse. Le petit appareil que vous voyez sur sa jambe mesure son taux d'oxygène sanguin.

— Quelles sont ses chances de s'en tirer ?

— Eh bien, disons que... » Elle marque une pause et choisit ses mots avec soin, mais ces quelques secondes de réflexion suffisent à me faire froid dans le dos. « Son état est stable. Nous en saurons davantage dans vingt-quatre heures.

— Vous l'avez appelée Claudia ?

— C'est le nom qu'on nous a donné.

— Qui vous l'a donné ?

— La personne qui était avec elle dans l'ambulance.

— Puis-je consulter la fiche d'admission ?

— Bien sûr. Venez avec moi au bureau. Je vais vous en faire une copie. »

Dave regarde à travers la cloche de verre. On croirait même voir ses lèvres bouger au rythme du souffle de la petite... Les yeux de Claudia restent scellés par le sommeil, mais elle semble avoir captivé l'attention de ce cher Dave.

« Est-ce que je peux rester là un moment ? » demande-t-il, autant à moi qu'à la surveillante. Tous les autres petits patients ont de la visite – tous sauf Claudia. Il tient à réparer cette injustice.

Nous rebroussons chemin, la surveillante et moi. Je la suis jusqu'à son bureau.

« J'ai appelé les services sociaux ce matin, dit-elle. Mais je ne m'attendais pas à voir arriver la police !

— Pourquoi avez-vous appelé les services sociaux ?

— Certaines réponses à nos questions nous ont fait tiquer. Une personne nous a amené Claudia peu après minuit. Elle s'est d'abord présentée comme sa nourrice et elle a dit que le nom de la mère était Cate Beaumont. Puis sa version a changé. Elle m'a expliqué que la petite avait été adoptée, mais sans nous fournir d'autres détails... Et elle n'a pas su me dire le nom de l'agence d'adoption... »

Elle me tend la fiche d'admission. La date de naissance qui y figure est le dimanche 29 octobre. Le nom de la mère est Cate Louise Beaumont ; l'adresse est celle de la maison incendiée. Pourquoi avoir donné le nom de Cate ? Et comment cette personne en avait-elle connaissance ?

« Sait-on où elle se trouve, à présent ?

— L'un de nos conseillers a voulu lui parler. Mais elle a dû céder à la panique...

— Elle a pris la fuite, vous voulez dire ?

— Elle a passé un coup de fil avant de quitter l'hôpital.

— À quelle heure ?

— Vers les 6 heures, ce matin.

— Savez-vous qui elle a appelé ?

— Non, mais elle s'est servie de mon téléphone », réplique-t-elle, l'index pointé sur sa console téléphonique, un imposant appareil équipé d'une mémoire pour les numéros récemment appelés. Un petit écran à cristaux liquides affiche la liste des numéros. La surveillante m'indique celui dont il s'agit, et je presse le bouton d'appel automatique.

« Allô, répond une voix de femme.

— Ici le Queen's Charlotte Hospital, annoncé-je. Quelqu'un vous a appelé depuis ce numéro, très tôt ce matin... »

Ma correspondante ne souffle mot, mais je reconnais dans le silence un son que j'ai maintes fois entendu. Le crissement d'une roue de caoutchouc sur un parquet...

Je n'ai ni la prodigieuse mémoire de Ruiz, ni le don de seconde vue de ma mère pour prédire l'avenir. Je ne suis même pas sûre d'avoir une méthode digne de ce nom. J'agrège les faits, je les réagence dans ma tête, plus ou moins au hasard, et parfois au prix d'extrapolations démesurées. Ça n'est sans doute pas très efficace, et ça ne peut sûrement pas s'enseigner... Mais c'est ma façon de faire et pour moi, ça marche.

À l'autre bout du fil, la femme reprend la parole, avec une certaine nervosité : « Vous devez vous tromper de numéro. »

Une voix précise, à la fois obséquieuse et insinuante, sans pourtant trahir l'influence d'Oxford ni de Cambridge. Une voix que je n'ai entendue que trop souvent...

Elle m'a raccroché au nez, sans me laisser le temps de répondre. À la même seconde, on frappe à la porte du bureau. Une infirmière entre, avec un sourire d'excuse, et vient glisser quelques mots à l'oreille de la surveillante, qui me regarde.

« Vous vouliez savoir ce qu'était devenue la personne qui a amené Claudia. Eh bien, elle n'a pas pris la fuite. Elle est en bas, à la cafétéria. »

La porte s'ouvre automatiquement devant moi. La cafétéria est petite, brillamment éclairée au néon et meublée de formica moucheté, sur lequel les miettes passent inaperçues. Les plateaux sont empilés à portée de main, à l'entrée. Un nuage de vapeur s'élève des fourneaux.

Des infirmières se sont commandé des sandwiches et du thé – l'option la plus prudente, car tous les autres plats du menu sont accompagnés d'une énorme portion de frites.

Yvonne est dans l'un des boxes, la tête posée sur

ses bras croisés. J'en conclus d'abord qu'elle s'est endormie – mais non. Relevant la tête, elle me regarde en clignant les yeux. Puis elle lâche un petit gémissement et incline à nouveau la tête. Ses cheveux gris, à présent clairsemés, laissent apercevoir par endroits la peau plus claire de son crâne.

« Que s'est-il passé, Yvonne ?

— J'ai fait quelque chose d'idiot, Cookie, dit-elle, comme si elle parlait à la saignée de son coude. Complètement idiot. J'espérais que j'arriverais à la guérir, mais elle allait de plus en plus mal... »

Un gros soupir l'ébranle de la tête aux pieds. « J'aurais dû l'emmener chez le médecin, mais les patrons l'avaient formellement interdit. Ils disaient que personne ne devait être au courant. Mrs Elliot m'avait juré qu'il y avait des gens qui voulaient lui prendre la petite, pour la donner à quelqu'un qui n'était même pas de la famille ! Je n'ai jamais compris pourquoi quelqu'un aurait fait une chose pareille... Mais faut dire que la patronne n'a pas vraiment pris le temps de m'expliquer ! »

Elle se laisse aller contre la banquette en espérant que moi, je parviendrai à comprendre. Des larmes brillent dans ses yeux. Des miettes restent incrustées sur ses joues.

« Je le savais, que Cate n'était pas enceinte, poursuit-elle. Je l'ai toujours su ! Elle n'a jamais porté le moindre enfant. Je vois ça tout de suite, quand une femme porte un enfant. Ça se voit dans ses yeux et sur sa peau. On le sent même à l'odeur ! Et des fois, je peux même dire si elle porte l'enfant d'un autre homme, à cause de la peau qui devient plus sombre, autour de ses yeux, parce qu'elle a peur que son mari s'en rende compte.

» Un jour, j'ai même essayé de le lui dire, à Mrs Elliot, mais elle m'a ri au nez et elle a dit que j'étais cinglée. Après ça, elle a dû le répéter à Cate, parce que la petite m'évitait. Elle ne venait plus à la maison, les jours où je travaillais. »

Et soudain, tout se met en branle. Les faits pivotent, basculent, cessent d'être des fragments isolés, des énigmes ou de purs fruits de mon imagination. Ils s'emboîtent et trouvent enfin leur place. Bien avant que je ne lui en parle, Barnaby savait que j'étais allée à Amsterdam et que Samira attendait des jumeaux. Il avait lu les e-mails de Cate. Il avait déjà commencé à effacer ses traces.

Et ce, pour protéger sa précieuse réputation... du moins au début. Car ensuite, les Elliot, ont entrevu un autre plan : ils ont décidé de mener le projet de leur fille à son terme. Barnaby a fait passer le message à Shawcroft : « Cate et Felix ne sont plus là, mais le marché tient toujours. »

Pourquoi Shawcroft a-t-il cédé ? Parce qu'il n'avait pas le choix. Barnaby avait les e-mails. Il pouvait tout déballer à la police – les adoptions illégales, le trafic de bébés. Une accusation de chantage plus quelques rapts d'enfants, ça aurait fait désordre dans le CV de Shawcroft...

Le jour de l'enterrement, Elliot m'a fait part de son intention de lutter pour obtenir la garde des jumeaux. « Je les veux tous les deux ! » avait-il dit – et sur le moment, je n'ai pas percuté. Ce qu'il sous-entendait, c'est qu'il en avait déjà un, ou plutôt « une » : Claudia. Il voulait le garçon. Son numéro à l'étude du notaire, puis chez moi, n'était qu'une façade. Il craignait d'être dépossédé par Samira, sinon par moi.

Les Elliot avaient exigé d'Yvonne le secret le plus absolu. Ils lui avaient confié la garde de la petite et espéraient retrouver son frère, pour réunir les jumeaux. Si le scandale venait à éclater et que Shawcroft était épinglé, ils pouvaient toujours jouer les parents en deuil, accablés de chagrin et prêts à tout pour sauver le plus précieux héritage de leur fille : leurs petits-enfants.

Yvonne avait assumé la tâche la plus lourde. Elle ne pouvait prendre le risque d'appeler un pédiatre, pour Claudia. Elle avait donc successivement essayé tous les remèdes qu'elle connaissait - bains chauds, vapeur, inhalation de plantes médicinales, pour l'aider à respirer. Elle lui donnait quelques gouttes de paracétamol pour l'endormir, la frictionnait avec des serviettes chaudes, la veillait nuit et jour, en écoutant le sifflement des petits poumons, de plus en plus encombrés.

Barnaby venait voir le bébé, les pouces dans la ceinture, avec le sourire du propriétaire. Mais il lorgnait le contenu du berceau d'un regard fixe, vaguement désappointé. Sans doute espérait-il récupérer l'autre jumeau. Le garçon, plus robuste et moins mal en point.

De jour en jour, l'état de la petite s'aggravait et Yvonne s'arrachait les cheveux.

« Elle était en train de mourir, dit-elle, les yeux fixés au plafond. Je ne pouvais pas rester là sans rien faire. Elle n'avait même plus la force de tousser... J'ai fini par appeler l'ambulance. »

Elle me regarde en clignant les yeux. « Elle ne va pas mourir, n'est-ce pas ?

— Pour l'instant, personne ne peut le dire.

— Si elle meurt, ce sera ma faute ! Tu n'auras plus qu'à m'arrêter et à me mettre en prison, Cookie ! Je l'ai mérité. »

Ah ! qu'elle arrête de me parler de mourir ! « Et ce nom, qui l'a choisi ?

— C'est le second prénom de Mrs Elliot. Je sais bien que tu ne la portes pas dans ton cœur, mais tu sais, elle se juge elle-même plus sévèrement que n'importe qui d'autre... »

Pour l'instant, le sentiment qui prédomine en moi est l'amertume. Ça doit faire partie du processus de deuil : je n'ai pas encore accepté la réalité de la disparition de Cate. Je m'attends toujours à la voir réapparaître. Comme si elle s'était absentée en pleine tourmente, mais qu'elle allait bientôt revenir, pour tout remettre en ordre.

J'ai passé toutes ces semaines à explorer sa vie, à remonter sa trace, pour m'expliquer la raison de ses actes – et je ne comprends toujours pas comment elle a pu prendre tant de risques, pour elle-même et pour autrui. Dans un coin de ma tête, je caresse toujours l'espoir de tomber sur des papiers cachés quelque part, ou sur un paquet de vieilles lettres poussiéreuses. Hélas, ça ne risque pas d'arriver ! Une moitié de la vérité gît au troisième étage, clouée à son petit drap blanc comme un insecte sous une vitrine... L'autre moitié est déjà sous la garde des services sociaux.

Ça peut sembler absurde, mais je m'échine toujours à tenter de justifier ce qu'elle a fait, comme pour préserver notre amitié jusque dans l'au-delà. Cate a été une voleuse déplorable, une épouse frustrée et une stupide pêcheuse de lune. Je préfère ne plus évoquer sa mémoire. Elle a tout fait pour la gâcher.

« La police va demander votre témoignage », dis-je.

Yvonne hoche la tête en s'essuyant les joues.

Elle ne se lève pas pour me dire au revoir et garde le visage tourné vers la fenêtre, mais je sens son regard dans mon dos, tandis que je m'éloigne.

Je retrouve Dave là où je l'ai laissé, au chevet de Claudia, penché sur le berceau et l'œil vissé sur le dôme de verre. Il me prend la main et nous restons là ensemble. Je ne saurais dire combien de temps. L'horloge murale n'a pas bougé – pas même d'une seconde, j'en jurerais. C'est comme ça, dans ce genre d'endroit, où chaque seconde compte. Le temps ralentit, indéfiniment...

Finalement, tu es une sacrée veinarde, petite Claudia ! Tu as deux mamans. La première, tu ne la rencontreras jamais – ne t'inquiète pas, je t'en parlerai souvent. Elle a fait pas mal d'erreurs, mais je suis sûre que tu lui pardonneras. Quant à ton autre maman, c'est quelqu'un, elle aussi. Une belle jeune femme, si triste et si seule. Mais tu sais, une vie peut parfois reprendre son envol en un battement de cils – fût-ce des cils aussi microscopiques que les tiens !

La surveillante vient m'effleurer l'épaule. Un policier me demande au téléphone.

La voix de Forbes me paraît venir de très loin.

« Les Gallagher ont accepté de témoigner contre Julian Shawcroft. Là, j'allais justement l'arrêter.

— C'est pas trop tôt ! De mon côté, j'ai retrouvé la petite. Mais ça ne va pas très fort. »

Cette fois, pas l'ombre d'un reproche : « Qui sont les clients pour ce coup-là ?

— Mr et Mrs Barnaby Elliot... ainsi qu'Yvonne Moncrieffe, leur femme de ménage. »

Une porte s'ouvre derrière moi. Une alarme électronique s'est mise en branle.

Par la vitre qui donne sur le service, je vois qu'on a tiré les rideaux autour du berceau de Claudia.

Le téléphone n'est plus dans ma main. Comme tous les adultes du service, j'ai bondi sur mes pieds. Je me faufile entre les rideaux. Quelqu'un me repousse – je pars à la renverse. « Qu'est-ce qui se passe ? Qu'est-ce qu'on lui fait ? »

Un médecin donne ses instructions. Une main pose un masque sur le visage du bébé. Une autre presse une poche en rythme. Le masque se soulève et on glisse un tube, d'abord dans son nez, puis dans sa trachée-artère, avant de le lui fixer sur la joue à l'aide d'un sparadrap blanc.

Dave me prend le bras et tente de m'entraîner plus loin.

« Qu'est-ce qui se passe ?

— Viens, allons attendre là-bas.

— Mais ils vont lui faire mal !

— Laissons-les faire leur boulot. »

C'est ma faute. Si j'avais été plus forte, plus rapide, plus prévoyante, j'aurais tiré Claudia à temps des griffes de Brendan Pearl. Elle serait allée à l'hôpital dès sa sortie du ferry, au lieu de disparaître dans la nature. Elle n'aurait pas atterri chez Yvonne, et ne serait pas en train de mourir d'une banale pneumonie. C'est le genre d'idées qui m'assiègent l'esprit, tandis que je compte les minutes – cinq, plus précisément, mais infiniment étirées et distordues par mon imagination. La porte s'ouvre à la volée. Un jeune docteur arrive à la rescousse.

« Que s'est-il passé ?

— Le détecteur du taux d'oxygène sanguin a déclenché l'alarme. Son taux d'oxygène est tombé trop bas. Elle est trop faible pour respirer seule. Nous devons la mettre sous assistance respiratoire jusqu'à demain. Ensuite, nous verrons comment elle réagit... »

Une grosse bouffée de soulagement achève de saper le peu d'énergie qui me reste. Je suis prise de vertige. J'ai les paupières lourdes et un goût de cuivre m'envahit la bouche. Je n'ai encore rien dit à Samira, mais j'ai déjà le cœur en charpie.

13

Certains jours, Londres semble se caricaturer elle-même. C'est le cas, aujourd'hui. Ciel bas et lourd, vent glacé – un peu plus, il neigerait. Ladbrokes cote à trois contre un, pour les chances d'avoir un Noël blanc à Londres. Il suffirait qu'il tombe un seul flocon sur le toit de leurs bureaux londoniens...

L'audience de libération sous caution a lieu aujourd'hui. J'arbore une tenue vestimentaire de circonstance, avec ma jupe droite rouge, mon chemisier pêche et ma petite veste assortie (assez bien coupée pour être de marque, mais c'est du dégriffé).

Shawcroft doit répondre d'un certain nombre de charges : contrebande de travailleurs clandestins, chantage, grossesse sous contrainte, ainsi que diverses infractions contre les lois pour la protection de l'enfance. Rien que pour le trafic d'êtres humains, il risque trente ans. Bien d'autres charges pourraient être retenues contre lui, tant en Grande-Bretagne qu'aux Pays-Bas – car il n'est pas à l'abri d'une extradition.

Samira s'est assise sur mon lit et me regarde me

maquiller, un grand duffle-coat sur les genoux. Voilà deux heures qu'elle est fin prête. Elle s'est levée bien avant le jour pour avoir le temps de faire ses prières. Jusqu'au procès, qui n'aura lieu que dans un an, elle n'aura pas à témoigner, mais elle tient à assister à l'audience d'aujourd'hui.

Pour l'instant, Shawcroft n'est toujours qu'un suspect, lui fais-je remarquer. Dans notre système judiciaire, tout suspect est considéré comme innocent tant que l'on n'a pas établi la preuve de sa culpabilité.

« Mais nous on le sait, qu'il est coupable !

— Ce sera au jury d'en décider, après avoir eu connaissance de toutes les preuves contenues dans le dossier.

— C'est quoi, ce système de caution ?

— Le juge peut accepter de remettre un accusé en liberté jusqu'à son procès, à condition qu'il promette de ne pas s'enfuir et de n'exercer aucune pression sur les témoins. À titre de garantie, le juge demande à l'accusé de déposer une certaine somme d'argent qu'il ne pourra récupérer que s'il tient parole. »

Elle ouvre de grands yeux. « Tu veux dire qu'il va donner de l'argent au juge !

— Oui. Mais c'est une sorte de caution, un dépôt de garantie.

— Ou un pot-de-vin !

— Non, rien à voir.

— Mais tu dis que le Frère pourra donner de l'argent au juge, pour être remis en liberté.

— Oui, mais ce n'est pas ce que tu crois. »

Notre discussion se mord la queue. Je n'ai pas dû être assez claire.

« Ne t'en fais pas, dis-je, d'un ton qui se veut rassurant. Il n'obtiendra pas sa libération sous caution. Le juge va le laisser en prison, et il sera hors d'état de nuire à quiconque. »

Voilà trois semaines que Claudia est sortie de l'hôpital, mais j'ai toujours l'ombre d'une inquiétude pour elle – elle semble si fragile, à côté de son frère – mais les médecins ont eu raison de la pneumonie et elle reprend du poids.

Les jumeaux sont devenus de véritables petites stars de la presse spécialisée. Bébé X et bébé Y, les a-t-on baptisés, faute d'un nom et d'un prénom officiels. Le juge chargé de statuer sur leur cas a demandé des tests ADN et des rapports médicaux d'Amsterdam. Samira devra prouver qu'elle est bien leur mère, avant de pouvoir décider elle-même de la suite.

En dépit de l'enquête dont il fait l'objet, Barnaby poursuit sa campagne pour la garde des enfants. Il engage des avocats à tour de bras – et les vire tout aussi vite. Au cours de la première audience, le juge Freyne a menacé de l'envoyer en prison pour outrage à magistrat, s'il continuait à interrompre les débats en accusant la Cour de partialité.

De mon côté, j'ai eu ma part d'audiences. Je suis passée en conseil de discipline devant une cour composée de trois sommités de la police londonienne. J'ai présenté ma démission dès la première séance, mais le président l'a rejetée.

« Je pensais pourtant que ça leur simplifierait la tâche, ai-je dit à Ruiz.

« — Ils ne peuvent pas vous virer, et ils ne veulent surtout pas que vous partiez de votre propre chef, m'a-t-il expliqué. Imaginez les titres dans la presse...

— Mais qu'est-ce qu'ils veulent, à la fin ?

— Vous mettre au placard quelque part dans un bureau, au fond d'un service où vous ne pourrez plus leur donner de migraines. »

Samira rajuste son chemisier et le reboutonne. Quatre fois par jour, elle recueille son lait qui est envoyé en express aux jumeaux, dans leur famille d'accueil. Elle peut aller les voir trois heures tous les après-midi, sous surveillance. Je l'ai minutieusement observée, à l'affût du moindre signe qui aurait pu trahir un début d'affection pour eux. Elle les allaite, les baigne, les berce avec une assurance qui laisse penser qu'elle est bien plus à l'aise dans son rôle de mère que je ne le serais moi-même, à sa place. Mais en même temps, ses gestes me paraissent distants, presque mécaniques, comme s'ils résultaient de son application à faire ce que l'on attend d'elle, plutôt que d'un désir profond de sa part.

Elle a pris une étrange habitude, pendant qu'elle s'occupe des petits. Aussi bien pour extraire son lait que pour changer les couches ou les baigner, elle n'utilise jamais que sa main droite. Pour soulever un des bébés, elle glisse la main le long de son dos d'un seul mouvement, en soutenant la tête dans le creux de sa paume. Pour leur donner le biberon, elle les allonge sur ses cuisses, ou coince le biberon sous son menton.

J'ai d'abord pensé qu'il s'agissait d'une coutume islamique, un peu comme l'interdiction d'utiliser la main gauche pour se nourrir. Quand je lui ai posé la question, elle a levé les yeux d'un air évasif et a déclaré : « Il suffit d'une main pour pêcher. Il suffit d'une main pour sauver.

— Qu'est-ce que ça veut dire ?

— Eh bien, ce que ça dit... »

Hari est en bas : « Tu es sûre que tu ne veux pas que je vous accompagne ? me demande-t-il.

— Oui. Sûre.

— Je pourrais vous tenir le parapluie.

— Il ne pleut pas.

— Ça se fait beaucoup. Les gardes du corps des stars les protègent derrière des parapluies, pour qu'elles puissent échapper aux photographes.

— Nous n'avons pas besoin de garde du corps. »

Il est raide dingue de Samira. La fac a fermé ses portes pour les vacances de Noël et il est censé aider ses frères au garage, mais il trouve toujours de nouvelles excuses pour rester auprès d'elle. Elle accepte de rester seule avec lui, mais seulement dans l'abri de jardin, pour travailler à leurs projets pyrotechniques. À l'origine, leur coup d'éclat de la *Fawkes Night* devait être un événement ponctuel, mais pour des raisons évidentes, Hari s'évertue à prolonger l'expérience.

Dave nous attend dehors. « Tiens, tu n'es pas en noir !

— Bizarre, non ?

— Mmmh... le rouge te va si bien !

— Attends d'avoir vu mes dessous », lui glissé-je à l'oreille.

Samira a enfilé son manteau qui a des passants de cuir et des glands de bois à la place des boutons.

C'est un vieux duffle-coat de Hari, dont elle doit replier deux fois les manches qui, sinon, dépasseraient de quinze centimètres. Elle garde les mains plongées dans les poches.

Le ciel s'éclaircit, tandis que la matinée s'avance. Dave slalome habilement dans le trafic de l'heure de pointe, et trouve une place libre à une rue de Southwark Crown Court. Il met pied à terre et s'apprête à affronter la meute – celle des caméras télés et des photographes qui attendent leur heure sur le trottoir, à vingt mètres de nous.

Shawcroft et les charges dont il doit répondre ne sont qu'une mise en bouche, à côté de l'événement principal : la bataille pour la garde des jumeaux, qui réunit les ingrédients favoris de la presse à scandale – du sexe, une jeune victime aussi innocente qu'énigmatique et des bébés volés. Les appareils photo crépitent autour de nous. Samira baisse la tête sous les flashes, les mains toujours dans ses poches. Dave nous fraye un chemin dans la mêlée, sans hésiter à bousculer de l'épaule les téméraires qui restent sur son passage. Sa technique tient davantage de la mêlée de rugby que de l'école de voile...

Southwark Crown Court est un bloc de béton sans âme, dans le plus pur style administratif moderne, très loin du charme de l'Old Bailey. Nous défilons sous les détecteurs à métaux avant de monter à l'étage. Je reconnais certaines des personnes qui tiennent réunion dans les couloirs, échangeant des recommandations de dernière minute avec leurs avocats. Le Dr Banerjee a engagé son propre conseil, un avocat agréé par la Couronne, au cas relativement probable où il serait inculpé. Lui et Shawcroft ne se sont toujours pas dénoncés mutuellement mais, à en croire Forbes, ce n'est plus qu'une question de jours.

L'avocat de Shawcroft est une avocate – un mètre soixante-quinze, dont dix centimètres de talons aiguille, cheveux blond platine et pendants d'oreilles ornés de perles, se balançant d'avant en arrière au rythme de ses paroles.

Francis Hague, le procureur, est nettement plus vieux. Il a le cheveu poivre et sel, et ses lunettes restent perchées au sommet de son crâne. Il s'entretient avec Forbes et prend quelques notes sur un bloc. L'inspecteur Softell est venu, lui aussi – peut-être dans l'espoir de recueillir quelque indice susceptible de l'aider à retrouver Brendan Pearl, qui s'est apparemment volatilisé, sous sa énième fausse identité...

Samira me semble d'une nervosité inhabituelle sous le regard du public, des journalistes et du personnel du tribunal. Je m'efforce de la rassurer. Dès que les jumeaux auront trouvé leur foyer définitif, il deviendra impossible de les identifier, pour les paparazzi, et le raffut cessera.

Nous prenons place dans la partie réservée au public au fond de la salle d'audience, en encadrant Samira, moi d'un côté et Dave de l'autre. Elle semble se ratatiner dans son duffle-coat. Donavon se glisse un rang derrière nous. Son regard survole la salle et croise le mien l'espace d'une seconde, avant de poursuivre.

En quelques minutes, le box de la presse est plein

à craquer. Il ne reste plus une seule place au parterre.

La greffière, une Asiatique d'âge indéterminé, fait son entrée et s'installe devant son clavier.

Toute la salle se lève à l'arrivée du juge – un type étonnamment jeune et sémillant, quoiqu'un peu cérémonieux à mon goût. Deux minutes plus tard, Shawcroft débouche de l'escalier qui monte directement du quartier des prévenus. Il s'est mis sur son trente et un : costume impeccable, élégante cravate mouchetée, chaussures miroitantes. Il se retourne et balaie le public d'un sourire magistral, comme une star prenant la température du bain avant un récital ou un gala donné en son honneur.

« Vous avez donc présenté une demande de libération sous caution », attaque le juge.

Margaret Curillo, l'avocate de Shawcroft, a bondi sur ses pieds et se présente, d'un air à la fois obséquieux et snobinard. Le procureur, s'appuyant des deux mains à sa table, soulève son postérieur d'une vingtaine de centimètres en marmonnant une formule d'introduction analogue. Il semble persuadé que personne dans l'assistance n'ignore, ou ne devrait ignorer, qui il est.

La porte de la salle d'audience s'ouvre sans bruit sur le passage d'un homme mince, l'air vaguement efféminé, qui salue distraitement les journalistes d'un signe de tête, et s'avance en glissant sur la moquette, dont ses semelles ne se soulèvent qu'à peine, pour rejoindre la table des avocats. Là, il se penche vers Francis Hague qui redresse la tête.

Me Curillo a entamé sa plaidoirie. Elle souligne les mérites de son client, sa « brillante carrière », ses

« accomplissements » — bref, une vie mise tout entière au service de ses semblables.

Cette fois, le procureur daigne se hisser sur ses pieds.

« Votre Honneur, vous me voyez navré de devoir interrompre ma distinguée consœur, mais j'aimerais solliciter une brève suspension de séance.

— Nous commençons à peine, monsieur le procureur !

— J'attends incessamment d'autres instructions, Votre Honneur. Il semblerait que le procureur général ait accepté de revoir certains éléments du dossier.

— En quel sens ?

— Je n'en sais pas davantage pour l'instant.

— Combien de temps vous faudra-t-il ?

— S'il plaît à la Cour, nous pourrions peut-être remettre cette audience à cet après-midi, 15 heures. »

Le juge se lève tout à trac, déclenchant une réaction en chaîne dans la salle d'audience. Shawcroft est aussitôt ramené à l'étage du dessous. Dave répond d'un haussement d'épaules à mon regard interrogatif. Celui de Samira fait la navette entre Dave et moi. Elle attend une explication. Une fois dans le couloir, je me mets en quête de Forbes qui a disparu, tout comme Softell. Nom d'un chien, qu'est-ce qui se passe !

Nous tuons à petit feu les deux heures suivantes, en rongeant notre frein. On appelle d'autres dossiers dans d'autres salles d'audience. Les avocats se concertent. Les gens vaquent à leurs occupations, les badauds vont et viennent. Samira fait le gros dos, la tête rentrée dans les épaules, toujours emmitouflée dans son duffle-coat.

«Est-ce que tu y crois, au paradis?» me demande-t-elle sans crier gare.

La question me prend de court, mais j'ai tout de même la présence d'esprit de refermer la bouche... «Pourquoi tu penses à ça?

— Tu crois qu'ils sont au paradis, Hasan et Zala?

— Je n'en sais rien.

— Mon père disait que nous devions revivre nos vies indéfiniment, mais en nous améliorant un peu plus à chaque fois, jusqu'à ce qu'on en soit totalement délivrés. Et alors là, on pouvait aller au paradis.

— Je ne sais pas si j'aimerais ça, revivre sans cesse la même vie.

— Pourquoi?

— Ça aurait pour effet d'atténuer toutes les conséquences de nos actes. J'ai déjà tendance à remettre tellement de choses au lendemain. Alors, imagine – si je pouvais carrément les remettre à une prochaine vie!»

Elle s'enveloppe de ses bras croisés. «L'Afghanistan me quitte, dit-elle.

— Qu'est-ce que ça veut dire?

— J'oublie tout. Je n'arrive même plus à me souvenir des fleurs que j'avais plantées sur la tombe de mon père. Une fois, j'avais mis ces fleurs-là entre les pages de son Coran, et ça l'a fâché. Il a dit que c'était un manque de respect pour Allah, que de le prier avec des fleurs. Mais ensuite, il a éclaté de rire.

Il ne pouvait pas rester bien longtemps fâché contre moi... »

Nous descendons prendre le thé à la cafétéria, en évitant le peloton de journalistes dont les rangs s'éclaircissent. Ni le procureur Hague ni l'avocate de Shawcroft n'ont refait surface pour l'instant – pas plus que Forbes. Peut-être en ont-ils profité pour aller faire leur shopping de Noël ?

Peu avant 15 heures, l'un des greffiers vient nous chercher. L'avocat veut parler à Samira. Ma présence est souhaitée...

« Je vous attends ici », me lance Dave.

Nous gravissons une volée de marches, avant de franchir une porte où une plaque indique : « RÉSERVÉ AU PERSONNEL DU TRIBUNAL. » Nous enfilons un long couloir bordé de bureaux des deux côtés, au bout duquel se dresse un palmier en pot solitaire. Une femme à l'air passablement furibarde attend sur une chaise en rongeant son frein. Ses jambes gainées de noir m'évoquent deux allumettes brûlées, émergeant de sous son manteau de fourrure. Le greffier frappe doucement à une porte, qui s'ouvre. La première personne que je reconnais est Spijker, affichant un sourire pâle qui, même pour lui, serait morose. Il me prend la main et m'embrasse sur les joues, par trois fois, avant de saluer Samira d'un signe de tête.

L'avocate de Shawcroft est installée à l'autre extrémité de la table, en face de Francis Hague. Près d'eux est assis un autre type, qui a l'air de piaffer d'impatience. La femme du couloir pourrait être la sienne – et, tout comme elle, il préférerait visiblement être ailleurs.

« Procureur général adjoint Adam Greenburg »,
déclare-t-il en se levant pour serrer la main à
Samira.

Il s'excuse pour le manque d'aération de la pièce
et semble faire une parodie de sa propre judéité en
sortant un grand mouchoir pour s'éponger le front.

« Peut-être devrais-je commencer par vous
expliquer un peu ma mission, Miss Khan. Les gens
qui sont accusés d'un crime ne vont pas obligatoi-
rement au tribunal, puis en prison. La police doit
d'abord rassembler des preuves contre eux. Après
quoi, le rôle du procureur et de son service consiste
à examiner toutes ces preuves pour s'assurer qu'il
n'y a pas d'erreur sur la personne, ni sur le crime
qui lui est reproché et que le tribunal dispose bien
de tous les éléments nécessaires pour rendre son
arrêt. Comprenez-vous ? »

Le regard de Samira se pose sur moi avant de
revenir à Greenburg. Tout à coup, un énorme éléphant s'assied sur ma poitrine.

La seule personne qui ne se soit pas présentée est
le type qui est venu interrompre l'audience, voilà
deux heures. Il reste près d'une fenêtre, dans son
costard qui sent Savile Row à trente pas. Il a un
profil d'oiseau de proie et des yeux curieusement
inexpressifs, mais quelque chose dans son attitude
suggère qu'il en sait long sur tous les occupants de
la pièce.

Mr Greenburg continue : « Lorsque nous prenons
la décision d'engager une procédure contre quelqu'un, nous devons respecter deux stades. Le
premier est celui du test des preuves – les procu-
reurs doivent s'assurer qu'il y a suffisamment de

preuves pour chacune des charges retenues contre l'accusé. Le second stade est celui de l'intérêt public. Nous devons nous assurer qu'en engageant cette procédure, nous servirons véritablement l'intérêt du public. Le ministère public n'engage et ne maintient une procédure que lorsque le dossier a passé ces deux tests. Et ce, quelles que soient l'importance ou la gravité du crime commis. »

Va-t-il enfin en venir au fait ? Spijker semble éviter mon regard. Les yeux de tous les présents restent vissés à la table...

« Dans le cas présent, le ministère public a décidé de ne pas poursuivre la procédure contre Mr Shawcroft, parce qu'elle ne passe pas le second test – celui de l'intérêt public –, et qu'il a accepté de coopérer totalement avec la police, tout en nous fournissant de solides assurances quant à sa conduite future. »

Le choc est si violent que j'en ai le souffle coupé. J'en reste sans voix. Je jette un coup d'œil vers Spijker, dans l'espoir de trouver un soutien de son côté. Mais il reste plongé dans la contemplation de ses mains.

« Un dossier tel que celui-ci soulève de graves problèmes éthiques, poursuit Greenburg. Nous avons remonté la piste de quatorze enfants nés illégalement et dans des circonstances suspectes, grâce à des mères porteuses. Ces enfants vivent à présent avec leurs parents biologiques, entourés d'amour, dans des familles équilibrées. Au cas où nous poursuivrions Mr Shawcroft, ces familles seraient détruites. Nous devrions poursuivre les parents comme complices. Les enfants leur seraient enlevés, pour être placés dans des familles d'accueil pendant des années, sinon de façon définitive. En poursuivant une personne, nous risquons de nuire gravement à des dizaines d'autres.

» Les autorités hollandaises sont confrontées au même problème, pour ces enfants issus de mères porteuses. La police allemande a retrouvé quatre naissances suspectes et il pourrait bien y en avoir une douzaine en France.

» Je suis aussi horrifié que quiconque par l'odieux trafic dont vous avez été victime, Miss Khan. Mais aujourd'hui, nous avons dû prendre des décisions qui vont faire jurisprudence... »

J'ai retrouvé ma voix : « Rien ne vous oblige à poursuivre les parents !

— Si nous décidons de poursuivre Mr Shawcroft, son avocate a l'intention de citer à comparaître tous les couples concernés qui, sur un plan légal et éthique, élèvent des enfants qui ne sont pas les leurs. Voilà donc le problème auquel nous sommes confrontés : devons-nous tirer un trait sur toute l'affaire ou poursuivre le prévenu, en bouleversant l'existence de plusieurs dizaines d'enfants innocents ? »

Samira s'est assise dans un coin, totalement passive dans son grand duffle-coat. Elle n'a pas cillé. Tout cela est dit et fait avec tant de civilité, avec tant de flonflons protocolaires, qu'on aimerait se pincer pour s'assurer qu'on n'est pas en plein cauchemar.

« Mais il a assassiné des innocents ! » Mes mots sonnent bizarrement creux.

Me Curillo proteste : « Mon client dément formellement toute participation à de tels agissements. D'ailleurs, aucune des charges retenues contre lui n'a le moindre rapport avec des faits de ce genre.

— Et les Beaumont ? Et Hasan Khan ? Et Zala ? »
Greenburg lève la main pour m'interrompre.

« En échange de l'annulation des charges, Mr Shawcroft a fourni à la police toutes les coordonnées de Brendan Pearl, soupçonné de faire entrer illégalement des travailleurs immigrés sur le sol national – un dangereux récidiviste recherché par les forces de l'ordre, qui avait bénéficié d'une libération conditionnelle pour des crimes commis en Irlande du Nord. Mr Shawcroft a signé une déclaration où il récuse toute participation à l'assassinat des Beaumont et déclare que Brendan Pearl a agi seul et sans son consentement. Il affirme par ailleurs n'avoir rien su de cette dramatique opération de passage d'immigrés clandestins qui s'est soldée par plusieurs décès accidentels à Harwich, en octobre dernier. Un gang de criminels a profité de sa naïveté. Il a reconnu avoir organisé des opérations de mères porteuses, moyennant finances, mais selon lui, Brendan Pearl et ses associés auraient pris les choses en main et l'auraient forcé à y participer sous la menace.

— C'est faux, archi-faux ! Il était le cerveau de toute l'opération. C'est lui qui a forcé des adolescentes à subir des grossesses non désirées, avant d'organiser la vente de leurs bébés ! » Je ne m'entends pas hurler, mais je m'avise que personne d'autre n'a élevé la voix. Concentrant mon indignation sur Greenburg, je lui assène des mots définitifs tels que *justice* et *équité*, qu'il contre au coup par coup, par de confortables abstractions telles que *bon sens* ou *intérêt public*.

Mon niveau de langage se relâche à vue d'œil. Je le traite de pourri et de vendu. Las de mes excès verbaux, il menace de me faire sortir.

« Mr Pearl sera extradé aux Pays-Bas où il devra se défendre de charges de proxénétisme, de contrebande d'immigrés clandestins et de meurtre, dit-il. En outre, Mr Shawcroft renonce totalement à la direction de ses associations humanitaires, et du centre d'adoption Renaissance dont la licence de supervision des adoptions a été abrogée. La commission de coordination des actions humanitaires prépare un communiqué de presse – il semble que l'on se soit mis d'accord sur le terme de *retraite anticipée*. De son côté, le ministère public fera paraître un communiqué indiquant que les charges ont été abandonnées, pour cause d'insuffisance de preuves. »

Sa conclusion est tombée comme un couperet. Définitif. Il a fait son boulot. Il se lève et rajuste sa veste. « J'avais promis à ma femme de l'emmener déjeuner, mais je pense qu'elle devra se contenter du dîner – merci à tous pour votre coopération... »

Samira me repousse d'un coup d'épaule et s'éloigne en direction de l'ascenseur, en bousculant les gens.

« Je suis vraiment navré, Alisha », me dit Spijker.

Je ne trouve rien à lui répondre. Tout cela, il le savait, il me l'avait prédit. Il m'avait mise en garde lorsqu'il m'avait raconté l'histoire de Pandore, dans son bureau, à Amsterdam. Il est des boîtes dont il vaut mieux clouer définitivement le couvercle, et même le river ou le souder, avant de les enterrer bien profond, six pieds sous terre.

« Vous savez, il y a tout de même une certaine logique : à quoi bon punir les coupables, si ce sont les innocents qui trinquent ?

— Il faut pourtant que quelqu'un paie !

— Ne vous inquiétez pas. Il finira par payer. »

Mon regard s'échappe vers la cour, vers les statues grises, sous leur pellicule de fiente de pigeon. Le vent s'est levé. Des aiguilles de neige fondue viennent s'écraser contre les vitres.

Je téléphone à Forbes. Ses mots butent sur les sifflements du vent qui souffle en rafales.

« Quand l'avez-vous appris ?

— À midi.

— Vous avez épinglé Pearl ?

— Ça n'est plus mes oignons.

— On vous a enlevé le dossier ?

— Trop gros pour moi. Je ne suis pas assez haut placé dans la hiérarchie. »

Soudain, je revois le type qui est resté près de la fenêtre sans mot dire, tout à l'heure, en tirant sur ses boutons de manchette. Il était du MI5. Les services de la sécurité nationale veulent Pearl. Ils ont mis Forbes sur la touche.

« Vous êtes où, là ?

— Une équipe d'intervention a cerné une pension de famille à Southend-on-sea.

— Et il y est ?

— Il est à la fenêtre. Il les regarde s'activer.

— Il n'essaie pas de prendre la fuite ?

— Trop tard. Il n'a plus le temps. »

Une autre image me vient. Brendan Pearl sortant

de l'hôtel, sans hâte, le revolver à la ceinture, prêt à combattre ou à prendre la fuite. Il ne retournera pas en prison.

Et Samira... comment vais-je pouvoir lui expliquer ça ? Elle a entendu les explications de Greenburg, et son silence en disait plus qu'un long discours. C'était comme si elle avait toujours su qu'on en arriverait là. Trahison. Hypocrisie. Promesses non tenues. Elle connaît la rengaine. « Certaines personnes sont nées pour souffrir », dixit Lena Caspar. Pour eux, ça n'a pas de fin. Ça ne s'arrête jamais, pas une seconde.

J'aperçois en bas sa petite silhouette floue, derrière la vitre ruisselante. Elle s'arrête près d'une statue, toujours empaquetée dans le grand dufflecoat de Hari. Je vais lui faire découvrir les lumières de Noël, les illuminations de Regent Street, et puis les jonquilles, au printemps. Je vais lui montrer l'autre face des choses, l'autre réalité, la douceur de vivre, le bonheur.

Une voiture sombre s'attarde, garée au bord du trottoir. La cohorte des photographes et des caméramans sort du tribunal à reculons, luttant pour chaque pouce de terrain. Julian Shawcroft apparaît à son tour, flanqué de son avocate et de son conseil favori – Eddie Barrett. Ses cheveux argentés resplendissent sous les projecteurs.

Il plaisante avec les journalistes, éclate de rire, détendu et guilleret, admirable de maestria...

Soudain, je vois Samira qui s'approche en slalomant entre les journalistes, les mains toujours dans les poches.

611

Je m'élance au pas de course dans le couloir, zig-zaguant, moi aussi, pour éviter les passants. Après avoir vainement martelé le bouton d'appel de l'ascenseur, je me précipite dans l'escalier que je dégringole quatre à quatre.

J'ai atterri du mauvais côté de l'immeuble – par où aller ? Je vais le contourner par la gauche.

Certains coureurs ont un don spécial pour négocier les virages. Ils s'inclinent dans la courbe en faisant descendre leur centre de gravité, au lieu de lutter contre les forces centrifuges qui menacent de les faire déraper. Ne pas lutter contre la poussée... S'en servir en raccourcissant sa foulée et en serrant à la corde...

Un jour, un entraîneur russe m'a dit que j'étais la meilleure négocieuse de courbe qu'il ait jamais vue ! Il m'a même filmée, pour passer la vidéo à ses jeunes recrues de Moscou.

Là, je ne dispose pas d'une cendrée digne de ce nom, et les pavés ruissellent de pluie, mais je tourne le coin comme une flèche, comme si ma vie en dépendait. Je serre à la corde, je serre, je serre... avant de réaccélérer de toutes mes forces, plus vite, plus vite ! Tout est en feu, mes muscles, mes poumons – mais moi, je vole !

Le deux cents mètres a toujours été ma distance. Je n'avais pas le souffle pour le demi-fond.

La horde des médias est là-bas, devant moi. Samira se tient à la lisière. Elle se dandine d'un pied sur l'autre, comme une enfant inquiète. Finalement, elle plonge dans la mêlée, se coule entre les épaules. Un reporter la voit arriver et s'écarte, imité par un deuxième. Flairant l'événement, ils la laissent passer.

Son duffle-coat s'est entrouvert. Elle a quelque chose dans la main – quelque chose qui prend la lumière. Mon éléphant incrusté de miroirs.

Shawcroft est trop occupé à parader pour la voir venir. Elle l'empoigne par-derrière, nouant ses bras autour de lui, le poing gauche juste sous son cœur, la tête appuyée au milieu de son dos. Il tente de se dégager, mais peine perdue. Elle tient bon. Un mince filet de fumée s'échappe de ses doigts.

Quelqu'un pousse un cri et la foule se disperse en plongeant vers le sol. « Une bombe ! » hurle une voix. Mais où ça ? Et comment ?

La vibration de mon cri est noyée par une explosion qui fait claquer l'air. Shawcroft pivote vers moi, lentement, les yeux écarquillés, jusqu'à me faire face. Dans sa poitrine s'est ouvert un trou de la taille d'une assiette. On pourrait presque voir à travers.

Samira est tombée de l'autre côté, sur les genoux. Son visage heurte violemment le sol, parce que son bras gauche ne peut plus amortir sa chute. Elle aussi a les yeux grands ouverts. Elle me tend la main. Mais elle n'a pas de doigts. Elle n'a plus de main.

Des gens courent, en hurlant comme des damnés, le visage piqueté d'éclats de verre.

« C'est une terroriste ! me crie-t-on. Attention ! »

Non, ça n'est pas une terroriste.

« Il pourrait y avoir d'autres bombes ! »

Non. C'est fini. Des fragments de verre ou de miroirs sont venus se ficher dans ses bras, mais sa tête et son corps ont été protégés par Shawcroft.

J'aurais dû comprendre. J'aurais dû le voir venir. Depuis combien de temps préparait-elle son coup ?

Des semaines, sinon davantage. Elle avait pris l'éléphant sur ma table de chevet. Hari l'avait aidée, à son corps défendant, en achetant les moteurs de fusée miniature pour récupérer la poudre. La mèche devait être fixée le long de son avant-bras, ce qui expliquait qu'elle ne pouvait ôter son manteau. L'éléphant de verre n'a pas déclenché les détecteurs de métaux.

La doublure de sa manche déchirée fume encore et la poudre a cautérisé la chair autour de l'os déchiqueté. Elle tourne la tête.

« Il est mort ?

— Oui. »

Rassérénée, elle ferme les yeux.

Des ambulanciers viennent la chercher, l'allongent sur un brancard. J'essaie de ne pas perdre l'équilibre, mais je me sens partir à la renverse. Je tombe. Je veux tomber.

Je pensais tout savoir de l'amitié et des liens familiaux – le bonheur, la simplicité, la joie qu'ils nous apportent. Mais cette piété, ce dévouement a une face cachée, et cela, Samira le sait mieux que quiconque. N'est-elle pas la fille de son père...

Il suffit d'une main pour pêcher. Et d'une main pour sauver.

Épilogue

La nuit dernière, j'ai rêvé que je me mariais – en blanc, bien sûr, pas en sari. Mon père a descendu en trombe la nef centrale en vociférant et toute l'assemblée s'est mise à applaudir, comme s'il s'agissait d'un numéro bien rodé, une sorte de happening traditionnel sikh.

Samira était là, serrant contre elle Jasper qui gargouillait de joie en agitant bras et jambes. Hari avait soulevé Claudia au-dessus de sa tête pour qu'elle puisse tout voir, mais la petite affichait une mine beaucoup plus songeuse. Elle semblait presque au bord des larmes. Quant à ma mère, elle sanglotait carrément – elle serait capable de pleurer pour tout un continent.

Ces derniers temps, je n'arrête pas de faire ce genre de rêve. Des petites tranches de vie, avec couples parfaits et *happy ends* sirupeux. Moi qui ne pleurais jamais au cinéma et qui restais de marbre devant les bébés des autres, je dois freiner des quatre fers, pour ne pas me laisser aller à la sensiblerie la plus débridée. Je me mords les lèvres pour réprimer mes larmes et certains jours, je suis tellement dingue de ces deux bouts de chou qu'il s'en faut d'un cheveu que je ne m'envole par-dessus les toits !

Jasper est la joie de vivre incarnée. Il éclate de rire à tout bout de champ, tandis que sa sœur pose sur le monde un regard plus sombre et plus contemplatif. Parfois, au moment où on s'y attend le moins, elle fond en larmes, inconsolable, comme si elle devait pleurer pour tous ceux qui ne peuvent pas.

Ils ont gardé leur nom. On donne parfois à quelque chose un nom qui lui va comme un gant, et qui lui reste. Parce que personne ne ressent le besoin d'en changer. Moi non plus, je ne changerai pas de nom quand je serai mariée – mais tant et tant de choses ont déjà changé... Maintenant, ce n'est plus « je » ou « moi » – c'est *nous*.

Je me laisse rouler sur le côté en allongeant la main sur le drap à la rencontre de Dave. Ici, on se sent en lieu sûr, à l'abri du cocon tiède de la couette...

Il s'est laissé pousser les cheveux. Ça correspond mieux à son nouveau métier. Jamais je ne me serais imaginée aux côtés d'un type affublé d'un pull marin et d'un pantalon ciré ! Sa main repose entre nous sur le drap. Il a les paumes pleines de cals, à force de trimbaler les bateaux et de manœuvrer les voiles.

Un petit piaillement nous parvient de la pièce d'à côté. Après quelques secondes de silence, ça recommence.

« C'est ton tour, chuchoté-je à l'oreille de Dave, en lui chatouillant le cou.

— De toute façon, tu allais te lever, marmonne-t-il.

— Je ne vois pas la différence.

— Mais c'est la petite...

— Comment tu sais ?

616

— Parce qu'elle, elle ne pleure pas – elle couine ! »

Je lui envoie un bon coup dans les côtes. « Une fille, ça ne couine pas ! Tu fais dans la discrimination sexiste, maintenant ? »

Il roule hors du lit et se met en quête de son caleçon. « OK... laisse surtout pas refroidir la couette.

— Compte sur moi... »

Ces événements datent d'à peine trois mois, mais ils sombrent déjà dans un grand flou surréaliste. La guerre pour la garde des jumeaux n'a pas eu lieu. Barnaby Elliot a abandonné (d'assez mauvaise grâce) toute prétention à l'art d'être grand-père, quand il s'est vu confronté à une accusation d'obstruction à la justice et de complicité indirecte.

Le juge Freyne a reconnu que Samira était la mère des jumeaux, malgré les résultats des tests ADN, qui ont été à l'origine d'un nouveau coup de théâtre. Les jumeaux étaient bien frère et sœur et les embryons provenaient bien d'un ovule de Cate, comme prévu, mais le père n'était pas Felix. Toute la salle d'audience est restée saisie de stupeur, à l'annonce de cette nouvelle.

Comment était-ce possible ? Le Dr Banerjee avait collecté douze embryons viables et avait implanté dix d'entre eux dans le cadre d'une procédure de fécondation in vitro classique. Puis Cate était allée à Amsterdam avec les deux derniers...

On n'est jamais à l'abri d'une erreur de manipulation, évidemment. Les ovules ont très bien pu être accidentellement fécondés par le sperme de n'importe qui d'autre... Selon le Dr Banerjee, le principal obstacle qui empêchait Cate et Felix de concevoir,

était que sa muqueuse utérine détruisait les spermatozoïdes de son mari, comme des cellules cancéreuses. Dans un autre environnement, et avec des
gamètes mâles plus résistants – qui sait... peut-être
la fécondation aurait-elle eu lieu ? Mais demeurait
un autre problème : celui du gène récessif dont Cate
et Felix étaient porteurs, et qui pouvait provoquer
une malformation génétique rare, une forme de
nanisme mortel. Au cas où Cate aurait conçu, elle
avait une chance sur quatre de transmettre ce terrible handicap à son enfant.

Elle n'aurait sans doute pas trompé Felix dans
son lit ou dans son cœur, mais elle avait désiré cet
enfant plus que tout au monde. Et après avoir attendu
si longtemps et pris tant de risques, elle ne voulait
pas être déçue. Peut-être a-t-elle trouvé un donneur
anonyme et discret, un homme de confiance que
Felix ne risquait pas de croiser, qui avait à peu près
le même signalement – et qui lui devait bien ça.

Pure extrapolation de ma part, bien sûr. L'idée
m'a traversé l'esprit un jour où j'effleurais du bout
des doigts les plumes et les perles du piège à rêves
qui se balance au-dessus des jumeaux endormis...

Je doute que Donavon ait eu la moindre idée de
ce que Cate manigançait. En tout cas, s'il est
vraiment le père, il a tenu sa langue et semble décidé
à continuer, ce qui vaut mille fois mieux pour tout
le monde.

Je me lève et, frissonnante, j'enfile un pantalon de
survêtement et un blouson doublé de polaire. Le
temps que je sorte du cottage, le jour commence à
se lever, du côté du Solent et de l'île de Wight. Je
pars en courant le long de la route côtière, jusqu'au

Smuggler's Inn, puis je prends à gauche à travers le parking et j'arrive à un long bras de galets, qui s'avance dans la mer, presque à mi-chemin de l'île.

Des oiseaux marins s'envolent sur mon passage et le faisceau lumineux du phare qui se réveille toutes les quelques secondes commence à pâlir, dans la lumière du petit jour. Mes semelles de caoutchouc font crisser les galets avec un bruit rassurant, tandis que je parcours les deux derniers kilomètres qui me séparent de Hurst Castle, à l'embouchure ouest du Solent. Certains jours, quand le vent de suroît fouette la mer et la transforme en dragon écumant, je renonce à rallier le petit fort. Des déferlantes couronnées de blanc se cabrent et viennent s'écraser contre le bras de terre où elles explosent en un brouillard d'embruns, opacifiant l'air qui en devient presque solide. Je dois lutter pour avancer contre le vent, pliée en deux, les yeux pleins de sel.

Mais aujourd'hui, le ciel est serein et la mer calme. Il y a déjà quelques petites voiles au large, et sur ma gauche, un père et son fils cherchent des coques dans le sable. L'école de voile ouvrira en avril. Les dériveurs sont prêts et je me suis fait embaucher pour coudre les voiles. Finalement, toutes ces années passées à regarder ma mère à sa machine n'auront pas été perdues !

Ma vie a changé du tout au tout, ces trois derniers mois. Les jumeaux me réveillent dès 6 heures du matin et certaines nuits, je les prends dans le lit – la dernière chose à faire, au dire de tous les experts ! Mais ils me mènent par le bout du nez. Ils me forcent à me réveiller à toute heure, me mobilisent presque jour et nuit, me font rire aux éclats. J'en suis gaga. Envoûtée. Mon cœur a dû doubler de volume, pour leur faire de la place !

Comme j'arrive à l'extrémité de la langue de terre, côté littoral, je repère une silhouette assise sur un canot retourné, les bottes solidement plantées dans les galets et les mains dans les poches. Près de lui sont posés un sac en toile et une canne à pêche.

« Je sais bien que vous êtes du genre matinal, chef, mais là, ça frise le ridicule ! »

Ruiz repousse sa vieille casquette sur sa nuque. « Les meilleurs poissons vont à ceux qui se lèvent tôt, ma grande libellule.

— Pourquoi n'êtes-vous pas en train de pêcher, en ce cas ?

— Ce matin, j'ai décidé de leur donner une petite longueur d'avance... »

Il jette son sac sur son épaule et entreprend d'escaler la pente rocheuse pour me rejoindre.

« Est-ce que ça vous est déjà arrivé, d'attraper un poisson ?

— Vous essayez d'être désagréable, là ?

— Mais vous n'avez même pas pris d'appât !

— Simple question de fair-play. Il faut laisser toutes ses chances à l'adversaire. »

Nous marchons quelque temps en silence, précédés par les panaches blancs de nos souffles. Une centaine de mètres avant la maison, je m'arrête en face de Milford Green pour acheter le journal et quelques *muffins*.

Samira est dans la cuisine en pyjama, emmitouflée dans ma vieille robe de chambre – celle qui a une chouette brodée sur la poche. Jasper, niché au creux de son bras, lui tète le sein droit. Dans le siège bébé, près du poêle, Claudia fronce légèrement le nez, comme pour manifester son agacement de devoir attendre son tour.

« Bonjour, Mr Ruiz.

— Bonjour, jeune fille. » L'inspecteur ôte sa casquette pour se pencher sur le siège bébé. Claudia le gratifie d'un sourire radieux.

« Est-ce qu'ils ont été sages, cette nuit ? me demande Samira.

— Deux petits anges.

— Tu dis toujours ça... même quand ils se réveillent toutes les demi-heures !

— Eh, oui. »

Elle éclate de rire. « Merci de m'avoir laissée dormir.

— À quelle heure sont tes cours ?

— À 10 heures. »

Ruiz lui propose de la conduire à Southampton où elle prépare un examen de fin d'études secondaires, au lycée du coin. Ses examens ne sont qu'en juin – mais la grande question est de savoir si elle les passera avec les autres élèves, dans une classe normale, ou sous les verrous.

Son avocat semble confiant. Il plaidera la démence temporaire ou les circonstances atténuantes. Au vu des épreuves qu'elle vient de traverser, personne ne meurt d'envie de la mettre en prison – pas même Mr Greenburg qui a dû s'y reprendre à trois fois pour annoncer que le service du procureur avait décidé de maintenir l'inculpation d'homicide.

« Et l'intérêt public, vous y avez bien réfléchi ? lui ai-je lancé, d'un ton caustique.

— Elle a tué un homme de sang-froid en prime time, sur la BBC. Toute la nation y a assisté. Je ne peux pas faire moins que de la déférer devant un jury ! »

Samira a obtenu sa libération sous caution, grâce aux économies de Ruiz et de mes parents. L'inspecteur tient lieu de grand-père aux petits, qui semblent fascinés par sa vieille trogne parcheminée et sa voix rocailleuse. C'est peut-être son côté gitan, mais il n'a aucun mal à comprendre ce que c'est que d'arriver au monde au milieu d'un cataclysme, en se cramponnant à la vie.

Ma mère aussi en est totalement gaga. Elle téléphone quatre fois par jour pour s'informer de la façon dont ils dorment, mangent et poussent.

Je prends Jasper des bras de Samira pour le poser sur mon épaule en lui tapotant gentiment le dos, tandis qu'elle attrape Claudia de sa main droite pour lui donner le sein.

À la regarder faire, on serait tenté de se demander si c'est vraiment un handicap, que de n'avoir qu'une main. Elle s'acquitte avec brio de toutes ses corvées quotidiennes – lessive, repas, changements de couches. C'est une jolie jeune maman, une toute jeune maman, puissance deux !

Elle ne parle jamais de l'avenir, pas plus que du passé. Elle vit dans le présent avec les jumeaux.

J'ignore combien de temps nous les aurons sous notre toit, et surtout ce qui se passera ensuite, mais j'ai appris à faire avec ce genre d'incertitude. Rien n'est joué d'avance.

La fin d'une histoire, ce n'est jamais que le début de la suivante...

Remerciements

Jamais ce roman n'aurait vu le jour sans l'aide et le soutien d'Esther Brandt et de Jacqueline de Jong. C'est par leur entremise que j'ai rencontré Sytze van der Zee, Leo Rietveld et l'irremplaçable Joep de Groot, qui fut mon guide dans les célèbres quartiers chauds d'Amsterdam.

Je me sens immensément redevable envers Ursula Mackenzie et Mark Lucas, pour l'amitié et les conseils qu'ils me prodiguent, tout en restant persuadés que les histoires qui me trottent dans la tête méritent d'être racontées, et je dois un grand merci à Richard, Emma, Mark et Sarah pour leur hospitalité – ainsi qu'à mes filles, Alex, Charlotte et Bella, dont les crises de fou rire me font parfois oublier mon travail...

Mais la palme revient néanmoins à Vivien, qui est à la fois mon enquêtrice, ma scénariste, ma lectrice, ma critique, ma femme, mon amante – et ma plus belle histoire d'amour.

Achevé d'imprimer
en avril 2008
par Printer Industria Gráfica
pour le compte de France Loisirs, Paris

Numéro d'éditeur : 51765
Dépôt légal : mai 2008
Imprimé en Espagne